D1503379

HISTOIRE
DE
LA PUDEUR

Jean Claude BOLOGNE

HISTOIRE
DE
LA PUDEUR

Olivier Orban

Ouvrage publié
sous la direction
d'Anthony Rowley

© Olivier Orban, 1986
ISBN 2-85565-326-6

INTRODUCTION

Si grande était la *pudicité* de l'empereur Maximilien qu'il se retirait seul sur sa chaise percée, « sans se servir ni de valets de chambre, ni de pages »... Si grande, celle d'Isabelle de Castille, qu'elle mourut d'un ulcère qu'elle n'avait pas voulu montrer ; il fallut même lui administrer l'extrême-onction sous les draps, puisqu'elle ne voulait pas montrer ses pieds. Et que dire d'Anne d'Autriche, qui fit détruire pour plus de cent mille francs de tableaux « indécents » ; de Louis XIII, qui barbouillait les fresques de sa chambre ; de Marazin, qui mutilait les statues ?

A l'opposé, que dire de la baronne de Montreuil-Bellay, qui demandait à un de ses vassaux, quand elle se rendait chez lui, de la porter sur ses épaules là où lui-même allait à pied et de lui tendre la mousse qui tenait lieu de papier ? Que dire d'un roi qui reçoit ses courtisans sur sa chaise d'affaires et qui demande qu'au théâtre, les sauvages soient « habillés comme s'ils étoient presque nus » ? Ces exemples, empruntés à la même époque, montrent que si la pudeur a toujours existé, elle s'est au cours des siècles appliquée à des domaines sensiblement différents. La tentation était grande d'en écrire l'histoire...

C'est ici que les difficultés surgissent. Pour d'évidentes raisons de place, j'ai dû limiter mon enquête à la société européenne — et essentiellement française — du haut Moyen Age à nos jours. Limiter n'est pas isoler. A plusieurs reprises, j'ai tenté de montrer que la pudeur, loin d'être née dans l'esprit d'un moine du vi⁰ siècle, a exploité la double veine latino-hellénistique et judéo-chrétienne. Lorsqu'au xvi⁰ siècle, les voyages intercontinentaux ont révélé aux Européens des peuples obéissant à une autre pudeur que la leur, une nouvelle réflexion s'est fait jour, dont il a fallu rendre compte en s'écartant quelque peu des limites fixées. Mais d'une manière générale, les moqueries des Athéniens sur les Spartiates nues et les négresses rougissant des caleçons que leur imposaient les missionnaires ne seront pas évoquées ici.

A l'intérieur même de ce terrain trop riche, il a fallu poser d'autres balises. La pudeur est un sentiment complexe, difficile à définir, dont les objets sont innombrables. J'en ai choisi un — le plus riche, le plus courant, celui aussi qui se prête le mieux à l'analyse : la honte de la nudité. J'ai opté pour une définition le plus simple possible, hypothèse de travail qu'il conviendra de nuancer au terme de cette enquête. Tous ceux qui s'y sont risqués en effet ont négligé cette dimension historique particulièrement féconde : chaque époque a privilégié tel ou tel aspect de la pudeur, qui apparaît de façon beaucoup plus évidente dans une perspective diachronique. C'est ce principe qui a commandé aux grandes divisions de cet ouvrage, et à cette idée de base qui sous-tend tous les chapitres : un certain équilibre m'est apparu, à toutes les époques, entre permissivité et pruderie excessives. La Renaissance, le XIXe siècle, s'ouvrent à la nudité artistique en enfermant la vie quotidienne dans une pudibonderie plus stricte. A l'inverse, le Moyen Age, le XVIIIe siècle, s'ils font « des tableaux voiler les nudités », ont plus de goût pour « les réalités »...

Après un bref aperçu théorique sur les différentes conceptions de la pudeur, l'essentiel de l'ouvrage portera sur une étude thématique et systématique des rapports de l'homme avec sa nudité dans les différents domaines de la vie quotidienne et de la vie artistique. Comment, au cours des siècles, a-t-on regardé le corps nu de son voisin ? Comment a-t-on réagi devant cette même nudité représentée sur un tableau, au théâtre, dans la littérature ? La conclusion, plus théorique et rigoureusement chronologique, s'inspirera de ces réactions pour ébaucher une définition générale de la pudeur.

Définir la pudeur

« Sentiment de honte, de gêne qu'une personne éprouve à faire, à envisager ou à être témoin des choses de nature sexuelle ; disposition permanente à éprouver un tel sentiment.

« Gêne qu'éprouve une personne devant ce que sa dignité semble lui interdire. »

La définition du *Robert* introduit déjà deux distinctions dans le sentiment de pudeur : pudeur corporelle, sexuelle, ou pudeur des sentiments, d'une part ; pudeur contingente ou permanente, d'autre part. Sous d'autres termes et avec d'autres nuances, ces distinctions ont toujours existé.

Pudeur des sentiments. Dans un roman du XIIIe siècle, le « bel Escanor » pleure la mort de son amie. Ses compagnons lui remontrent qu'il ne convient pas à un « tel homme » de démener si grande douleur, et lorsque le chevalier va retrouver ses pairs, « il fit aussi bonne contenance qu'il put, car il avait honte et vergogne de montrer sa douleur[1]*.

---

* Les notes sot groupées en fin d'ouvrage. Les références non fournies en note se trouvent dans la bibliographie, p. 367 et suiv.

Sous la « honte » d'Escanor se cache une des formes les plus constantes de la pudeur : celle qu'éprouve un homme à montrer ses larmes. La plus belle analyse de cette pudeur se trouve au xviie siècle dans *Les Caractères* de La Bruyère : « D'où vient que l'on rit si librement au théâtre, et que l'on a honte d'y pleurer », se demande le moraliste, avant de décrire longuement les façons de contenir ses larmes, jusqu'au « mauvais ris dont on veut les couvrir[2] ». Une analyse qui n'a rien perdu de son actualité... si ce n'est que le cinéma nous permet désormais de pleurer dans le noir, alors que l'on est contraint d'y dissimuler son rire.

La pudeur des sentiments n'a pas d'histoire. Et lorsqu'on lui en trouve une, elle est curieusement parallèle à celle de la pudeur corporelle. Nous trouverons par exemple au xviie siècle une composante sociale à la pudeur : il est impoli de se montrer nu à quelqu'un à qui l'on doit le respect, quand on peut se déshabiller devant un domestique. Il est curieux de constater que la pudeur des sentiments a connu alors le même infléchissement : « L'on détourne son visage pour rire comme pour pleurer en la présence des Grands, et de tous ceux que l'on respecte », note La Bruyère.

Vue sous cet angle, la pudeur apparaît plus comme une infirmité que comme une vertu. Elle sert à dissimuler une faiblesse, un ridicule, le défaut de l'armure — les larmes ne siéent pas à l'homme comme les mots grossiers ne siéent pas aux femmes. Et c'est ici que l'histoire refait son entrée dans la pudeur du sentiment. Car les faiblesses sont affaires de mode.

Il fut longtemps de mode, par exemple, de cacher ses vertus. Les salons dont La Rouchefoucauld a recueilli les maximes avaient fait de l'amour-propre le piège suprême, moteur de toutes les passions et de tous les vices. Edme Rétif avait ainsi gardé comme une relique la lettre d'éloge que son maître d'école avait adressée à son père. Il la lisait de temps en temps à sa famille, mais avait soin de sauter le passage où le maître le déclarait « meilleur que vous » — peut-on sans rougir entendre dire qu'on est meilleur que son père ? Les trois mots, presque effacés, ont été retrouvés après sa mort par son fils Nicolas. Edme Rétif avait une « pudeur naturelle qui ne lui permettait pas d'ouvrir la bouche sur ses sentiments[3] ».

Pudeur bien oubliée aujourd'hui, où louange bien ordonnée commence par soi-même. Mais s'il a perdu la pudeur de l'amour-propre, le xxe siècle en a inventé d'autres inconnues du Grand Siècle. On se cache pour faire un signe de croix, note Monseigneur Lustiger[4], quand on les multipliait jadis à l'envi. On se cache pour écrire ses premiers poèmes, quand on rêvait il y a cinquante ans d'être un nouveau Rimbaud. « Pourquoi cacher le meilleur et exhiber le pire ? se demande Michel Polac, qui avoue ce genre de pudeur[5]. Non, il ne s'agit pas de vrai et de faux, de meilleur ou de pire, tout simplement de politesse, et de pudeur. Il est indécent d'afficher sa gravité (je ne parle même pas de l'angoisse), indécent de parler de soi, indécent de poser des questions indiscrètes ("Pourquoi vivez-vous ?"). »

Telles sont les pudeurs de notre siècle — et bien d'autres encore, comme celle de parler d'argent ou de se laisser offrir un verre. Honte de ce que l'on considère désormais comme des faiblesses. On pressent dès lors le lien qui unit pudeur corporelle et pudeur des sentiments. On a eu tort de vouloir y distinguer une pudeur extérieure et une intérieure. Il s'agit bien de la même attitude. La honte de sa nudité est née à une époque où se montrer nu était signe de faiblesse (comme au Moyen Âge) ou de ridicule (au XIXᵉ siècle). La mode aujourd'hui veut que la littérature, les arts, la publicité se soient affranchis de la pudeur corporelle : elle a donc disparu du domaine artistique, tandis que la vie quotidienne en fait encore grand usage. Si nous limitons donc cette étude à la pudeur du corps, nous ne perdrons pas de vue qu'elle s'intègre dans une histoire plus vaste de la honte et qu'un autre équilibre se dessinerait entre hontes physiologiques et psychologiques.

Pudeurs masculine et féminine. Pleurer, se plaindre, rougir, prier : la pudeur du sentiment est considérée comme le domaine de l'homme, quand la femme privilégiait la pudeur corporelle. A toutes les pages nous rencontrerons cette pudeur féminine qui régnera en maître jusqu'au XVIIIᵉ siècle et qui reste aujourd'hui bien vivace malgré le féminisme.

« Il n'y a rien de plus naturel à la femme que la pudeur, écrivait le père Le Moyne. C'est un voile qu'elle n'achète point, et qui ne lui coûte rien à faire. Il naît, il se forme, il se croît avec elle. Sa chevelure ne lui pousse qu'après ce voile, et il lui demeure encore après la chute de ses cheveux. Il est de tous les pays et de toutes les saisons, de toutes les conditions et de tous les âges[6]... » Quant à l'homme, notre jésuite ne peut lui dénier toute pudeur. Mais rien de naturel chez lui : Dieu lui ayant fait don de Son propre esprit (et non à la femme, excusez-moi...), il faut qu'il s'en montre digne. Mais il ne s'agit tout au plus que d'une « pressante obligation à la Modestie »...

La pudeur est donc l'état originel de la femme : malheur à celle qui la foule aux pieds ! « Toute femme sans pudeur est dépravée, tonne Rousseau, elle foule aux pieds un sentiment naturel à son sexe[7]. » Et Rétif de la Bretonne, qui se fait accoster par une prostituée dans la rue, lui répond vertement : « Vous avez renoncé à la pudeur de votre sexe ; vous n'êtes plus une femme, et l'Homme ne vous doit plus d'égards[8]. »

Il serait tentant d'incriminer la vieille misogynie judéo-chrétienne pour expliquer cette hantise du sexe féminin. La pudeur féminine est pourtant bien plus ancienne. Elle est omniprésente en Grèce antique — imagine-t-on l'Apollon du Belvédère se voilant de la main comme la Vénus Médicis ? A l'inverse, Platon imagine mal des femmes nues dans le stade : elles seraient ridicules, estime-t-il, mais, en philosophe intègre, il ne croit pas devoir le leur interdire[9]...

Depuis Pline, surtout, on répète le même argument spécieux pour déclarer *naturelle* la pudeur féminine : le corps d'une noyée flotte la tête en bas, pour cacher les organes sexuels, tandis que celui d'un noyé flotte sur le dos[10]. Cette constatation (?) que l'on ne cherche pas à remettre en cause se transmettra d'un livre à l'autre au XVIIe siècle pour enfermer solidement la femme dans sa pudeur.

Le christianisme primitif ajoutera à cette pudeur prétendument naturelle son obsession paranoïaque de la sexualité féminine. Pendant quinze siècles, on vivra sur l'image de l'Ève tentatrice, qui a entraîné la chute de l'homme. Les médecins eux-mêmes, au XVIe siècle, s'entendront pour définir un désir plus féminin que masculin. Le coït n'est pas nécessaire à l'homme pour la conservation de sa santé, démontre Bailly[11]. Mais si la femme est privée de compagnie masculine, elle s'expose à des troubles graves. La preuve, selon lui, est la fréquence des « suffocations de la matrice » chez les veuves, les nonnains et les vieilles filles. « C'est une faim ou soif de cette partie-là... Je l'appelle maladie qui cesse avec grande difficulté sans le secours du masle. » Paré lui-même est imprégné de la conception chrétienne où la luxure est femelle. Si les femelles des animaux fuient le mâle dès qu'elles ont été fécondées, explique-t-il, « le contraire est aux femmes : car elles désirent pour la délectation, et non seulement pour l'espèce[12] ». Homme d'expérience autant que de tradition, il est cependant forcé d'admettre, un chapitre plus loin, que le désir masculin est souvent plus pressant que celui de la femme...

C'est dans ces conditions que se perpétue la pudeur féminine, qui se colore d'une sévère prohibition sexuelle. Au Jugement dernier, les femmes ressusciteront en hommes, estiment les intégristes du temps de saint Augustin : c'est le seul moyen pour que l'homme, « en ce sainct estat », ne soit plus tenté par cette chair funeste[13] ! Elles ne ressusciteront pas du tout, affirment les extrémistes : n'est-il pas dit que les corps ressusciteront dans leur intégralité, aussi dispersés que puissent en être les morceaux ? Il faudra donc que la femme disparaisse, lorsqu'Adam reprendra sa côte[14]...

Si le corps féminin est nié dans l'au-delà, son plaisir le sera ici-bas. Paradoxe d'une femme qui, étant tout désir, se voit refuser le plaisir sexuel. *La Clef d'amors*, au XIIIe siècle, ose seule se dresser contre cette occultation de la sexualité féminine et demander à l'homme de différer son plaisir[15]. Elle ne sera guère suivie. Montaigne pense encore que le plaisir féminin empêche la conception[16].

La Renaissance, malgré son amour de la chair, ne remettra pas en cause cette pudeur féminine. Mais elle lui donnera un autre sens. Voir une femme nue, selon Montaigne, refroidit l'ardeur sexuelle plutôt que d'inciter le mâle à la tentation. Dans le royaume de Pegu, explique-t-il, les hommes se sont détournés des femmes pour prendre leur plaisir entre eux ; celles-ci, pour tenter leurs anciens compagnons, ont adopté des robes échancrées qui ne dissimulaient plus rien — et n'ont fait que dégoûter davantage les hommes de leur corps[17] ! Vive donc la pudeur féminine qui entretient le désir de l'homme.

La laïcisation de la culture au XVIIIe siècle entraînera de plus en plus une rationalisation de la pudeur féminine. Rousseau, en tentant de justifier une pudeur naturelle, et exclusivement féminine, invoque des arguments physiologiques. La femme étant toujours prête à recevoir l'homme, et non l'inverse, il faut donc que l'initiative demeure toujours à ce dernier. « Que deviendroit l'espèce humaine, si l'ordre de l'attaque et de la défense étoit changé ? l'assaillant choisiroit au hasard des tems où la victoire seroit impossible ; l'assailli seroit laissé en paix, quand il auroit besoin de se rendre, et poursuivi sans relâche, quand il seroit trop foible pour succomber ; enfin le pouvoir et la volonté toujours en discorde, ne laissant jamais partager les désirs, l'amour ne seroit plus le soutien de la nature, il en seroit le destructeur et le fléau. » Un texte qui ferait hurler les femmes libérées — mais qui sait si Jean-Jacques, découvrant l'actuelle égalité des sexes, n'y verrait pas confirmation de sa théorie de la pudeur ?

La pudeur féminine aura la vie dure, puisqu'elle inspirera en 1919 l'ingénieuse théorie de la pudeur de Merejkovsky[18]. Pour le poète russe, c'est la femme qui a la première ressenti le besoin de cacher ses organes sexuels : elle n'a fait en cela qu'obéir à l'instinct des animaux qui fuient le mâle avant l'accouplement, ou qu'imiter la précaution des orchidées qui protègent leurs étamines d'un « tablier » empêchant l'autofécondation. Le but profond de cette pudeur féminine universelle ? Empêcher le croisement consanguin. Si la femme, en effet, n'était retenue par sa pudeur de s'accoupler au premier mâle de rencontre, elle choisirait tout naturellement ses frères et n'irait pas chercher l'assouvissement de ses désirs dans une tribu voisine... Hypothèse séduisante, mais qui expliquerait aussi bien une pudeur masculine que féminine et qui, malgré les nombreuses années que l'auteur prétend avoir passées à la mettre au point, est singulièrement imprécise. Elle montre en tout cas la persistance de cette conception sexuée de la pudeur, qui remonte à la plus haute antiquité et n'a été qu'incomplètement éliminée.

Pudeurs individuelle et sociale. A la plage ou sur les Champs-Élysées, le maillot de bain n'a pas la même signification. La pudeur individuelle, celle que l'on peut éprouver pour soi-même à se montrer (ou à se voir !) nu ou peu vêtu, se double donc d'une pudeur sociale qui définit, en fonction de l'époque et du lieu, les limites tolérées à l'exhibition. La morale, selon qu'on l'habille de grec ou de latin, connaît elle aussi cette distinction entre *ethos* (règles de conduite individuelles) et *habitus* (règles de la vie sociale). Dans le domaine qui nous occupe, nous serons donc amenés à distinguer *pudeur* (individuelle) et *décence* (sociale). La frontière est parfois subtile entre les deux. Les pionnières du monokini en firent l'expérience : l'une d'elles fut condamnée en 1965 pour avoir porté sur la promenade des

Anglais une tenue qui n'aurait rien eu de choquant à quelques mètres de là, sur la plage...

Au delà de ces distinguos se profile le vrai visage de la pudeur : plus qu'une réaction à la nudité ou à telle partie du corps, c'est une question de prise de conscience. La pudeur est un processus dynamique, qui devrait être défini en termes de phénoménologie : elle ne naît qu'à partir du moment où l'on se rend compte que l'on est nu. Le mythe d'Adam et d'Ève prend ici toute son actualité : rien n'a changé, selon une conception statistique de la pudeur, entre l'innocence originelle et la conscience née du fruit de l'arbre de science. D'avoir voulu enfermer la pudeur dans des règles statiques a rendu la législation sur la moralité publique aussi absurde qu'arbitraire. Les formules vagues qui ont tenté d'esquiver le problème ont été facilement contournées : à partir de quand une nudité est-elle ou non choquante ? A partir de quand l'érotisme devient-il pornographie, l'insouciance provocation, le nu artistique obscénité ?

Ce fut aussi l'erreur du naturisme d'avant-guerre de croire que l'on pouvait, rien qu'en ôtant ses vêtements, retrouver l'innocence du paradis perdu. Les hommes qui se baignaient nus au Moyen Age n'avaient pas la même idée de la pudeur que les baigneurs modernes, qui savent qu'en ôtant leur maillot, ils contreviennent aux lois morales et au code pénal. La morale dispose de deux termes bien pratiques pour désigner cette distinction : est déclaré *immoral* celui qui contrevient aux règles qu'elle édicte ; *amoral* en revanche celui qui ne les connaît pas. Malgré ma répugnance à encombrer le français de néologismes superflus, je parlerai d'« apudeur » pour désigner cette absence de pudeur qui a, dans certains domaines, précédé la promulgation d'édits sur la décence publique ; l'« impudeur » sera une violation consciente des règles de la pudeur. Entre ces deux plages statiques que sont la honte et l'« apudeur », nous trouverons donc ce lieu de passage, une pudeur ou une impudeur dynamiques. Entre la liberté et l'esclavage, il y a l'asservissement et la libération. Ce sont ces processus qui nous intéresseront, bien plus difficiles à cerner sans doute à travers des témoignages nécessairement statiques.

Malgré le caractère tendancieux de son analyse, c'est le mérite de Scheler d'avoir mis en évidence le dynamisme de la pudeur. Les animaux, constate-t-il, n'ont pas de pudeur ; il est de même difficile de s'imaginer un Dieu pudique. La pudeur, propre à l'homme, naît, selon le philosophe allemand, de la conscience qu'a l'homme d'être un « pont », un « passage » entre deux ordres d'être et d'essence, entre Dieu et l'animal, et d'être soumis à la fois aux servitudes corporelles et aux exigences spirituelles. « C'est un sentiment où se manifeste, sous la forme d'une tension entre deux niveaux de conscience, l'indécision des fonctions supérieures de choix des valeurs, en présence d'objets qui exercent une forte attraction sur la tendance instinctive inférieure[19]. » Cette hiérarchisation des valeurs, base d'une philosophie nietzschéenne qui annonce l'eugénisme nazi, apparaît dans l'évolution des espèces avec le développement progressif de la conscience. Les plantes offrent leurs organes sexuels à leur sommet ; les animaux les relèguent au bas de leur corps et les hommes les cachent — en attendant sans doute de devenir des anges asexués. Cette subordination des activités de reproduction aux intérêts d'un tout biologique correspond à la victoire de l'instinct de conservation individuelle sur l'instinct de conservation de la race.

Telle nous apparaît en fin de compte la pudeur, en perpétuel combat entre instinct et raison, entre conscience et inconscience, entre individu et société. Il faudrait étudier bien d'autres couples, bien d'autres sentiments voisins pour la cerner parfaitement. En quoi diffère-t-elle de la honte, de l'humilité, de la modestie, de la timidité ? En quoi l'impudeur se démarque-t-elle de l'impudence[*] ? A titre d'hypothèse de travail, on définira la pudeur comme le sentiment qui retient d'accomplir ou de regarder toute action (pudeur corporelle) ou sa représentation (pudeur artistique) condamnée par un code moral personnel (pudibonderie) ou caractéristique d'une époque et d'un lieu donnés (pudeur), par respect pour soi-même (pudeur) ou pour les autres (décence).

Les mots et l'histoire

La pudeur, pour l'étymologiste, est née au XVIe siècle[20]. L'histoire du sentiment pourtant ne se réduit pas à celle du mot ; d'une part, parce que la pudeur a existé bien avant d'être nommée ; d'autre part, parce que le terme lui-même, lorsqu'il est apparu, désignait le plus souvent autre chose.

Il faut donc savoir quels mots, qui aujourd'hui désignent des sentiments bien distincts de la pudeur, peuvent la remplacer dans les textes anciens que nous devrons citer. Au Moyen Age, « honte » et « vergogne » sont les plus courants. Lorsque Chrétien de Troyes évoque une reine « honteuse comme pucelle[21] », c'est à la pudeur féminine qu'il fait nettement allusion. Au XVIe siècle, quand on aimera accoupler les synonymes, le tandem « sans honte et sans pudeur » débouchera à toutes les pages, et il est parfois difficile de trancher en faveur de l'un ou de l'autre sentiment.

Au XVIIe siècle, la « modestie » fera fureur chez les femmes, tandis que les hommes se contenteront d'être « décents », « civils », « honnêtes » (ou, plus souvent hélas, indécents, incivils et malhonnêtes). « Pudeur » et « pudicité » sont encore mal départagés et signifient encore tous deux *chasteté*. Ce sont les premiers dictionnaires qui donneront leur sens actuel à la pudeur (« bonne honte », « honte honnête ») et à la pudicité (acception

---

.[*] Pour ne pas alourdir cette présentation, j'ai relégué en appendice l'étude comparée de ces sentiments (voir p. 337).

sexuelle). La pudeur-chasteté est alors inféodée à la modestie souveraine : celle-ci « prend un soin particulier de la Pudeur : n'est-ce pas vous dire assez qu'elle lui drape le corsage, et la revêt de robes longues[22] » ? Le terme « Modestie » correspond ici au sentiment moderne de *pudeur*.

A l'époque où la honte pouvait désigner la pudeur, la pudeur à son tour put désigner la honte... Ce qui n'arrange pas toujours les choses. Si l'ancien français ne connaissait pas le mot, le latin médiéval a conservé toute la famille dérivée de *pudor*. *Pudenda*, *pudor*, désignent encore les organes « honteux » ; *impudicus* désigne le majeur, le plus indiscret des doigts de la main. Les goliards, dans leurs poésies, attaquent *impudenter* [honteusement] la cour romaine[23]. Cette acception se maintiendra jusqu'au xviie siècle. Dans le langage précieux, la pudeur devient « le vermillon de la honte » et les joues « les throsnes de la pudeur »[24]. En même temps, sous l'influence du latin, la pudeur redevient le sens de l'honneur. Voilà qui résoudrait bien des dilemmes cornéliens. Rodrigue, en vengeant son père, fait preuve de pudeur ; mais s'il a honte d'avoir tué le père de Chimène, c'est à nouveau sa pudeur qui se manifeste...

Plus surprenant : du xvie au xviiie siècle, « pudique » et « décent » s'appliquent à des actes aussi bien qu'à des sentiments. Jeanne de Navarre sera déclarée « impudique » par Brantôme parce qu'elle s'est mariée quatre fois ; le remariage d'Ogine, pour Pasquier, est une « chose pleine de honte et de pudeur » ; Dieu n'a-t-il pas institué le mariage par « pudeur, honte, honnesteté[25] » ? En 1792, quand des exécutions bâclées auront exaspéré le public, le bourreau Sanson réclamera des êtres « sûrs », « car le public veut encore de la décence[26] ». La guillotine aura donc la décence qui convient à une veuve.

Franchement paradoxal, enfin : une femme nue au xviie siècle peut être plus pudique qu'une femme vêtue. Paradoxe apparent, puisque la pudeur féminine est alors « naturelle ». Depuis Plutarque, on répète que la femme, en dépouillant la chemise, se vêt de sa pudeur. Dans un *Dialogue de la Mode et de la Nature*, en 1662, cette dernière accuse son interlocutrice d'avoir rendu les femmes « tellement impérieuses et façonnières, que l'on ne reconnoist plus en elles aucunes marques de la pudeur[27] ». L'affectation des précieuses, les mouches, les riches étoffes semblent souvent plus dangereuses qu'un décolleté un peu audacieux.

Tels sont les principaux pièges qu'il faudra éviter si l'on veut faire l'histoire d'un sentiment et non d'un mot. En tranchant dans une réalité parfois confusément ressentie, il faudra tâcher de lui préserver sa spontanéité tout en en précisant exactement la portée.

Origines de la pudeur

L'histoire d'un sentiment ne peut se faire qu'à travers l'histoire d'attitudes et de comportements. Mais ceux-ci sont souvent ambigus. Il nous faut donc tenter préalablement de percer, au delà du geste ou de la réaction visible, les motivations et les mentalités qui les sous-tendent.

A l'origine de comportements pudiques, on trouve souvent des réalités sociologiques qui échappent à l'histoire. A travers les siècles, on constate ainsi des pudeurs de classes sociales. Les classes populaires sont en général hostiles à la nudité artistique. Les sculptures de la Renaissance, notamment celles de Michel-Ange, rencontreront plus d'hostilité auprès du peuple qu'auprès des autorités civiles ou religieuses, et il faudra les revêtir pour les exposer sur des fontaines ou des places publiques. Au XVIII siècle, ce sont les « petits bourgeois » qui s'offusquent le plus des peintures indiscrètes des artistes de cour. C'est Napoléon III qui exigera que soient exposées dans un Salon des Refusés les œuvres censurées par le pudibond jury du salon officiel et, aujourd'hui encore, la censure populaire est bien plus sévère pour les films *osés* que les ciseaux d'Anastasie.

A l'inverse, les classes dominantes, aristocratie puis bourgeoisie, se montreront hostiles au nu quotidien. Ce sont les autorités qui condamneront les bains nus, fermeront les bordels, réglementeront les gestes permis et défendus. On voit sans peine dans cette opposition le résultat d'une éducation artistique différente et l'accession au *second degré* qui voile d'une aura artistique les nudités représentées les plus provocantes. La nudité au premier degré, à laquelle se frotte plus facilement l'homme de la rue, semble facilement vulgaire à ceux qui se piquent de l'avoir dépassée.

A toutes les époques, enfin, la marginalité parlera le langage de la nudité. La provocation sera le fait des hérétiques dans les siècles d'absolutisme religieux : adamites, abélites, turlupins quitteront avec leurs vêtements la religion officielle. Dans les siècles de morale bourgeoise, les artistes, les hippies prendront le relais ; dans un monde de plus en plus industrialisé, les naturistes confondront nudité et retour à la nature. L'histoire de la nudité volontaire n'intéresse pas la pudeur, pas plus que cette autre forme de mise entre parenthèses du nu qu'est l'art érotique. Je ne retiendrai dans cette enquête que les mentalités partagées par le plus grand nombre, quitte à consacrer un appendice (voir p. 339) aux principaux mouvements nudistes qui ont traversé l'histoire. Quelques-uns en effet eurent une certaine influence sur l'évolution des mentalités communes.

Il faut aussi faire la part de causes contingentes, qui à diverses époques ont entraîné des réactions ressemblant à de la pudeur sans en être véritablement. Ainsi, la fermeture des étuves et l'interdiction de la prostitution au XVIe siècle doivent autant à l'apparition de la syphilis qu'à l'occultation du corps après le concile de Trente. Les mêmes causes engendrant les mêmes effets, ce que l'on a appelé la « nouvelle chasteté » en 1985 est contemporain d'une nouvelle maladie sexuelle, le Sida, et les saunas modernes ont connu un sort analogue aux vieilles étuves. Sans vouloir réduire exclusivement l'évolution des mentalités à celle des conditions matérielles, constatons au moins leur interaction : si François II, en un an de règne, a réussi la réforme de la prostitution que n'avait pu accomplir saint Louis, c'est parce que les conditions étaient alors réunies pour la faire accepter.

Mais on peut, au delà des faits de société et des causes contingentes, chercher les origines profondes du sentiment de pudeur. C'est à cela que se sont attachés les philosophes depuis trois siècles.

Lorsqu'on a commencé à réfléchir sur ce phénomène, au xvie siècle, on s'est contenté de déclarer la pudeur naturelle. Pourtant, dès les premiers voyages intercontinentaux, on s'est rendu compte que bien des peuples vivaient tout naturellement sans connaître la pudeur, et certains, comme Montaigne, comme Cyrano de Bergerac, ont osé poser franchement la question : pourquoi avoir honte de donner la vie et non de l'ôter ? Leur voix alors est facilement étouffée. Les « sauvages » qui ne connaissent pas la pudeur n'ont pas reçu la Grâce et il serait offensant de remettre en cause nos comportements de chrétiens pour suivre leur exemple. Dans la première moitié du xviiie siècle, cette opinion est encore suffisamment vivace pour que Montesquieu consacre un chapitre de L'Esprit des lois à la « pudeur naturelle ». Sans doute est-il forcé d'admettre que cette loi prétendument naturelle n'est pas universellement respectée : mais « quand la puissance physique de certains climats viole la loi naturelle des deux sexes et celle des êtres intelligents, c'est au législateur à faire des lois civiles qui forcent la nature du climat et rétablissent les lois primitives[28] ». Voilà donc une loi naturelle imposée par le législateur...

Ce paradoxe témoigne d'une nouvelle approche de la pudeur à une époque où les voyages outre-Atlantique se banalisent et où l'on ose appliquer aux dogmes catholiques la méthode carté-sienne. Les commentaires de la Bible inspirent à Voltaire ses réflexions sur la pudeur : le vêtement serait né de la nécessité de se protéger du froid et, pour les femmes, de retenir leurs menstruations[29]. Les voyages de Bougainville donnent à Diderot un prétexte pour aborder le sujet : la pudeur selon lui serait née de l'instinct de propriété. « Aussitôt que la femme devint la propriété de l'homme et que la jouissance furtive d'une fille fut regardée comme un vol, on vit naître les termes pudeur, retenue, bienséance, des vertus et des vices imaginaires[30]. »

Le mouvement philosophique du xviiie siècle contribua donc largement à détruire l'illusion d'une pudeur naturelle. Les femmes vertueuses, comme la Julie de Rousseau, s'en plaignent : « L'attaque et la défense, l'audace des hommes, la pudeur des femmes, ne sont point des conventions, comme le pensent tes philosophes, mais des institutions naturelles dont il est facile de rendre raison, et dont se déduisent aisément toutes les autres distinctions morales[31]. » On imagine bien le philosophe de la nature tiraillé entre son cœur et sa raison : pour résoudre ce conflit intérieur, Rousseau finira par déclarer la pudeur naturelle à l'espèce humaine, mais apprise individuellement[32].

Pudeur conventionnelle, donc, en cette fin du XVIIIe. Soit. Mais pourquoi ? D'emblée, on met la convention en rapport avec les nécessités de la reproduction. « Les désirs voilés par la honte n'en deviennent que plus séduisants ; en les gênant, la pudeur les enflamme », soutient l'*Encyclopédie*. Opinion fidèlement reproduite par Balzac, puis par Stendhal, ardent partisan d'une pudeur apprise[33].

C'est cependant en commettant la même erreur, celle de réduire la pudeur à sa composante sexuelle, que les philosophes du XXe siècle retourneront à la pudeur naturelle. La mode est alors de replacer l'anthropologie dans le contexte plus vaste de l'éthologie. On revient sur la pudeur des plantes et des animaux : la pudeur n'est plus déclarée psychologiquement naturelle, comme au XVIIe siècle, mais physiologiquement. C'est le tablier des orchidées dont parle Merejkovsky, c'est le principe régulateur de Scheler : en faisant remonter le sang au visage (quand on rougit), elle le retire des organes sexuels.

Scheler sera à son tour le principal adversaire de la pudeur apprise. Au terme d'une pénétrante analyse, il dégage trois fonctions de la pudeur, dont les implications rappellent la lente éclosion du racisme et de l'eugénisme dans l'Allemagne de 1913. La fonction primaire de la pudeur, selon Scheler, est de permettre la formation de l'instinct sexuel en interdisant moralement le plaisir solitaire. Théorie qui rappelle celle de Merejkovsky sur l'inceste, mais ici d'un point de vue masculin. Car Merejkovsky et Scheler invoquent tous deux le même témoignage, aussi vague, « des ethnologues », dans deux directions opposées : pour le premier, les femmes sont les premières à couvrir leurs organes sexuels dans les sociétés primitives ; pour le second, ce sont les hommes... Il est amusant de les voir tirer des conclusions somme toute parallèles de ces prémisses contradictoires.

On commence à dresser l'oreille à la fonction secondaire que Scheler assigne à la pudeur : cette « auto-protection de la vie noble contre la vie vulgaire » empêche par exemple le mariage d'une fille pudique avec un homme dévergondé, qui verra dans la pudeur de sa promise un obstacle à l'accomplissement immédiat de son désir. Dans cette perspective, la pudeur est caractéristique de la race allemande, puisqu'elle est la plus pure... Elle n'a disparu qu'à l'époque où les nobles teutons ont contracté des mariages d'argent avec « les éléments les plus vulgaires du peuple ».

Il ne reste plus qu'à compléter le tableau. La fonction tertiaire de la pudeur, au sein d'un couple légitime, lui interdit de prendre l'acte sexuel comme une fin en soi ou de lui assigner un but. Le « noble esprit germanique » (entendez : la pudeur) s'oppose ainsi à la morale sexuelle juive qui a prévalu pendant vingt siècles dans la société occidentale. Le lien entre l'acte sexuel et la reproduction, que Scheler considère comme une offense à la pudeur, ressortit à un « utilitarisme spécifique » que le philosophe considère comme « l'essence de l'esprit juif » ! On sait où conduiront de telles théories. Il est dommage qu'elles entachent une des plus subtiles analyses de la pudeur que nous ayons conservées.

Que nous apprend ce survol des théories de la pudeur ? D'abord à nous méfier des thèses trop séduisantes et surtout trop réductrices. Nous avons vu que la pudeur sexuelle, si elle reste la plus courante, ne s'en intègre pas moins à une pudeur plus générale, qui englobe aussi bien des sentiments que des actes, des attitudes, des situations données. Nous avons vu aussi que la pudeur est née en étroite corrélation avec la honte. Plutôt que d'évoquer une nécessité sexuelle qui n'expliquera jamais la pudeur des larmes ou des sentiments, il est préférable de renverser le problème. La pudeur apparaît dès lors comme une honte anticipée, le refus préventif de ce que l'on considère comme une faiblesse ou un ridicule. L'homme *civilisé* se trouve ridicule de pleurer. Pourquoi ne trouverait-il pas tout aussi ridicule le trouble que produit sur lui le charme d'une femme, trouble qu'il ne pourrait dissimuler qu'en couvrant l'endroit de son corps où il est le plus visible ? La pudeur reste un produit de la civilisation, où il convient souvent de s'avancer masqué pour obtenir ce que l'on feint de mépriser. L'expérience apprend vite que l'on obtient plus facilement les faveurs d'une femme en faisant mine de ne pas les désirer. Encore faut-il que les paroles ne soient pas démenties par les gestes involontaires.

Je n'ai pas la prétention de résoudre en quelques pages un problème aussi complexe. Il fallait simplement mettre en garde contre certaines interprétations réductrices d'un phénomène qui couvre pratiquement tous les domaines de la vie sociale. L'analyse historique nous permettra de donner une dimension jusqu'alors inexplorée à la pudeur et de tenter, en conclusion, une analyse plus nuancée.

PREMIÈRE PARTIE

LA PUDEUR DANS LA VIE QUOTIDIENNE

Chapitre Premier

LA PUDEUR DANS LA BAIGNOIRE

Le nombre et l'importance des thermes romains que nous avons conservés témoignent à suffisance du rôle que jouent les bains dans les civilisations antiques. Publics ou privés, ils font partie des rares plaisirs que se permettent les philosophes les plus austères. Sous l'Empire, les établissements deviennent mixtes : quand les deux sexes commencent à y mêler leur nudité, la débauche s'y installe rapidement[1]. Les premiers chrétiens en sont tellement indignés que la fréquentation des bains publics par une femme, selon le code Justinien, est un motif valable pour la répudier. Concile après concile, il faudra des siècles pour interdire les bains mixtes. Et le résultat restera bien précaire, puisque les croisés au XIIe siècle en ramèneront à nouveau l'usage d'Orient.

On comprend, au vu de l'héritage antique, que le bain soit associé au plaisir dès le haut Moyen Age. La règle de saint Benoît, si elle l'autorise aux malades, n'en accorde l'usage que parcimonieusement aux moines bien portants, « surtout s'ils sont jeunes » !

Et le scandale est grand lorsque l'on surprend des nonnes qui se baignent « de façon indécente », comme ce fut le cas au VIe siècle, au monastère Sainte-Radegonde de Poitiers[2]. Deux religieuses, effrayées, s'enfuirent du couvent et dénoncèrent l'abbesse auprès de la sainte fondatrice.

Se priver de bain devient un signe de sainteté. On n'hésitera pas à canoniser les courageux qui, comme sainte Agnès, mère de l'empereur Henri IV, s'en sont abstenus toute une vie[3]. Très peu poussent la mortification jusque-là. On cite bien Reginhard, évêque de Liège de 1025 à 1037, qui ne mit jamais le pied dans sa baignoire... Son successeur Nithard (1039-1042) ne s'assit dans la sienne qu'à l'occasion de la maladie qui devait l'emporter. Udalrich von Dilligen, évêque d'Augsbourg (923-973), ne se baignait qu'aux jours de fête, qui, heureusement n'étaient pas rares à l'époque...

Leur exemple, faut-il le dire, n'est guère suivi. Le seul fait qu'il ait été jugé digne d'être rapporté prouve son caractère exceptionnel. Indifférence au corps et sainteté forment un couple intemporel : Marie Rousseau, de nos jours, l'a connu chez les clarisses auprès desquelles elle a vécu deux ans[4].

On se lave donc à qui mieux mieux au Moyen Age, et le bain dépasse de loin le simple souci hygiénique[5]. Charlemagne, passionné de natation, adore les bains d'eau naturellement chaude. Dans la piscine de son palais d'Aix-la-Chapelle, il invite ses fils et ses amis à partager ses ébats « et quelquefois même les soldats de sa garde, de sorte que souvent cent personnes et plus se baignent à la fois[6] ». Inutile de préciser que le port du maillot était alors inconnu.

Le mythe du baptême

Le Moyen Age carolingien s'ouvre cependant sur la suppression d'une vieille baignade communautaire et — déjà — pour des raisons de décence. Jusque-là, en effet, le baptême se faisait par immersion totale, par référence à celui du Christ dans le Jourdain. Comme la cérémonie n'était célébrée qu'un jour par an — à Pâques ou à Noël selon la coutume locale —, c'étaient de véritables cortèges d'hommes nus qui se présentaient au baptistère. Ainsi nous représente-t-on dans toute l'iconographie médiévale le baptême de Clovis, suivi de ses guerriers en tenue d'Adam. Seule concession à la pudeur : hommes et femmes étaient baptisés séparément.

Saint Ambroise comme saint Cyrille insistent sur l'importance de la nudité lors de la cérémonie : c'est une seconde naissance, dit le premier, on y est nu comme lorsqu'on est venu au monde ; la nudité du baptême évoque l'innocence d'Adam et celle du Christ sur la croix, précise le second. Et de s'émerveiller de l'ingénuité des nouveaux chrétiens : « O merveille ! Vous étiez nuds à la vue de tout le monde, et vous n'en aviez point de honte ! En cela vous imitiez Adam, lequel tout nud qu'il étoit dans le Paradis terrestre, n'en rougissoit pas pour autant[7]. » Le curé de Savenay qui rapporte cette opinion sacrifie lui aussi au mythe de l'innocence des prêtres : « Ils portoient à l'administration du Baptême des yeux conduits par la Religion et formés à la pudeur et à la modestie... Et leur esprit uniquement occupé de ce saint désir fermoit toutes les portes de l'âme aux attraits de la volupté. »

Si bien fermées soient-elles, les portes de l'âme ont des serrures par où pénètrent les visions interdites. Jean Moschus, abbé du VIIe siècle, raconte par exemple le trouble du moine Conon, chargé de baptiser les fidèles. « Chaque fois qu'il ondoyait une femme, rapporte Moschus (1, 3 col. 123 b*), il était troublé [scandalizabatur], et il voulait s'en aller du monastère. » Plus

* Les références données entre parenthèses renvoient aux livres cités en bibliographie.

d'une fois, saint Jean lui-même lui apparut pour le soutenir dans cette épreuve. Jusqu'au jour où se présenta une jeune Perse, si belle que notre moine ne parvint pas à l'ondoyer. La postulante, tenace, attendit deux jours que le prêtre se décidât. L'archevêque parla d'envoyer une diaconesse, si Conon ne se hâtait de la baptiser... Et Conon s'enfuit du couvent ! Saint Jean lui apparut, l'exhortant à retourner à son devoir et, devant le refus réitéré du moine, le déshabilla et le signa trois fois sous le nombril — métaphore d'une opération plus importante, mais interdite à un religieux ? Toujours est-il que depuis lors, le moine put regarder les femmes nues sans ressentir l'émoi de la chair — « *tanta tranquillitate animi et corporis ut nullum ultra sentiret carnis motum, neque mulierem natura videret* »...

Quand bien même la moralité du prêtre serait insoupçonnable, il y a les assistants. Une chanson de geste du XIIIe siècle nous raconte le trouble du vieux Doon de Mayence, lorsque l'archevêque Turpin — le fidèle compagnon légendaire de Charlemagne — baptisa Fleur d'Épine, la fille du roi sarrazin Macabré :

> *Adonc s'est dévêtue la belle aux cheveux blonds ;*
> *En la cuve l'ont mise les nobles barons.*
> *La chair avait plus blanche que neige ou coton,*
> *Mamelettes durettes, pointant tout alentour ;*
> *Pour sa beauté en frémit Doon :*
> *La chair lui hérissa sous le pelisson d'hermine.*
> *Il avait pourtant les cheveux blancs,*
> *Mais il était vaillant et de grande renommée*[8].

Qui pourtant aurait résisté à la beauté de la jeune Arabe à la peau blanche et aux cheveux blonds ?

Fallait-il donc baptiser en privé ? Peine perdue : une miniature du XVe siècle nous montre en effet sept hommes agglutinés à la porte d'un baptistère, tentant d'apercevoir par la serrure la chair de la Madeleine baptisée par saint Jean. L'un s'arrache les cheveux d'être trop mal placé pour découvrir le spectacle, un autre s'arc-boute sur son compagnon pour n'en pas perdre une miette... tandis que saint Jean, comme le brave curé de Savenay, « ferme toutes les portes de son âme aux attraits de la volupté ».

Il dut y avoir quelques scandales de ce genre — dont les canons dits « arabiques » du concile de Nicée, rédigés au VIIIe siècle, ont gardé l'écho : le vingt-quatrième canon interdit aux hommes d'assister au baptême des jeunes filles et aux femmes d'assister à celui des gamins — « *sed viri suspiciant pueros et mulieres puellas*[9] ». C'est vers la même époque que le baptême par immersion fut remplacé par une simple aspersion. Mais plusieurs siècles encore on garda le souvenir du baptême intégral et des troubles émois qu'il suscitait.

Le Moyen Age et le bain convivial

Le bain s'est longtemps intégré à la convivialité domestique. On se lave pour être propre, bien sûr, à une époque où les routes pavées sont quasi inexistantes et où l'on transporte partout la poussière des chemins et la boue des champs. Mais l'eau chaude sert d'abord à relaxer son corps. Belle récompense, pour un chevalier rentrant de voyage, éreinté, noir de poussière et les muscles endoloris, qu'un bain chaud où il pourra se détendre. Lorsque Tristan promet à Yseut de sauver son honneur, il n'hésite pas à en faire serment sur son bain : « Je ne me baignerai pas en eau chaude tant que mon épée ne m'aura pas vengé de ceux qui lui ont fait du mal », promet-il à ses émissaires[10].

Puisque le repos du guerrier prime sur son repas, on lui offrira un bain dès son arrivée au château — et parfois même, on lui servira là-bas une plantureuse collation. C'est ce que nous montre une miniature illustrant le bain de Tristan à son arrivée en Irlande[11]. Est-il besoin de souligner que la présence d'Yseut à ce festin en petit appareil n'offusquait en rien le lecteur de l'époque ? Et pourtant, lorsque Tristan s'assoit nu dans la baignoire d'Yseut, il n'est encore que l'émissaire officiel du roi Marc ; il n'a pas bu le philtre d'amour qui le liera à la belle Irlandaise et rien ne justifie aux yeux d'un lecteur moderne une telle intimité. Faut-il en conclure, comme on l'a parfois fait trop rapidement, que la pudeur était inconnue au Moyen Age ?

Une autre scène nous permettra de nuancer cette affirmation et de fixer d'autres frontières à la pudeur de la femme offrant un bain à son invité. Ainsi le fabliau du *Prêtre teint*[12] — une des multiples variations sur le thème cher au xiii° siècle du prêtre puni de sa luxure.

La femme d'un tailleur d'images d'Orléans, raconte Gautier le Leu, était importunée par les avances incessantes de son prêtre : elle lui tend alors un piège, avec la complicité de son mari. Invité à dîner chez sa paroissienne, qui prétend le sculpteur en voyage, notre curé s'imagine pouvoir arriver à ses fins. La femme, effectivement, se montre particulièrement affable et lui offre un bain avant de le faire passer à table. Mais à peine le prêtre a-t-il ôté chausses et chemise que le mari accourt. Un seul refuge : une cuve de teinture rouge... Il ne reste plus dès lors qu'à laisser macérer le prêtre nu dans la couleur pour le mettre ensuite à sécher devant le foyer. Il a beau jouer au crucifix de bois : la chaleur ranime certain endroit de son intimité qu'il ne peut cacher longtemps. « Quelle honte, s'indigne faussement le mari. Je vous assure que je ne vis jamais tel crucifix qui eût couilles ni vit. » Et il menace incontinent de couper les attributs malséants — ou, dans d'autres versions, passe à l'acte...

Or, lorsque la dame invite le prêtre à se glisser dans le bain, celui-ci se déshabille sans vergogne — et le jongleur se moque de ce manque de courtoisie :

Dans le bain qui était préparé,
En présence de la dame, il saute nu.

Si la pudeur commence au regard de l'autre, c'est bien de cela qu'il s'agit ici : à une femme qu'il s'attend à prendre pour maîtresse, le prêtre n'hésite pas à se montrer nu ; sachant qu'il s'agit d'un piège et que la femme ne désire pas partager l'intimité du prêtre, l'auteur et le lecteur n'acceptent pas cette familiarité.

Devant le bain convivial, l'attitude reste donc ambiguë : la femme assiste au bain de l'invité, mais il n'est pas bienséant que la nudité soit trop évidente. C'est le même regard amusé qu'Yseut pose sur les félons qui se sont embourbés dans les marécages du « Mal Pas » et qui doivent changer de vêtements en public :

Devant le peuple se dépouillent.
Les draps laissent, autres accueillent[13].

La nudité a beau être courante, elle n'en provoque pas moins un amusement qui tient lieu de pudeur. Quelques témoignages — furtifs — d'intimité apparaissent progressivement. Ainsi, la « baignoire de toile, assavoir ciel et dossier », que l'on trouve vers 1400 dans l'inventaire des tapisseries de la duchesse de Bourgogne : des tentures posées sur un dais pouvaient dérober les dames riches aux regards indiscrets. Une telle pudeur, même chez une femme, semble pourtant rare au Moyen Age[14]. Une preuve *ab absurdo* nous est fournie par le *Roman de la Violette* de Gerbert de Montreuil (xiiie siècle), dont l'intrigue repose tout entière sur la pudeur excessive de la belle Euriaut. Excessive, sans doute, puisque sa vieille servante s'étonne de n'avoir jamais vu la « belle blonde » nue depuis sept ans qu'elle est à son service (v. 590). Mais pudeur ? C'est parce que son ami Gerart lui a défendu de montrer sa chair à qui que ce soit qu'Euriaut chasse écuyers et servantes lorsqu'elle entre dans sa baignoire (v. 628-629), ce qui nous vaut une des premières scènes de voyeurisme de notre littérature. La vieille et le félon comte Lisiart observent par le trou de la serrure les ablutions de la jeune fille et découvrent ainsi la tache en forme de violette qu'elle porte sur le sein droit : la jalousie de Gerart, à qui l'on rapporte ce détail, servira de fil conducteur au roman... Le bain de la femme, comme celui de l'homme, surprend plus s'il est pris seul que s'il se déroule aux yeux des proches.

L'habitude d'offrir un bain à ses invités traverse le Moyen Age. Lorsque les bourgeois de Paris, au xve siècle, invitent à leur table le premier roi à se pencher sur leurs problèmes, ils n'oublient pas quelques bains chauds en guise d'apéritif. Maître Jehan Dauvet, premier président au Parlement, en prévoit quatre pour recevoir la reine Charlotte, qui vient dîner chez lui en septembre 1467. La reine, indisposée, ne s'y plongera pas, mais les dames de sa suite ne s'en priveront pas — y compris Perrette de Châlons, maîtresse en titre de Louis XI. Celui-ci, dînant le 22 chez le prévôt des marchands, Denis Hesselin, s'en verra offrir trois « richement attintelez » (décorés)[15]. Un président de la République ne connaîtra pas cet honneur...

Les étuves du pont d'Avignon

Les thermes romains, devenus lieux de débauche, n'avaient pas entièrement disparu du paysage médiéval. Pendant des siècles, les conciles durent répéter des interdictions peu efficaces. Hospices et monastères prirent le relais et offrirent leurs installations de bains aux pèlerins.

Avec les croisades, enfin, se répandirent les étuves, aussi caractéristiques de la civilisation médiévale que les thermes de la civilisation antique. En découvrant Byzance, les croisés du XIIe siècle retrouvent leurs propres sources romaines adaptées au raffinement de la civilisation islamique. La mode des bains de vapeur, conservée dans l'Empire romain d'Orient, était l'héritière des thermes antiques. Très vite, on rapporta en Europe des baignoires mixtes, et l'on oublia les anathèmes des conciles contre les bains où les deux sexes étaient mêlés. L'histoire des étuves a été souvent contée ; aujourd'hui encore, les noms de rue rappellent l'extraordinaire succès dont elles jouirent durant tout le Moyen Age. En 1292, les registres de la taille en dénombrent vingt-six à Paris ! Dès le XIIIe siècle, elles sont réglementées par des ordonnances communales et vigoureusement fustigées par les moralistes[16].

Il y avait sans doute nombre d'étuves honorables, où l'on pouvait à bon compte prendre un bain chaud, toujours difficile à préparer chez soi. Lorsque l'eau était chaude, les crieurs passaient dans les rues avertir les clients potentiels, mêlant leur appel au cri des camelots. Au point du jour — il leur était interdit d'appeler les clients avant le lever du soleil, tant les rues étaient peu sûres — on commençait à les entendre : « Seigneurs, venez vous baigner et étuver sans plus attendre : les bains sont chauds, c'est sans mentir. » Deux deniers le bain de vapeur, quatre le bain d'eau chaude : à l'époque, le pain — cette grosse miche qui vous durait quatre jours — se vendait un denier[17].

Mais à côté de ces établissements d'intérêt public, des bains mixtes se sont très tôt développés. Ils suscitent l'indignation des autorités et inspirent les caricatures des stalles et des chapiteaux d'église[18]. « C'est vile chose et honteuse pour les ordures et pour les périls qui y peuvent advenir », tonne Étienne Boileau dans une addition à son Livre des métiers . Mais le Roman de la Rose, qui semble prendre un malin plaisir à conseiller ce que défendent les moralistes, suggère à la femme affligée d'un mari jaloux de fixer rendez-vous à son amant dans une étuve. Qu'elle feigne alors quelque maladie qui nécessite un bain de vapeur : « Sire, dira-t-elle, ne sais quelle maladie, Ou fièvre, ou goutte, ou apostume, Tout le corps m'embrase et consume ; Si m'estuet [il faut] que j'aille aux étuves, Tout ayons-nous céans deux cuves, N'y vaudrait rien bains sans étuves » (v. 14358 et suiv.). Sans doute le mari contraindra-t-il la rusée à s'y rendre sous la bonne garde de sa voisine... mais celle-ci n'a-t-elle pas aussi un galant à qui elle aura fixé rendez-vous au même endroit ? Là-bas, conclut Jean de Meung, les amoureux iront tout droit au lit, à moins qu'il ne leur prenne fantaisie de se baigner ensemble.

Devant un tel cynisme, force fut de réglementer plus strictement les établissements. La *pudeur* qui apparaît à cette époque est donc sociale et morale plus qu'individuelle. Elle se borne à imposer la séparation des sexes. A Flensbourg, en 1295, on interdit aux deux sexes de se rendre ensemble chez l'étuveur : les femmes y seront les lundis et jeudis ; les hommes, les autres jours. Les peines prévues ? Particulièrement efficaces : les vêtements des contrevenants sont confisqués ! Au Moyen Age, la sanction a un caractère public : rentrer chez soi nu — ou en chemise — est pire que payer une amende[19].

Autre tactique à Dijon : les femmes « s'estuveront » aux Roiches ou à l'hôtel Merment, tandis que les hommes se rendront chez Guillaume Journaul ou chez Voulant — « à peine de quarante sous », précise l'ordonnance du 18 avril 1410[20]. Les interdictions sont facilement contournées. Etienne Boileau nous renseigne lui-même sur une des ruses — élémentaire ! — des clients : « Quand les hommes s'estuvent par devers le soir, aucune foiz ils demeurent et gisent léens jusques au jour qu'il est haute heure ; et les dames vont à chambres aux hommes par ignorance [sic !] ; et assé d'autres choses qui ne sont pas belles à dire[21]. »

Une remarque cependant : les ordonnances tonnent contre les actes déshonnêtes qui s'accomplissent aux étuves, mais ne s'offusquent nullement du dévoilement des nudités. La pudeur reste une question d'acte et non de vue. Ainsi, le vêtement ne fut jamais imposé aux baigneurs : une ordonnance du 16 août 1371 réglemente le prix du « drap à soy couvrir ou envelopper » que l'on peut y louer, mais, précise-t-elle, ne le revêt que « qui le voudra avoir ». La même ordonnance fixe la réduction que l'on consentira à ceux qui partagent la même baignoire (douze deniers au lieu de seize) et le prix des draps pour le traditionnel lit de repos. Le prévôt de Paris devait pourtant savoir quel genre de repos y cherchaient les baigneurs[22] !

Le scandale était plus grand encore lorsqu'il touchait des religieux. En 1441, le synode d'Avignon interdit aux ecclésiastiques... et aux hommes mariés... de fréquenter les « étuves du pont », où la prostitution est notoire[23]. Est-ce là que les « beaux messieurs » et les « belles dames » dansaient tous en rond ? Il semble en tout cas qu'ils y faisaient « comme ça », ainsi que le soulignera la chanson...

A l'ermitage de Saint-Georges, dont l'hôpital possédait un des plus vieux établissements de bains des pays rhénans, on interdit aux ermites, en 1426, de prodiguer leurs soins aux baigneurs de l'un et l'autre sexe. Honni soit qui mal y pense[24] !

La promiscuité des deux sexes n'entraînait pas *ipso facto* un relâchement des mœurs. A la fin du xvie siècle, en Suisse, hommes et femmes continuent à s'estuver « pesle-mesle », « sans faire aucun acte deshonneste » : « ils en sont quittes en mettant un linge devant ». L'étonnement de Brantôme devant un comportement aussi intègre prouve que, dans la France galante de l'époque, ce linge n'était plus une barrière suffisante[25]...

Ce ne sont d'ailleurs pas les décrets qui feront disparaître les étuves. On les retrouve encore au xvie siècle, avec leur lit de repos éloquemment dressé auprès des cuves de bois. Mais le prix croissant du combustible, à une époque où le bois est nécessaire aux armadas en partance pour le Nouveau Monde, en fermera quelques-unes. L'usage de plus en plus répandu du linge de corps, plus facile à laver que le corps lui-même, changera les règles de l'hygiène. C'est d'ailleurs à la même époque et pour les mêmes raisons que la fourchette s'imposera à table et qu'on s'y lavera de moins en moins les mains[26]. Des campagnes calomnieuses répandent même le bruit que des jeunes filles auraient été engrossées dans des étuves « du sperme d'un homme y diffus[27] ». La rumeur populaire accréditera cette croyance — du reste fort utile à la réputation de ces demoiselles...

Surtout, les nouvelles épidémies porteront un coup décisif à ces établissements qui les propagent de façon foudroyante.

En 1450, la grande peste de Paris ferme les étuves de la capitale, malgré les protestations des corporations et des bourgeois. La syphilis prend la relève au xvie siècle. Contrairement à ce qu'on pourrait penser, ce n'est pas la débauche des baigneurs qui répand cette maladie, mais la mode des ventouses. Des saignées complétaient en effet les sudations des bains de vapeur : le dos des clients était légèrement scarifié et les ventouses qu'on y posait pompaient le sang « entre chair et cuir ». L'hygiène douteuse des ventouses entraîna en plusieurs endroits la contamination de toute une clientèle[28] !

Comment était vécue la pudeur personnelle dans ces étuves et dans les bains publics ? On s'y baignait nu, textes et illustrations ne laissent aucun doute à ce sujet. Lorsque Villon, dans un rondeau badin, invite Jenin l'Avenu à se rendre aux étuves, c'est afin qu'il s'y « lave nu » et s'y « baigne ès cuves ». Une habitude qui surprenait déjà les musulmans, à qui pourtant les Français ont emprunté les étuves. Ousâma, prince syrien du xiie siècle, raconte le geste d'un croisé « qui détestait, comme tous ses pareils, que l'on gardât, au bain, une serviette autour de la taille » : il arracha la serviette de Sâlim, le chef des bains, et, admirant le pubis rasé du musulman, se fit épiler à son tour. Ce qui surprit le plus le prince arabe, c'est que le chrétien, satisfait du traitement, fît à son tour raser sa femme par le même Sâlim... Hommes et femmes, en Occident, fréquentaient nus les mêmes bains. Les miniatures représentent les célèbres bains de Pouzzoles, près de Naples, montrent ce joyeux mélange de nudités dans une piscine commune[29].

Lorsqu'on entendait crier l'eau chaude, on traversait la rue sommairement vêtu : des cabines de déshabillage n'étaient pas toujours prévues et, depuis Théophraste, on sait que les voleurs de vêtements font fortune dans les établissements de bains ! Les jeunes filles de dix à dix-huit ans s'enveloppaient dans une sorte de manteau et se faisaient accompagner de jeunes garçons qui, eux, étaient complètement nus[30].

Dans les bains mêmes, on pouvait porter ce « mantel d'étuve », que l'on trouve mentionné dans un compte d'exécution testamentaire de 1503[31], ou le « drap » conseillé par le prévôt de Paris. Dans l'eau, les femmes étaient nues ou portaient un « petit blanchet recorse » (une courte camisole de linge)[32] ; les hommes ont un caleçon ou ce minuscule cache-sexe des gravures de Dürer.

Le Florentin Poggio-Bracciolini a décrit en 1415 les bains suisses de Bade et les usages compliqués qui y maintiennent une décence sommaire. Dans les deux piscines publiques, plèbe et petites gens s'entassent pêle-mêle, une simple cloison intérieure se chargeant de séparer les sexes. Mais les femmes — jeunes ou vieilles — y entrent entièrement nues sous les yeux des hommes qui ne se détournent pas et, assure Poggio, ne pensent pas à mal. Même cloison dans les piscines privées, mais ici percée de petites fenêtres pour que les baigneurs des deux sexes prennent ensemble des rafraîchissements ! Un seul couloir mène aux deux piscines, de sorte qu'un homme nu peut s'y heurter à une femme dans le même costume. Les hommes enfin peuvent être admis aux bains des femmes pour peu qu'ils revêtent une sorte de peignoir (*linea stola*).

Poggio déclinera l'invitation qui lui en sera faite par d'avenantes Suissesses, prétextant son ignorance de l'allemand ; ses compagnons en revanche ne manquent pas d'y répondre et se débrouillent fort bien avec le langage des mains dont on dit les Italiens amateurs. Quant à notre narrateur, il préfère les plaisirs du voyeurisme. Du haut de la galerie qui fait le tour de la piscine des femmes, il se joint aux hommes qui lancent des piécettes aux plus jolies. Dans le mouvement qu'elles font pour attraper l'obole, leur peignoir s'entrouvre et elles laissent voir les charmes les plus secrets (*occultiora detegentur*).

Les femmes se baignent donc vêtues à Bade — mais d'un vêtement de lin tellement ouvert sur le côté et sur le haut qu'il ne cache ni le cou, ni la poitrine, ni les bras, ni les côtés ! Quant aux hommes, ils se contentent du caleçon (*campestribus*[33]).

C'est le même caleçon que nous retrouvons, selon Weyll, dans les étuves allemandes, où les femmes et les enfants se baignent nus (p. 112). Distinction curieuse, puisque, depuis l'Antiquité, la nudité masculine était mieux tolérée que la nudité féminine. On voit déjà se profiler la conception moderne de la pudeur : liée aux organes sexuels plutôt qu'à la nudité en soi, elle devient plus importante chez l'homme, dont les organes sont apparents, que chez la femme — ou chez l'enfant, désexualisé. Un tel retournement des mentalités sera lent à s'imposer.

Les hommes « vraiment nuds »

Mettre un maillot pour prendre un bain dans la rivière... L'idée aurait paru saugrenue au Moyen Age ! Témoin ce traité de Frédéric II, copié au XIIIe siècle en Lorraine, où un miniaturiste a croqué saint Jean nageant dans les vagues de Patmos, dans la tenue où Dieu créa Adam[34]. Sur le rivage, le saint a abandonné chausses, chemise et bliaud à la dernière mode médiévale. Les baigneurs peints par Signorelli en 1498 ne se soucient pas plus de leur nudité, et l'un d'eux servira de fond à une Vierge à l'enfant nullement effarouchée par sa présence... Les religieux n'avaient pas encore la pudibonderie exacerbée par la Réforme et la Contre-Réforme[35].

On se déshabille pour nager dans la mer, dans les rivières, mais aussi en plein Paris, sur les rives de la Seine grouillantes de badauds et de marchands, comme le montre une miniature de la vie de saint Denis[36]. Mettre un maillot ne serait venu à l'idée de personne, pas même de ceux qui sont honteux de leur anatomie maigrichonne. Regardez-les s'avancer timidement vers l'eau, sous l'œil sarcastique de Beroalde de Verville, les mains, le chapeau, la chemise ou les chausses protégeant leur sexe jusqu'à ce qu'ils puissent le cacher dans l'eau. « Encore s'ils pouvoient prendre la Lune, ils la mettroient devant leur harnois ! » (t. I, p. 37). Pudeur ? Allons donc ! Regardez plutôt les mieux membrés se pavaner avant de plonger dans la rivière !

C'est avec la Renaissance que l'on voit apparaître, dans les pays protestants d'abord, les premières ordonnances interdisant les baignades nu... Paradoxe, pour une époque qui a libéré le nu dans le domaine artistique et produit les rendus anatomiques les plus précis ? Le thème d'une plantureuse Diane au bain se développe dans la peinture à une époque où l'on interdit aux femmes de se baigner dans les rivières... Les deux faits sont liés, s'il est vrai qu'un certain équilibre doit se maintenir entre pudeur et liberté.

C'est ainsi qu'en 1541, à Francfort, on surprit huit personnes à se baigner dans le Main, « comme Dieu les avait faites, toutes nues et sans pudeur ». Elles furent condamnées à quatre semaines de prison, au pain sec et à l'eau[37]. L'exemple ne suffit pas. En 1548, les autorités de la ville demandent aux patrons « d'avertir leurs apprentis d'avoir pour se baigner à revêtir leurs vêtements de dessous ». Ordonnance renouvelée en 1550 : les apprentis sont priés d'entrer dans le Main « recouverts et décemment » ! Menaces, amendes, emprisonnement, confiscation des vêtements : rien n'y fait. Les apprentis allemands continuent d'exhiber en pleine ville leur académie. Un siècle plus tard, de guerre lasse, les autorités finiront par interdire purement et simplement les baignades : les caleçons, décidément, n'agréent pas aux jeunes Allemands !

Les rives de la Seine offrent alors le même spectacle que celles du Main. Des hommes nus, au xvie siècle, passe encore. Mais des femmes nues dans la ville commencent à troubler les esprits dévots. Pierre de Lancre rapporte ainsi que Charles IX, « s'allant un jour promener aux Tuileries, voyant une femme (quoique belle en perfection) toute nuë passer la riviere à la nage depuis le Louvre jusqu'au faux-bourg sainct Germain, s'arresta pour la voir : mais pendant qu'il estoit attaché par les yeux comme le reste de la Cour, elle avec un plongeon se desroba à sa veuë, en fin estant revenuë sur l'eau, et puis ressortie en terre aussi viste qu'un esclair, elle commença à tordre ses cheveux. Puis se retira emportant quant et soy les yeux et les cœurs de tout le monde » (p.146-147). Le roi, prétend Pierre de Lancre (prend-il ses désirs pour des réalités ?) fut si choqué qu'on « ne luy en ouït jamais dire un seul mot de loüange ». Mais le plus bouleversé reste bien notre auteur, qui n'a pas de mots assez durs pour condamner « un exercice si licentieux et si mal-séant à la vergongneuse nature des dames ». Le scandale dans l'aventure ainsi rapportée ne réside plus dans les actes condamnables que rend possibles la prosmis-cuité des corps, mais dans la simple apparition de la nudité qui « attache par les yeux » les témoins involontaires. « Elle se plonge dans l'eau et met les spectateurs dans le feu. Elle se baigne et refroidit, et ils bruslent », s'indigne Pierre de Lancre, en de longues pages qui traduisent bien son propre émoi.

A partir du xviie siècle, les femmes ne seront plus autorisées à faire du *nudisme sauvage* le long de la Seine. La morale s'en prendra alors aux Adams qui continuent à y jouer au paradis terrestre. A cette époque, la morale se décide dans les salons précieux. Le marquis de Coulanges, dont les chansons sont alors à la mode, se moque gentiment de ces précieuses parisiennes, offusquées d'avoir vu sur les quais, à hauteur de la porte Saint-Bernard, quelque service trois pièces d'un autre modèle que ceux de leur salon...

Quel spectacle indécent se présente à mes yeux ?
Des hommes vraiment nuds au bord de la rivière
Me font évanouir (ah ! de grâce, ma chère,
    Évitons cet objet affreux).
Allons, vite, Cocher, retournons à la ville,
    Je suis pasle, je suis debile :
    Toutes les horreurs que je voy
Me feront renfermer pour plus d'un an chez moy.
    Il faudrait par une ordonnance
    Réformer cet abus,
    Et que le Roy là-dessus
    Fît une bonne défense
Aux gens de se baigner que chaussez et vêtus[38].

Les précieuses avaient la pamoison facile et des idées préconçues sur *l'affreux* et le sublime. Toutes ne sont pas aussi farouches ! La Bruyère aussi connaît bien cette longue levée (le quai Saint-Bernard) où vont se baigner les hommes pendant la canicule. « Quand cette saison n'est pas venue, les femmes de la ville ne s'y promènent pas encore ; et quand elle est passée, elles ne s'y promènent plus[39]. »

Qu'il y ait intérêt ou indignation, le bain nu n'est plus innocent. Les ecclésiastiques, comme Bourdaloue, s'en offusquent, ainsi que les magistrats : Joly de Fleury dresse en 1724 son réquisitoire contre les hommes qui se promènent autour des bateaux « à la vue de tant de personnes, principalement de l'autre sexe ». Ce ne sont pas les lavandières pourtant qui portent plainte... Le magistrat n'hésite pas à accuser les baigneurs nudistes de tous les vices, y compris d'« abominations » avec d'autres hommes[40] !

Les Parisiens, de plus en plus, ont la décence de se baigner en dehors des murs de la ville. Le comte de Soissons avait ses habitudes devant l'Arsenal, dans la Seine ou dans les fossés de l'enceinte Charles V. A Paris, on savait qu'il ne fallait pas aller le déranger : avec les gentilshommes de sa suite, il jetait de l'eau à la tête des bourgeois qui s'y baignaient en même temps que lui[41] ! Héroard, médecin de Louis XIII, et Vallot, médecin de Louis XIV, nous apprennent que Leurs Majestés en usaient de même : Louis XIII se faisait conduire à Conflans, à l'île Gauloise, ou à Saint-Germain, « à main droite, sur la pointe de la Garenne ». Son fils plongera à Conflans ou à Melun[42].

Le roi et la cour avaient une autre conception de la pudeur que les bourgeois de Paris. Sans doute Henri IV se baignait-il dans le même costume d'Adam que ses sujets. Lorsqu'il accompagne son fils à sa première baignade, en 1609, le « bon roi » en profite pour pisser dans la Seine ; le jeune Louis — il n'a pas huit ans — n'ose l'imiter, quoiqu'il en soit instamment pressé, « de peur de le boire »[43]... A la mort d'Henri IV, l'année suivante, une autre conception de la vie de cour, en général, et de la pudeur en particulier, s'instituera progressivement.

C'est au cours du XVIIe siècle qu'apparaîtront les bains en chemise. Bien nécessaires aux femmes, notamment ; la bienséance leur interdit de se baigner dans la Seine vêtues, comme leur mari, de leur simple innocence. Il leur était réservé des étuves à bains froids qui les consolaient bien maigrement des ébats en rivière. La longue chemise, tombant sur les talons, s'imposera d'abord à elles : c'est dans cette tenue que Rembrandt a surpris sa servante Hendrikje, en 1655, au moment où la jeune fille retrousse haut le long vêtement pour entrer dans l'eau.

Elle s'impose aussi au roi et aux courtisans, la chemise que l'on revêt furtivement, à l'abri des buissons, hommes et femmes sagement séparés. Louis XIV se baignait souvent avec sa cour, à la fois pour *se divertir* et pour *se rafraîchir :* son médecin Vallot, qui entendait réglementer les moindres détails de la vie de son royal patient, lui permettait la rivière en été, et tâchait d'y trouver de vagues justifications thérapeutiques[44]. Mieux vaut permettre ce que l'on ne peut interdire : Louis XIV, malgré le mythe que l'on entretient, aimait l'eau. S'il répugnait à se plonger dans sa baignoire, il se baignait en rivière ou, quand il entreprenait quelque nouvelle maîtresse, se rendait chez un baigneur[45]. Il ne devait donc pas traîner continuellement la couche de crasse qu'on se plaît à lui prêter.

La première réaction de la pudeur au bain sera, par conséquent, formulée à la cour. On peut s'en étonner, connaissant par ailleurs la facilité avec laquelle on pénétrait dans l'intimité du roi. Mais il ne faut pas oublier que l'intimité — et plus encore la nudité — du monarque reste une denrée rare... et chèrement acquise. Les baignades en rivière ne peuvent se permettre de la brader. Le bain en chemise aura la vie dure, et nous le retrouverons sporadiquement dans les siècles suivants. Quant au costume de bain, plus pratique pour nager, nous le verrons s'imposer petit à petit par l'intermédiaire des étuves.

Ces établissements publics, après la vague de moralisme qui avait suivi l'épidémie de syphilis au xvie siècle, avaient dû fermer les uns après les autres. Au xviie siècle, à Paris, quelques grands seigneurs (Henri IV en tête) pouvaient seuls se rendre dans quelques « maisons des menus plaisirs », quelques « palais des amours » comme les bains de l'hôtel Zamet[46]. Ces établissements, héritiers de la tradition médiévale, sont souvent lieux de débauche ou de rendez-vous galants.

Au xviiie siècle, deux maisons offrent encore des bains chauds dans la capitale. Pas question d'y goûter la promiscuité des corps. On s'y déshabille dans une garde-robe où l'on revêt caleçon et bonnet de bain[47]. C'est de là que partira la mode des costumes de bain, du moins dans les bains de Seine où, nous l'avons vu, ils n'étaient pas d'usage. En 1781, un nommé Turquin avait mis au point des « bains chinois » sur le petit bras de la Seine, près du pont de la Tournelle[48]. On devait y éprouver les mêmes sensations que dans nos modernes bains mexicains... Pourquoi ceux-ci étaient-ils chinois ? Peut-être par référence à la passoire qui porte ce nom.

Turquin, en effet, avait eu l'idée ingénieuse de percer des baignoires et de les installer dans un bateau amarré sur le fleuve. Un système de suspension permettait de les maintenir constamment à une certaine profondeur. On pouvait donc y goûter à la fois le plaisir des bains de rivière, puisque les trous de la baignoire laissaient passer le courant et renouvelaient constamment l'eau, et celui de l'étuve privée : les baignoires, qui pouvaient contenir jusqu'à trois personnes, étaient aménagées dans des cabines particulières. Une aubaine pour les femmes, notamment, à qui restaient interdits les bains de Seine et qui en étaient réduites à quelques macérations dans l'eau froide, entre des pontons couverts par de grandes tentes.

La vogue de ces bains conduisit petit à petit à supprimer les baignoires... les cabines... le bateau... et à réhabiliter le bain de rivière. Le caleçon, désormais, y fut obligatoire, comme dans les étuves.

La chasse aux nudistes

Du courtisan au bourgeois, du Parisien au provincial, les modes se propagent lentement. Les bons usages aussi. Les effrois des précieuses n'ont guère de pouvoir sur les baigneurs. Les édits que réclamaient les demoiselles chansonnées par Coulanges vont se multiplier au XVIIᵉ siècle. La pudeur naît alors dans sa forme juridique. La proclamation publique reste le meilleur moyen de les faire connaître.

A Liège, le 5 août 1688, le chapitre de la cathédrale, indigné des « nudités scandaleuses qu'on a honte de voir », interdit à la jeunesse de se baigner publiquement. La baignade n'était déjà plus tout à fait innocente : les jeunes gens prennent prétexte, pour entrer dans la Meuse, des chevaux qu'ils y vont abreuver ! Véritable raison... ou preuve de leur mauvaise conscience ? On sent, derrière cet argument, la bonne excuse et la mauvaise foi. L'ordonnance sera publiée en chaire dans toutes les églises paroissiales[49]. Peine perdue : un an plus tard les rives de la Meuse continuent à attirer les baigneurs impudiques et Jean-Louis van Elderen doit renouveler l'interdiction, en l'assortissant d'une amende de « trois florins d'or pour la première fois, du double pour la seconde et du triple pour la troisième, partageable par deux tiers, au profit de l'officier qui aura fait le devoir, et l'autre au délateur ».

Cette amende, exorbitante pour les palefreniers qui vont laver les chevaux dans la Meuse, ne suffit pourtant pas à enrayer l'habitude. Le 4 août 1759, Jean-Théodore de Bavière ordonne « que tous ceux qui, en mépris des présentes, seront trouvés nus dans les rues ou sur les rivages dans notre cité, soient chassés et renvoyés chez eux à coups de fouet ou de baguettes, soit par les sergents de notre office, soit par les archers de la ville, ou autres ministres de justice que nous commettons à cet effet, sous notre singulière sauvegarde et protection. Et pour exciter leur devoir à cet égard, nous déclarons, qu'outre lesdites amendes, les habits, hardes et effets qui seront au flagrant trouvés appartenir aux contrevenants seront et resteront confisqués au profit desdits sergents, archers et ministres de justice[50]. »

Mêmes interdits — et tout aussi inutiles — à Paris. Dès la fin du XVIIᵉ siècle, les ordonnances de police vont tenter de mettre bon ordre dans ces exhibitions. Le marquis d'Argenson, lieutenant général de police bien connu pour sa chasse aux libertins, sévit contre les nudistes parisiens. Le prévôt des marchands, de son côté, ordonne aux officiers de la garde de « courir sus à ceux qui seraient surpris se baignant nus » : ils seront conduits en chemise sur les lieux de leur forfait et copieusement fouettés — un moyen singulièrement homéopathique de soigner l'indécence[51]. Les ordonnances seront renouvelées périodiquement. Le 12 juin 1742, le prévôt de Paris menace les baigneurs de trois mois de prison... et de trois cents livres d'amende les loueurs de places qui laissent les hommes se baigner nus[52]. Le 25 floréal de l'an VII, le bureau central « défend expressément de sortir nu de la rivière et de se montrer dans cet état sur les trains, bateaux, berges, etc.[53] ».

Ces interdictions resteront lettre morte. Nous n'avons trace que d'une seule condamnation pour ces motifs, en 1736 — encore le principal crime des condamnés était-il de s'être battus sans avoir remis leur culotte sur les rives de la Seine[54]. Mais s'il y a si peu d'interpellations, souligne Sébastien Mercier (IX, p. 201), c'est parce que les baigneurs, dès qu'ils voient approcher la garde des ports pour saisir leurs vêtements, préfèrent regagner l'autre rive à la nage — et bien des jeunes gens qui savent à peine nager sont emportés par le courant. La seule solution pour se baigner en Seine ? Aller aux « bains du peuple », recouverts d'une grande toile pour ne pas « blesser la décence publique ». Mais l'eau y est crasseuse et les fonds ne sont jamais nettoyés. Il faut se résigner à écraser des bancs de moules ou des tessons de bouteilles ! Étonnez-vous qu'un Parisien sur deux n'y ait jamais mis les pieds ! Dans la seconde moitié du siècle, depuis que l'hygiène toute récente a découvert que les égoûts de la capitale se déversent dans le fleuve et a inventé un beau mot — méphitisme — pour désigner cette nouvelle pollution, on commence à regarder avec méfiance les eaux de la Seine.

Du moins chez les bourgeois instruits. Car les bains populaires, malgré le pessimisme de Mercier, continuent à se remplir. Les gardes sont débonnaires et menacent plus qu'ils ne saisissent. Les baigneurs prennent leurs précautions. Sous couvert ou dans la Seine, on prend l'habitude de se baigner la nuit, « parce qu'alors on est plus libre et parce qu'une sorte de pudeur empêchait encore les femmes d'y aller le jour[55] ». Les piscines des hommes et des femmes sont souvent — mais pas toujours — séparées, et la « décence publique » interdit aux hommes de s'approcher des bains des femmes. Autant dire que les galants ne s'en privent guère, en l'absence de tout vigile.

Quant aux enfants, ils préfèrent aller barboter la nuit dans le petit bras qui longe les Augustins et les sépare du quai des Orfèvres : il leur est interdit de s'y produire le jour, ce qui ne manque pas d'indigner Rétif de la Bretonne. « Envérité, je ne conçois plus rien à la décence de notre siècle corrompu ! Bientôt on défendra aux Nourrices de passer la chemise à leurs Nourrissons mâles, ét les Sagesfemmes ne pourront plus dire le sexe de l'Enfant ! Hé, morbleu ! laissez, laissez ces pauvres Enfants se laver, s'approprier, non la nuit, qui souvent est trop fraîche ; mais au grand et beau soleil ! dussent quelques petites Filles de Libraires les apercevoir de leur fenêtre : dussent les petites Blanchisseuses les voir de quelque cinquante pas, et quelque Bourgeoise curieuse, les examiner en s'appuyant sur le parapet ! » (p. 1813).

Ces réflexions de Rétif de la Bretonne paraissent en 1788. Un an plus tard, la révolution bourgeoise imposera cette pudeur que l'on défendait si mollement.

Madame reçoit dans sa baignoire

Si la liberté des bains nus se perd à partir du xvie siècle, le bain privé conservera longtemps encore l'aspect convivial du Moyen Age. Se montrer dans sa baignoire — que l'on prenne un « bain » ou un « demi-bain » — n'est pas considéré comme indécent. Il ne faut pas interpréter autrement le thème, si courant dans la peinture du xvie siècle, des grandes dames surprises dans leur bain. Il s'agit plus que d'un prétexte à l'évocation d'une beauté dénudée : jusqu'au xviiie siècle, les dames pourront sans offenser leurs visiteurs les recevoir pendant leur bain. Mme de Genlis, durant son séjour à Rome, fait appeler le cardinal de Bernis, ambassadeur du roi près du Saint-Siège, dès qu'elle met un pied dans sa baignoire. Non seulement le vieux prélat trouve tout naturel d'aller désennuyer une dame qui se lave, mais il ne manque pas, à l'occasion, de se faire accompagner de son jeune neveu[56]. Les hommes même font salon dans leur baignoire — exceptionnellement, il est vrai : ils semblent préférer leur chaise percée à cet effet. Le précepteur de Marie-Antoinette, l'abbé Vermond, donnait audience dans son bain aux ministres et aux évêques[57]. Preuve de vanité, pour Mme Campan, femme de chambre de la reine et qui déteste cet abbé bourgeois et parvenu : c'est traiter « les gens les plus élevés comme ses égaux, quelquefois même comme ses inférieurs ».

A l'époque classique, où l'on perdait l'habitude d'admirer dans des toilettes audacieuses la gorge des grandes dames, on prenait néanmoins certaines précautions avant d'admettre ses intimes dans la chambre où l'on prenait son bain. On versait dans la baignoire une pinte de lait ou d'essence pour en troubler l'eau et sauvegarder la décence. Les « bains de lait » que l'on rencontre quelquefois au détour d'un roman ne sont donc pas à prendre au pied de la lettre... D'autres baignoires, conçues avec couvercle, permettent les réceptions sans qu'il soit besoin de rendre l'eau opaque. Elles gardent en outre plus longtemps la chaleur du bain. Quant aux amis vraiment intimes... Il y avait au château de Genlis une baignoire à quatre places où Mme de Genlis prit avec sa belle-sœur un bain de lait et de pétales de roses[58]...

Si l'on prend ses précautions avec ses invités, il est en revanche superflu de les prendre avec ses gens. Il faut l'extrême « modestie » de Marie-Antoinette pour se baigner dans une robe de flanelle boutonnée jusqu'au cou... et pour exiger en outre que des draps la dérobent à ses suivantes quand elle sort de l'eau[59]. Toutes les grandes dames n'ont pas de ces pudeurs.

Mme du Châtelet, par exemple, la « sublime Émilie » qui inspira son grand amour à Voltaire, ne se gênait pas pour se déshabiller devant son valet Longchamp — un garçon qui débarquait à Paris, en 1746, et qui « n'était pas encore familiarisé avec une telle aisance de la part des maîtresses qu'il servait[60]. »

Un jour donc que la belle Émilie macérait dans son bain, comme sa femme de chambre était occupée ailleurs, elle sonna Longchamp. « Je m'empressai d'accourir dans sa chambre, raconte celui-ci. Mme du Châtelet me dit de prendre une bouilloire qui était devant le feu, et de lui verser de l'eau dans son bain, parce qu'il refroidissait. En m'approchant, je vis qu'elle était nue, et qu'on n'avait point mis d'essence dans le bain, car l'eau en était parfaitement claire et limpide. Madame écartait les jambes, afin que je versasse plus commodément et sans lui faire mal l'eau bouillante que j'apportais. En commençant cette besogne, ma vue tomba sur ce que je ne cherchais pas à voir... Honteux et détournant la tête autant qu'il m'était possible, ma main vacillait et versait de l'eau au hasard.

« — Prenez donc garde, me dit-elle brusquement d'une voix forte, vous allez me brûler !

« Force me fut donc d'avoir l'œil à mon ouvrage, plus longtemps que je ne le voulais » (p. 119-120).

Naïveté d'un valet qui ne veut pas comprendre quelque intention cachée de sa maîtresse ? Quelques jours plus tôt, une aventure similaire s'était produite au lever de Mme du Châtelet. La marquise venait de faire tirer les rideaux par sa femme de chambre et, devant Longchamp, laissa couler sa chemise de nuit pour revêtir la chemise de jour que sa servante lui préparait. Le valet, interloqué et plus gêné apparemment que la grande dame, ne savait où regarder... « Quand je fus seul avec ma sœur, poursuit-il, je lui demandai si Mme du Châtelet changeait ainsi de chemise devant tout le monde. Elle me dit que non, mais que devant ses gens elles ne se gênait nullement, et elle m'avertit qu'une autre fois, quand pareille chose arriverait, je ne fisse pas semblant de m'en apercevoir » (p. 119).

Jamais deux sans trois, dit-on... A quelque temps de là, Longchamp accompagna à Chaillot Mme du Châtelet et quelques grandes dames, dont la duchesse de Boufflers et une poignée de marquises. Surprises par la chaleur, elles « se débarrassèrent d'une partie de leurs parures et vêtements, hormis ceux que la bienséance leur prescrivait de garder ». Elles n'étaient donc pas nues pour ce dîner au cabaret de la Maison Rouge : aussi Longchamp, désormais blasé, note qu'il n'y avait là « rien d'extraordinaire » (p. 127)... Il a enfin compris que « les grandes dames ne regardaient leurs laquais que comme des automates. Je suis convaincu que Mme du Châtelet dans son bain, en m'ordonnant de la servir, ne voyait pas même en cela une ombre d'indécence, et que mon individu n'était alors à ses yeux ni plus ni moins que la bouilloire que j'avais à la main. »

N'exagérons pas non plus l'émoi du garçon. D'après le célèbre portrait que Mme du Deffand traça de sa rivale, la « divine » amante de Voltaire n'aurait pas dû troubler profondément son nouveau laquais.

« Représentez-vous une femme grande et sèche, sans hanches, la poitrine étroite, de gros bras, de grosses jambes, des pieds énormes, une très-petite tête, le visage maigre, le nez pointu, deux petits yeux vert de mer, le teint noir, rouge, échauffé, la bouche plate, les dents clair-semées, et extrêmement gâtées... Voilà la figure de la belle Émilie ; figure dont elle est si contente qu'elle ne s'épargne rien pour la faire valoir[61]. »

Plaignons plutôt le pauvre Longchamp si c'est la seule vision qu'il avait du sexe féminin « vraiment nud »...

Vis-à-vis des enfants, et même des adolescents, on n'avait pas alors la même exigence de décence que vis-à-vis des adultes — sauf dans les manuels des Jésuites ! Évoquons simplement ce petit roi de onze ans, qui s'appelle déjà Louis XIV, et qui accourt tout heureux en apprenant que sa mère, Anne d'Autriche, prend son bain. Et imaginons sa déception lorsque le premier valet de chambre et le premier médecin refusent de le dévêtir, sous prétexte qu'il est en sueur et qu'un bain pourrait lui coûter la vie[62]... Imaginons un autre roi enfant : il s'appelle Louis XIII, il n'a pas dix ans, et il s'amuse à charger de pétales de roses les navires qui flottent dans sa baignoire : dans son rêve, ils viennent des Indes, de Goa[63]... A seize ans, en 1617, il posera avec toute sa majesté de roi... et dans son bain !, pour le peintre Ferdinand Elle[64].

Si la nudité disparaît peu à peu des bains de rivière, elle se réserve d'autres lieux privilégiés : les cures thermales, aux sources d'eau douce ou dans la mer. Les femmes, à qui la Seine est interdite, mettent à la mode Vichy ou Bourbon. L'Archambault. Les médecins comparent doctement les vertus curatives des sources, qui varient suivant le tempérament du malade. Vallot, médecin de Louis XIV, avait noté l'extrême sensibilité du roi aux eaux thermales ; les cures lui étaient déconseillées. Il s'en abstint même lorsque sa fistule l'accula à une intervention chirurgicale. Et pourtant, les eaux de Bourbon étaient réputées pour soigner ces maladies.

Les grands seigneurs en revanche étaient familiers de ces eaux et échangeaient dans leurs lettres leurs impressions sur les établissements. Ainsi, la marquise de Sévigné aimait prendre les eaux à Vichy et courir les campagnes auvergnates à la recherche des bergers de l'Astrée. Paysages idylliques et romanesques... s'il n'y avait pas le supplice des douches chaudes !

« C'est une assez bonne répétition du purgatoire, ironise la marquise. On est toute nue dans un petit lieu sous terre, où l'on trouve un tuyau de cette eau chaude, qu'une femme vous fait aller où vous voulez. Cet état où l'on conserve à peine une feuille de figuier pour tout habillement, c'est une chose assez humiliante. J'avais voulu mes deux femmes de chambre pour voir encore quelqu'un de connaissance. Derrière le rideau se met quelqu'un qui vous soutient le courage pendant une demi-heure » (II, p. 304).

Une feuille de figuier... un rideau dérobant la marquise au médecin qui lui fait la conversation.... et malgré tout, ce sentiment d'humiliation... Nous sommes entrés, avec les salons précieux, dans une conception plus moderne de la pudeur. Elle mettra du temps à s'imposer, bien sûr, mais le mouvement est irréversible. La pudeur n'est plus définie par le regard de l'autre, mais par la simple conscience de sa propre nudité.

Dans certains cas même, la « feuille de figuier » tombe. A Bourbon, par exemple, les douches *super vulvam* sont censées soigner la stérilité[65].

Même nudité, même humiliation à l'occasion des bains de mer, qui passent, au xvII[e] siècle, pour guérir de la rage. En 1671, trois jeunes filles attachées au service de la reine ont été mordues par une petite chienne enragée. Elles sont immédiatement envoyées à Dieppe pour une cure de thalassothérapie. Mme de Ludres « a été plongée dans la mer, commente à nouveau Mme de Sévigné. La mer l'a vue toute nue, et sa fierté en est augmentée ; j'entends (la fierté) de la mer, car pour la belle, elle en était fort humiliée. » L'humiliation, à Dieppe comme à Vichy, tient lieu de pudeur[66].

xixe siècle : on ferme !

Sur quelques anecdotes, on pourrait montrer que le xixe siècle n'a fait que reprendre et développer les conceptions de la pudeur héritées des siècles classiques. On y retrouve aussi bien les bains nus que ceux en chemise, les réceptions dans la baignoire que les établissements publics. Les mentalités pourtant se sont retournées comme un gant ; les mêmes anecdotes appellent une autre interprétation. Ce n'est pas la Révolution en soi qui a porté le coup décisif, mais elle a mis à la mode des comportements jusqu'alors confinés dans les milieux bourgeois.

Ainsi en 1812, la reine de Hollande, Hortense de Beauharnais, fait une cure de santé à Dieppe. La mer ne la verra pas toute nue. Elle a revêtu un coquet ensemble de tricot couleur chocolat, composé d'une tunique et d'un pantalon tombant jusqu'aux pieds[67]. Second flash : un pèlerinage à la fontaine Sainte-Montaine permet d'observer une amusante survivance du bain en chemise. Une baignade collective est de rigueur, dans ces eaux dédiées à la patronne de la Sologne :

« Et quelle simplicité ! Durant que rententissait le chant des cantiques et que flottaient les bannières, très benoîtement, les femmes se déshabillaient en public. Oh, tranquillisez-vous, la pudeur n'était pas offensée. Les Solognotes d'alors ne portaient pas comme maintenant de courtes combinaisons, mais de longues et amples chemises de toile de tisserands se rapprochant plus de la bâche que du crêpe de Chine ; et quand elles se mettaient à l'eau (la toile ne pouvant s'imbiber), elles ressemblaient à d'énormes ballons dont la tête émergeait à peine. Tout le monde priait et personne ne songeait à s'en formaliser[68]. »

On comprend mieux, à ce récit, la nécessité d'un costume de bain plus souple. Maupassant, qui se baigne de la même façon aux bains de Loèche, se compare à un gros crapaud dans un baquet... Et on comprend aussi pourquoi, malgré les contraventions et l'indignation des gens bien pensants, le bain nu ne désarma jamais... Monseigneur Bouvier, évêque du Mans, le dénonce encore en 1827[69]. Daumier peint les baigneurs, tantôt nus, tantôt en maillot, qu'il voit passer de l'île Saint-Louis où il habite depuis 1846. Et Cézanne en peindra encore à la fin du siècle. La différence ? A partir du XIXe siècle, interdit officiellement, condamné par la morale, le bain nu sera plus populaire que bourgeois — on se souvient des caricatures de M. Prudhomme où la dignité du bourgeois se mesure à la longueur de son costume de bain.

Il est donc inutile d'expliquer la vogue du bain nu au XIXe siècle, dans la vie quotidienne comme dans l'art, par l'image de l'« idylle pastorale » que Margaret Walters oppose à la société industrielle. La tradition ne s'est jamais interrompue des anciens Suèves, qui choquaient les prudes Romains par leurs bains mixtes de rivière, aux nudistes de Saint-Tropez traqués par Louis de Funès. Peut-être même la nudité était-elle un des charmes de la villégiature à une époque de pudibonderie excessive. Comme dans ce souvenir polisson qu'Auguste Renoir relate à son ami Vollard :

« L'été suivant, j'allai à Guernesey, où je fis quelques tableaux de plages. Quel agréable pays, quelles mœurs patriarcales ! Du moins, à l'époque où j'y étais. Tous ces protestants anglais ne se croyaient pas obligés, en villégiature, d'étaler la pudibonderie de rigueur dans leur pays. Ainsi pour les bains, le caleçon était inconnu. Aucune de ces petites "miss" si gentilles ne s'offusquait de se baigner à côté d'un garçon tout nu. C'est ainsi que je pus faire mon étude de jeunes gens nus au bain. »

Et le bain se prolongeait par d'irrésistibles parties de « tape-fesse » : « Il m'arrivait, en passant devant le premier, dont les portes étaient grandes ouvertes, de voir, rangée à la file indienne, la famille du pasteur, à poil, y compris la bonne, une nommée Mary, et tout ce monde, qui sortait du bain, se tapait sur les fesses pour se réchauffer en chantant "Il court il court, le furet"... Et ça ne se gênait pas non plus de circuler tout nus dans l'escalier, pour passer du premier au troisième[70]. » Victoria alors était loin des esprits...

L'étonnement de Renoir prouve bien que le bain nu était sorti des habitudes. La pudeur prend ses quartiers en France et bientôt dans le reste de l'Europe. Au Danemark, en Russie, en Crimée, la nudité restera autorisée jusqu'au début du XXe siècle[71]. En Espagne, Mérimée a assisté au bain des femmes dans le Guadalquivir. Dès que sonne l'angélus, les Cordouanes se réunissent au bord du quai, se déshabillent et entrent dans le fleuve. Pas un homme n'oserait se mêler à leurs ébats, mais ils sont là, au haut du quai, à rire, à crier... et à regarder. La nuit est suffisamment noire pour sauvegarder la décence, sans doute, mais on dit qu'un jour, quelques mauvais garnements avaient graissé la patte du sonneur de la cathédrale pour qu'il sonnât l'angélus vingt minutes plus tôt que l'heure normale... Et malgré la clarté du coucher de soleil, les « nymphes du Guadalquivir » n'hésitèrent pas à plonger dans le fleuve[72].

Malgré ces exemples, le xixe siècle reste avant tout le siècle des longs costumes de bain et des salles de bains privées. Lorsque celles-ci furent nettement séparées de l'appartement, le bain convivial, tel qu'il avait survécu jusqu'au xviiie siècle, disparut très vite. Recevoir dans sa baignoire n'était pas inconvenant lorsqu'aucune pièce n'était exclusivement réservée à la toilette. Chez les bourgeois du Moyen Age, le cuvier servait aussi bien à prendre un bain qu'à faire la lessive ou, retourné, à dresser la table. Dans les hôtels élégants du xviiie, la baignoire est souvent apportée dans la chambre.

Un conte polisson du début de ce siècle nous restitue pourtant l'atmosphère du bain convivial — mais dans un milieu artiste, réputé léger, et dans un contexte qui prouve à suffisance l'incongruité de la scène.

Un collégien, amoureux d'une actrice à la mode et apprenant qu'elle accueille volontiers les écrivains qui viennent lui proposer un rôle, parvient, en se faisant passer pour l'un d'eux, à s'introduire dans son hôtel. La servante, le plus naturellement du monde, lui propose de rencontrer l'actrice dans sa baignoire en précisant que « Madame a l'habitude d'écouter de cette façon-là ». Passons sur les émois du collégien, exaucé au delà de ses désirs et se préparant à découvrir l'objet de son amour dans le seul costume convenable en la circonstance. Petite déception : « un drap fin jeté d'un bord à l'autre cachait le corps hermétiquement ». Faut-il dire que l'actrice, apprenant le vrai motif de la visite, ne fit guère de difficultés pour ôter le voile importun[73] ?

Même s'il ressortit au domaine de la fiction et qu'il joue sur l'insolite de la situation, le conte se doit de rester vraisemblable. Et remarquons qu'en l'occurrence, une actrice légère et toute disposée à satisfaire un auteur potentiel prend bien plus de précautions qu'une grande dame du xviiie siècle recevant un ami dans sa baignoire...

Les bains eux-mêmes ont pris une autre valeur au xixe siècle. Leur aspect thérapeutique est de moins en moins perçu. Leur principal but est hygiénique, et les cocottes aiment multiplier les coûteux caprices qui doivent leur garantir la douceur et la blancheur de la peau : bains de lait, de champagne, de fraises écrasées. « Il y a je ne sais quoi d'oisif et de mou dans le goût de s'établir ainsi au fond d'une baignoire, qui sied mal à une fille », tranche la comtesse de Bradi (p. 210). Aussi permet-elle aux garçons de se baigner toutes les semaines... et aux filles, tous les mois !

Sort-on du bain ? Il faut bien s'essuyer... partout. « Comme le trouble involontaire de la pudeur empêche de prendre convenablement ces soins importants, sans lesquels le bain est plus nuisible que salutaire, enveloppez-vous bien de votre peignoir, et, s'il le faut, fermez les yeux, jusqu'à ce que vous ayez terminé l'opération. » On a accusé Mme Celart, à cause de ce conseil (p. 37), d'une pudibonderie excessive. Si on lit bien, on se rend compte que la pudeur dont il est question n'est pas la sienne, mais celle de ses lectrices, qu'elle ne peut scandaliser. Nous touchons là une des grandes innovations de la pudeur du XIXe siècle : elle vient de plus en plus des citoyens, de moins en moins des moralistes ou des prédicateurs. C'est pour cela qu'elle s'imposera d'emblée, alors que dix siècles de sermons n'avaient pas réussi à émouvoir le peuple.

Quant aux bains publics, ils retrouvent, eux aussi, cette atmosphère ambiguë — entre l'hygiène et la volupté. Dès le début du XIXe siècle, la mode de l'exotisme réintroduit en France le bain turc, qui inspira à Ingres un tableau célèbre, et qui a vécu jusqu'à nous sous forme de hammam. Quant aux étuves, elles se sont réfugiées dans les pays nordiques, comme jadis les thermes romains à Byzance. Elles nous en reviendront dans la seconde moitié du XXe siècle sous forme de saunas.

Il ne suffit pas de voiler le sexe, en ce XIXe siècle maladivement pudibond. C'est le corps en soi qu'il faut nier, modeler, dompter. A l'époque où l'on impose aux enfants d'invraisemblables contorsions pour changer de chemise en passant la propre sous la sale, on demande aux pensionnaires des établissements éducatifs de prendre leur bain en chemise — encore Théophile Gautier dut-il menacer de retirer sa fille Judith de Notre-Dame de la Miséricorde pour qu'on consente à lui accorder un bain hebdomadaire[74] !

Pour les vacances, les fabricants de maillots se creusent l'imagination pour inventer des costumes honnêtes qui ne seront, finalement, que de véritables instruments de torture. Le problème crucial est d'empêcher le vêtement de coller indécemment au corps lorsque l'on sort de l'eau et d'en révéler trop crûment le modelé. On inventera donc la baleine en jonc pour que les femmes puissent se baigner en corset sans risquer de voir se rouiller leur armature de fer. On taille des maillots dans une laine épaisse qui s'alourdit de kilos d'eau, mais n'adhère pas au corps. On crée une ceinture spéciale qui, dénouée à la sortie de l'eau, écarte le vêtement du corps. On laisse un espace béant « à l'entournage du corsage » pour laisser évacuer l'eau[75]...

De tels excès de pudibonderie devaient entraîner des réactions aussi excessives. Dans la seconde moitié du XIXe siècle se font jour les premières théories naturistes, qui précipitent en fait une évolution progressive vers une simplication du costume de bain.

En abordant le xxe siècle, nous retrouvons une scène — devenue rare — issue du bon vieux temps de l'innocence. Georges Normandy, en se promenant à Nice sur la grève parallèle à la promenade des Anglais, assiste encore aux ébats naturistes de baigneurs, tous âges et tous sexes confondus, vêtus au mieux d'un mouchoir de poche vaguement tendu par une ficelle. La plupart s'exposent franchement nus, et « le plus innocemment du monde ». La même scène se reproduit tous les jours d'été, assure Normandy, qui avoue son étonnement d'« homme du Nord » habitué aux longs costumes de bain (p. 245).

Un tel spectacle, surprenant effectivement, est l'exception. Soixante ans plus tard, un jeune mannequin encourra l'ire des magistrats vigilants, pour avoir ôté son soutien-gorge sur la même promenade des Anglais. Le xxe siècle, avant la seconde guerre, sera surtout celui de la répression. En 1926, Kienné de Mongeot, fondateur du naturisme français, sera poursuivi pour s'être baigné torse nu sur une plage publique[76]...

C'est pourtant à la Belle Époque que le caleçon de bain commence à rétrécir. Vers 1890, quand le pantalon de ces dames remonte au-dessus du mollet — mais sous le genou — on crie au scandale. Dix ans plus tard, les premiers costumes une pièce commencent à apparaître chez les nageuses professionnelles. Ils ne se répandront qu'à partir de 1925, quand la mode aura habitué à voir les genoux des femmes. A partir de 1935, le costume deux pièces fait son apparition, pour se rétrécir en bikini dans les années 1950, en monokini dans les années 1970...

Pour les hommes, la mode a été plus incertaine. Les baigneurs de Seurat ou de Cézanne ne portent pas encore ces costumes complets qui seront de rigueur jusqu'à la Seconde Guerre mondiale ; leur maillot est encore symbolique. Du bermuda au slip, du string au nudisme, la même tendance affecte le costume de l'homme et de la femme. Libération n'est pas liberté : le nudisme du xxe siècle n'est pas celui de saint Jean défiant le devin de Patmos. Nous sommes restés tributaires, dans le dévoilement progressif du corps, d'une histoire qui a petit à petit centré la pudeur sur l'organe génital. A une autre pudeur, il fallait une autre nudité.

Face à l'appareil pudique du baigneur du xixe siècle, le xxe siècle développe le mythe du nudisme libérateur, dernier avatar du mythe du bon sauvage. Retrouver son corps, la caresse de l'eau sur la peau, à la faveur du *bain de minuit* lui-même associé au trouble plaisir de l'interdit. Nudité devient synonyme de paradis terrestre. En 1943, Alec Guiness, officier à la Royal Air Force, commande un navire ancré au cap Passero. Les marins anglais, cantonnés en Sicile, passent leur temps en jeux et en baignades. Lorsqu'après un périlleux parcours dans un champ de haricots miné, on rejoint le rivage, on a l'impression d'arriver au paradis. « Quand nous regagnâmes le navire, écrit l'auteur, la mer était claire et fraîche, les hommes se baignaient nus et le moral était au zénith[77]. »

Une scène restée symbolique de cette liberté liée à la chair retrouvée, à l'interdit bravé, est celle de la fontaine dei Trevi, dans *La Dolce Vita* de Fellini (1959). Marcello, en rejoignant Sylvia dans la fontaine, est enivré d'un « désir irrépressible de liberté, d'adhésion joyeuse aux instincts, de vie profonde » ; il ôte ses souliers et remonte son pantalon sur les genoux. « Par ce geste il se sent enfin libre, exalté. » Le scandale suscité par cette scène tient moins à un dévoilement somme toute restreint qu'au lien brutalement — quoique symboliquement — affirmé entre nudité et liberté.

Ce lien devait être exploité systématiquement par les groupes naturistes qui ont envahi l'Europe au début de ce siècle. En France, le naturisme des clubs a fait un premier pas vers le public lorsque ses promoteurs ont acquis le domaine d'Héliopolis à l'île du Levant. Pendant trente ans, la petite île sera le symbole de la lutte pour la nudité. Le 23 juin 1933, un arrêté historique de la municipalité d'Hyères donne ses lettres de noblesse au nudisme : toléré sur deux plages de l'île, il est admis dans le village d'Héliopolis pourvu que le sexe soit voilé d'un triangle d'étoffe — le célèbre *minimum*, ultime refuge d'une pudeur qui s'en va à vau-l'eau.

La contre-culture des années 1960, qui fait brutalement irruption en France après Mai 68, élargit le mouvement amorcé par l'arrêté de 1933. D'autres municipalités suivent l'exemple désormais classique de l'île du Levant. La première en date n'a pas attendu la révolution de 1968, puisque Montalivet s'est ouvert aux nudistes en 1967. La Seyne-sur-Mer, Sérignon ont suivi en 1972, Le Grau-du-Roi en 1973, et sur leur impulsion d'autres plages ont rejoint le mouvement. La nudité, toujours interdite par la loi, bénéficie donc de la tolérance de certains conseils municipaux, sur des tronçons limités, sans doute, mais qui ne doivent plus, comme naguère, être sévèrement clôturés et occultés aux yeux des promeneurs.

1968 marque aussi une date clé dans la conquête du nu sur les plages officielles. Jusque-là, les seins nus restaient proscrits. On se souvient du scandale provoqué en 1965 par les premières baigneuses niçoises à se promener les seins nus à deux pas de la plage. Les deux pas auraient été déterminants pour transformer une cure de soleil en « exhibition de nature à offenser la morale publique et à blesser le sentiment moral de ceux qui ont pu en être les témoins ». L'offensive tropézienne des étés 1970-1971 abat une nouvelle barricade de la pudibonderie. L'*opération Topless*, comme on l'a baptisée, impose les seins nus, à Saint-Tropez d'abord, sur les autres plages officielles ensuite, voire dans certaines piscines communales ou au bord de la Seine parisienne. Les timides essais d'*ôter le bas* ont jusqu'à présent été sévèrement sanctionnés. Si la nudité reste associée à la liberté, ils ne pourront plus l'être longtemps dans un pays qui revendique celle-ci comme son plus fier héritage.

Le paradoxe reste que la pudeur, en quittant peu à peu la baignade publique, reste vivace dans le bain privé qui n'a pas encore retrouvé l'aisance du bain convivial de jadis — même lorsque le manque de confort reproduit les conditions matérielles du bain médiéval. Témoin ce souvenir d'enfance de Bernard Clavel : « Chez nous, il n'y avait pas de salle de bains. Tout se passait à la cuisine, et lorsque mes parents voulaient faire leur grande toilette, ils s'enfermaient chacun à leur tour dans cette pièce minuscule où l'on apportait une grande bassine et un arrosoir d'eau[78]. »

Le romancier a beau chercher à son enfance des références médiévales, la mentalité n'est plus la même. La pudeur est devenue individuelle : c'est son propre regard que l'on craint. Pierre Desproges ne caricature pas, lorsqu'il met en scène une « ancienne pensionnaire des sœurs de Chavagnes à Nantes (qui) avait appris à se laver les seins dans le noir pour éloigner Satan[79]. » Chez les clarisses d'A..., Marie Rousseau a rencontré la même indécence de son propre regard : « Toute toilette dans la cellule ou dans la douche devait se faire dans l'obscurité », note-t-elle [p. 41]. Cas extrême, sans doute, mais représentatif d'un état d'esprit qui a marqué les générations d'avant-guerre. En quittant le couvent, les pensionnaires emportaient dans leur trousseau leur « chemise de bain », comme au XIXᵉ.

A travers l'exemple du bain public ou privé, en rivière ou en baignoire, en mer ou en étuve, nous avons découvert un des premiers grands axes de la pudeur. Liée à un acte au Moyen Age (la débauche qu'entraîne la proximité des corps nus), elle investit la vue aux XVIᵉ et XVIIᵉ siècles. La pudeur naît alors comme gardienne de la chasteté : « Comme les yeux sont des petits libertins qui courent çà et là et vont chercher des maladies dans de certains objets qui causent bien souvent la mort à la chasteté ; sa garde fidelle, j'entends la pudicité, qui veille pour que rien ne l'offense, les retient et les ferme, elle les flate et fait accord avec eux afin qu'ils ne la trahissent point[80]. »

Chapitre II

PUDEUR ET VÊTEMENTS

« Les vestemens servent pour couvrir nostre vergoigne de nudité, et a defendre le corps contre l'intemperie de l'air, le froid et le chaud. » Le prêtre liégeois qui, en 1601, résume ainsi son *Traicté non moins utile que delectable sur les Habits, mœurs, cérémonies, façons de faire anciennes et modernes du Monde*, pose sans le savoir un problème qui va susciter des débats pendant plusieurs siècles. Qui, du vêtement ou de la pudeur, est né le premier ? Avatar de la querelle entre l'œuf et la poule ? Bien des polémiques se sont pourtant élevées à ce sujet, que Marc-Alain Descamps a évoquées dans sa thèse sur *Le Nu et le Vêtement* (1972).

Primauté à la pudeur, soutiennent les moralistes religieux en invoquant la Bible et la honte d'Adam après le péché originel. Le vêtement crée la pudeur, rétorquent les tenants du naturisme, et de citer l'exemple de ces peuples primitifs qui, après avoir revêtu les habits que leur imposaient les missionnaires, apprenaient la honte de leur nudité antérieure. Les mêmes exemples se répètent de discours en discours : les musulmanes qui préfèrent montrer leur sexe que leur visage, les Malgaches qui mourraient de découvrir leurs bras... Et l'on rapporte l'histoire de cette Orientale surprise sans son tchador, qui se dépêcha de rabattre sa robe sur sa tête, dévoilant du même coup ces charmes qu'on se serait hâté de voiler en Europe[81]. La pudeur ? Rien apparemment de moins naturel.

Ce n'est pas le lieu de rouvrir le vieux débat. A l'époque où commence notre enquête, la pudeur est un fait acquis, même si sa définition diverge de la nôtre. Les conflits entre mode et morale qui vont nous occuper dans ce chapitre opposent ceux pour qui le vêtement sert à cacher notre « vergoigne de nudité » à ceux pour qui il est une arme supplémentaire dans la panoplie de la séduction. Nous ne retiendrons que les discours — suffisamment nombreux ! — qui s'en prennent à l'indécence de la mode : ne perdons pas de vue pour autant qu'ils se situent dans un ensemble plus vaste. Le traité *Des habits, mœurs et cérémonies*...

de 1601 distinguait ainsi cinq abus dans la façon de se vêtir : la somptuosité des étoffes, la « vaine gloire » qu'on prend à s'en parer, la « guise estrangere et pelerine » (les modes exotiques), la « superfluité » en nombre, longueur ou largeur, et la « malseance ». Cette malséance, contrairement à ce qu'on pourrait croire, ne stigmatise pas l'indécence d'un vêtement, mais sa forme « monstrueuse, laide, hideuse, maussade » : le digne ecclésiastique reconnaîtrait-il quelque utilité à la mode ? Et les recommandations de décence ? Elles ne sont pas oubliées, si elles ne semblent pas explicites. En ce début du XVIIᵉ siècle, elles restent liées aux accusations de luxure et au risque que fait courir une toilette trop séduisante. « Les parures excessives, la face reluisante de fard, le langage contrefait, le pied frétillant, les pas rompus, le marcher mol, les yeux tournoyans ne hantent rien plus haut que vanité et lubricité » : la « modestie », vieux synonyme de la pudeur, couvre un terrain bien plus large que la simple nudité. Celle-ci n'est qu'un aspect de la coquetterie, cible des prédicateurs ; quant aux rois, ils semblent plus occupés d'édits somptuaires que d'édits de décence.

Soulignons enfin que les moralistes n'ont jamais prétendu à un système cohérent. Leur indignation ne raisonne pas. En 1601, en plein renouveau des études antiques, notre prêtre ne peut que louer la « pudicité » des anciennes Romaines, qui ne sortaient jamais sans voile. S'agit-il de décrire le costume des Turques, le voile devient condamnable puisqu'il est à l'origine de la jalousie proverbiale des maris ottomans, « laquelle maladie quand elle tient une âme saisie, altere et metamorphose sa personne, et trouble sa raison ». Comment la femme turque aurait-elle pu être citée en exemple à la Française ?

Au Moyen Age, l'obsession de l'acte

En France, le costume carolingien, puis roman, subit trop peu de modifications pour s'attirer le courroux des moralistes. Sous Charlemagne, pourtant, tout semble en place pour un éveil de la pudeur : le manteau long des Francs commence à se raccourcir, et l'empereur s'en offusque — mais au nom de la commodité plus que de la bienséance : « A quoi servent ces petits manteaux ? raille-t-il. Au lit, ils ne sauraient nous couvrir ; à cheval, ils ne nous défendent ni de la pluie, ni du vent ; lorsque nous sommes assis, ils ne garantissent nos jambes ni du froid, ni de l'humidité[82]. » Ces moqueries, comparées aux imprécations des clercs lorsque les vêtements courts réapparaîtront au XIVᵉ siècle, montrent bien le chemin parcouru par la pudeur en six siècles...

Les manteaux courts, au contraire, satisfont les moralistes, qui louent cette distinction entre habits masculins et féminins (restés longs). L'évêque Liutprand, envoyé en mission à Constantinople en 968, se félicite ainsi du costume de son pays, face à la mode unisexe byzantine. « Le souverain des Grecs porte les cheveux longs, des vêtements à larges manches, et une coiffure de femme... C'est un menteur, un traître, etc. Au contraire, le roi des Francs a une belle chevelure taillée court et ses vêtements sont tout à fait différents du costume des femmes, y compris le bonnet[83]. » L'apparence extérieure témoignant des sentiments profonds, comment ne pas attribuer aux Grecs les défauts alors reconnus aux femmes et aux efféminés ?

Il ne pouvait prévoir, l'ambassadeur franc, que deux siècles plus tard ses compatriotes se mettraient à l'heure orientale. Vers 1100, le vêtement unisexe s'introduit en France. Hauts cris du clergé... et premier paradoxe : l'indécence consiste alors à allonger le costume ! La courtoisie naissante impose un nouvel art de vivre, plus raffiné, attentif aux femmes. Quel plus bel hommage pouvaient leur rendre les hommes qu'adopter leur costume ? Le bliaud, tunique courte tombant à mi-cuisses, s'allonge jusqu'aux pieds des hommes comme une robe de femme. Les chaussures aussi s'allongent en « pigaces » — ces chaussures en forme de « pic » que l'on bourre d'étoupe pour les recourber comme des cornes de bélier. Les manches s'allongent, largement échancrées, pendantes à partir du coude. Et le nez des moralistes s'allonge devant ces modes efféminées !

Les Normands les ont ramenées dans leurs États anglais et continentaux après l'invasion de la Sicile arabo-byzantine en 1062. Orderic Vital les prétend venues d'Italie à la mort du pape Grégoire VII (1085) et de Guillaume le Conquérant (1087) : leur autorité morale, semble penser le moine normand, aurait pu conserver les « habitudes honnêtes de nos ancêtres. » Au lieu de ces « habillements modestes tout à fait adaptés aux formes du corps », que trouvons-nous ? « Le jeunesse pétulante adopte la mollesse féminine : les hommes de cour s'étudient à plaire aux femmes par toutes sortes de lascivetés. Ils placent aux articulations des pieds, où se termine le corps, l'image de la queue des couleuvres qui, comme des scorpions, se regardent dans les yeux (*prae oculis suis prospiciunt* : se tournent vers leurs propres yeux comme la queue des scorpions recourbée vers leur tête). De l'extrémité superflue de leurs robes et de leurs manteaux, ils balayent la poussière de la terre ; ils se couvrent les mains, quelque chose qu'ils fassent, avec de longues et larges manches, et chargés de ces superfluités, ils ne peuvent marcher promptement ni rien faire d'utile[84]. » Orderic, dans la lignée de l'évêque Liutprand, voit dans le vêtement le symbole de la moralité : les excès vestimentaires reflètent les vices de la jeune génération parmi lesquels les éternelles « ordures de Sodome ». Pigaces (devenues « poulaines ») et robes longues régneront néanmoins près de trois siècles sur la mode française. Comment ne pas voir dans ce costume tout en hauteur la traduction vestimentaire du nouveau style architectural, le gothique naissant ? Une mode ne s'impose durablement que lorsqu'elle correspond à un besoin profond d'une société.

La première réaction de décence dans la mode française, quoi qu'il en soit, ne s'est pas faite au nom de la pudeur dans son sens actuel, mais d'une idée, d'un principe moral de distinction des sexes. Avec l'obsession de l'acte qui l'accompagne, caractéristique de tout le Moyen Age : vêtements efféminés supposent homosexualité. De la même façon, lorsqu'au siècle suivant la chair fait son apparition dans le costume féminin, elle n'est pas condamnée pour elle-même, mais pour la tentation qu'elle représente pour les hommes. L'outrage à la pudeur n'existe pas au Moyen Age ; seul existe le sixième commandement...

Ne quittons pas le costume masculin sans évoquer un autre problème — rarement abordé — de décence. Saint Benoît avait en effet interdit aux moines de porter caleçon (ch. LX, p. 774) : ils n'avaient qu'à en emprunter un lorsqu'ils devaient sortir du monastère, pour le restituer à leur retour ! Les commentateurs de la règle ont été embarrassés par cette prescription contraire à leur pudeur. Au VIᵉ siècle, saint Fructuosus recommande ainsi le caleçon à ceux qui servent à l'autel — suivant l'antique loi hébraïque... Pierre le Vénérable, au XIIᵉ siècle, en recommandera l'usage, « par nécessité, propreté et honnêteté ». A la même époque, la formule de sainte Hildegarde, qui conseille de porter des caleçons « *propter virilem honestatem et reverentiam hominum* » (par honnêteté masculine et par respect pour les autres), semble même une des premières manifestations de la pudeur masculine, qui mettra bien des siècles à se définir[85]. Une formule complète, en tout cas, qui distingue déjà *ethos* (pudeur, *virilem honestatem*) et *habitus* (décence, *reverentiam hominum*).

Mais on ne parle pas volontiers des caleçons des moines : ils ont d'ailleurs un « lavoir secret » pour les laver, et il leur est interdit de les faire sécher devant le réfectoire[86] ! Dix siècles après les prescriptions de saint Benoît, Rabelais s'en fera l'écho en expliquant que les moines ont la « couille longue » parce qu'elle ballotte librement entre leurs jambes... Les moines sans doute forment une sensibilité à part dans le monde médiéval. Il n'en est que plus intéressant de les voir préparer dans leurs règles une conception de la pudeur qui triomphera aux XVIIIᵉ et XIXᵉ siècles. Retenons que la pudeur, qui touche déjà chez eux toutes les parties du corps, déteint sur les vêtements, sur ce caleçon « *sordidum et horridum* », sordide et effroyable, que l'on ne lave qu'en cachette...

Le XIIIᵉ siècle et le sein nu

La même obsession de l'acte domine dans l'Europe courtoise les critiques qui s'élèveront contre les tentatives de découvrir le sein des femmes. Au XIIIᵉ siècle, en effet, apparaissent les premières manifestations d'une mode que ne parviendront à détrôner ni les religieux ni les magistrats, ni les sermons ni les codes pénaux. La femme, reine des cours où se constitue la « fin'amor », découvre soudain son pouvoir de séduction — là où l'Église n'avait voulu voir que tentation. Elle n'a plus peur d'étaler ses appas, et les poètes l'y encouragent.

La Clef d'amors, manuel courtois imité de l'*Ars amandi* d'Ovide, donne ce judicieux conseil à l'amante : Si tu as belle poitrine et beau cou, ne les couvre pas, mais que ta robe soit décolletée pour que chacun les désire et en rêve (« Si que chescun y muse et bée », v. 2325-2328).

Que fallait-il pour faire « muser » et « béer » nos seigneurs ? Jean de Meung, dont on connaît le malin plaisir à recommander ce que condamnent les âmes prudes, nous renseigne. Ce bréviaire d'amour courtois que deviendra le *Roman de la Rose* fixe la profondeur idione du décolleté (v. 13313 et suiv.) :

> *S'elle a blanc col et gorge blanche,*
> *Que celui qui sa robe tranche*
> *Si très bien la lui décollette*
> *Que sa chair père* [apparaisse] *blanche et nette,*
> *Demi-pied derrière et devant :*
> *Cela sera plus décevant* [aguichant].

Un demi-pied : une quinzaine de centimètres. La décence a connu d'autres alarmes. La libération du sein a pourtant dû être très vite complète : Dante, dans son *Purgatoire* [ch. 23, v. 102], a rencontré des Florentines coupables d'*andar mostrando con le poppe il petto*. « Avec la poitrine, les mamelles »... Le soleil d'Italie incitait sans doute à se découvrir davantage.

Le mouvement ne se limite pas à la mode. Au XIIIe siècle, dans la statuaire, sur les fresques, les chapiteaux, les seins flasques des èves et des damnées se raffermissent et « pointent alentour ». C'est l'époque où les poètes, las de louer le clair visage et le teint laiteux de leur dame, osent se tourner vers ses « mamelettes durelettes ». L'époque aussi où Gautier de Coincy délire sur les mamelles de Notre Dame, « si glorïeuses et si belles, si petites et si bien faites » (I, 32, t. III, p. 25). Et le *Roman de la Rose* n'oublie pas de conseiller à celles qui ont trop lourdes mamelles de se faire « étreindre la poitrine » dans un « couvre-chef » ou des « toiles » — des bandeaux dont on entourait la chevelure et qui feraient office de soutien-gorge (v. 13329 et suiv.). Un soutien-gorge ? N'est-ce pas ce que semble décrire la *Clef d'amors* quand elle recommande à celles qui ont trop grande poitrine une « chemise serrée où soient écrites (*empreintes*) les formes de deux petites mamelles » ? Les seins discrets étaient alors de rigueur (v. 2515-2516)...

Toujours est-il que la mode des seins nus, caractéristique des prostituées chez Horace ou Juvénal, gagne désormais la haute société. Comme la précédente révolution vestimentaire, elle est importée d'Orient. « Cipriana », la robe de Chypre : c'est ainsi que le placentin Jean de Mussis appelle ce « corsage si grand que (les femmes) montrent leurs mamelles et qu'il semble que lesdites mamelles veuillent sortir de leur sein[87] ». La robe pudique est alors — plus pour longtemps ! — la « robe de France »... Rappelons qu'en ce XIVᵉ siècle, c'est une dynastie française qui règne sur Chypre. Les Lusignan ont fait de leur capitale Famagouste une cité prospère dont la cour fastueuse est vantée dans toute l'Europe. Les colonies génoises et vénitiennes se chargent d'en rapporter les modes nouvelles — la « cipriana » est du lot.

Les réactions ne se font pas attendre. Curieusement, elles ne viennent pas de quelque prêcheur ronchonnant, mais d'un des chantres de l'amour courtois. Robert de Blois, poète, romancier, théoricien de l'art d'aimer, s'était fait le défenseur des femmes à une époque où la misogynie reste un cliché littéraire. Il peut sembler paradoxal de trouver sous sa plume les premières condamnations de cette coquetterie défendue par le — prétendu — misogyne Jean de Meung.

> *Aucune laisse défermée*
> *Sa poitrine pour que l'on voie*
> *Confaitement sa chair blanchoie.*
> *Une autre laisse tout de gré*
> *Sa chair apparaître au côté ;*
> *Une de ses jambes trop découvre...*

nous apprend le *Chastoiement* (enseignement) *des Dames* (v. 192-197). Les seins, les flancs, les jambes : la chair féminine est à l'honneur en cette fin du XIIIᵉ siècle. Robert vantera, pour cadenasser ces poitrines, le mérite de la broche. « Pour ce furent les saints [sic !] fermés. Que nul autre [que le mari...] n'y doit main mettre » (v. 110-111). La condamnation vise donc le geste plus que le regard : le sein découvert n'est proscrit que dans la mesure où il constitue une invite : « Gardez que nul homme sa main. Ne laissiez mettre à votre sein. Fors celui qui le droit y a » (v. 97-99). Car de la caresse au « surplus », il n'y a... qu'un pas (v. 113-116) :

> *A qui femme veut consentir*
> *Ses mamelles nues sentir*
> *Et sa chair tâter sus et jus,*
> *Ne fait danger* [refus] *du soreplus.*

Parlerons-nous de pudeur ? Il s'agit plutôt ici d'une règle élémentaire de vie sociale. La nudité est dangereuse, mais non choquante. On ne sent pas d'indignation chez Robert face à ce qu'on nommerait aujourd'hui un attentat à la pudeur. Face aux excès d'une courtoisie débridée, Robert de Blois rappelle que le jeu d'amour doit s'arrêter au mariage.

Bien plus, notre imitateur d'Ovide, que l'on ne peut accuser de mépriser les femmes, leur recommande dans sa *Clef d'amors* de bien souffler la chandelle quand elles se déshabillent devant leur galant : « Il y a sur les femmes maintes choses qui sont plus convenables cachées et bien renfermées qu'elles ne le seraient dévoilées » (v. 3369-3373). Enfin une manifestation de la pudeur féminine ? Que nenni ! Mais plutôt volonté de ne pas éteindre le désir de l'homme par un spectacle que, dans le meilleur des cas, on ne peut s'empêcher de trouver refroidissant. L'érotisme a encore quelques leçons à prendre.

Un beau sein, blanc et ferme, est susceptible d'inspirer le désir. Mais la « chambre de Vénus » inspire encore un effroi craintif à ces clercs qui n'en ont pas percé les mystères. Qu'on la tienne bien propre, recommande Jean de Meung [v. 13336] ; qu'on rase « l'araignée » (image parlante et qui n'est pas rare) qui s'y trouve tapie, afin que l'amant ne puisse y « cueillir mousse ». Aussi, l'indulgence de nos auteurs pour les corsages généreux ne se reporte-t-elle pas sur les robes trop courtes. Au XIIIe siècle, un mollet entr'aperçu est plus choquant qu'un sein exhibé. Sans doute y a-t-il quelque avantage à montrer son pied, qui semble porteur au Moyen Age des mêmes potentialités érotiques qu'à l'époque des froufrous... Mais si les traînes n'étaient pas aussi longues, imagine la *Clef d'amors*, beaucoup de choses nous apparaîtraient : quand une femme se baisse, elle ne peut empêcher qu'on ne voie ses mollets (« le gros de ses jambes ») et « le devant de sa chemise » ; « par aventure » verrait-on quelquefois « aucune ordure » (v. 2391 et suiv.).

On est peiné de ces réactions à une époque où le génial Gautier le Leu consacre un fabliau — tout simplement intitulé *Du Con* — à la louange du sexe féminin. Malgré les audaces d'un Jean de Meung, malgré la revendication par la *Clef d'amors* d'un plaisir féminin qui fait encore peur à l'homme, la courtoisie n'a pas tout appris de la littérature bourgeoise et populaire. La décence est née dans les cours gothiques comme la pudeur dans les cloîtres romans.

xve siècle : la guerre du sein

Puisqu'il faut cacher les jambes, allongeons les traînes. Toujours plus bas. Puisqu'on peut montrer les seins, échancrons le corsage. Toujours plus bas. Les bustiers se font de plus en plus moulants et, pour les dévoiler, les « surcots » (manteaux enfilés sur la cote) sont largement ouverts sur les côtés : l'emmanchure, qui descend jusqu'à la taille, est rebaptisée « fenêtre d'enfer » par les esprits pudibonds. Quant à la gorge...

Cette manie d'ajouter par derrière ce qu'on retire par devant a de quoi exciter la verve des satiriques. Le chevalier de La Tour Landry, hobereau lettré qui écrit vers 1371-1372 un *Livre pour l'enseignement de ses filles*, se demande pour sa part à quoi servent ces interminables traînes qui ramassent la boue « comme le trou d'une brebis souillée par derrière »... Encore ne sont-elles pas plus pratiques en été qu'en hiver, « car en hiver, quand il fait grand froid, les femmes meurent de froid à leurs ventres et à leurs tétines, qui ont plus grand métier [besoin] d'être tenues chaudement que les talons, et en été, les puces s'y mussent » (ch xxi, p. 47).

Le livre du chevalier jouira d'une certaine audience : car il se contente d'ironiser sur les servantes qui singent les grandes dames, et se garde bien de viser plus haut : « Je ne parle point sur les dames ni sur les demoiselles atournées, conclut-il prudemment, qui bien le peuvent faire à leur plaisir et à leur guise [...] car à moi n'affiert [convient] ni appartient fors [que de] les servir et honorer et obéir à mon pouvoir, ni je ne pense sur nulles en parler par ce livre, fors ce que à mes propres filles et à mes femmes servantes, à qui je puis dire et montre ce que je veux et il me plaît. » Qu'on se le tienne pour dit : dans la maison La Tour Landry, une gorge trop dévoilée est une faute professionnelle grave.

Le mouvement va s'amplifiant, et, au xve siècle, c'est jusqu'au nombril que plongent les décolletés des hautes dames. La sainte indignation qui s'empare alors des prêcheurs est pourtant exagérée. La ceinture, où s'arrête l'échancrure, est très élevée, et sous la robe, on porte le « tassel », une pièce d'étoffe qui couvre la poitrine. Bien sûr, les jeunes filles les mieux faites n'hésitent pas à choisir une étoffe si légère qu'elle en devient transparente, et Michel Menot, un des orateurs les plus virulents de la fin du xve siècle, dénonce ces « poitrines découvertes jusqu'au ventre, avec un voile blanc (*cum pectorali albo)* à travers lequel on peut tout voir distinctement[88] ».

Parmi ces jeunes audacieuses, la mie du roi Charles VII, Agnès Sorel (1422-1450), n'est pas la moins effrontée. Lorsqu'elle « descouvroit les épaules et le sein devant jusqu'aux tettins », comme la décrit Georges Chastellain[89], la favorite rendait pâles de jalousie les grandes Dames de la cour de Chinon. Bien peu, en effet, pouvaient se targuer d'appas aussi parfaits que ceux de la « Dame de Beauté ». C'est elle, dit-on, qui lança alors cette mode boiteuse : un sein dedans, un sein dehors. Charmant débraillé qui transformait les dames en nourrices dérangées en plein repas, tandis que les hautes ceintures leur donnaient l'air constamment enceintes ! Jean Fouquet a immortalisé l'Agnès au sein borgne dans sa Vierge à l'enfant, à partir de laquelle un peintre anonyme du xvie siècle a reconstitué le portrait du château d'Azay-le-Ferron. La maîtresse du roi aurait ainsi inventé une des règles fondamentales de l'érotisme : créer l'impression de mouvement, montrer le dévoilement du sein plutôt que le sein dévoilé. On comprend qu'une toilette aussi agressive ait attiré les foudres des censeurs. A partir du xve siècle, l'indignation se fait réellement au nom de la pudeur.

Les arguments invoqués sont surtout d'ordre émotionnel. Le ridicule, la honte font plus d'effet que des menaces de feux éternels. Le ridicule ? Michel Menot renouvelle les moqueries de La Tour Landry sur les robes qui gagnent par derrière ce qu'elles perdent par devant et compose cet amusant dialogue :

« Il y avait une fois un homme qui dit à sa femme :

« — Eh, Madame, quand tout le monde peut voir vos seins à découvert, qui pourra empêcher qu'on ne voie le reste ?

« — Et que voulez-vous que je fasse, dit celle-ci, puisque ma robe est "taillée"[90] ainsi ?

« — Prenez un morceau de votre traîne, qui est bien trop longue, et mettez-la sur votre sein, où il manque du drap.

« Celle-ci prend "les cizeaulx"[90], enlève sa robe et la jette à son mari en disant :

« — Je crois que vous voulez jouer au tailleur, coupez comme il vous plaira.

« — Madame, répondez à ceci : la fumée n'est pas le feu, mais sa manifestation (*similitudo*), la preuve qu'il y a du feu, ou qu'il y a eu du feu là où elle apparaît. De même, les mauvaises manières témoignent de l'embrasement de la chair[91]. »

Cette mise en scène que le prédicateur mimait en chaire a peut-être une autre morale : dans cet échange de répliques, la femme a vite le dessus sur son mari, qui n'a plus comme ultime recours qu'un argument scolastique et une accusation tout à fait gratuite. En tout cas, ce ne sont plus les hommes qui invitent les femmes à entrouvrir leur corsage : elles ont appris à le faire toutes seules !

Frère Olivier Maillard ne le cède en rien à son compère Menot quant à la vigueur du verbe. Lui aussi tente de mortifier son auditoire : « Et vous, mesdames qui portez vos robes ouvertes, ne faites-vous pas vos maris cocus lorsqu'ils vous conduisent aux banquets[92] ? » Les orateurs n'hésitaient pas alors à apostropher vertement — et parfois nommément — quelque victime dans l'assistance, à la grande joie de ses voisins ! Maillard, dans une dramatisation qui vaut celle de Menot, met un jour en scène le roi d'Angleterre, à la veille de déclarer la guerre à la France. Ferai-je la guerre à outrance ? demande-t-il à ses conseillers. — Oui sire, répondent ceux-ci, car les vices n'ont jamais été aussi grands sur le continent. Nul doute que la victoire ne revienne à la pudique Albion, puisque le Seigneur ne déteste rien autant que le péché de chair... A quoi tient l'histoire... La guerre de Cent Ans, pour la poitrine d'une femme ? Et pourquoi pas ? Après tout, peut-être les Anglais ont-ils déferlé sur la France pour la voir de plus près...

La cornue et le court-vêtu

La mode masculine n'est pas sans reproche aux yeux des censeurs du xve siècle. Rappelez-vous le scandale qu'avaient suscité les robes longues au début du xiie siècle... Petit à petit, on s'était habitué à ces tuniques qui couvraient les jambes. Seuls quelques rustauds de « vilains » avaient conservé la vieille mode, plus pratique pour travailler la terre. Qui s'en souciait ? Les voyait-on seulement en piétinant leurs champs ? Et voilà qu'au xive siècle, au fur et à mesure que le vêtement de la femme descend, celui de l'homme remonte ! D'un coup, notre bliaud se retrouve en haut des cuisses et se transforme petit à petit en pourpoint. Mode d'autant plus choquante que les vêtements se font plus moulants. Foin des robes amples aux plis droits : le pourpoint, sur la poitrine, et les chausses, sur les jambes, collent au corps comme la cuirasse qu'ils semblent traduire en tissu. Et tant pis pour les formes qu'ils révèlent...

Le chevalier de La Tour Landry, en brave père de famille inquiet de la moralité de ses filles, met en scène un évêque qui prêche contre la mode — et il en profite pour donner un coup de griffe aux femmes « bien branchues », celles qui portent des coiffes à deux cornes. Femmes cornues et hommes court-vêtus semblent des diables vomis par la gueule d'enfer. « Elles font des cornes aux hommes court-vêtus, qui montrent leurs culs et leurs braies et ce qui fait saillie [ce qui bosse] par devant, leurs organes honteux, et c'est ainsi qu'ils se moquent l'un de l'autre, le court-vêtu de la cornue [et la cornue du court-vêtu][93]. »

Curieusement, les arguments avancés pour faire redescendre les robes des hommes sont les mêmes que ceux développés pour faire remonter celles des femmes. Il faut dire qu'en pleine guerre de Cent Ans, le châtiment divin est à la mode, et si les Anglais ont débarqué sur le sol français pour voir les tétins des femmes, ils ont pu s'y maintenir grâce aux cuisses des hommes ! « L'orgueil estoit si grant en France et meismement ès nobles et en aucuns autres ; c'est assavoir en ourgueil de seigneurie et en convoitise de richesse, et en déshonnestetés de vesteures et de divers habiz qui couroient communesment le royaume de France. Car les uns avoient robes si courtes qu'il ne leur venoient que aux nasches [fesses], et quand il se bessoient pour servir un seigneur, ils monstroient leurs braies et ce qui estoit dedenz à ceulz qui estoient derrière eulz : et si [ainsi] estoient si estroites [leurs braies] qui leur falloit aide à eulz vestir et au despoillier, et sambloit que l'on les escorchoit quant l'on les despoilloit. » Rien d'étonnant alors si les Anglais ont écrasé les Français à la « dolente bataille de Crécy », gémit le moine qui tient la chronique de Saint-Denis à l'année 1346. « Et pour ce, ce ne fu pas merveille se Dieu volt corrigier les excès des François par son flael [le fléau, qui bat le grain comme les Anglais ont battu les Français] le roy d'Angleterre[94]. »

Au xve siècle, les rois adoptent la mode courte. Les moralistes n'ont plus qu'à se taire. Seuls les docteurs, les juges, les professeurs et autres graves personnages estimèrent contraire à leur dignité de montrer « ce qui leur bosse par devant ». Ils conservèrent la toge. Il fallut, en revanche, interdire aux prêtres de se mettre à la mode. Le concile de Sens s'en chargea en 1460 et leur interdit les « habillements immodestes, à la mode séculière », en particulier les vêtements trop courts. Quant à ceux qui lisent les heures canoniales, ils devront avoir « une tunique tombant sur les talons et un manteau propre, descendant plus bas que le mi-mollet, selon la diversité des modes et des pays[95] ».

Le clergé ne s'y plia pas toujours de bon cœur. Au xviiᵉ siècle, on appelait « abbés crottés » — on devine pourquoi — ceux qui portaient soutane en rue. C'est le xixᵉ siècle qui imposera véritablement un habit religieux distinct de l'habit de ville.

En attendant, entre les jeunes provocateurs en vêtements collants et haut troussés, et le costume austère des dignitaires laïcs ou religieux, il y a place pour des tuniques mi-longues, ou pour les capes et houppelandes qui se multiplient pour sauvegarder la pudeur masculine. Il fallait d'ailleurs une singulière pudibonderie, au Moyen Age, pour reprocher à un homme de montrer sa « vergoigne ». Une pudibonderie de moine. Les prêtres séculiers sont moins délicats. S'il faut en croire l'humaniste Henri Estienne, ils n'hésitent pas à truffer leurs sermons de plaisanteries que la pudeur moderne trouverait déplacées. Ainsi ce cordelier qui gage un jour de faire rire la moitié de son auditoire et pleurer l'autre moitié au sermon du vendredi saint.

« Il prit un habillement qui estoit fort court par derrière, et ne vestit point de haut-de-chausse, puis estant en une chaire posée au milieu du peuple, et qui n'estoit point close par derrière », il se mit à « faire ses grandes exclamations contre les meschans juifs, et à déclarer les grands tourmens qu'avoit endurez nostre seigneur Jésus-Christ ». S'il avait autant de conviction que Michel Menot, qui nous a livré un des plus émouvants sermons de la Passion, ce cordelier dut emporter son auditoire. A-t-il parlé des cinq mille quatre cent quatre-vingt-dix plaies que reçut le corps du Christ ? A-t-il montré, quand il n'y eut plus une goutte de sang, l'eau qui sortait du corps supplicié ? A la « qualité » de la Passion on juge la grandeur de nos crimes : les prédicateurs n'avaient pas peur d'en remettre.... « Ô cœur plus dur que le fer, ô cœur plus dur que le diamant. Le fer se fond par le feu, le diamant est surmonté par le sang de bouc, et moi, quoi que je fasse, je ne te puis tant amollir que tu jettes une seule larme ! » Eh si ! Le voilà « esmeu à pleurer », le bon peuple, devant les « simagrées » du moine ! Alors celui-ci, dans un geste théâtral, « baissa tellement la teste et les espaules en croisant les bras qu'il découvrit toutes ses postérieures : lesquelles voyans ceux qui estoyent derrière ceste chaire, ne se purent tenir de rire, au lieu que ceux qui estoyent devant estoyent esmeus à pleurer[96] ». Pari gagné, messieurs !

Une de ces bonnes blagues, comme on en a raconté de tout temps sur les moines et les frères prêcheurs ? Sans doute, et il faut la prendre comme témoignage d'une mentalité plus que comme une anedocte historique assurée. C'est cela précisément qui nous importe : le fait qu'à une époque où l'on s'indigne qu'une femme pénètre trop découverte dans une église, l'histoire d'un curé qui montre son derrière n'éveille que des rires gras. Elle n'est d'ailleurs pas isolée, cette anecdote. Erasme rappelle le sermon d'un moine lorrain qui, pour rendre plus sensible à ses auditeurs les affres de l'enfer, leur fit voir le derrière de son sonneur de cloches. « Voyez-vous ce trou-là ? disait-il. Il est bien puant, mais le trou d'enfer est encore plus puant[97] ! »

xvie siècle : jarretières et caleçons

La Renaissance ne change pas grand-chose aux habitudes médiévales. Le mouvement pudique que nous avons vu s'amorcer dans les baignades publiques ne touche pas la mode féminine, malgré les réserves que des moralistes comme Erasme expriment contre les vêtements trop fins ou trop courts [*Civilité*, p. 45]. On continue à porter haut la poitrine — et l'on commence même à dévoiler les jambes. Les seins nus triomphent aux bals de la cour comme dans les entrées royales.

> *Vits quarés, gros et divers*
> *Armez-vous d'estoc et de taille*
> *Car les tétons sont découverts*
> *Qui vous offriront la bataille*[98]

Ce quatrain coquin salue en 1503 la renaissance de la mode médiévale. De la ville à la cour, on s'armera effectivement et d'estoc et de taille. Les bals de Catherine de Médicis montrent l'exemple. Le 9 juin 1577, la reine donne à Chenonceau un « beau banquet » où « les dames les plus belles et les plus honnestes de la Cour, estant à moictié nues et aiant les cheveux espars comme espousées, furent employées à faire le service[99] ». C'est à ce festin qu'Henri III apparut dans une robe de damas rose généreusement décolletée, entouré de ses mignons frisés et pommadés. La soirée en valut de devenir une des plus célèbres du siècle...

Mais il n'y a pas qu'à la cour que les poitrines se libèrent. L'Estoile nous montre, la même année, les « dames et damoiselles de Paris » prises de la même folie exhibitionniste que l'escadron volant de la reine. Ont-elles appris la « manière des soldats de ce temps, qui font parade de monstrer leurs poictrinals dorés et reluisans, quand ils vont faire leurs monstres » ? Toujours est-il qu'elles « faisoient monstre de leurs seins et poictrines ouvertes, que ces bonnes dames faisoient aller par compas ou mesure [en rythme], comme une orloge, ou pour mieux dire, comme les soufflets des mareschaux, lesquels allument le feu pour servir à leur forge » [I, p. 191]. On devine quels feux attisent les soufflets des Parisiennes...

Mouvement de folie, peut-être inspiré par les excès de la cour qui provoquent des indignations passagères et ne durent que le temps d'un feu de paille. Mais en dehors de cette « monstre », les Parisiennes ne sortaient parfois couvertes que « d'une fine toile » ou d'un corsage en « point coupé », une dentelle ajourée qui ne laissait rien perdre de son contenu. C'est dans cette tenue que la cousine du chevalier d'Aumale, un des chefs de la Ligue catholique, se rendit un jour à l'église Saint-Jean-en-Grève, « au scandale de plusieurs » qui allaient de bonne foi à une procession[100]. Encore s'indignaient-ils plus du lieu du scandale que de la robe elle-même...

Si le Moyen Age avait gardé quelques préventions contre les « ordures » des membres inférieurs, le xvie siècle permet aux femmes de relever parfois outrageusement leurs amples jupes. Franklin[101] voit l'origine de ce mouvement dans les riches jarretières que les hautes dames commencent à commander dès la fin du xive siècle. A quoi servaient, sinon à les montrer, les jarretières de satin et de soie de la reine Isabeau de Bavière ? Et celles en or, « esmaillées à larmes et à pensées » ? Peut-être avait-on déjà l'habitude de laisser admirer ses cuisses. Je serais pour ma part moins affirmatif. La jarretière reste un vêtement intime. On rougit encore de la montrer — comme la comtesse de Salisbury en perdant celle à qui Edouard III dédia *The Most Noble Order of the Garter*... La richesse des sous-vêtements n'était peut-être destinée, comme les lingeries érotiques modernes, qu'à un partenaire privilégié ?

Au xvie siècle, en tout cas, les dames abandonnent toute pudeur par le bas. Les nouvelles selles, qui permettent aux femmes de chevaucher *à l'amazone*, leur imposent de relever la jambe droite pour la poser sur l'arçon — et de dévoiler conséquemment mollets et cuisses. Auparavant, les cavalières, juchées sur des selles d'homme, n'enjambaient pas le cheval et gardaient les pieds joints sur une planchette appendue à un côté. Difficile de courre le cerf dans cette position ! Brantôme (t. IX, p. 345) voit en Catherine de Médicis l'initiatrice de cette mode nouvelle. Pourquoi pas ? Cette petite reine passionnée de chasse pouvait ainsi galoper à son aise. Et on imagine bien cette femme aux traits ingrats, humiliée par l'éternelle beauté de Diane de Poitiers, maîtresse de son mari, inventant ce stratagème pour montrer ses jambes, fuselées à en faire pâlir les plus jolies dames de la cour... C'est dans son entourage en tout cas que se répandit l'usage du « calçon », complément indispensable des selles à l'amazone. Le nom italien (le *calzone* n'est autre que notre *chausson* français) trahit son origine courtisane.

Sans doute Tabourot propose-t-il, dans son chapitre des contrepèteries, une origine plus française : « On dit que quand les Dames de la cour commencèrent à porter des hauts-de-chausses, elles firent une convocation générale, pour sçavoir comme elles les nommeroient, à la différence de celles des hommes : En fin, du consentement de toutes, elles furent surnommez de ce nom *caleson* quasi *sale con*, et depuis quand elles furent bien usees, et qu'on les donna aux laquais, on les appela *lasse con* » (fo 71, vo). Mais l'ingénieux seigneur des Accords s'y connaît en étymologies facétieuses : ne propose-t-il pas de traduire en latin les braguettes, autre invention de la Renaissance, par *habitavit* ? (*Escraignes*, fo 58, vo).

Non, les caleçons, qui ne désigneront jusqu'au xviie siècle que les dessous des femmes, sont liés dès le départ aux risques que font courir aux femmes les robes de plus en plus amples, élargies encore par le vertugadin. Le froid et les vents coulis, d'abord, comme le suggère la *Complainte de M. le cul contre les inventeurs des vertugalles*[102]. Puis les mains baladeuses... voire les dents cannibales ! Béroalde de Verville propose cette plaisante origine à la mode nouvelle : le laquais de César (Charles Quint), affamé, aurait eu licence de mordre à tous les fessiers féminins qu'il croisait ; seuls recours pour ses victimes : porter leurs fesses sur leur dos (d'où l'abondance des bossues) ou les enfermer sous ces « brides à fesses » (t. I, p. 223). Brantôme fait aussi la part de la coquetterie, dans ces vêtements qui moulent les cuisses et que l'on peut rembourrer d'étoupe pour simuler un embonpoint alors fort recherché (t. IX, p. 263). Mais c'est la fréquence des chutes de cheval qui en justifie prioritairement l'usage : la nouvelle technique d'équitation devait exiger un apprentissage doulou-reux. Les dames prennent alors leurs précautions, « car outre que ces calçons les tiennent plus nettes, les gardans de la poudre [poussière] comme aussi ils les gardent du froid, elles ne monstrent *ha kryptein ommat'avervôn chreôn* — ce qu'il faut cacher aux yeux des mâles, pour user des mots d'Euripide[103] ». Dès le départ et jusqu'au xixe siècle, nous allons le voir, le pantalon féminin est vêtement de pudeur bien plus que d'hygiène. Rabelais se moquait volontiers des femmes qui, en tombant à la renverse, montraient leur « comment-a-nom », et les paysannes risqueront encore de longs siècles la mésaventure de la vieille qui tomba nez à museau avec un lion (*Pantagruel*, 15) ou de celle qui accueillit le petit diable de Pape-figue (*Quart livre*, 47) !

Dernière utilité de cette révolution intime, toujours selon l'humaniste Henri Estienne : « Ces calçons les assurent aussi contre quelques jeunes gens dissolus, car venans mettre la main soubs la cotte, ils ne peuvent toucher aucunement la chair. » Il faudra même inventer des « calsons bridez », sans la moindre ouverture, pour décourager les audacieux. Mais alors, s'étonne ce finaud d'Estienne, pourquoi certaines se font-elles tailler culotte en « quelque estoffe bien riche » ? Ne faut-il pas les accuser de « vouloir plustost attirer les dissolus que se defendre contre leur impudence » ? A peine avait-on inventé le caleçon qu'on imagina la lingerie érotique...

Comment s'en étonner, d'ailleurs ? Ce fut avant tout un vêtement de riche dame — et de reine. Pour les étymologistes, le mot est apparu dans la langue dans l'inventaire des biens de Marie Stuart dressé à Edimbourg en 1563. Vêtement de reine, de femme dominante : le peuple n'oubliait pas le traditionnel combat de l'homme et de la femme, pour savoir qui des deux porterait les chausses. Fabliaux, pièces de théâtre et imagerie populaire répétaient à l'envi ce thème. Comment aurait-on adopté chez les petites gens cette mode étrangère qui bouscule si violemment toutes les traditions ? Aussi les femmes du peuple qui apparaissent dans les contes burlesques n'en portent-elles jamais — comme cette servante qui se chauffait sans vergogne le « petit crot à faire bon bon » devant Beroalde de Verville et qui ne rougit que lorsque notre auteur lui nomma en trois lettres ce qu'elle exposait ainsi à tous les regards (I, p. 38). Ce nouvel usage, confiné dans les hautes classes, ne devait pas imposer sa pudeur aux paysans. Il s'éteindra d'ailleurs très rapidement au siècle suivant... non sans avoir laissé sa trace dans le vocabulaire. Au xvie siècle, une femme autoritaire ne pouvait plus « porter la culotte »... puisqu'elle la portait déjà. Désormais, elle devait « chausser la braguette » !

Bragards et braguettes

Ces braguettes ont été pendant un siècle le point de mire du vêtement masculin. L'époque qui a appris à voiler le sexe de la femme a, en compensation, mis en valeur celui de l'homme. A partir de Charles VIII (1498-1515) et des guerres d'Italie, la simple pièce de toile qui fermait par devant le haut-de-chausses commença à prendre des proportions effrayantes. Sans parler de celle de Gargantua, qui se mesurerait en mètres, mais qui, garantit Rabelais, est remplie à proportion, les braguettes deviennent de vastes poches qui prennent l'« apparence d'un arc-boutant » et que l'on orne de perles ou de bijoux « afin d'y mieux attirer les regards ». Montaigne, qui nous fait cette description (III, 5), s'en prend à plusieurs reprises à « ce vain modèle et inutile d'un membre que nous ne pouvons seulement nommer honnêtement, duquel toutefois nous faisons montre et parade en public » (I, 23). « A quoi faire la montre que nous faisons à cette heure de nos pièces en forme, sous nos gregues, et souvent, qui pis est, outre leur grandeur naturelle, par fausseté et imposture ? »

Par fausseté et imposture : très vite, les hommes les moins bien fournis comprirent l'utilité d'un étui rigide. Dans certaines braguettes il n'y a que du vent, suggère Rabelais, tandis que Tabourot raille un de ces « bragards » qui furent au xvie ce que les muscadins furent au Directoire : *C'est canelle, dis-je, qu'on voit, Le meilleur de luy, c'est l'escorce.* (Touches, fo 29, ro).

Que faisait-on de ces protubérances inutiles et désespérément vides ? Les femmes s'en servait comme « peloton » pour piquer les épingles, assure Sauval[104]. Et les hommes ne manquaient pas de les remplir, à une époque où les poches faisaient singulièrement défaut aux chausses de plus en plus collantes. D'où, sans doute, le terme « boutique » qu'a recueilli Oudin (p. 58). Il n'était pas rare de voir un gentilhomme en tirer son mouchoir... Les voleurs apprirent à y pêcher les bourses — au sens propre... Panurge (*Pantagruel*, II, 18) y gardait une « pomme d'orange »... Ce qui alors était tout à fait normal : on avait l'habitude de « pocheter » les fruits, notamment les poires et les olives, en les laissant mûrir dans sa poche. Louys Guyon nous assure qu'on le faisait aussi volontiers dans sa braguette, « et n'estoit pas incivil, estans à table, de présenter les fruicts conservéz quelque temps en ceste brayette comme encor aucuns [certains] présentent des fruicts pochetéz[105] ». Bon appétit, messieurs !

Le plus bel usage de la braguette — et l'ironie ici est évidente — reste celui qu'en fit Bon Joan, un valeureux guerrier de l'armée picrocholine, face à celle de Gargantua. A la vue de Gymnaste, notre matamore tremblant tira son livre d'heures de sa braguette et cria bien fort *Agios ho Theos* (Dieu est saint). Dieu était alors en galante compagnie !

Braguette et religion allaient à nouveau être associées un peu plus tard. C'est à l'époque des guerres de religion qu'elle disparut de nos hauts-de-chausses. Les mauvaises langues prétendent que Henri III, qui fuyait ce qui rappelait trop le sexe masculin, fut à l'origine de cette nouvelle réforme. Qu'il soit ou non directement responsable de ce changement, c'est à sa cour en tout cas que les hauts-de-chausses courts et gonflés se firent plats et longs[106]. Seuls conservèrent les braguettes proéminentes les mercenaires suisses du roi, et cet attribut devint un uniforme, comme en témoigne à nouveau Montaigne (III, 5). Héroard, médecin du petit Louis XIII, rapporte les cauchemars qu'éveillaient chez le jeune dauphin les braguettes des Suisses de son père. Lorsqu'il se fit faire son premier haut-de-chausses (les enfants étaient alors vêtus de robes quel que soit leur sexe), il fit jurer au tailleur de n'y point mettre de braguette... Terreur d'un enfant que l'on élevait dans l'obsession de sa « guillery ». Les Suisses à braguette laissèrent dans le vocabulaire la même trace que les femmes à caleçons : désormais, les femmes un peu trop viriles se feront traiter de « Suisses »...

Les Suisses du roi participant à la chasse aux huguenots — qui de leur côté se signalaient par des vêtements plus décents —, la braguette abrita à nouveau symboliquement le culte catholique. Ramus, un des héros de Béroalde de Verville, se rappelle l'époque où, embrigadé chez les protestants, il apostrophait ceux qui portaient braguette et la leur coupait en les traitant de papistes. Quelque temps plus tard, dans les troupes catholiques, le même Ramus fondait sur les « ébraguettez » en les traitant de huguenots. Et de conclure : « O Souisses heureux ! ne changez jamais de braguettes, voyez, il ne faut que ce texte pour faire brusler beaucoup de pauvres gens » (I, p. 61).

Si la Renaissance a toléré — voire encouragé — des vêtements découvrant ou mettant en évidence ce que la décence recommande de cacher, elle a du même coup suscité les premières réactions que l'on peut qualifier de pudiques : la vue de la chair ou d'une braguette bien formée suffit à éveiller la honte, quand au Moyen Age il fallait évoquer les dangers ou les inconvénients de tels vêtements. Les contes un peu lestes, comme ceux de Béroalde de Verville, exploitent cette situation nouvelle du *voyeur* qui n'a pas besoin de toucher la chair qu'il découvre. Cette attitude distingue les discours des censeurs du xviie siècle de ceux des prêcheurs médiévaux.

Seins assassins et pudicité classique

Beaux discours et effrois précieux ne changèrent pas les habitudes des dames. Le xviie siècle tout entier résonne des sermons indignés contre les « nudités de gorge ». Quelques patenôtres et un air contrit rachetaient ce péché véniel — voire quelque fessée administrée derrière l'autel lorsqu'une chair trop offerte scandalisait outre mesure le confesseur.

L'exemple comme souvent venait d'en haut. On jasait beaucoup, à Paris, lorsque Mlle de Comballet allait rendre visite à son oncle Richelieu la gorge provocante[107]. On y voyait la preuve de relations plus intimes que l'on stigmatisait d'autant plus que la jeune veuve refusait de se remarier.

Ce n'est pas grave alors d'être sur la langue de ces Arsinoés, dont on raille tout bas « cette mine modeste. Et ce sage dehors que dément tout le reste[108] ». Mais la pruderie, au xviie siècle, commence à déborder les salons précieux et envahit la cour. Louis XIII, élevé à la gasconne par son père Henri IV, s'appliquera par réaction à bannir de son entourage les nudités incongrues. Les « coussinets d'amour » l'effraient tant, dit-on, qu'il s'arme un jour de pincettes pour retirer un billet que Mlle de Hautefort — sa favorite — a dissimulé dans son corsage[109]. Et l'on dit qu'un soir de carnaval, après avoir hésité à permettre un ballet à la cour, il « défendit expressément qu'on y laissât entrer aucune Dame qui eût le sein descouvert[110] ».

Qui va à l'encontre de son interdiction court quelques risques. On peut être prude et avoir l'humeur polissonne. Ainsi pour cette demoiselle vêtue de probité candide plus que de lin blanc, qui dîna un jour aux côtés de Louis le Chaste. Le roi garda son chapeau enfoncé du côté de la convive, dont les charmes patents risquaient de lui couper l'appétit, et « la dernière fois qu'il beut il retint une gorgée de vin dans la bouche qu'il lancea dans le sein découvert de cette Demoiselle, qui en fut bien honteuse et dans la confusion[111] ». A ce prix, la mode est bien obligée de faire des concessions et les dames s'assagissent.

Il n'y a cependant pas que la *Courtisane Lascive* qui « découvre sa gorge et ses tétins pour attirer à elle celuy qu'il luy plaist[112] ». A la ville aussi, les « deux oreillers du cœur de vos fols Amans » (*Ibid.*, p. 398) se libèrent peu à peu de l'empire du corsage. Les dévots s'en donnent à cœur joie pour en dénoncer la mode. Pierre Juvernay et le chanoine Polman en 1635, le père de Barry en 1658, le père de Bouvignes et l'abbé Boileau en 1675... Ceux-ci brandissent les supplices de l'enfer : « Si elles sentoient l'intolerable puanteur qui sort de leurs mamelles entrelassées de serpens, fourmillantes en vers et scorpions, et regorgeantes en pus et apostemes... », susurre Paul de Barry (p. 89). Ceux-là aiguisent leur ironie : « Messieurs, voicy la marchandise à vendre : voilà l'échantillon, qui veut toute la pièce ? » clame Louis de Bouvignes (p. 50). L'archevêque d'Arras, Stravius, administrateur de la nonciature des Pays-Bas, se plaint à Urbain VIII de la coquetterie de ses ouailles ; le pape lui répond, en 1636, par des lettres patentes qui condamnent aussi bien les seins nus que les mouches qui font paraître la peau plus blanche[113].

Face à cette vague quasi paranoïaque, on se demande si ce ne sont pas les bons pères qui devraient se faire psychanalyser. Le lyrisme du père de Bouvignes, notamment, témoigne d'une obsession bien suspecte :

« Je suis confus quand je vous regarde découvrant ainsi vos bras, montrant vôtre col et prostituant vôtre sein comme un poison de chasteté : vôtre sein qui sert d'alechement à la concupiscence : vôtre sein qui est incessamment batu et rebatu par les regards lascifs des hommes sensuels, lesquels vous voians dans cet impudique appareil, voudroient comme oiseaux de proye vous tirer à l'écart pour vous ravir ce qui doit tenir à vous plus fort que la vie » (p. 45).

La mode, dans les dernières années du règne de Louis XIII, semble bien installée. Les dames pudiques en sont réduites à placer dans leur décolleté un « mouchoir de col », ancêtre de la « modestie » de nos grand-mères. Encore heureux si la fine dentelle des mouchoirs ne les transforme pas en « toiles d'araignées » particulièrement évocatrices, ou si telle veuve coquette ne se contente pas d'« un mouchoir noir de deux grands doigts trop court », comme dans l'*Oraison de saint Julien* de La Fontaine.

Le chanoine Polman, comparant le chancre (cancer) des vêtements à celui de la chair, résume de façon très visuelle l'évolution de la mode (1635) :

« Ouy, ce malheureux chancre des habits d'abord a eschancré leur bord, et le dehors : puis il s'est enfoncé jusques à la chemise, voire jusqu'à la chair nüe ; descouvrant la gorge, et la nuque. De là, donnant une nouvelle eschancrure, il a fait paroistre le dessus du sein à travers quelque toile d'araignée. A la parfin, il a rongé, desmangé, et eschancré en sorte le derrière, et le devant des habits ; que les épaules, et les tetins en sont demeurez à nud » (p. 8).

Mais l'indignation, au xviie siècle, ne suffit plus. Nous sommes au siècle de la raison, on argumente, on cite, on réfute. Avec trois siècles de recul, les trésors de rhétorique déployés contre ces poitrines infernales ne manquent pas d'humour, et distinguent les sermons du xviie parmi toute la production de la pudibonderie française. Pierre de Juvernay est peut-être un des plus beaux exemples de cette dialectique du sein. Son *Discours particulier contre les femmes desbraillees de ce temps* développe une argumentation en règle avec réfutation du système de défense adverse. On imagine, à parcourir cet opuscule, les controverses que les sermons du prêtre devaient susciter dans les salons, les échanges de citations, les raisonnements qui tiennent lieu d'indignation.

C'est à la Raison que s'adresse Juvernay. Ne lui a-t-on pas retorqué que les femmes, quand elles tentent ainsi un homme, « méritent plus qu'elles ne pèchent » ? « A cause que par le moyen de telle occasion elles luy donnent un sujet pour beaucoup mériter, si d'avanture il se veut servir du talent de sa liberté [...] afin de résister et ne pas consentir au mal ou péché » (p. 3-4). Tout un chapitre est consacré à la réfutation de cet argument, où Juvernay explique « le soin que l'on doit avoir du salut de son prochain ». *Non assistance à personne en danger*, traduirait le légiste moderne. « Pour Dieu, si vous avez délibéré de vous perdre, perdez-vous sans compagnie », répond Boileau en écho (p. 46).

Dans un autre chapitre, Juvernay examine le plus sérieusement du monde si l'on commet un péché véniel ou mortel en montrant sa gorge à tous regards. La réponse est nuancée, selon la profondeur de l'infraction et le nombre de spectateurs... Encore y a-t-il circonstance aggravante si l'on s'enrhume à se découvrir ainsi l'hiver : mourir de s'être trop débraillée, n'est-ce pas une forme de suicide (p. 73) ? Et voilà pourquoi votre fille est damnée... Petit à petit, cependant, la dialectique de Juvernay retrouve une sainte indignation, lorsqu'il évoque celles qui promènent leur étal dans la Maison du Seigneur. Comment ? Elles vont communier dans cet état ? Se confesser ? Que ne pensent-elles au soin qu'elles doivent prendre du salut de leur directeur de conscience ! Sacrilège suprême : elles portent une croix dans leur col ! Qu'elles y mettent plutôt l'image d'un crapaud ou d'un corbeau, puisque ces animaux « se plaisent parmy les ordures » (p. 60).

Nous retrouvons ici le lyrisme échevelé d'un Maillard ou d'un Menot. Un pas cependant a été franchi depuis les grands prédicateurs du XVᵉ siècle : les « nudités de gorge » ne sont plus à présent le signe d'une débauche plus grave. Elles sont crime en soi, quand bien même se combineraient-elles à la vertu la plus intègre. Le mal qu'elles font n'est plus lié au péché de la femme, mais à celui qu'elles incitent à commettre chez l'homme qui en est témoin. Dans la vue seule réside le mal, « en quoi nous sommes faits semblables à l'herbe nommée Aproxis : Car tout ainsi que cette herbe [...] au seul aspect du feu s'enflamme : de mesme nos cœurs voyans le feu de concupiscence brûler en autruy, aussi tost le conçoivent en eux-mesmes » (p. 39). Pour Paulin, l'ami du père de Barry, les seins dévoilés sont « une peste portative qui empoisonne de loin quand on met les yeux dessus » (p. 86).

La querelle devait être vive dans les salons parisiens où l'on définissait une nouvelle pudeur. Tallemant des Réaux parvient même à la rattacher à la querelle janséniste qui allait traverser le siècle. La marquise de Sablé, rapporte-t-il (II, p. 386), proclamait qu'aller au bal, avoir la gorge découverte et communier souvent étaient choses incompatibles. A quoi la princesse de Guéménée répondit que son directeur, le jésuite Nouet, le lui permettait volontiers. Mme de Sablé en référa à Antoine Arnauld, docteur en Sorbonne, qui prit prétexte de cette querelle pour écrire son livre de la *Fréquente Communion* (1643). On sait que ce traité devait populariser les thèses de Jansenius, condamnées l'année précédente par la bulle *In eminenti*... La poitrine de la princesse Guéménée fut-elle à l'origine de cette nouvelle guerre de religion, comme jadis celle des trop belles Parisiennes provoqua la guerre de Cent Ans ? Retenons en tout cas que les théologiens étaient alors autant occupés du problème des grâces que de celui de la Grâce...

Les premières années du règne de Louis XIV semblent mettre une sourdine aux querelles pectorales. *La mort de Paulin et d'Alexis*, que le père de Barry publie en 1658, ne rapporte que l'indignation d'un vieillard moribond. Il y aura toujours des tartuffes prêts à placer les seins sous la pomme d'Adam. Les corsages se sont-ils alors assagis ou la sensibilité a-t-elle changé sous un monarque que n'effarouchaient plus les plantureux appas ? Un peu des deux sans doute. Il est difficile de dire si les corsages classiques étaient aussi audacieux que ceux des siècles précédents. Le frontispice du traité de Juvernay montre une de ces pécheresses capitales qui, « découverte jusqu'à l'arçon », est entraînée par des diables en enfer où, pour lui apprendre la pudeur, elle est rôtie toute nue. Mais une gravure polémique reflète-t-elle la réalité ? Le vocabulaire classique, qui cultive les termes vagues, confond quelque peu sein, gorge et poitrine. Il semble pourtant qu'après 1650, dans une France de plus en plus policée, il s'agisse d'un demi-décolleté plus que d'un étalage complet. Le mouchoir de Tartuffe (III,2) suffira bien à couvrir le sein qu'il ne saurait voir...

En 1675, le livre du père Bouvignes, publié à Namur, concerne surtout les Pays-Bas ; il est adressé aux archevêques de Cambrai et de Cologne. La même année, Jacques Boileau — frère de Nicolas — publie à Paris son traité *De l'abus des nudités de gorge*. Mais il prend soin, dans un prologue, de l'adresser aux Flamandes qui portent les épaules nues et approchent dans cet état du « Tribunal de Pénitence » (le confessional) et de la « Sainte Table » (l'autel)... tout en précisant que quelques Parisiennes y trouveront d'utiles enseignements. Précaution oratoire ? Plaisanterie ? On ne peut s'empêcher de trouver suspecte l'indignation grandiloquente de l'abbé Boileau, qui a dû s'amuser autant à rédiger cet opuscule que son histoire des flagellants. Le sein, porteur de tous les maux, lieu de toutes les tentations... « La veüe d'un beau sein n'est pas moins dangereuse pour nous [!] que celle d'un Basilic » — animal fabuleux qui, rappelons-le, tue par son seul regard.

Comment ? Voilà des hommes harcelés par le diable qui vont se réfugier dans une église pour y trouver... des femmes dépoitraillées ! N'est-ce pas la preuve que c'est Satan en personne qui les y délègue pour poursuivre son œuvre de tentation jusque dans les lieux qui échappent à son pouvoir ? Et les anges eux-mêmes — qui pourtant n'ont pas de sexe — frémissent à la vue de ces chairs nues...

Comme Juvernay, Boileau argumente — mais dans un style haut en couleurs et avec une imagination bien plus riche. Lorsqu'il en a fini avec celles qui vont dans les églises tenter les anges, il s'en prend aux femmes qui, en visite dans un cloître, se découvrent devant les religieuses sous prétexte qu'il n'y a pas d'hommes présents. Les imprudentes ! Ignorent-elles que les religieuses elles aussi peuvent être tentées — ce qui, en l'occurrence, serait bien plus grave (p. 83) ? Sont-elles seules à la maison ? Qu'elles restent vêtues ! « Une femme véritablement chaste ne craint pas seulement les yeux étrangers et domestiques ; mais les siens propres » (p. 80). Une telle remarque — rare, excessive, mais claire — nous plonge brutalement dans une conception de la pudeur tout droit sortie des cloîtres et qui ne s'imposera qu'au XIXe siècle : une pudeur non plus liée au geste ni au regard de l'autre, mais à son propre regard.

Au XVIIe siècle, quoi qu'il en soit, la pudeur garde encore une coloration religieuse. Officiellement, rien n'est prévu contre les femmes trop prodigues de leurs charmes ; religieusement, depuis le 13 mars 1670, dans l'archevêché de Toulouse, une ordonnance des vicaires généraux interdit de confesser les pénitentes qui se présentent avec les épaules, la gorge ou les bras nus[114]. Elles risquent même l'excommunication si elles pénètrent ainsi dans l'église. Pour condamner, il faut qu'il y ait crime ; les femmes ne peuvent outrager la pudeur des hommes — qui au XVIIe siècle sont censés n'en pas avoir. Elles offenseront donc celle de Dieu.

Quittons les prédicateurs, et laissons un moment les poitrines féminines. Comment ressentait-on, dans le peuple, à la cour, dans les salons, une pudeur qui commençait à osciller entre des préoccupations spirituelles et des soucis de bienséance mondaine ?

Le XVIIe siècle se chargera surtout de policer les hommes. Ce sont eux qui, à quelques exceptions près, gardent l'esprit — et les gestes — gaillards de la Renaissance. Et l'exemple, ici aussi, vient d'en haut. Voilà le prince de Condé, Henri II de Bourbon, qui, « en une desbauche » passe « tout nu à cheval par les rues de Sens, en plein midy, avec je ne sçay combien d'autres nûs aussy[115] ». Voici le duc d'Orléans qui, passant devant un de ses gardes endormi la bouche ouverte, se déculotte pour renouer à ses dépens avec le vieux jeu du « pet-en-gueule »... C'est aux hommes que s'adressent les ordonnances de police. Les règles de bienséance éditées par les salons parisiens les concernent aussi au premier chef. Telles ces *Loix de la galanterie* recueillies par Charles Sorel, qui leur rappellent la propreté du corps, des habits et de l'équipage, ou le *Nouveau Traité de civilité* d'Antoine de Courtin, réédité chaque année depuis sa parution en 1671.

Courtin estime ainsi « tout à fait indécent » de montrer sa peau à travers une chemise entrouverte ou un pourpoint mal boutonné... en présence des personnes « au-dessus de nous », « et particulièrement des Dames » (p. 56). Cette conception sociale de la pudeur — obligatoire au bas de l'échelle sociale, facultative pour les Grands — est héritée des petits livres d'étiquette qu'Henri III avait en vain tenté d'imposer à ses courtisans. Les *Règlements* distribués le 1er janvier 1585 stipulent, en effet, qu'il « n'y aura nul si hardy, pour estre chose trop deshonneste, qui vienne en la presence de leurs Majestez... destaché, ny deboutonné, et s'ils y faillent, sa Majesté entend qu'on les face sortir » (p. 21-22). La cour plus relâchée d'Henri IV avait oublié cet embryon de pudeur masculine : elle renaîtra à la cour du Roi Soleil.

Quant aux femmes, il n'est plus besoin de leur rappeler les règles de la bienséance. Depuis un siècle que la nudité féminine est pourchassée, elles savent que c'est une « immodestie très-grande », comme le souligne Courtin (p. 59), de trousser leurs jupes auprès du feu ou en pleine rue... Immodestie d'autant plus grande que, désormais, les grandes dames ne portent même plus de caleçon. Est-ce un fait exprès ? Les chemins prennent alors un malin plaisir à être glissants, les chevaux nerveux, les carrosses instables... On tombe à toutes les pages dans ces Mémoires plus ou moins secrets où l'on prend plaisir à évoquer les belles précieuses les jupes par-dessus la tête... Les salons les plus distingués n'échappent pas à cette épidémie et leurs poètes les plus délicats se fendent des métaphores les plus poétiques pour chanter l'événement. Voiture, fleuron du salon Rambouillet, écrit de la même main les sucreries de la *Belle matineuse* et les *Stances sur une dame dont sa jupe* [sic] *fut retroussée en versant dans un carrosse à la campagne.* Les fleurs, comme toute la compagnie, en furent témoins !

> *La Rose, la reine des Fleurs,*
> *Perdit ses plus vives couleurs ;*
> *De craintes, l'œillet devint blesme.*
> *Et Narcisse, allors convaincu*
> *Oublia l'amour de soy-même*
> *Pour se mirer en vostre cu*[116].

Pierre Dufay, dans une histoire du pantalon féminin déjà ancienne, a collectionné les incidents qu'accumulent les plus gracieux postérieurs du temps. Bussy-Rabutin raconte une culbute du même genre, qui prouve en tout cas que la cour et le roi lui-même, loin de s'en offusquer, s'en amusaient fort. La chute amuse les hommes et les femmes — sauf les éternelles Arsinoé comme Mlle de B..., fille d'honneur de Madame, qui s'empressa de dire « qu'elle mourroit s'il lui étoit arrivé un pareil accident[117] ». Réaction excessive et isolée dans l'entourage du roi, mais qui témoigne des progrès de la pudeur chez les femmes de la cour.

On porte désormais trois jupes superposées : la modeste, la friponne et la secrète[118], d'un tissu lourd que le vent du Pont des Arts aurait bien du mal à trousser. La vertu la plus stricte est à la mode et, si l'accident est permis, on est choqué de l'extraordinaire sans-gêne d'une princesse étrangère, mal habituée peut-être aux règles neuves de la société parisienne. La reine Christine de Suède — cette énergique amazone qui se fit couronner « roi » — était connue pour ses façons de corps de garde. Gageons pourtant qu'elle ne dut pas comprendre immédiatement ce qui scandalisa le parterre, le jour où elle accompagna la reine mère Anne d'Autriche à la comédie. La reine suédoise s'y tenait en effet « dans une posture si indécente qu'elle avait les pieds plus hauts que la tête, ce qui faisait entrevoir ce que doit cacher la femme la moins modeste[119] ». Faut-il préciser qu'elle ne portait pas, lors de cet exercice pour le moins acrobatique, le sous-vêtement idoine que l'on avait alors abandonné ? La reine Anne dut se retenir pour ne pas souffleter sa royale invitée. Le public n'eut pas ce scrupule et conspua copieusement la souveraine. Les chansonniers amplifièrent à leur manière le scandale : un impudent, dans le parterre, aurait lancé « un léger projectile » qui arriva « tout droit à l'endroit malséant » et que la reine Christine repêcha pour le retourner à l'expéditeur... L'exagération de la réaction témoigne de l'ampleur du scandale. Nous mesurons en même temps — la personnalité singulière de la Suédoise mise à part — la distance qui sépare les cours catholiques et protestantes de ces cours nordiques qui ne vécurent pas de la même façon les guerres de religion : la surenchère de vertu entre Réforme et Contre-Réforme joua un grand rôle dans l'histoire de la pudeur.

Un Bussy-Rabutin, par exemple, exilé sur ses terres pour avoir dévoilé dans son *Histoire amoureuse des Gaules* les intrigues galantes de la cour, se paie d'une pudibonderie étrange vis-à-vis de son ennemie personnelle, sa cousine de Sévigné. Et c'est la mode des bras nus (en fait, les avant-bras) qui choque notre Bourguignon. « Prend et baise ses bras qui veut, s'indigne-t-il. Il n'y a plus que l'usage qui la pourrait contraindre, mais elle ne balance pas à le choquer plutôt que les hommes, sachant bien qu'ayant fait les modes, quand il leur plaira la bienséance ne sera pas renfermée dans des bornes si étroites » (I, p. 127). Pudeur rare à une époque plus obsédée par les seins et les cuisses que par les bras. Mais c'est sans doute la médisance de Bussy-Rabutin qu'il faut incriminer plus que sa pudeur...

La nudité inversée

Au début du xviiie siècle, la pudeur féminine est un fait acquis — à tel point que l'on a pu supprimer ces caleçons auxquels les femmes s'habituaient mal et qui ne jouaient qu'un rôle préventif.

Sébastien Mercier, qui a laissé le plus savoureux *Tableau de Paris* de l'époque, se plaint de leur disparition avec un demi-sourire. De fait, on ne les rencontre que dans les rares occasions où la pudeur est en péril : les danseuses en portent pour les entrechats, les servantes pour laver les façades[120], les amazones pour tomber de cheval... Un tailleur spadois, « connu par la quantité qu'il en a fait, tant pour hommes que pour femmes, très commodes pour monter à cheval », n'était plus appelé que « Pantalon », et c'est sous ce nom qu'il apparaît dans la « liste des Seigneurs et Dames venus aux eaux minérales de Spa l'an 1773[121] ». Les dessous, sous un autre nom, étaient-ils redevenus à la mode ?

On peut le supposer, car les occasions d'attenter à la pudeur se multiplient dans un xviiie siècle qui fut essentiellement voyeur. Il y a ces parties d'escarpolette fixées par Fragonard — la tradition veut que l'heureux homme posté devant l'escarpolette soit le commanditaire du tableau, et mari de la coquette qui se balance. Il y a les fameux « carrabas », ces « omnibus » qui, avec les non moins célèbres « pots de chambre », assurent la liaison Paris-Versailles pour le petit peuple et les provinciaux : ils s'y retrouvent encaqués dans une cage d'osier cahotée au gré des nids de poule pendant six heures et demie — pour parcourir les quatre petites lieues qui séparent la cour de la ville. « On tombe dans la barbe d'un capucin ou dans les tétons d'une nourrice », raconte Mercier (t. VIII, p. 115), tandis qu'« un escalier de fer, à larges degrés, oblige vieille et jeune à montrer au moins sa jambe à tous les curieux passants ».

Réaction inattendue : les dames semblent prendre agréablement leur parti de ces exhibitions osées. *Le Caleçon des coquettes de ce jour*, un conte polisson paru en 1763, met en scène l'une d'elles qui habille ses fesses comme son visage, de mouches, de fard et de vermillon, pour mieux tomber (accidentellement ?) de carrosse... Le caleçon, dans ce conte long et mièvre, n'apparaît que sur les jambes d'une religieuse, une clarisse caleçonnée « depuis les reins jusqu'au-dessous, Deux bons pouces, de (ses) genoux ». Encore n'a-t-elle pris cette habitude que pour cacher une tache de naissance mal placée, en forme de... cervelas — « ou, pour mieux m'expliquer, c'est comme La partie où l'on connoît l'homme ». Ne nous abusons pas : ce vêtement de pudeur reste rare et ne s'utilise qu'en des occasions précises. Libertins et libertines ont déjà compris sa charge érotique potentielle, et la bonne clarisse de notre conte en fabrique

> *Pour des Dames, dont la manœuvre*
> *Est de cacher leurs pays bas ;*
> *Parce qu'un galant homme attache*
> *Moins d'attraits aux frapans appas*
> *Qu'à ceux que le Caleçon cache.*

Dire que le xviiie siècle vit triompher débauche et libertinage, c'est dire à la fois tout et rien. La transition fut brutale en 1715.

Les dernières années du règne de Louis XIV avaient été sanglées dans la vertu farouche d'un roi trop vieux et d'une reine épousée en secret, d'autant plus stricte sur les mœurs qu'elle doit faire respecter sa position ambiguë. La Régence débridera d'un coup la société.

La chronique scandaleuse du xviiie siècle fera des gorges chaudes de ces fêtes plus ou moins privées, plus ou moins vêtues. Ce sont les « fêtes d'Adam » ou les « soupers des déesses » du Régent, où l'on représente au naturel le jugement de Pâris[122]. Ce sont les orgies du marquis de Sade, qui distribue à ses invités des pastilles au chocolat aphrodisiaques, auxquelles il a mêlé des cantharides[123]. Ce sont les « Folles nuits » que le duc de Chartres (Philippe Égalité) donne au Palais-Royal : le 13 juin 1784, deux cent mille curieux s'y pressaient pour voir trois invitées vêtues de « ces larges robes que nos dames ont adoptées pour le matin et qui ne sont fermées qu'au moyen d'une ceinture », si bien qu'« elles avoient à découvert tout ce que je n'ose nommer[124] ». Ces fêtes le plus souvent privées intéressent plus l'histoire du libertinage que celle de la pudeur. On y voit cependant apparaître une pudeur masculine peu courante à l'époque. Le chevalier de Varenne, qui se déclare forcé, en tant que page du Régent, d'assister nu aux dîners des déesses, se fait confectionner un habit couleur chair[125]. Lorsque les nudités deviennent publiques, on est obligé de sévir : le 4 juin 1731, Gruer, directeur de l'Opéra, sera limogé pour avoir organisé en privé un spectacle très déshabillé qu'une tenture mal fixée dévoila aux passants[126]. Et les trois déesses du Palais-Royal, en 1784, furent aimablement priées par la garde de regagner la sortie...

Cependant ces débauches, toutes privées et toutes scandaleuses qu'elles étaient, ont largement contribué à faire évoluer les mentalités. On ne rencontre plus, au xviiie siècle, ces véhéments discours contre les nudités de poitrine. Est-ce à dire que les corsages se sont assagis ? Tableaux et estampes nous apprennent le contraire. Pourtant, lorsque Mercier se plaint de l'indécence des Parisiens dans les églises, il vise ceux qui crachent sur le dallage ou s'en vont au milieu d'un sermon : pas un mot sur l'indécence des vêtements que déploraient les pères du xviie siècle...

En fait, la nudité acquiert petit à petit une autre valeur. Au Moyen Age, ceux qui se montraient nus en rue étaient des pénitents, des flagellants, ou, à l'inverse, des hérétiques, ada-mistes ou turlupins... La chair est liée au péché, et l'on pourra encore parler au xviie siècle de la « playe cachée soubs noz vestemens (qui est la mortalité, passibilité, nécessité) causée par le péché premier[127] ». Mais une autre chair est apparue avec la Renaissance, liée au plaisir et non à la mortification ou à l'hérésie. Les libertins du xviiie, malgré leurs excès, auront au moins le mérite, dans leur exhibitionnisme ou leur voyeurisme, de revaloriser définitivement la chair. Il faudrait pouvoir écrire une histoire de la nudité dans la conscience populaire. Quel mot venait à l'esprit quand on voyait passer un homme ou une femme nus ? Au Moyen Age, on pensait « hérésie » ; au xviiie siècle, « débauche ». Au xixe, on pensera « folie » et, au xxe, « provocation ».

La pudibonderie retrouvée

Au moment où s'esquissent les bases d'un système juridique de la pudeur, les mouvements les plus divers prennent pour support le corps, qui devient moyen d'expression.

La « fessée patriotique » fait redécouvrir l'humiliation publique. Si, naguère encore, le ridicule ne tuait pas, il n'en est plus de même en 1793. Une Théroigne de Méricourt, troussée par les Montagnardes, perdra la raison. Réaction symptomatique : l'outrage est ressenti de façon paroxystique à une époque où la pudeur féminine est un dogme entériné pour la première fois par la loi du 19 juillet 1791. La hantise de la fessée était telle, souligne Taine[128], que « des dames qui vont à la messe orthodoxe, ne sortent plus qu'avec leur chemise cousue [entre les jambes] en guise de caleçon ». Et certains ont voulu y voir l'origine du sursaut de pudeur qui imposa le pantalon au xixe siècle...

Sous le Directoire, le corps redevient plus encore un moyen d'expression. La liberté retrouvée progressivement, lors de la réaction thermidorienne, se traduit symboliquement par la liberté des vêtements, d'abord, et ensuite du corps. Les premières modes incroyables et merveilleuses, avec leurs chapeaux et leurs collets démesurés, les flots de dentelles et de rubans, les pantalons bouffants et les jaquettes à larges revers, contribuent plutôt à casser la silhouette. Mais bientôt, les pantalons des hommes se font moulants ; pour entrer dans les pantalons de « peau » — les romanciers en feront des pantalons de peau humaine ! — il faut se faire aider de quatre domestiques, afin qu'il n'y ait aucun pli. Les tenues provocantes des muscadins de 1797 feront sourire Grimod de la Reynière, qui en a vu d'autres. « Le vêtement le plus essentiel, celui dont la coupe devoit le plus s'accorder avec la modestie, offre, par son étrécité, l'empreinte si fidelle des formes, que la pudeur en seroit révoltée, si cette fidélité même n'étoit pas souvent le remède des mauvaises pensées qu'elle donne » (I, p. 82). Les hommes avaient-ils alors cette *beauté prophylactique* que Baudelaire prête aux femmes belges ?

Les merveilleuses ne sont pas de reste. Elles aussi ont des choses à montrer. « La robe se retire peu à peu de la gorge, et les bras habillés jusqu'aux coudes, suspectés d'être de vilains bras, accusés de s'envelopper dans une robe *à l'hypocrite*, se dénudent jusqu'à l'épaule. Puis les jambes et les pieds font comme les bras[129]. » Pour revêtir les audacieuses « robes à l'athénienne », on abandonne le corset, on laisse tomber la chemise, remplacée dans le meilleur des cas par un tricot couleur chair. Mais ces « nudités gazées », comme les appelle le docteur Desessartz, provoquent de nombreuses fluxions de poitrine, et il mourra plus de merveilleuses en un an que sous la Terreur. Les excès de cette mode nouvelle seront vite condamnés.

La reine des merveilleuses est alors Thérésa Cabarrus, femme de Tallien qui passera à la postérité sous le nom de Notre Dame de Thermidor. Elle a contribué autant à imposer la mode antique qu'à modérer la fougue révolutionnaire de son mari. Mais c'est elle aussi qui, par ses extravagances, sonnera le glas de la mode du quasi-nu. Un décadi de l'an V, sur les Champs-Élysées, elle paraît nue sous une mousseline si transparente qu'elle soulève les sifflets des promeneurs. Elle est accompagnée d'une amie aux seins entièrement découverts. « A cet excès d'impudicité plastique, commentent les Goncourt, les huées éclatent ; on reconduit dans les brocards et les apostrophes mérités, jusqu'à leurs voitures, ces Grecques en costume de statues » (p. 421).

La robe à l'athénienne n'est pas morte pour autant, mais il lui faudra garantir davantage la pudeur des passants. Comme l'histoire n'est faite que d'heureuses coïncidences, le blocus continental tombe à pic pour interdire l'importation des légères mousselines indiennes. La mode impériale s'en retrouve vouée à la soie et au satin de Lyon.

Le pantalon féminin n'attendait que cela pour reconquérir le terrain perdu. Nécessaire aux merveilleuses qui dédaignent la chemise, mais pas toujours la modestie, le voilà considéré comme un héritage antique ! Les Grecs n'avaient-ils pas le *periskelidas*, les Romains, les *femoralia* ? Aussi, les docteurs Desessartz et de Saint-Ursin, en 1807, recommandent-ils chaudement ce « retour à l'antiquité » qui évitera aux femmes les rhumatismes « et autres incommodités[130] ».

C'est pourtant comme garantie de la pudeur féminine plus que comme vêtement hygiénique ou protecteur que le pantalon triomphera au xixe siècle. S'il s'impose, à partir de 1807, dans les établissements pour jeunes filles, c'est parce que, sur le modèle anglais, la danse fait désormais partie de l'instruction et que les exercices de saut mettent en péril l'innocence de ces demoiselles. La génération de 1807 grandira donc en pantalon, et gardera l'habitude de le porter. Les dames de 1820 le revêtent pour aller patiner — ô hantise de la chute ! Voici que naissent les omnibus, dignes héritiers des carrabas. Pour monter à l'impériale, les dames doivent gravir l'escalier devant « les messieurs de la plate-forme, une espèce particulière de voyageurs[131] ». Conséquence : on interdit d'abord l'étage aux femmes ! Lorsqu'il leur sera enfin accessible, vers 1890, il sera question d'y imposer le port du pantalon. Idée aussitôt abandonnée, devant l'impossibilité d'affecter des agents à ce contrôle. Les voyageuses hardies qui vont s'asseoir à l'impériale prennent d'elles-mêmes cette précaution.

Elles y ont intérêt, d'ailleurs. Car depuis le code Napoléon, la pudeur n'est plus leur apanage, et elles peuvent elles aussi être poursuivies pour avoir offensé les hommes ! Les sensibilités à cet outrage et les peines encourues varient de pays à pays, et il est bon de connaître les usages. Une jeune Française fut ainsi tout étonnée d'être arrêtée en Autriche pour avoir découvert trop haut sa jambe en montant en voiture. Surprise plus grande encore au commissariat où, au lieu d'être mise à l'amende, elle fut fort proprement fouettée pour lui apprendre la pudeur[132].

Le vélo entraînera d'autres crimes. « Baisse le capot, on voit le moteur », crièrent longtemps les jeunes gens aux filles qui s'y risquaient. L'agent de police n'avait pas l'œil moins vigilant. En 1898, une vélocipédiste fut condamnée à huit jours de prison pour avoir roulé sans pantalon. Et ne parlons pas de la danse, qui ne se résume plus aux valses tristes et sentimentales. La préfecture de police ordonne le port du pantalon aux cavalières du « quadrille naturaliste ». Des inspecteurs postés dans les bals populaires mettent à l'amende les contrevenantes. Excellent prétexte pour les jeunes filles qui souhaitent éconduire un galant trop pressant : qui se risquerait à vérifier qu'elles ne sont pas en costume de danse ?

Vers le haut, la mode des seins nus est morte ce fameux décadi de l'an V où l'on conspua Mme Tallien. Mais dans un XIXe siècle au collet monté, le décolleté, de plus en plus généreux, s'épanouit dans les robes de soirée — ces robes que l'on ne craint pas d'appeler *habillées* ! Un des principes de base de la décence est l'adéquation d'une tenue à un lieu et à une circonstance. De la même façon que le maillot, de règle à la plage, devient indécent à la ville, le décolleté des robes du soir aurait fait rougir une femme de monde qui l'aurait adapté à sa robe du matin[133]. L'inverse n'est pas moins vrai. A Berlin, Guillaume II exigeait que l'on fût en toilette de soirée lorsqu'il honorait l'Opéra de sa présence. Un soir, il invita quelques dames en robes montantes à vider les lieux ; celles-ci, vexées, découpèrent vaille que vaille leur corsage aux ciseaux et réintégrèrent leur place, la tête haute et la poitrine agressive. A la fureur du Kaiser, faut-il le souligner... A Paris, l'impératrice Eugénie n'est pas moins pointilleuse : elle fait aussi quitter sa loge à une vieille dame insuffisamment échancrée[134]. Châles, écharpes et pèlerines doivent venir à la rescousse des mélomanes trop prudes.

L'embarras de ces dames était d'ailleurs partagé par leur tailleur. Un conte facétieux du début de ce siècle met en scène l'un d'eux, dirigeant de loin l'exécution d'une robe de soirée. « Madame la comtesse douairière essaye un corsage décolleté, très décolleté. Monsieur le grand couturier, avec une tigelle d'ivoire que termine une petite main, d'ivoire aussi, tapote la soie, autour des seins, pour indiquer une rectification. Monsieur le grand couturier ne se permettrait pas de toucher lui-même à la poitrine de Madame la marquise[135]. »

Mme Celnart, qui parfois frise la coquetterie, n'en est pas moins gênée par les décolletés des robes du soir. Rusée, elle recommandera d'y glisser un fichu de toile fine... pour dissimuler la sueur lorsqu'on a trop dansé (p. 188) !

Il ne faut pas voir pour autant dans l'histoire du xixᵉ siècle le règne d'une pudibonderie exclusive ; et les mentalités mettent du temps à changer. Témoin ce souvenir de la générale Hugo, quand elle accompagnait son mari en Espagne avec le petit Victor, sous la bonne garde d'un régiment en grand arroi.

« Un courrier, escorté d'une compagnie de cavalerie, arriva et prévint le duc de Cotadilla que la reine Julie, se rendant à Madrid, ne tarderait pas à passer. Le duc, pour rendre honneur à sa reine, donna l'ordre à ses soldats de prendre la grande tenue. Pour cela, il leur fallait se déshabiller entièrement, et l'on était en rase campagne. Pas un arbre pour se masquer. On prévint toutes les femmes de cet incident délicat, les engageant à baisser leurs stores.

« Il faisait horriblement chaud. Les petits Hugo étouffaient avec ces stores baissés et demandaient de l'air. Et puis on avait parlé de grande tenue, ils voulaient voir comment s'opérait la grande tenue. Ils crièrent tant, que leur mère les laissa aller dans le cabriolet. Ils ne firent qu'un bond, enchantés d'être en loge découverte et de ne rien perdre du spectacle.

« Les soldats se formèrent en groupes, mirent leurs fusils en faisceaux, se débarrassèrent de leur havresac qu'ils déposèrent par terre, en tirèrent l'uniforme des grands jours et se dépouillèrent méthodiquement de leurs vêtements.

« Quand ils se trouvèrent dans le costume qui mettrait éternellement en grève chemisiers et tailleurs s'il était adopté, ils furent pris de gaieté. Les loustics se mirent à faire quantité de charges que la bande entière imita : le salut militaire, le port d'armes, l'exercice complet — le tout en parfait accord, avec la sévérité disciplinaire.

Pendant toutes ces farces, qui prenaient du temps, la princesse Julie faisait fouetter ses chevaux, si bien qu'ils joignirent le convoi plus tôt qu'on ne s'y attendait. Ils passèrent, harnachés et superbes ainsi qu'il convient à des chevaux de reine à une époque de civilisation, au milieu de ces trois mille gaillards à l'état de nature, multiplication de notre père Adam. »

Adèle Hugo, qui raconte l'anecdote en 1867 (p. 207), n'en est pas plus offusquée que sa belle-mère. Il semble même qu'elle l'ait quelque peu enjolivée : la nudité complète était-elle nécessaire pour changer d'uniforme ? Elle s'y attarde en tout cas complaisamment — si complaisamment que ses correcteurs croiront de leur devoir de « gazer l'exhibition » (p. 723, n. 14). Se montrer nu fait encore partie des « bonnes farces » de loustics, et l'on prend encore le parti d'en sourire...

Il peut aussi s'agir d'un coup de tête ou d'un défi qui donne ce petit frisson du défendu. La Barucci, une actrice célèbre sous le Second Empire, était courtisée par un bel officier de la garde, à qui elle finit par accorder ses faveurs. « A une condition, précisa-t-elle : vous viendrez à cheval et nu parader devant mon hôtel. » L'hôtel d'une actrice aussi renommée ne pouvait être que sur les Champs-Élysées. Le jeune officier ne s'en effraya point. Deux jours plus tard, le hasard des affectations le désigne comme officier de semaine. Il s'empresse de mener sa compagnie parader sur les Champs, enveloppé dans un manteau tombant sur ses bottes. Il s'arrête devant l'hôtel Barucci, ouvre son manteau devant les fenêtres de sa belle — qui dut être satisfaite du spectacle puisque, sur un signe, l'officier laissa le commandement à son second et alla cueillir les lauriers de son audace[136].

Ce genre de coups de tête devait favoriser un nouveau changement dans les conceptions de la nudité : le passage de la nudité publique de la débauche à la folie. Sans doute a-t-on déjà signalé des cas de nudités liés à la folie avant le XIXe siècle. Foucault en cite un à Francfort en 1399 — mais Pierre Descamps fait très justement remarquer que la nudité ne suffit pas alors à conclure à la folie[137]. De même lorsque Jehan Carrignon, brave paysan de Louis XI, « tombe en frénésie » et sort nu en novembre pour mettre le feu à la maison de son beau-père, c'est de l'absurdité du crime et non de l'incongruité du vêtement que l'on infère la démence[138]. Au XIXe siècle, en revanche, on commence à mettre directement en rapport nudité et folie. C'est l'époque où Goya peint les pensionnaires nus de l'asile, où Théroigne de Méricourt, à Charenton, court nue en s'aspergeant d'eau froide en plein novembre. Le bourgeois au pouvoir s'affirme par ses vêtements : s'en défait-il ? c'est qu'il est fou. En 1893, quatre cas de folie exhibitionniste font la une de l'Intransigeant Illustré — belle proportion pour un hebdomadaire... « Folie mystique », « accès d'aliénation mentale », « devenu subitement fou »... L'explication rassure, dans une société qui s'est coupée de la nudité[139]. Les médecins commencent par constater que certains malades « ont une tendance invincible au nudisme, déchirent, enlèvent tous leurs vêtements et veulent vivre jour et nuit complètement nus[140] ». Ils finissent par mettre au point la théorie de l'hystérie, qui peuple les asiles féminins de frustrées et d'épouses adultères.

Nous ne sortons pas, malgré les apparences, du domaine de la pudeur. Cette réinterprétation médicale de la nudité publique a refoulé dans l'espace privé la nudité collective. Cette nudité privée, désormais tolérée par la loi malgré certaines tentatives d'incursions policières, ce sera celle des premiers clubs naturistes. C'est déjà celle du bal des Quat'z-Arts, qui, depuis 1893, réunit joyeusement les étudiants des Beaux-Arts et leurs modèles. Une centaine de jeunes femmes y finissent la nuit complètement nues, au grand dam des ligues de vertu dont le pouvoir s'arrête au seuil des bals privés.

Car la fin du XIXe siècle, la République triomphante, coïncide aussi avec l'époque de la Ligue contre la licence des rues, créée en France par le sénateur Bérenger, en 1891. Une ligue pointilleuse : son président, qui habitait rue de Villersexel, n'hésite pas à déménager après avoir reçu une lettre dont l'adresse était insidieusement orthographiée « rue de Villersexuel »... Du moins tel est le bruit que l'on répand sur les bancs de l'opposition... Une ligue active : le sénateur interpelle à tour de bras le gouvernement pour exiger une enquête sur tel théâtre bravant la loi sur les costumes de scène. Une ligue totalement inefficace, qui aboutira, après quinze ans de chicaneries, à un résultat opposé au but poursuivi.

Les lois et les ligues de vertu incitent plus à les braver qu'à les respecter. Le tournant du siècle est déterminant dans l'histoire de la pudeur, et je verrais volontiers dans les exagérations du sénateur Bérenger un des facteurs de cette évolution. La provocation est présente dans tous les domaines, et la mode n'y échappe pas. A Longchamp, en 1908, quelques semaines avant le Grand Prix, quatre jolies personnes tentent de remettre à la mode les nudités gazées du Directoire. L'étoffe souple et collante de leur robe dessine leurs formes ; l'une d'elles, en jupe bleue crantée sur un côté « laissait apercevoir le bas de la jambe derrière un fondu de mousseline noire[141] ». On devine le tollé produit par une telle apparition à l'époque où la cheville même était indécente. Une escorte de deux cents personnes emboîte le pas aux jeunes filles qui, *bis repetita placent*, se retirent sous les huées. On apprend alors qu'il s'agissait de mannequins aux gages d'une grande maison de couture qui tentait de lancer une nouvelle collection. Devant cet accueil plus que réservé, les robes se retrouvent confinées aux scènes de théâtre.

Outre ces provocations ponctuelles, l'excès de pruderie des dernières années du XIXe siècle maintient un érotisme endémique dans la mode féminine. C'est l'époque des froufrous, où une cheville furtivement échappée à la masse des jupons suffit à éveiller les désirs les plus coupables. L'époque aussi du strip-tease, dont le succès est lié à la durée du déshabillage : l'accumulation outrancière des vêtements aboutit paradoxalement aux interminables déshabillages qui font la joie des spectateurs dans les théâtres privés et des lecteurs de contes polissons. Veut-on un exemple ? Voici le spectacle que devra donner une « petite baronne » à son médecin pour lui montrer la rougeur qu'elle porte au sein :

« Allons ! puisqu'il le fallait, elle se décida. Après un regard jeté autour d'elle pour s'assurer une fois de plus qu'ils étaient bien seuls, elle se leva d'un élan souple, ôta son étole, puis son manteau ; puis, ayant enlevé ses gants, elle attaqua son corsage, tandis que, debout devant elle, le docteur suivait ses moindres mouvements avec une impatience de dévot qui aurait assisté à l'ouverture d'un tabernacle.

« On voyait bien qu'il lui en coûtait d'imposer à sa pudeur ce sacrifice ! Elle se dégrafait avec des répits et des soupirs qui ponctuaient la marche de l'opération. [...] Arrivée à la dernière agrafe, celle du cou, la plus importante, elle eut une longue hésitation.

« — Eh bien... continuez !... dit le docteur, je ne vois rien encore !...

« Effectivement, jusqu'alors il ne voyait pas grand-chose. Et s'il lui tardait que l'horizon s'élargît, c'était non seulement dans un intérêt professionnel, mais aussi parce que, à travers tout un fouillis mousseux de faveurs et de dentelles, il devinait un spectacle qui justifiait son impatience.

« Le petite baronne comprit pourtant qu'il fallait franchir la dernière étape. D'un nouveau regard tout alangui de confusion elle implora d'avance son pardon pour l'épreuve gratuite qu'elle allait infliger à sa sensualité ; après quoi, ayant écarté son corsage, elle mit à découvert une poitrine admirable, où tout de suite le docteur aperçut la rougeur qui marquait d'un croissant de corail l'enflure opulente d'un sein. [...]

« Déjà sa gorge qui n'aspirait qu'à reprendre sa liberté — comme y aspirent tous les prisonniers — avait à moitié franchi le mur de sa prison. Que serait-ce quand elle aurait levé les derniers obstacles ?

« Et en effet, lorsque le corsage et le corset furent allés rejoindre sur le fauteuil l'étole et le manteau, il y eut, de la part de cette chair reconnaissante, un tel élan de gratitude envers le libérateur, qu'elle passa d'un bond par-dessus les rubans, les dentelles, les franfreluches et, toute rose de bonheur, s'en alla effleurer les lèvres du docteur, qui en frémit sur place[142]. »

Le mouvement est autrement évocateur que dans les contes de la Renaissance où il suffit de relever ses jupes... La preuve en est qu'à l'heure du panty, porte-jarretelles et lingeries de la Belle Époque continuent à nourrir les spectacles spécialisés. Les rapports troubles entre le nu et le vêtement culminent en ce début du XXᵉ siècle. Les yeux en sont-ils frustrés ? Les oreilles sont comblées ! Le « froufrou » évoque éloquemment le froissement aguichant des jupons de soie bruissante, garnis de volants et de dentelles, coulissés de rubans de velours. Quant aux formes, elles sont mises en valeur par les tournures, puis par de nouveaux corsets, qui cambrent exagérément la taille, effacent le ventre et font ressortir seins et fesses. Ce que la pudeur croit avoir gagné d'un côté, elle le reperd de l'autre.

S'il en fallait une preuve, l'évolution postérieure de la robe la fournirait sans peine. Lorsqu'après la Première Guerre mondiale, les jambes et les bras se dénudent, les formes du corps sont voilées par les robes fuseaux, à la « garçonne », qui mutilent à leur tour poitrines et fessiers. Un érotisme en a remplacé un autre. Un peu avant la Première Guerre mondiale, les robes, de plus en plus étroites, nécessitaient un large crantage qui laissait entrevoir la jambe. Il n'y avait plus de raison de maintenir la robe longue, et dès 1915, jupes et robes raccourcissent jusqu'à découvrir les genoux en 1925. C'était une révolution sans précédent dans le costume féminin, voué à la robe longue. Il faudrait remonter aux Spartiates, ces *phaïnomérides* qui montrent leurs cuisses, pour retrouver de telles modes. Celles-ci se sont depuis succédé à un rythme accéléré, sans que les mouvements ascendants ou descendants correspondent à des variations de la notion de pudeur.

Dernier héritage de cette « lutte du nu » des années 1900-1910 : une nouvelle conception de la nudité et de la décence voyait le jour. Si jusqu'au xviiie siècle la pudeur était un domaine féminin, elle est entrée dans le domaine public avec la Révolution française. Chacun s'est senti responsable de cette vertu qui, selon Montesquieu, est le garant de la démocratie. La République s'installant, la pudeur a été assimilée à l'esprit bourgeois. Aussi la nudité est-elle petit à petit devenue provocante. La bataille qu'elle dut livrer pour s'imposer au théâtre, au cinéma, sur les plages ou dans la mode contribua à substituer à la nudité-folie (donc involontaire) une nudité-provocation. Caractéristiques à cet égard les lettres d'injures reçues par Kienné de Mongeot et publiées en 1936 (p. 23) :

« Au journal pédérastique français, à la puanteur française universellement connue. Pour prendre un bain de soleil, il n'y a pas de raison de montrer son... et sa... En Amérique, pour se baigner nous mettons un maillot, qui cache notre... "derrière" et notre sexe, mais en France, dont le peuple est un peu fou et composé de quatre-vingt-dix pour cent de pédérastes et de putains, on va toujours à l'extrême... Cela tient à ce que presque tous vos compatriotes ont la vérole... »

Et ainsi de suite pendant trois pages... Cette réaction d'une Amérique indignée par la nudité française — mais beaucoup d'autres lettres viendront des compatriotes de Kienné de Mongeot — marque bien la transition entre la nudité-folie (« en France, le peuple est un peu fou ») et la nudité provocante qui ne mérite que l'insulte.

Tout naturellement, les mouvements marginaux des années 1960 ont utilisé la nudité comme arme de contestation. La minijupe a eu au départ cette connotation agressive. Le nudisme sauvage était surtout pratiqué par les hippies. Derrière le slogan *Make love not war*, la nudité épousait toutes les revendications. Les manifestations homosexuelles aimaient ces parades plus ou moins prononcées, les concerts rock mêlaient l'agressivité de la chair à celle de la musique, et la mode éphémère du *striking*, dans les années 1970, atteignait l'essence même de ce défi à la pudeur bourgeoise : l'exercice consistait à courir le plus longtemps possible dans le plus simple appareil, jusqu'à ce que l'on soit intercepté par la police... Baisser son pantalon devient la bravade à la mode. Johnny Hallyday se déculotte devant ses policiers belges qui tentent de contenir ses « fans », Bocandé devant ses supporters portugais, les rockers polonais devant leurs autorités[143]... Il fallait ces provocations pour que la nudité, totale ou partielle, recouvre petit à petit droit de cité dans la mode. Notre époque, de ce point de vue, n'a pas encore mis sa pudeur dans sa poche — le conseiller Laplatte n'a-t-il pas suggéré que fût créée une « contravention de tenue indécente » à l'époque où le monokini envahissait les plages ? « Les fabricants de maillots sans haut feront bien d'ajouter, dans le bas, une bourse pour le paiement de l'amende », ironisait-il[144]. On imagine les ravages qu'aurait occasionnés une telle loi dans la mode française. L'exagération dans la censure, ici, ne faisait que répondre à l'exagération dans la provocation.

Chapitre III

PUDEURS MÉDICALES

Naturalia non turpia (« il n'y a pas de honte à ce qui est naturel ») : le vieil adage médical devrait suffire à éliminer ce chapitre d'une histoire de la pudeur. Devant son médecin, il n'y a plus d'intimité. Quelques exemples nous convaincront que ce principe fut parfois difficile à mettre en pratique.

On rencontre encore, dans certains musées, de ces « statuettes de diagnostic » qu'utilisait les Chinoises pour converser avec leur médecin. Plutôt que de nommer ou de désigner l'endroit dont elles souffraient, elles préféraient le montrer sur une de ces figurines dodues qui avaient soin d'exposer toutes les parties du corps. En France, certains pensionnats du siècle dernier ont recouru à ces pratiques.

La médecine est cependant un des rares domaines auxquels législateurs et moralistes ne s'en sont jamais pris. Les réactions que nous allons surprendre sont donc avant tout individuelles. Toute l'ambiguïté, tout l'humour involontaire de ces situations résident dans l'exemple social que d'aucuns ont voulu en tirer...

« Plutôt les pires souffrances que ça ! » C'est ce qu'aurait déclaré sainte Macrine, vierge du IVe siècle, en apprenant qu'un chirurgien allait examiner — toucher, peut-être, voire opérer ! — la tumeur de son sein[145]. Elle interdit au praticien de l'approcher, et pour tout remède demanda à sa mère de tracer un signe de croix sur le « tetin qui la menaçoit de gangrène[146] ». « Dieu aime la pudeur énergique, concluent les bénédictins qui ont rédigé sa biographie[147], il la guérit, laissant une petite cicatrice. » Et Pierre Juvernay, dont nous avons vu l'ardeur à protéger ses ouailles des nudités de gorge, de leur citer la sainte en exemple.

Tout le monde n'est pas sainte Macrine, et le Bon Dieu ne se reconvertit pas tous les jours en guérisseur aux mains nues. Isabelle de Castille en fit l'expérience, qui refusa elle aussi de dévoiler l'ulcère qui la rongeait. Elle en mourut, en 1504, après de longues souffrances[148]. Encore fallut-il lui administrer l'extrême-onction sous les draps, car la reine catholique refusait qu'on lui découvrît les pieds pour y appliquer les saintes huiles.

Le chanoine Moreau, qui rapporte l'anecdote, y voit l'exemple d'une « extrême pudicité » qu'il n'hésite pas à proposer en exemple. Bayle, à son tour, parle de l'héroïsme de Marie de Bourgogne, prête à « mourir Martyr(e) de la pudeur » après s'être blessée intimement en tombant de cheval[149]. Et les *Cent Nouvelles Nouvelles* (xve siècle) s'amusent fort d'une jeune fille qui voulait bien montrer ses hémorroïdes aux matrones... mais pas aux médecins ! « Ne se vouloit accorder nullement qu'on la meist en fasson que son mal fust apperceu, mesme amoit plus cher morir qu'ung tel secret fust a nul homme decelé » (IIe nouvelle, p. 33). Les parents usèrent d'un argument subtil devant ce zèle exagéré : se laisser mourir par pudeur, n'est-ce pas une forme de suicide, donc un péché mortel ? Les matrones à leur tour proposèrent un compromis : un drap voilerait la seconde face de la pucelle, avec un « beau pertuis » « à l'endroit du secret mal ». Ce fut un cordelier qui vint y mettre le doigt — conte polisson oblige. Hasard, ou première manifestation de la pudibonderie anglo-saxonne ? L'auteur de la nouvelle la situe à Londres...

Éternelle pudeur féminine... Les hommes aussi ont leurs martyrs. Pie V refuse la honteuse sonde qui aurait pu le soulager des pierres de sa vessie[150]. Le pape, mort d'une douloureuse rétention d'urine en 1572, est béatifié cent ans plus tard et entre en 1712 dans le calendrier liturgique. La pudeur lui devait bien cet hommage.

Il faut avouer que la *taille*, comme on nomme alors l'opération des calculs vésicaux, est aussi dangereuse qu'humiliante. Bossuet lui non plus ne peut s'y résoudre en 1703, et c'est sans doute le même mouvement de pudeur qui enlève l'année suivante l'évêque de Meaux, presque octogénaire.

Si les moralistes jubilent devant de tels exemples et s'extasient devant une vertu qui ne craint pas la mort, « ailleurs sert bien d'un autre mets », comme disait Villon... Tallemant des Réaux ne se pique pas de la même vertu qu'un Bayle. La femme du maréchal de Force, raconte-t-il, fut elle aussi victime d'un accident incongru, « en voulant passer sur je ne sçay quelle palissade » — un exercice étrange, déjà, pour une maréchale. En enjambant la clôture, elle « se fourra un pieu ou vous sçavez » — et l'écrivain malicieux ne peut s'empêcher d'ajouter (I, p. 172) : « Ce pieu n'adressa pas pourtant si bien qu'elle n'en fust blessée. » Ne voilà-t-il pas la maréchale, « par une ridicule pruderie », qui refuse de montrer ce que nous savons au chirurgien, et qui exige que son mari la panse ? « Il s'en mocqua, et lui dit qu'elle allast se faire panser. » Le maréchal de Force n'était pas le chanoine Moreau, ni sa femme la reine de Castille. Et pourtant, conclut des Réaux, « par ses grimaces elle s'estoit acquis la reputation d'une sainte ».

Le comble peut sembler cette pudeur *post mortem* de l'empereur Maximilien, dont se gausse Montaigne : il « en vint à telle superstition, qu'il ordonna par paroles expresses de son testament qu'on luy attachast des calessons, quand il seroit mort. Il devoit adjouster par codicille, que celuy qui les luy monteroit eut les yeux bandez » (I, 3, 15). La règle des bénédictins de saint Lanfranc, au XIᵉ siècle, témoigne des mêmes scrupules. Lorsqu'on lave un cadavre, il faut lui laisser la chemise dont il était vêtu à sa mort et la retrousser pour en ceindre les « parties honteuses de son corps[151] ».

Toutes ces pruderies ne concernent bien évidemment que le malade lui-même, et jamais on ne put les ériger en exemples. L'une d'elles cependant aura quelques effets durables. Les attaques de Mme de Maintenon, appuyée par les jésuites, contre l'indécent clystère ruineront l'empire que la grosse seringue exerce sur la médecine du XVIIᵉ siècle. Les précieuses — que Mme Scarron fréquenta sous le nom de Stratonice — avaient déjà déclaré la guerre à ce « bouillon des deux sœurs[152] ». Si on ne peut pas se passer du médicament, le mot lui-même est proscrit, remplacé dans un premier temps par « lavement », puis par « remède », moins évocateur. Sous les assauts conjugués de la Maintenon et du père Letellier, son confesseur, Louis XIV fit entériner cet usage par l'Académie[153].

Maladies galantes ou honteuses ?

De telles attitudes sont d'autant plus insolites que les maladies et malformations des organes sexuels semblent fort à la mode depuis le XVIᵉ siècle. Celles de la verge sont les plus fréquentes et les plus variées, affirme Dionis dans son traité des opérations de chirurgie de 1707. Et les anomalies génitales des rois ont de tout temps passionné les mémorialistes. On parlait sans retenue, au XVIᵉ siècle, de la syphilis de François Iᵉʳ ou de l'hypospadias (malformation de l'urètre) d'Henri II[154]. Les discussions sur la stérilité des reines ne sont plus que prétextes à fouiller sans vergogne les anatomies royales.

Que penser des rapports que les ambassadeurs vénitiens et toscans envoient à leurs gouvernements sous le règne d'Henri III ? « Le roi a l'extrémité de la verge tordue vers le bas, de sorte qu'il ne peut émettre le sperme dans la matrice et pour cette raison les médecins ont décidé de la fendre plus haut », rapporte le Toscan Renieri. Les Vénitiens, quant à eux, ont une autre version : « Par suite de son trop de vigueur, il transmet la semence pendant le coït avec plus de rapidité qu'il ne le faut pour pouvoir engendrer[155]. »

C'est au XVIIᵉ siècle que l'on commença à respecter un peu plus les anatomies des souverains. Les « maladies du roi » dont souffrit Louis XIV en 1655 et en 1686 mériteront un exposé plus détaillé : c'est avec elles que l'on verra apparaître quelques mouvements de pudeur et de prudents euphémismes. Le « mal du roi » fit fureur. Après avoir désigné la fistule à l'anus du Roi Soleil, l'expression s'appliqua aux premières pollutions dont s'effraya son arrière-petit-fils le Bien Aimé[156], puis à l'opération du frein que dut subir Louis XVI[157]. Mais désormais, les expressions vagues et les récits embarrassés témoignent de l'ignorance dans laquelle les courtisans eux-mêmes sont tenus. L'abbé Baudeau, rapportant l'opération de Louis XVI, assure même que la nature s'est chargée de la pratiquer quand il semble bien que les chirurgiens aient dû y mettre la main (p. 270). Même occultation, à l'époque, pour les maladies vénériennes. Lorsque la syphilis fait son apparition au début du xvie siècle, elle ne fait pourtant l'objet d'aucune censure, même lorsqu'elle frappe un pape. Erasme raille cette maladie à la mode que l'on exhibe comme une médaille militaire pour vanter ses prouesses sexuelles. « On s'imagine que parmi les Courtisans, il n'y a que ceux qui ont la vérole qui soient gens galans et du bel air, et qu'il n'y ait que les sots et les gens grossiers qui en soient exempts[158]. » Dans les livres de médecine, les patients — jusqu'aux rois et papes — sont ouvertement nommés. Cent ans plus tard, lorsque l'oncle de Tallemant des Réaux soupçonne une telle « maladie de garçon » chez son jeune neveu, il n'ose lui en parler lui-même et délègue le frère aîné pour confesser le petit Gédéon. Celui-ci n'éprouve cependant aucune gêne pour faire sur-le-champ « exhibition des pièces » (V, p. 180).

L'esprit dénoncé par Erasme reste vivace. Un ami de Ménage avait ainsi dressé la chronologie de ses véroles. Quand on lui citait une date, il commentait : « Oui, je m'en souviens, c'était du tems de ma troisième, de ma cinquième ou de ma huitième vérole[159]. » Mais dans les salons le mot commence à scandaliser. Si quelqu'un le prononce, on lui répond du tac au tac : « On ne l'appelle plus la vérole, on l'appelle l'Eussiez-vous[160]. » Pour ne pas choquer les précieuses on invente donc des périphrases spirituelles que nous étudierons dans un prochain chapitre. La vertu est à la mode ; les maladies sexuelles ne le sont plus.

A la fin du xviie siècle, elles sont définitivement entrées dans le domaine du non-dit.

Le docteur Thuillier s'indigne de la facilité avec laquelle ses confrères de la Renaissance divulguaient l'identité de leurs patients : « La vérole ne venant point proprement du fond de la nature et de la misère humaine, mais bien du vice seul et de la débauche : ce seroit trop publiquememment déshonorer et difamer des personnes, dont est obligé de ménager et de conserver l'honneur et la réputation » (p. 4). Désormais, la vérole est « honteuse » et « décriée ». On se cache pour la « suer ». Dans les journaux honnêtes, on commence à l'abréger en « v... » D'où le succès que rencontre Thuillier, en 1705, avec des remèdes à avaler, plus pratiques que les onguents locaux ; puis le docteur Beaumé, en 1771, qui met au point un bain contenant une solution de *sublimé corrosif* : « Il n'a rien du dégoûtant des frictions mercurielles, commente Bachaumont (VI, p. 62, 30-XI-1771), et peut d'ailleurs se pratiquer avec tout le mystère qu'exigent souvent les maladies en question, puisqu'il ne présente qu'un traitement prescrit. »

Un nouveau concept était entré dans la médecine : celui de maladie honteuse. De ne pas s'en être rendu compte coûta son portefeuille à un ministre. On sait comment Maurepas connut en 1749 une disgrâce définitive pour avoir chansonné la marquise de Pompadour. La tradition veut que le quatrain qui fit déborder la coupe fut une épigramme que la maîtresse royale trouva sous son assiette à Marly : quatre méchants vers plutôt maladroits qui amenaient un jeu de mot d'un goût douteux sur l'indisposition de la dame :

> La marquise a bien des appas ;
> Ses traits sont vifs, ses grâces franches,
> Et les fleurs naissent sous ses pas :
> Mais hélas ce sont des fleurs blanches !

Le xixe fut le siècle des maladies honteuses. Siècle médical par excellence, il vit le médecin prendre la place du théologien dans la défense de la morale publique. Aux maladies sexuellement transmissibles, il ajouta quelques maladies mentales, comme l'hystérie, d'origine sexuelle, et bon nombre de comportements déviants qui vinrent à point prendre le relais des relations « contre-nature » : zoophilie, nécrophilie, scopophilie, coprophilie... prennent place désormais au nom de la science dans le morale sexuelle occidentale. D'autres maladies qui, cette fois, n'ont plus rien de sexuel, comme la gale, ont rejoint le domaine de l'indicible. On en arrive à ce paradoxe d'un siècle qui a inventé l'hygiène et la prophylaxie, et du même coup en a entravé la marche en reléguant dans le non-dit les maladies mêmes qu'il fallait dépister.

Les excès de ces attitudes, qui incitaient trop souvent à taire des maladies graves et contagieuses, n'ont pas été complètement abolis. Les premiers tests de dépistage du Sida ont vu renaître les mêmes réflexes : la plupart des porteurs sains ont été décelés sur la voie publique, là où le donneur n'est pas obligé de faire état de sa sexualité. Le terme même de *maladie honteuse,* qui n'est pas encore totalement éliminé de notre vocabulaire, témoigne à suffisance de la survivance de cette pruderie mal placée.

Les maux du roi

Journaux de la cour et mémoires des médecins nous renseignent assez bien sur les maladies qui affligèrent les Bourbons. Le journal de la santé de Louis XIV, tenu successivement par Vallot, d'Aquin et Fagon, reste un des documents les plus précis et précieux sur l'intimité du monarque. C'est grâce à ce journal que le « mal du roi », la fistule à l'anus qui l'immobilisa en 1686, fit le tour du monde. Je ne raconterai pas en détail cet épisode trop connu, devenu un des classiques de la médecine. Notons toutefois qu'il serait faux de vouloir y projeter notre conception moderne de la pudeur. Le « mal du roi », s'il préoccupe toute la cour de février à décembre, ne suscite aucune des fausses hontes qu'on a voulu y voir.

Dès les premières plaintes du roi, le 15 janvier, d'Aquin examine la tumeur, la palpe, la décrit « assez profonde, peu sensible au toucher, sans douleur ni rougeur ». Aucune gêne chez lui lorsqu'il y pose cataplasmes et emplâtres ou lorsque les chirurgiens, à deux reprises, y donnent un coup de lancette. « Monseigneur et Monsieur [fils et frère du roi] assistèrent à cette petite opération-là », note Dangeau (23 février). Quoi d'étonnant ? La semaine précédente, Mme de la Dobiais avait apporté au roi un emplâtre de sa composition et avait tenu à le voir appliquer elle-même (17 février). Le roi, lorsqu'il retrouve ses courtisans, parle publiquement « du bon état où estoit sa plaie » (3 mai), la montre à son frère quand celui-ci l'en prie (27 mai)... Lors de la « grande opération » du 18 novembre, Louvois, premier ministre et à ce titre responsable de la santé du roi, viendra s'assurer que les deux médecins et les deux chirurgiens font bien leur travail.

La convalescence s'organise. Jusqu'au 7 janvier, on parlera encore d'une « tumeur d'humeur mélancolique, crue, froide et indigeste » (d'Aquin). Comme tout événement nouveau, l'étiquette s'en empare. Les entrées sont réduites, mais ne sont pas interdites. « Quand on panse le roi, il n'y entre que les premiers valets de chambre, M. d'Aumont, premier gentilhomme de la chambre en année, les autres n'y entrent point, pas même son fils, qui a la survivance ; M. de la Rochefoucault entre, M. de Louvois a toujours entré dans le commencement et M. de Seigneley y entre depuis quelques jours[161]. »

La pudeur, on le voit, n'est pas plus un sentiment royal qu'une préoccupation médicale. Si honte il y a, c'est chez les courtisans qu'il faut la chercher. Dangeau, au début, ne parle que de « tumeur à la cuisse » — euphémisme qui vient peut-être lui-même d'une information édulcorée : le marquis adoptera par la suite l'expression désormais consacrée de « mal du roi ». On peut sans doute se demander pourquoi il fallut six mois à Félix, premier chirurgien, pour proposer l'opération — et la tentation est forte d'y voir l'appréhension du praticien d'ouvrir le royal derrière. En fait, l'opération de la fistule est alors une nouveauté : jusqu'à la guérison du roi, on préférait la ligature — ou les éternelles eaux thermales. La bataille que durent livrer les médecins et les chirurgiens pour imposer leurs vues marque le début de la disgrâce de d'Aquin. Il fallut essayer tous les remèdes recommandés par la cour, le plus souvent sur des cobayes humains que le roi y avait fait amener, avant de se résoudre à l'incision. Félix en avait d'ailleurs profité pour se « faire la main » sur les fistuleux dont regorgeait soudain Versailles.

Cette opération eut au moins le mérite de banaliser un mal qui offensait encore la pudeur de certains postérieurs. « Plusieurs de ceux qui la cachaient avec soin avant ce temps n'ont plus eu

honte de la rendre publique », constate Dionis (p. 340). Et ils
venaient se faire opérer à Versailles, peut-être parce qu'on y
trouvait les meilleurs chirurgiens, mais surtout parce que le roi
s'informait de toutes les circonstances de l'opération. Que ne
ferait-on pas pour un mot du monarque : au moindre suintement,
à la moindre hémorroïde, les courtisans se hâtent de « présenter
leur derrière au chirurgien ». Dionis en a vu plus de trente fâchés
d'être renvoyés sans un coup de bistouri digne d'être rapporté au
roi !

La pudeur, en 1686, dut céder le pas au médecin. Il n'en fut pas
toujours ainsi. Le roi, quand il est opéré de la fistule, approche de
la cinquantaine et règne en maître absolu sur sa cour. La pudeur
se mesure à l'autorité, à une époque où ne peuvent s'en dispenser
que les hommes et les grandes dames. En 1655, un jeune
monarque de dix-sept ans, encore soumis à sa mère et au cardinal
de Mazarin, ne peut s'empêcher d'avoir honte d'un étrange
incident qui lui arrive.
Il ne s'en plaint d'ailleurs pas, et le mal serait passé inaperçu si
les domestiques n'en avaient informé Vallot, alors premier
médecin. « Les chemises du roi étaient gâtées d'une matière qui
donna soupçon de quelque mal, à quoi il était besoin de prendre
garde » (p. 27). Embarras du jeune homme. Embarras du
médecin. Il n'est pas question que ce « grand prince » à qui Dieu
« a voulu imprimer... toutes les vertus à un degré aussi éminent »,
ait attrapé une chaude pisse comme le dernier de ses sujets,
même si ses amours avec Olympe Mancini sont alors de notoriété
publique. Les commentateurs, forts des rapports de Saint-Simon
ou de la Palatine, ont voulu voir une banale blennorragie dans ce
mal « le plus étrange du monde ». La description qu'en donne
Vallot évoque plutôt quelque abcès interne qui se serait résorbé
lentement : « La matière, qui découlait sans douleur, et sans
aucun chatouillement... était d'une consistance entre celle d'un
blanc d'œuf et du pus, et s'attachait si fort à la chemise que l'on
ne pouvait ôter les marques qu'avec la lessive ou bien avec le
savon. La couleur était d'ordinaire fort jaune mêlée de vert ; elle
s'écoulait insensiblement, en plus grande abondance la nuit que
le jour » (p. 29).
Quoi qu'il en soit, la maladie sera tenue rigoureusement
secrète. Dans son journal, que le roi lit régulièrement, Vallot
écarte toute idée de contamination vénérienne — peut-être
n'insiste-t-il tellement sur le caractère indolore de ces « dé-
charges » que pour en ôter le soupçon. Le roi refuse de différer la
campagne de Flandres qu'il projette, « pour satisfaire à la
passion qu'il avait pour rétablir son État et ses affaires », mais
aussi pour éviter toute question indiscrète. Vallot reçoit « commandement exprès de ne déclarer à personne une affaire d'une
telle conséquence » et publie partout que le roi n'a consenti aux
lavements que « pour mieux supporter la campagne » (p. 30) !
Quand il s'agit de lui administrer un remède — un mélange de sel

de mars, de spécifique stomachique, de pierres d'écrevisses préparées, de perles et de coraux — c'est le matin dans son lit, « sans que personne en eût connaissance ».

Une telle prudence finit par se retourner contre le malheureux médecin — à en croire, du moins, le récit qu'il fait lui-même de sa disgrâce. Vallot préconisait en effet les eaux de Forges, dont la réputation était alors excellente. Il n'était plus question désormais de secret : des officiers du Gobelet à cheval se relaient pour amener les eaux à Fontainebleau, où le roi en use « à la manière ordinaire, après avoir été préparé par la saignée, après la purgation ». On connaît l'extrême sensibilité de Louis XIV aux eaux thermales. Vallot lui-même est conscient des risques qu'il prend en les lui administrant. Il en parle à la reine mère : « Comme c'était un mal qu'il fallait tenir caché, je m'expliquai fort sur l'usage des eaux de Forges, assurant que le succès n'en pouvait pas être bien certain, et que si ensuite de ce remède, qui semblait extraordinaire et extravagant à ceux qui n'avaient pas connaissance du sujet qui m'obligeait à le proposer, il arrivait quelque maladie au roi, comme l'on pouvait pour lors l'appréhender à cause des longues fatigues d'une si rude campagne, toute la terre accuserait le remède, et le conseil que j'avais donné » (p. 43).

Ces explications confuses trahissent l'inquiétude de Vallot. Car ce qui devait arriver arriva : le roi attrapa la fièvre et « toute la terre » accusa le médecin d'« imprudence ». Louis lui-même l'appelle « ignorant et charlatan », et Guy Patin, doyen de la Faculté de médecine de Paris, accuse l'« eau de lessive » de Forges d'avoir alité le roi. « Les médecins de la cour ne savent que faire pour tâcher de se faire payer de leurs gages », conclut-il en plaignant les princes « malheureux en médecins[162] ».

Face à cette volonté de silence de Vallot, devant les jalousies de confrères qui avouent eux-mêmes que « personne ne sait ici la qualité du mal du roi », il est bien difficile de trancher. Vallot a-t-il exagéré, dans son récit, certains symptômes, pour justifier sa disgrâce momentanée, ou la pudeur du roi a-t-elle vraiment failli lui coûter sa charge ? Le premier médecin ne pouvait se permettre de dénaturer ouvertement les faits dans ce journal quasi officiel. On serait par conséquent tenté de voir en lui une des premières victimes de la pudeur médicale...

Quoi qu'il en soit, il est amusant d'opposer cette pudeur par devant du jeune roi à l'indifférence qu'il affecte trente ans plus tard à se montrer par derrière. D'autres témoignages le confirment : lorsque naît au xviie siècle la pudeur masculine, elle ne touche d'abord que les organes de la génération. Encore la pudeur est-elle toujours liée à l'acte sexuel et à son évocation. Exhiber un membre pour satisfaire un besoin urgent n'a rien d'indécent ; faire allusion à un mal qui s'y serait niché devient impudique.

Le médecin et son temps

Puisque le malade n'a pas de pudeur pour son médecin ; puisque la pudeur n'a pas ses entrées dans l'amphithéâtre, l'étude de leurs rapports n'aurait pas grand intérêt si l'interaction de la pudeur et de la médecine n'avait des conséquences sociales et non plus individuelles. Or, depuis le Moyen Age, on peut suivre l'influence exercée par les sciences médicales sur la morale publique ou sur les arts, visant tantôt à les familiariser avec une autre vision de la nudité, tantôt, au contraire, à prendre en charge une nouvelle éthique.

A l'inverse, on observe curieusement une influence des tendances artistiques ou morales d'une époque sur la médecine et sur les traités, particulièrement depuis l'époque où l'imprimerie permit une plus large diffusion d'œuvres destinées primitivement à un public spécialisé. Ces influences réciproques offrent l'image d'une médecine étroitement solidaire de son époque, qui ne se laisse pas enfermer dans le champ clos d'un cabinet de consultation muet comme un confessionnal.

Interrogeons-nous d'abord sur cette occultation du corps qui aurait, au Moyen Age, entraîné une parenthèse de mille ans dans l'évolution des techniques thérapeutiques. Il est vrai que les détenteurs de l'art de guérir faisaient parfois preuve d'une retenue que nous comprenons mal. Mais cette « pudeur » — de geste plus que de sentiment — est liée à un statut social plutôt qu'à une attitude morale. Médecins et chirurgiens n'ont garde de se confondre ; parmi ces derniers, les chirurgiens clercs, issus des universités catholiques, ne se mêlent pas aux chirurgiens laïcs, créés à Paris en 1255. Les laïcs eux-mêmes distinguent les *chirurgiens de robe longue* des *barbiers de robe courte*, qui se situent au bas de la hiérarchie médicale...

A cette échelle correspondent différents degrés de contacts corporels. Depuis les conciles de Clermont (1130) et de Latran (1179), par exemple, les prêtres n'ont plus le droit de verser le sang, ce qui leur interdit, outre l'art de la guerre auquel ils s'adonnent parfois, les pratiques chirurgicales. Une décision qui, plus ou moins respectée, entraîne la disparition progressive des chirurgiens clercs. Toucher le corps humain restera jusqu'à la Renaissance un domaine réservé au chirurgien, qui lui doit son nom. Ce n'est qu'au XVIᵉ que les professeurs d'anatomie mettront la main au cadavre dans les amphithéâtres universitaires : jusque-là, ils commentaient de leur chaire les dissections pratiquées par un opérateur...

Si l'on excepte cette « pudeur » liée à la fois au geste et au statut, le Moyen Age n'a connu aucune retenue dans la pratique ni dans l'écriture médicales. Les manuscrits illustrent dans des miniatures très précises aussi bien le toucher rectal que l'opération d'un abcès au sein, d'hémorroïdes, ou l'introduction d'un cathéter dans la verge d'un malade[163]. L'étude des fistules anales par Théodoric, dominicain italien du XIIIᵉ siècle, « claire, riche d'expérience personnelle et de connaissance des classiques[164] », se révèle encore actuelle. S'il est vrai que la diffusion restreinte des manuscrits et la survivance de certains tabous ont maintenu la médecine dans un domaine souvent théorique, il faut reconnaître que certains praticiens étaient en avance sur leur temps.

La médecine médiévale conserve l'héritage antique d'une plus grande familiarité avec le corps. Elle n'exerce malheureusement aucune influence sur l'art, encore soumis aux tabous de la pudeur. Le nu médiéval, qui n'ose presque jamais recourir au modèle, exploite les canons transmis par Rome ou par Byzance. Jamais, apparemment, les artistes n'eurent l'idée d'utiliser les connaissances médicales en la matière. Car un simple coup d'œil sur les nus qui ornent les ouvrages chirurgicaux, notamment pour indiquer les points de cautérisation[165], nous convainc qu'ils ne répondent à aucune des deux traditions exploitées par les miniaturistes et dénonce à l'évidence le recours au modèle nu. Comment ces dessins, qui devaient côtoyer dans les monastères les livres religieux, n'ont-ils jamais contaminé les représentations du nu biblique, lorsqu'une plus grande exigence réaliste se fait jour après le XIIIe siècle ? C'est dans de tels rapprochements que nous touchons le mieux la spécificité de l'art médiéval : un art où le symbole et la fidélité à un modèle ou à une technique l'emportent sur la vraisemblance de la reproduction. Il devait certes y avoir une certaine forme de pudeur à travailler sans modèle, mais il y avait surtout la volonté de transcender le nu en l'enfermant dans certaines règles. On se plaît à imaginer l'artiste consciencieux se moquant des miniaturistes chirurgicaux contraints par l'ignorance des règles de l'art à copier le nu sur des modèles humains.

Cette indifférence au corps humain se doublait au Moyen Age d'une autre forme de pudeur : la fameuse interdiction de disséquer les cadavres. Une interdiction qu'il faut relativiser quelque peu : si les dissections ont longtemps été prohibées, l'autopsie et l'embaumement permettaient néanmoins une réelle approche du corps. Il ne s'agit donc pas d'un interdit, mais d'un respect de la dignité humaine que la mort n'ôte pas à l'homme. La médecine antique, dans l'absolue liberté qui lui était accordée, n'avait pas été sans commettre d'odieux excès. Hérophile, chirurgien d'Alexandrie, disséqua vivants plus de six cents condamnés à mort, curieux d'étudier sur le vif les palpitations cardiaques[166]. C'est contre ces abus que s'élevèrent les premiers chrétiens, et les justifications dogmatiques de leur intervention furent étendues à la dissection des cadavres. Encore ces interdictions n'ont-elles été formulées le plus clairement qu'au XIVe siècle, lorsque l'intérêt pour les dissections recommença à se manifester.

La nécessité d'une médecine plus pratique s'est fait sentir bien avant la Renaissance. En 1213, Frédéric II, empereur d'Allemagne et roi des Deux-Siciles, promulgue une ordonnance qui défend de se livrer à l'exercice de la chirurgie sans avoir étudié un an l'anatomie sur le corps humain. Il prescrit en même temps aux écoles de Salerne et de Naples de disséquer publiquement un cadavre humain au moins tous les cinq ans[167]. Un rythme qui de nos jours prête à sourire, mais qui montre bien avec quelle prudence devait s'opérer ce retour à l'étude directe du corps humain.

Il faut attendre encore un siècle pour trouver les premières traces sûres de dissections publiques, avec les cours de Monsino di Luzzi en 1306. C'est alors que le pape Boniface IV concoctera son édit « contre ceux qui osent attenter à la dignité de l'homme[168] ». La pratique des dissections remontera lentement vers le nord : en 1376, Louis d'Anjou permet aux chirurgiens de Montpellier de disséquer une fois l'an le cadavre d'un criminel exécuté ; en 1478, le recteur de l'université de Paris donne la même autorisation à la Faculté... Et les mêmes abus sont perpétrés dès que l'interdit est levé. On a trop tendance, en parlant de l'emprise de la religion sur les sciences au Moyen Age, à oublier qu'avant la Déclaration des droits de l'homme, il s'agit de la seule force morale capable de tempérer les excès commis au nom de la recherche scientifique.

La vivisection revient en même temps que la dissection officiellement permise lorsque Louis XI autorise un chirurgien à étudier sur un franc-archer condamné à mort la localisation de la « pierre, colique, passion et maladie du costé ». Le condamné, ouvert, recousu et guéri, sera grâcié[169]. Vivisection sauvage chez le Bolonais Berenger de Carpi, accusé devant l'Inquisition d'avoir disséqué deux Espagnols vivants pour étudier les palpitations cardiaques. Au XVIIIe siècle encore, une âme aussi sensible que Rétif de la Bretonne, prêt à fondre en larmes sur la première fille de joie rencontrée, ne serait pas hostile aux expériences pratiquées sur des « scélérats vivants » pour rendre leur mort « doublement utile à la Nation, dont ils ont été le fléau[170]. »

En perdant son caractère sacré, le corps, à la Renaissance, perd du même coup toute dignité humaine. On cite souvent l'exemple de Guillaume Rondelet, chancelier de la faculté de Montpellier, qui inaugure en 1566 son amphithéâtre en ouvrant le cadavre de son propre enfant[171]. Un voile a été retiré du corps au XVIe siècle, un voile de sentiment paternel, de respect pour la vie, de pudeur. On conçoit que les réactions aient parfois été vives, malgré les progrès que cette nouvelle vision de l'homme permettait à l'art et à la science.

Plus importante pour la vie sociale que ce renouveau médical est l'ouverture de la médecine à la vie artistique, d'abord, puis à la vie mondaine. Bien connue est la collaboration de Léonard de Vinci et de l'anatomiste Marc-Antoine della Torre ; de la trentaine de corps qu'il dissèque lui-même, le peintre tire sept cent cinquante esquisses qui, publiées pour la première fois en 1898-1901, stupéfieront les spécialistes : leur précision est bien meilleure que celle de tous les livres chirurgicaux dont ils disposent ! Léonard n'est pas une exception. Michel-Ange étudie l'anatomie pendant douze ans et manie le scalpel dans le cloître du Santo Spirito à Florence ; Dürer publie un livre d'anatomie, Véronèse dessine probablement le frontispice de celui de Colombo et le Titien — ou son élève Calcar — les planches de la *Fabrica* de Vésale.

Médecine et art sont désormais solidaires. A tel point que l'art à son tour influe sur le nu médical. Étonnantes planches que celles de la *Fabrica* : les membres irrégulièrement brisés ne sont pas ceux d'un cadavre, mais d'une statue de marbre telle que celles que l'on découvre dans le sol romain. Pourquoi ces torses antiques dans des démonstrations anatomiques (p. 556 à 566) ? Plus curieux encore, le *De dissectione* de Charles Estienne (1545) : des tableaux de Perino del Vaga y servent de modèles anatomiques[172] ! *Vénus et l'amour* sert de support à une dissection de « l'arrière-faiz » ; *Vénus et Jupiter*, de la « matrice ouverte », et il n'est pas jusqu'à la chaste Diane qui ne se retrouve enceinte de deux jumeaux ! Simple emprunt formel ? Peut-être pas. Le xvie siècle a connu une véritable explosion du nu représenté, qui a très vite engendré une réaction pudibonde. L'imitation du nu antique est un dérivatif connu de la censure artistique. Pourquoi ne pas imaginer que les livres de médecine y aient eux aussi recouru ?

L'hypothèse est d'autant plus plausible que l'échange de nus entre artistes et médecins s'est tout naturellement doublé d'un échange de pudeurs. L'anatomiste a prêté au peintre sa vision désexualisée de la nudité ; la société a appris au médecin que le nu pouvait n'être pas innocent. Deux exemples sont caractéristiques de cette osmose. Un Adam écorché du Dürer, en 1506[173], illustre bien cette union des thèmes traditionnels et de l'étude anatomique qui préoccupe le maître allemand à partir de 1500. Sur le nu, d'une précision toute médicale, les contours d'un rameau de feuilles de pommier ont été esquissés, symbolisant les concessions que devra consentir l'artiste à son sujet. Mais ce dernier voile de pudeur — qui ne dérobe rien sur l'esquisse de la virilité du modèle — n'est plus ici qu'un ajout inutile et choquant qui ne doit plus rien au symbolisme médiéval.

Exemple *a contrario* : le célèbre frontispice de la *Fabrica* de Vésale, dans la première édition de 1543. Tous les grands médecins, anatomistes et philosophes de l'époque, rassemblés dans un amphithéâtre pour un cours de dissection, semblent incarner cette vague d'espoir et de liberté qui déferle sur l'Europe. Sur la gauche de la gravure, accroché à une colonne, un jeune homme nu symbolise les Temps nouveaux. Dans la seconde édition, en 1555, les Temps nouveaux sont rhabillés de pied en cap. Le succès immédiat de la *Fabrica* lui avait été fatal. Lorsqu'un livre de médecine se promène dans toutes les bonnes bibliothèques, il doit se garder de choquer son public. En 1555, l'élan de la Renaissance s'est brisé dans un conflit religieux à grand renfort de vertus offensées, et les philosophes du temps ne doivent plus se voir d'un bon œil côtoyer un jeune éphèbe dévêtu dans le livre de M. Vésale.

La leçon aura été efficace. A partir du XVIIe siècle, la pudeur fait son entrée dans le livre médical. En 1545, Thomas Gemini publie à Londres sa *Compendiosa totius anatomiae delineatio aere exarata*. Pour illustrer l'anatomie de l'homme et de la femme, il a choisi un sujet religieux : Adam et Ève y sont représentés nus, en bonne et due compagnie du serpent et de la pomme[174]. Ève cache son pubis de la main : la pudeur est alors féminine. Deux cents ans plus tard, la gravure ne s'est pas démodée. François-Michel Disdier l'utilise pour son *Exposition exacte ou tableaux anatomiques* (planche 2), publié à Paris en 1758. Surprise : Adam a désormais chaussé sa feuille de vigne !

Le mouvement a pris naissance dès le début du XVIIe siècle. Chez Vésale, sans doute, on rencontrait déjà (p. 699), au milieu de nudités sans honte ni reproche, un homme au ventre ouvert qui avait comiquement conservé ses chausses... C'est l'exception. Elle deviendra règle cinquante ans plus tard. En 1628, le frontispice des œuvres d'André du Laurens (la seule gravure de l'ouvrage) pose un linge sur le sexe du cadavre que l'on dissèque. Même pudeur chez Jean Riolan en 1629. Chez Julius Casserius (Venise, 1627), les cadavres gardent leurs chausses. Chez Adrian van der Spieghel (Paris, 1626), des fleurs poussent devant leur sexe. Johann Remmelin (Ulm, 1639) opte pour la feuille de vigne ou les plis des draperies... Autre tactique chez Disdier en 1758 : là où tous ses prédécesseurs avaient ouvert des ventres d'hommes pour étudier les organes internes, il ouvre de préférence des femmes (pl. 44, pl. 50), dont le sexe à peine esquissé semble sans doute moins provocant. Il s'intègre en cela parfaitement à la sensibilité générale du XVIIIe siècle, plus avide de Vénus que d'Apollon. Le mouvement s'achève au XIXe siècle chez Jean-Baptiste Bourgery : dans le frontispice de son traité d'anatomie (1831), la canne du vieillard nu dissimule adroitement le sexe de l'homme mûr... tandis que celui de la femme est bien apparent ! Si l'on se rappelle l'Adam exhibitionniste et l'Ève pudique de Gemini en 1545, on voit combien les mentalités ont pu s'inverser en trois siècles. Ce qui était admis jadis scandalise désormais la morale, tandis que ce qui choquait jadis est ouvertement montré[175]. Bourgery et Jacob publieront de 1836 à 1839 vingt planches anatomiques destinées au grand public autant qu'aux spécialistes. Le prospectus précise la démarche : « Toutes ces planches se vendent séparément, ce qui permet à chacun de ne prendre que les sujets qui lui conviennent, et, en particulier, de rejeter la Planche XX, dont les détails ne peuvent être vus également par tout le monde. » En faut-il plus pour courir à la fameuse planche, consacrée à une étude complète du périnée dans les deux sexes ?

La situation est d'autant plus paradoxale que l'époque classique, qui a rhabillé les planches anatomiques, a vulgarisé l'étude de l'anatomie en multipliant les leçons publiques. Vésale déjà disséquait en plein air sur des tréteaux provisoires. Les amphithéâtres du xviie siècle recevaient des visiteurs mondains et les leçons de Dionis, au xviiie siècle, étaient professées dans les jardins du roi... Dans les salons, il est de bon ton de patronner des sociétés savantes où ces dames suivent des cours d'anatomie. Mais il est temps d'y surveiller son langage et sa matière. Un démonstrateur, à la fin du xviiie siècle, vit un jour se vider la salle de conférence pour avoir osé aborder les parties de la génération : les « imbéciles » (dixit le général Doppet, p. 11 !) qui l'avaient sollicité « plantèrent là la leçon, et s'enfuirent en se couvrant le visage ».

Autre paradoxe : l'art, en se débarrassant de sa pudeur sur les livres d'anatomie, jouit désormais d'une liberté d'expression que lui envieraient les médecins ! Telles les planches anatomiques que l'on trouve dans un volume édité par l'Académie de peinture et de sculpture de Rome, gravées par Bernardino Genga. Cette *Anatomia per uso et intelligenza del disegno*, après quelques cadavres écorchés sans un voile, propose une version écorchée des principaux marbres antiques ! C'est ainsi que nous avons droit aux muscles dénudés de l'Hercule Farnèse, de Laocoon, du Gladiateur et du Faune de la Villa Médicis, ou de la pudique Vénus Médicis ! C'est aux artistes, désormais, que tout est permis.

Le xixe siècle verra triompher ce paradoxe. Le siècle qui admet — avec un sourire complice — qu'une femme pose nue pour un peintre tolère mal qu'elle se déshabille devant son médecin. Pour Legouvé, auteur d'une *Histoire morale des femmes*, « la pudeur même exige qu'on appelle les femmes comme médecins, non pas auprès des hommes, mais auprès des femmes, car il y a un outrage éternel à toute pureté, c'est que leur ignorance livre nécessairement à l'inquisition masculine le mystère des souffrances de leurs sœurs » (p. 413). La haute bourgeoisie ne laisse d'ailleurs jamais une femme assister seule à la consultation : le mari veillera de près à la vertu de son épouse. Cette présence ne laisse pas d'augmenter encore la honte de l'ingénue, ce qui oblige parfois le praticien à user de ruses. Le docteur Dupuytren (1777-1835), cherchant à réduire une luxation de l'épaule chez une jeune et jolie personne qui se raidissait inopportunément, lui dit, d'un ton sévère, devant toute sa famille : « Vous faites la sainte Nitouche, madame, mais n'importe, je sais fort bien que vous n'êtes qu'une vieille soularde ![176] » Les bras en tombèrent littéralement à la pauvre femme, qui ne songea plus à défendre sa poitrine... et la tête de l'humérus reprit sagement sa place normale !

La pudeur n'est plus alors le domaine exclusif de la femme. C'est le xixe siècle qui interdit rigoureusement aux femmes la pratique de la médecine — pour préserver apparemment la pudeur des messieurs. Depuis les xive-xve siècles, époque à laquelle un diplôme fut exigé pour exercer la profession, les femmes-médecins s'étaient raréfiées progressivement, et le

xviiiᵉ siècle ne les connaissaient plus qu'en Italie. Théoriquement, la pratique ne leur était pas défendue : Hecquet, champion
d'une médecine pudique, préconisait même des femmes-médecins pour soigner les femmes, tandis que les hommes s'en
remettraient à des mains viriles. Verdier, qui a recueilli la
jurisprudence médicale de son siècle, n'a rien trouvé dans la loi
qui contredît cet avis : il fait cependant remarquer que « la
bienséance interdit [aux femmes] l'entrée dans la plupart des
Cours Académiques ». « On ne pourra pareillement disconvenir,
que l'exercice de la Médecine ne peut s'allier avec les droits de la
pudicité, qui est l'ornement le plus glorieux de leur sexe, et dont
saint Paul lui recommande si fort de se parer ; il pourrait faner
cette fleur si délicate que précieuse[177]. » Médecine officiellement
permise, donc, mais pratiquement interdite. Quant à la chirurgie,
un arrêt du 19 avril 1755 interdit aux femmes « l'état d'Her-
niaires et de Dentistes et de toute autre partie de la chirurgie,
excepté celle qui concerne les accouchements ».

En revanche, au xixᵉ siècle la situation se modifie. En 1865,
lorsque le docteur James Barry meurt, à l'âge de soixante-huit
ans, on s'aperçoit avec stupéfaction que l'armée britannique a été
soignée pendant cinquante ans... par une femme ! On se hâte
d'enterrer le scandale avec son fauteur[178]. Le comble est atteint
lorsque la pudibonderie s'empare du médecin lui-même. Foucault cite ainsi « le geste de Charcot interrompant une consultation publique où il commençait à être trop manifestement
question de *ça*[179]. La patiente hystérique qu'il examinait avait
paraît-il tendance à assimiler à un symbole phallique le bâton
que le médecin promenait sur ses reins... La Belle Époque
remettra les choses à leur place. Le docteur Witkowski n'in-
crimine plus, dans ses consultations, que la pudibonderie
britannique, « dont la ligne de conduite est, on le sait, *Touchez,
mais ne regardez pas*[180] ».

Le rôle moral des médecins se renforce continûment depuis le
xviᵉ siècle, que ceux-ci se mêlent de réglementer les étuves ou
qu'ils se penchent scientifiquement sur la nudité du Christ en
croix. On en trouve dans tous les partis, soutenant les thèses les
plus contradictoires ; mais le plus souvent, ils contribuent à
ramener sur terre les esprits échauffés par une vertu trop prude.
Le chirurgien Dionis s'insurge ainsi contre la barbare coutume
du « bouclement » des jeunes gens : jusqu'à vingt-cinq ans, des
parents trop soucieux de les garder chastes leur faisaient fermer
le prépuce par une boucle de chasteté. Une opération « inutile »
et qui « choque le bon sens », estime Dionis (p. 214), qui n'évoque
pas davantage ses désagréments et ses dangers. C'est à la fin du
siècle de Louis XIV, dans ces querelles sur les accoucheurs et les
sages-femmes qui poseront nettement le problème de la pudeur
médicale, qu'apparaît la génération des médecins moralisateurs.
On trouve un Hecquet — que sa vertu intransigeante recommandera aux religieuses de Port-Royal — défendant la maladie : « Si

un homme moins riche a moins à craindre [de la tentation] qu'un opulent, et si la piété risque moins dans une condition médiocre que dans une éminente dignité, qui doutera qu'une santé moins affermie, exposera moins la vertu ? » (p. 101). Conclusion : mieux vaut être pauvre et mal portant...

On trouve même un Thuillier s'interrogeant sur la nécessité de la recherche médicale, notamment pour les malades dont la vérole n'est que le fruit du vice et de la débauche : « Il pouroit, ce semble, y avoir quelque justice à ne pas se rendre curieux de trouver des voies abrégées de les soulager, et plus douces que celles des onctions mercurielles. Ce seroit déjà une espèce de châtiment de leur désordre » (p. 59).

A l'opposé, on trouve un docteur Doppet qui, à partir d'un traité sur les aphrodisiaques, se lance dans une violente diatribe contre les moines inutiles et vicieux. La date de l'opuscule (1788) prend ici toute sa signification...

Cette tendance des médecins à régler la moralité de leur époque se généralise après la Révolution. Dans une France où le moralisme religieux commence à avoir mauvaise presse, les médecins prennent la relève et deviennent les oracles du siècle. Le plus souvent, ils usent à bon escient de leur crédit nouveau. Mais en montant en chaire de vérité, le médecin n'a souvent fait qu'habiller d'un discours scientifique les règles de morale des ci-devant prêcheurs. Rappelez-vous le docteur Desessartz et sa campagne antirhumatismale pour le pantalon féminin... La théorie qui fera le plus de dégâts en la matière sera celle de l'hystérie féminine. Ce fourre-tout de la médecine préfreudienne permet une censure scientifique efficace de tout discours, de tout acte, de toute conduite impudique. Parmi les causes prédisposantes de l'hystérie, le docteur Ladoucette — un des vulgarisateurs les plus lus — retient, en 1903, le sexe (pour l'hystérie féminine, pas masculine !), l'âge de la nubilité, la continence, l'hérédité... et les influences morales.

« Tissot disait : "Toute fille qui lit des romans à quinze ans, devient nerveuse à vingt." Il est certain que l'hystérie trouve un terrain admirablement préparé pour se développer, dans les jeunes filles ou les jeunes gens dont l'imagination est sans cesse impressionnée, surexcitée autant par les lectures malsaines que par les plaisirs mondains. L'éducation qui, par les bals, les théâtres, les flirts, les appétences du luxe et des passions, forme des demi-vierges et des demi-hommes, prépare des névrosés dont l'accouplement engendrera fatalement des dégénérés » (p. 9).

Faut-il ajouter que « l'onanisme, par l'action débilitante qu'il exerce sur les centres nerveux, mérite d'être signalé comme une cause prédisposante de l'hystérie » ? De telles attitudes, apportant leur caution aux discours moralisateurs à une époque où l'essor scientifique faisait des savants les pythies du monde moderne, doivent être mises en toile de fond sur les procès de Flaubert ou de Baudelaire, ou sur les mille précautions des internats de l'époque. Jadis on exorcisait les possédés, à présent on cloître les hystériques, on condamne les provocateurs. Ce qui constituait un crime contre la Divinité est devenu crime contre l'Humanité. Chaque siècle a les Caton qu'il peut[181].

Les mystères du sexe

On a demandé bien d'autres choses au médecin, lorsque la perpétuation de l'espèce était presque le seul but du mariage. A lui de vérifier que tout avait été accompli en bonne et due forme. A lui, le cas échéant, de déterminer les causes d'une stérilité, les responsabilités d'une impuissance. Tant que le divorce n'est pas autorisé, il y a là des prétextes idéaux pour répudier sa femme ou annuler un mariage. Premier problème pour les théologiens : comment casser un mariage dont Dieu a été témoin ? Réponse surprenante : la stérilité n'est pas un empêchement au mariage ; l'impuissance, si. L'union de l'homme et de la femme n'aurait-elle pour but que la sexualité, non la descendance ? Réponse embarrassée : l'impuissance du mari incite la femme à l'adultère, la stérilité, en terme de péché mortel, est moins préoccupante... Le mariage, en fin de compte, sert surtout à transcender une sexualité reconnue inévitable.

Second problème : les délicates preuves à produire pour annuler un mariage. Il est plus facile de montrer la stérilité d'un couple que l'impuissance d'un des deux partenaires. Lorsqu'au xiie siècle, celle-ci a été reconnue empêchement dirimant au mariage, on a encore recours à des preuves ménageant la pudeur du couple : le témoignage de sept proches, parents ou voisins, qui ont « ouï dire » que le mari ne pouvait remplir son devoir (preuve de la *septima manu)* ; épreuve de la croix (ordalie dont la nature reste conjecturale) ou examen des parties génitales de la femme. Au xvie siècle se répand la preuve du « congrès » qui fera couler beaucoup... d'encre.

Les historiens se sont souvent penchés sur l'histoire de cette épreuve. Rappelons que le mot « congrès », jusqu'au 18 février 1677, n'a jamais désigné que ces joutes publiques, où un mari soupçonné d'impuissance devait prouver devant médecins et matrones que l'accusation était calomnieuse. Ce n'est qu'après une longue série de scandales qu'en 1677, la preuve du congrès fut jugée « inutile et infâme » par le Parlement de Paris, et que défense fut faite à tous les juges de l'ordonner dans les causes de mariage[182]. Le sens moderne s'imposa alors rapidement : les ministres réunis au congrès de Nimègue avaient d'autres sujets à débattre et d'autres impuissances à résoudre. Le terme, cependant, entaché de son origine équivoque, reste rare jusqu'à ce que les Américains nous l'empruntent pour désigner leur Parlement : dès la fin du xviiie siècle, le congrès reviendra en France purifié de ses connotations primitives[183]. Seuls les historiens de la langue ne peuvent s'empêcher de sourire lorsque de dignes hommes politiques se réunissent en « congrès » pour « accoucher » laborieusement d'une politique commune...

Quant aux modalités de cette épreuve, il suffit de citer la description qu'en donne la *Grande Chirurgie* de Guy de Chauliac (1363). Description, un peu idéale, de ce que l'on pourrait appeler un « pré-congrès » : au XIVe siècle, l'épreuve restait rare ; c'est au XVIe siècle qu'elle prend ce nom en même temps qu'une extension insoupçonnée de ses promoteurs. Exemple frappant d'une vieille coutume, ayant résisté au changement de mentalité, qui se retrouve vidée de signification et détournée de son but initial.

« Le Medecin ayant licence de la justice, examine première- ment la complexion et la composition des membres génitifs. Puis il y ait une matrone accoustumée à cela, et qu'on ordonne qu'ils gisent ensemble durant quelques jours en presence de la matrone. Laquelle donnera des espices et clerets, les eschauffera et oindra d'huile chauds, les frottant auprès d'un feu de sermens [sarments], et leur commandera de deviser, se caresser, et embrasser[184]. Puis cette matrone rapportera au Medecin ce qu'elle aura veu. Et quand le Medecin en sera bien informé, il en peut deposer devant la justice en vérité. Mais qu'il se garde d'estre abusé : car on a accoustumé de commettre plusieurs tromperies en telles choses : et il y a tres-grand danger de separer ceux que Dieu avoit conjoints, sinon, que tres-juste cause le requiere. »

On se doute que, dans la pratique, les choses n'étaient pas aussi simples. La femme qui se plaignait devant le magistrat de l'incapacité de son mari à lui ôter sa virginité avait souvent d'excellentes raisons pour ne pas écouter les exhortations des matrones. Quant au mari, amené sous les quolibets de la foule dans la maison ou l'établissement de bains où il devra faire ses preuves, sommé de s'exécuter sous l'œil goguenard des matrones ou, au mieux, dans un lit aux rideaux clos, menacé en cas d'échec d'être séparé de sa femme, de devoir rembourser la dot et de ne pouvoir plus convoler en justes noces, il lui faut un amour hors du commun pour sortir vainqueur de l'épreuve...

Tagereau nous a laissé les descriptions les plus folkloriques de ce congrès, rédigées en 1611 à l'époque de son plein essor. Les deux parties, visitées « nües depuis le sommet de la teste jusques à la plante des pieds », vaguement isolées dans un lit à baldaquin ; les disputes et « altercations ridicules » entre époux dans le feu de l'action ; les matrones en faction près du lit, les médecins devant la porte de la chambre ; et la visite finale, « qui ne se fait pas sans bougie, ni sans lunettes a gens qui s'en servent pour leur vieil âge » (p. 113 et suiv.).

Tallemant des Réaux ne pouvait manquer de décrire cet usage, d'autant qu'il fut témoin d'un des plus retentissants procès de l'époque, celui du marquis de Langey en 1658. Lazzis de la « canaille », vexations, curiosités malsaines, rien ne fut épargné au jeune marquis (il a vingt ans) ni à sa femme. Parmi les matrones requises, Mme Pézé, âgée de quatre-vingts ans, « fit

cent folies » : « Elle alloit de temps en temps voir en quel estat il
estoit et revenoit dire aux experts : "C'est grand pitié, il ne nature
point" » (VI, p. 29-30). On le comprend ! Après quatre heures
d'angoisse, le concurrent déclara forfait. Depuis cet échec, qui
entraîna l'annulation du mariage, le nom du marquis servit à
désigner les impuissants, et les melons de son pays seront vantés
à la criée comme « de vrais Langey » qui n'ont pas de graine... La
grand-mère du garçon mourut fort à propos pour lui léguer
un nouveau nom. Conclusion ironique de cette affaire qui pas-
sionna tout Paris : le désormais *marquis de Teligny* n'eut plus de
raison d'être *Langey* et, remarié, donna sept enfants à sa
seconde femme ! Le congrès ne se releva pas de ce démenti
cinglant.

Remarquons qu'en général, le médecin ne se risque pas
lui-même dans l'alcôve conjugale, malgré la responsabilité qu'il
est le seul à supporter. C'est la pudeur de l'épouse qui est ici
respectée : elle rougirait de se montrer à un témoin masculin,
quand le mari n'est pas censé avoir honte de s'exhiber devant les
matrones. Aussi, les premières attaques contre le congrès se
font-elles au nom de la pudeur féminine. C'est à la femme qu'on
épargne l'épreuve lorsqu'une visite préliminaire du mari a
convaincu les médecins. Ainsi, en 1600, lors de l'affaire d'Ar-
genton, l'examen des « boules sans boulettes » du baron fut jugé
suffisant, quoique l'intéressé réclamât lui-même l'épreuve[185].
Tagereau déclare la visite de la femme « honteuse et contre la
pudeur qui doit estre au sexe féminin, partant odieuse et à
éviter : N'y ayant rien plus recommandable en une femme que
ceste pudeur » (p. 55). Pour remplacer cette épreuve, il suggère de
« commancer plus honnestement et avec plus de raison par la
visitation des hommes, sauf a [quitte à] ordonner celle des
femmes par après si besoing estoit » (p. 61). Malicieusement, il
souligne le paradoxe d'une épouse qui se prétend vierge —
puisque son mari est impuissant — et qui abandonne toute
pudeur pour effectuer une démarche avilissante...

Et la pudeur masculine ? Jusqu'au xviiᵉ siècle, elle n'est jamais
prise en considération. Bien peu de maris d'ailleurs s'en
réclament : ils paraîtraient efféminés à un moment où ils ont bien
besoin de prouver leur virilité. Lorsque le marquis de Langey se
rend à la première expertise, Mmes de Sévigné et de Lavardin, ses
amies, l'attendent dans leur carrosse à deux portes de la maison
où elle se déroule ; Langey les y rejoint après s'être livré à la
curiosité des médecins, et « on les entendoit rire du bout de la
rue[186] ». Mme de Sévigné, qui a l'esprit un peu leste, ne lui
avait-elle pas prédit : « Pour vous, vostre procez est dans vos
chausses » ?

C'est un médecin, Tagereau, qui parle le premier de la « pudeur
louable » des hommes qui refusent le congrès (p. 9) ou la preuve
de l'érection (p. 85). Mais sa pudeur est ambiguë et limitée : il
reste partisan de la visite masculine exclusive. Il est d'ailleurs
isolé, et les juristes ne le suivront que pour interdire la visite des

hommes par les sages-femmes, pratique alors courante (p. 84 et 175). Première petite victoire de la pudeur masculine.

Lorsqu'en 1677, Lamoignon fait abolir le congrès, il n'est toujours pas question de la pudeur de l'homme. L'avocat général souligne « que c'est un abus plutôt qu'un usage, qui offense les bonnes mœurs, la Religion, et la nature même ; que cet usage n'estoit fondé ny sur les Loix, ny sur les Canons ; mais qu'il renversait même l'ordre ancien qui avoit été établi pour éclaircir la vérité dans ces occasions ; qu'il estoit à souhaiter qu'on pût abolir cet usage toûjours incertain dans sa preuve, dont la seule idée soüille l'imagination, et dont le nom blesse le respect dû à la justice, et offense une Religion aussi chaste que la nôtre, puisque l'on y vide toutes les loix de la pudeur et de la sainteté du mariage[187] ».

Qu'on ne s'y trompe pas : les « loix de la pudeur » ne concernent toujours pas le mari. La preuve ? C'est que le congrès fut remplacé par les preuves de « l'érection », de la « tension élastique », du « mouvement naturel », voire de « l'éjaculation », qui légalisaient en quelque sorte le vieux monstre de l'onanisme ! Et notre pudibond procureur Lamoignon, dix ans après avoir fait abolir le congrès, condamne Pierre Le Gros, qui ne parvient pas à soutenir cette nouvelle épreuve, « retenu par sa pudeur ». Il faut dire qu'en pleine action, il vit débouler dans sa chambre le père et le procureur de sa femme, suivis de deux chirurgiens inconnus, qui ne lui épargnent pas leurs remarques[188]. La pudeur baisserait le nez à moins.

Ces épreuves unilatérales, qui concernent de moins en moins la femme, auront donc le mérite de mettre au jour cette autre forme de pudeur, dont nous ne trouvons qu'exceptionnellement mention ailleurs. Les médecins se doivent d'être précis dans leurs procès-verbaux ; la visite n'en sera que plus méticuleuse. Voici par exemple le rapport des quatre experts qui ont examiné Henry le Hous... le 22 janvier 1692 :

« Nous avons trouvé les parties génitales foibles, mal conformes, la partie principale se trouvant courbée par son milieu, ce qui empêche l'érection, les vaisseaux spermatiques trop lâches et alongez, les testicules remplies de mauvaise pituite ; le tout provenant d'une habitude cacochime de tout le corps, dés le ventre de la mere ; c'est pourquoi nous estimons qu'estant incapable d'intromission, il n'a pû et ne peut porter l'éjaculation nécessaire pour la generation dans les vaisseaux qui la doivent recevoir ; ce qui nous fait conclurre qu'il est et sera impuissant d'une impuissance irreparable[189]. »

Le rapport date de 1692, le mariage de 1683... Neuf ans... Neuf ans pendant lesquels le mari impuissant a disparu, en Allemagne, au Danemark, hésitant à affronter sa femme et les médecins. « A dit qu'il a eu peine d'entrer dans ces eclaircissemens par pudeur », portent les minutes de son interrogatoire (p. 685).

Sans doute l'invocation d'une pudeur masculine ne constitue pas encore un argument valable ; l'homme est toujours censé se présenter en état sur simple demande du juge. Mais les avocats, les prêtres qui s'en prennent à la preuve de l'érection, commencent à y avoir recours. En 1713, le père Le Semelier estime « qu'il y a beaucoup d'indécence dans cette visite[190] », et, en 1739, maître Simon, plaidant pour Jacques François Michel lors d'un des grands procès pour impuissance du xviiie siècle, se lance dans une irrésistible envolée d'un lyrisme douteux : « Quelle est la verge, quelque gonflée qu'elle pût être, qui, examinée et maniée par Garengeot [docteur de la plaignante]... ne deviendroit pas sur-le-champ dans l'état de relâchement. L'individu de cet oracle de Bourges se flatte-t-il d'offrir une perpective assez agréable, et une main assez vivifiante pour échauffer l'imagination d'un homme qui a de la pudeur ?[191] » Un siècle plus tôt, cette plaidoirie n'aurait soulevé que moqueries et quolibets.

La disparition du congrès en 1677 dut mettre au chômage quelques sages-femmes qui n'étaient plus admises aux expertises exclusivement masculines. Les accoucheurs, qui se répandent à la même époque, leur enlèveront une autre partie de leur clientèle. Le règne de Louis XIV marque bien un tournant dans l'histoire de ces matrones héritées de l'Antiquité. A mi-chemin de la femme « modeste » et de l'homme sans pudeur, celle que le Moyen Age appelle éloquemment « ventrière » semble un être asexué, dispensé de la pudeur naturelle à son sexe. Le médecin, le chirurgien, le prêtre ne songent pas à lui contester un pouvoir qui empiète bien souvent sur leurs charges. Car si la ventrière témoigne lors des congrès, elle a aussi son mot à dire lors des viols, des ruptures de vœux monastiques, elle accouche les femmes, baptise les enfants en danger de mourir à leur naissance... Cette femme « expérimentée », « sçavante dans ces matières », ne méritait-elle pas d'être appelé « sage », la savante ?

Un exemple montre la délicatesse de certains témoignages. Lors du procès de réhabilitation de Jeanne d'Arc, il fallut prouver qu'elle était restée pucelle toute sa vie. Deux matrones l'avaient bien examinée à Chinon, lorsqu'elle invoquait sa virginité comme preuve de sa mission céleste, mais qu'en était-il advenu après cette épopée au sein d'une armée de soudards d'aussi triste réputation qu'un Gilles de Rais ou qu'un « beau Dunois », don Juan de l'époque ? On se contenta, faute de pouvoir expertiser le corps consumé, du témoignage de Guillaume de Chambre, qui avait soigné la prisonnière à Rouen peu avant sa mort. Il vit Jeanne presque nue (*eam vidit quasi nudam*), lui tâta les flancs (*palpavit in renibus*), la trouva fort étroite, pour ce qu'il put en juger (*erat multum stricta, quantum percipere potuit ex aspectu*)... et n'hésita pas à conclure catégoriquement à l'innocence de la bergère (*quod erat incorrupta et virgo*)[192]. Témoignage capital, puisque, cinq cents ans plus tard, notre héroïne nationale sera canonisée comme vierge, et non comme martyre. Mais témoignage risqué, si on le compare à celui exigé des matrones en pareille circonstance.

On a mentionné précédemment le procès-verbal établi par un médecin pour un homme ; voici son pendant, établi par une matrone après plainte pour viol. Il s'agit de vérifier si les organes « ont gardé leur apparence naturelle, leur ton, leur uniformité, leur proportion, leur oeconomie[193] », le tout « vu et visité au doigt et à l'œil », selon la formule juridique. Venette nous a conservé (p. 85-87) un des rapports les plus détaillés de ces visites : celui que « Marie Miran, Christophlette Reine et Jeanne Porte-poullet, Matrones jurées de la ville de Paris », rédigèrent le 23 octobre 1672 après avoir « vû et visité feüillet par feüillet » Olive Tisserand, « âgée de trente ans ou environ ». Procès-verbal souvent reproduit, mais hélas ! souvent tronqué : il mérite cependant d'être cité intégralement, ne fût-ce que pour le lexique de vocabulaire populo-médical qu'il nous fournit.

« ... le tout vû et visité au doigt et à l'œil nous avons trouvé qu'elle a :
Les Toutons dévoyez, c'est-à-dire la gorge flétrie.
Les Barres froissées, c'est-à-dire l'os pubien ou Bertrand.
Le Lippion recoquillé, c'est-à-dire le poil.
L'entrepet ridé, c'est-à-dire le périnée.
Le Pouvant débiffé, c'est-à-dire la Nature de la femme qui peut tout.
Les Balunaus pendans, c'est-à-dire les lèvres.
Le Lippendis pelé, c'est-à-dire le bord des lèvres.
Les baboles abbatuës, c'est-à-dire nymphes.
Les halerons démis, c'est-à-dire les caroncules.
L'entrechenat retourné, c'est-à-dire les membranes qui lient les caroncules les uns aux autres.
Le barbidan écorché, c'est-à-dire le clitoris.
Le Guilboquet fendu, c'est-à-dire le conduit de la pudeur.
La Dame du milieu retirée, c'est-à-dire l'Hymen.
L'arrière-fosse ouverte, c'est-à-dire l'Orifice interne de la matrice.
Le tout vû et visité feüillet par feüillet, nous avons trouvé qu'il y avoit trace de... et ainsi nous dites matrones certifions être vray à vous Monsieur le Prevost au serment qu'avons fait a la dite ville. »

Autant dire qu'avec un tel rapport, le dénommé Jacques Mudont, bourgeois de la ville de la Roche-sur-Mer, était mal parti pour nier les faits. Mais on peut légitimement se demander si, compte tenu de la pudeur naturelle de la victime et de la précision de certains indices, la sage-femme n'a pas poussé trop loin une visite qui, pour être scrupuleuse, n'a guère besoin d'attendus aussi détaillés. C'est en tout cas l'avis de Venette, qui n'est pas le seul alors à s'indigner de cette passion des vieilles matrones pour la chair fraîche de l'un et l'autre sexe.

Les expertises médicales pratiquées sur des femmes ne sont pas rares, et les matrones jurées ne manquaient guère d'occupation en ces temps où la liberté sexuelle de l'homme était bien plus importante qu'aujourd'hui. Plus curieuses sont les visites demandées par des hommes. Edmond Lepelletier, l'ami de Verlaine, prêt à prendre sa défense contre tout bon sens, raconte celle que le poète voulait passer au moment du procès de séparation de corps engagé par sa femme : « Il demandait si le tribunal de la Seine l'autoriserait, dans la contre-enquête qui lui était réservée, à se soumettre, ainsi que Rimbaud, à une expertise médicale. En termes énergiques, il m'informait qu'il était disposé, ainsi que Rimbaud, à fournir à l'homme de l'art toutes preuves physiques que ses relations incriminées avec son jeune ami n'avaient jamais eu le caractère homosexuel que leur attribuait l'articulation de faits de la demanderesse. » Lepelletier dissuada son ami de recourir à cette visite « que le jugement n'aurait pas autorisée, qui n'eût probablement pas désarmé la calomnie, et n'eût fait, sans apporter de conclusion probante, définitive et irréfutable, que greffer le ridicule sur le scandale. Cette demande d'expertise, sans importance décisive au point de vue physiologique, prouvait seulement la bonne foi de l'incriminé, et sa sécurité quant à une démonstration anatomique, qu'il supposait, d'ailleurs à tort, être péremptoire[194] ».

Les œuvres libres de Verlaine nous rassurent sur la naïveté du poète : c'est bien plutôt celle de l'ami Édmond qui nous étonne... Cette incursion dans le xixe, siècle de la médecine autant que de la pudeur, montre bien l'ambiguïté qui s'attache désormais à ces visites, toujours demandées, mais qui peuvent sombrer dans le ridicule. Si les sages-femmes ne sont pas totalement sorties du paysage médical, surtout dans les campagnes, elles commencent à se raréfier. Et leur remplacement par les chirurgiens et les médecins n'a pas été sans poser des problèmes qui concernent directement l'histoire de la pudeur.

Les « sages-femmes en culotte »

Cette expression, qui désigne ironiquement les premiers accoucheurs, trahit l'état d'esprit dans lequel ils ont fait leur entrée en scène au xviie siècle. Jusqu'à cette époque, en effet, il était non seulement rare, mais dangereux, qu'un homme assistât à un accouchement — témoin le docteur Wertt, chirurgien à Hambourg, exécuté en 1522 pour avoir assisté une femme, déguisé en matrone[195]. On ne plaisantait pas alors avec l'outrage aux bonnes mœurs.

Tant que l'expérience était plus utile que les connaissances en la matière, il importait peu qu'une femme prît la place d'un chirurgien compétent. Mais la fréquence des accidents lors des accouchements difficiles — qui demandent souvent une force musculaire plus grande — finit par inquiéter les médecins. Dionis, en 1708, souligne les inconvénients de la pudeur en résumant l'histoire des accoucheurs : « La pudeur, qui est la vertu des femmes, a beaucoup contribué à introduire les matrones, parce que il s'en est trouvé d'assez scrupuleuses pour aimer mieux s'exposer à accoucher seules que de se confier à des hommes ; mais aujourd'hui elles sont presque toutes désabusées de cette opinion. Les malheurs qu'elles ont vû arriver par l'ignorance de celles à qui elles se confioient, les ont convaincues de la nécessité de recourir aux chirurgiens qui seuls peuvent les secourir, particulièrement dans une infinité d'accidens qui sont au-dessus des connoissances des sages-femmes » (p. 240).

D'autres scandales s'ajoutent à ces accidents. En 1660, une matrone est pendue pour avoir tué à leur naissance les enfants nés de grossesses illicites. A une époque où la paranoïa religieuse était encore vivace, et où les accoucheuses sont parfois appelées à baptiser les bébés en danger, on s'inquiète des matrones protestantes : ne risquent-elles pas de distraire un petit catholique pour l'apporter à leur ministre ? Louis XIV devra leur interdire la pratique...

La cour ici aussi joue un rôle décisif. La vie d'une princesse du sang n'est-elle pas plus précieuse que celle d'une simple bourgeoise ? La mort de la duchesse d'Orléans, en 1627, lorsqu'elle met au monde la Grande Mademoiselle, jette le discrédit sur la profession. Louise Bourgeois, la plus célèbre des sages-femmes de la cour pour les ouvrages et les anecdotes qu'elle a laissés sur la naissance des enfants de Henri IV, a beau se défendre et citer les rapports d'autopsie : elle ne peut qu'alimenter une querelle entre chirurgiens et matrones, qui va durer un siècle et demi. L'année suivante, en 1628, la reine Henriette d'Angleterre, fille d'Henri IV, que Louise Bourgeois a mise elle-même au monde, fait une fausse couche. Peter Chamberlan l'assiste, rompant le premier avec la tradition des ventrières[196]. En France, le premier accoucheur connu, Jacques Clément, assiste en 1663 Mlle de La Vallière, favorite de Louis XIV, pour la naissance de Louis de Bourbon. Le roi, qui limitait la publicité autour de ses bâtards, préférait-il écarter la sage-femme de la cour[197] ? Il ne manquait pas, dans ce cas, de matronnes discrètes toutes disposées à rendre ce service... C'est par le biais des maîtresses royales, en tout cas, que les chirurgiens s'infiltrent à la cour. En 1682, Jacques Clément met au monde le duc de Bourgogne, petit-fils du roi : la dauphine Anne-Marie-Victoire de Bavière est de constitution trop délicate pour être confiée à une sage-femme[198]. La France a alors les yeux fixés sur le soleil des Bourbons : la mode partira de Versailles.

Cela ne se fait pas sans difficultés. Les médecins, eux aussi en querelle avec les chirurgiens, prennent le parti des sages-femmes. Ils invoquent la pudeur des accouchées, la lascivité des accoucheurs et, argument suprême, le témoignage des Anciens. « Que cette pudeur des Athéniens est devenue rare en France !, soupire Thuillier en 1703. A quels yeux et à queles mains la plûpart de nos Françoises ne se livrent-eles point aujourd'hui sans honte et sans nécessité ! » (p. 24). Encore excuserait-il cet abus si la vie de la mère était en danger, mais les préjugés contre le corps nouvellement constitué des chirurgiens lui font sous-estimer leur art.

En 1708 — l'année même où Dionis proclame la victoire de la prudence sur la pudeur —, Philippe Hecquet publie son traité *De l'indécence aux hommes d'accoucher les femmes*. « Cette profession répugne à la nature même, puisqu'elle est contraire à la pudeur qui est naturelle aux femmes », proclame-t-il dès le préambule (p. 2). Que répondre à un argument aussi péremptoire ? N'est-ce pas le même Hecquet qui défend pour l'homme impuissant la preuve de l'érection ? Il est vrai que les hommes n'ont pas encore conquis leur pudeur. L'ouvrage de Hecquet fait grand bruit. Gageons qu'il entra pour une bonne part dans la décision des religieuses de Port-Royal de faire, de cet homme pudibond, leur médecin attitré.

Face à ces attaques, les chirurgiens temporisent. Ils se demandent alors le plus sérieusement du monde s'il convient que l'accoucheur soit sale et mal rasé pour ne pas éveiller la jalousie des maris. Dionis pour sa part le préconise ni trop jeune ni trop vieux, afin que la femme n'ait pas de répugnance à se montrer à lui[199]. Pour rassurer les époux ombrageux, on invente les accoucheurs qui ont des yeux au bout des doigts : un traité de 1681 préconise de tendre un drap entre le col du praticien et la taille de la patiente[200], et les gravures des *Nouvelles Démonstrations d'accouchement* de Maygrier (1822) apprennent aux gynécologues comment procéder à un examen complet sous la robe des parturiantes (planches XXIX et XXX). Touchez, mais ne regardez pas...

Ces temps ne sont pas si loin de nous. On raconte encore aujourd'hui de ces pudeurs d'accouchées. Le *naturalia non turpia* est un apophtegme de médecin, non de malade. Paul Reboux, en 1930, croit utile de préciser dans son *Nouveau Savoir-Vivre* : « Que les femmes ne croient pas décent de montrer une pudeur effarouchée... Pour un médecin, si beau garçon qu'il puisse être, la cliente ne correspond qu'à une fiche et à une occasion de bénéfices. Qu'elle ne se flatte pas d'autre chose. »

En cas de pudibonderie excessive, Reboux conseille encore la doctoresse. La sensibilité pourtant a commencé à changer. Nous voyons ici combien les règles de décence ne sont affaire que de mode et d'habitude. Si, jusqu'au xixᵉ siècle, les femmes répugnaient à se confier à des mains masculines, la disparition des sages-femmes et l'inaccoutumance aux femmes-médecins a fini par imposer la règle inverse : l'obstétrique reste le domaine où la femme est le plus difficilement acceptée.

Dans le domaine médical, la religion aura exercé une action limitative, plus peut-être que cette pudeur hâtivement qualifiée de féminine. Quant à la cassure par où la médecine accéderait à une plus grande liberté face au corps, c'est sous le règne de Louis XIV que l'on peut la situer. Époque charnière dans les deux sens, puisque, si elle a vu se répandre les accoucheurs, elle a aussi vu naître la pudeur masculine et les maladies vénériennes devenir honteuses.

Aujourd'hui, après un nouveau flottement introduit dans les comportements par les récentes méthodes contraceptives (quelle jeune fille ne rougit pas d'acheter ses premières pilules ?), la médecine s'est taillé son domaine à part au pays de la pudeur. Les vestiges d'une ancienne pudeur féminine semblent aberrants, et ce n'est pas sans stupéfaction — voire sans scepticisme — que l'on apprend la réaction de cette femme qui, en 1971, sur le point d'accoucher dans une clinique parisienne, refusa d'ôter sa culotte devant son gynécologue[201].

Lorsqu'on raconte de telles aventures, on aime les situer dans quelque couvent gardien d'usages immémoriaux, où la libération du corps n'a pas encore pénétré. En témoigne ce savoureux conte, qui date du temps « où il y avait encore des religieuses à Saint-Pierre-de-Bessuéjouls »... Le docteur C..., d'Espalion, fut un jour appelé chez les bonnes sœurs : l'une d'entre elles souffrait d'une solide constipation. « Je viendrai demain lui faire un lavement », décida le praticien. On imagine l'émoi du couvent et la nuit d'angoisse que dut passer la malade... Une nuit qui, en l'occurrence, porta conseil. Lorsque le médecin revint le lendemain, il trouva le derrière de la religieuse constellé d'images pieuses, soigneusement superposées pour qu'on n'y pût apercevoir un centimètre carré de chair nue. « Comment voulez-vous que je lui administre mon lavement dans ces conditions », s'indigne le médecin. Lors la mère, d'un air complice : « Soulevez saint Antoine de Padoue, docteur, et vous trouverez le trou... » (ibid.).

Chapitre IV

LA PUDEUR AU LIT

« Une chambre pour tous, tous pour un lit. » Telle pourrait être la devise des pauvres au Moyen Age. Il n'est guère question d'intimité ni de pudeur dans ces chaumières qui n'ont souvent qu'une pièce d'habitation, à moitié mangée par le large lit commun. Parents, enfants et grands-parents s'y serrent le soir, partageant leur chaleur, mêlant leur sueur ou, le cas échéant, leurs maladies. Que de contes, dans le *Décaméron* (IX, 6), dans les *Cent Nouvelles Nouvelles* (VII), ne reposent-ils pas sur les quiproquos provoqués par le déplacement d'un meuble dans la chambrée de l'hôte ? L'étudiant qui partage la couche d'un bourgeois se retrouve soudain enlaçant la femme ou la fille de son hôte, et la promiscuité ne le retient certes pas de profiter de la méprise.

Les petites gens ne sont d'ailleurs pas les seuls à faire chambre et lit communs. Les voyages imposent le plus souvent cette communauté dans les auberges, les campagnes militaires se font par chambrées où l'on retrouve des *camarades* (compagnon de chambre, à l'origine)... Les bourgeois invitent les pèlerins dans leur chambre, comme le riche Bernard, converti après avoir passé la nuit avec saint François d'Assise[202]. Dans les maladreries ou les hôtels-Dieu, qui se répandent à partir du XIIIᵉ siècle, on s'entasse à deux, trois, quatre par lit, tête-bêche parfois pour gagner de la place ! La contagion est peu étudiée, la prophylaxie quasi inconnue. Les hôpitaux deviennent des foyers d'épidémie. Si les lépreux sont soigneusement séparés des autres malades, il n'est pas rare de trouver un blessé, une femme enceinte, contaminés par un voisin de lit[203]. Ne parlons pas des prisons, où l'on s'entasse dans une cellule commune. Si les privilégiés peuvent obtenir une cellule séparée, ou un lit — qu'ils peuvent parfois faire venir de chez eux ! — ils doivent souvent le partager : un règlement du Grand Châtelet, en 1425, interdit au geôlier de mettre plus de « deux ou trois » personnes dans le même lit[204] !

Les plus puissants même sont assujettis à cette coutume.

Lorsqu'au concile de Lyon, en 1274, le pape Grégoire X instaure le conclave chargé de l'élection du pape, il prévoit d'enfermer les cardinaux dans une vaste salle commune, « sans aucune muraille, cloison ny tapisserie entredeux[205] ». Clément VI (1342-1352) leur fera une faveur appréciable en leur permettant d'élever des paravents entre les lits, « avec des tapisseries seulement[206] ». Ces hommes, souvent vieux et égrotants, préférant cacher leurs infirmités, sont peut-être les premiers à s'être souciés d'une pudeur dans la chambre.

Quant aux nobles et aux riches, ils ont souvent gardé l'usage de la salle commune primitive. Dans la chambre du roi Marc dorment Yseut sa femme, Tristan son neveu, un valet, un page... Et c'est d'autant plus surprenant que le roi soupçonne déjà l'amour qui unit son neveu à la reine ! Mais chasse-t-on de sa chambre un parent aussi proche ? Tout au plus dorment-ils dans un lit séparé, et Tristan devra « sauter » par-dessus le piège qui lui est tendu pour rejoindre Yseut dans la couche royale. Peut lui chaut que Périnis dorme au pied de son lit (Béroul, v. 738). Le petit page d'Yseut n'est-il pas complice de leurs amours ? En attendant, il sera le témoin privilégié de leurs ébats... De même, lorsque Joinville part en croisade avec Louis IX, les pavillons servent de chambres communes aux plus nobles chevaliers. Joinville lui-même fait coucher son sénéchal à ses pieds, et dispose son lit « en telle manière que nul ne pouvait entrer qu'il ne me vît gésir en mon lit » (p. 277). Un lit bien en évidence, donc, et pour des raisons de pudeur — du moins, de cette pudeur qui s'attache alors à l'acte plus qu'à la vue : « Ce faisais-je pour ôter toutes mécréances de femme. »

En agissant ainsi, le sénéchal de Champagne fait preuve d'une vertu monastique. Depuis l'origine, les religieux doivent en effet avoir constamment des témoins de leur continence. La règle de saint Benoît (vie siècle) affirme avant tout la communauté du dortoir (*omnes in uno loco dormiant*, ch. xxii, col. 489). Les évêques eux-mêmes sont astreints à cette discipline, et les prêtres qui ne peuvent, pour des raisons de santé, vivre à la cour épiscopale sont tenus d'avoir des « camarades » de cellule[207].

La communauté est si générale durant tout le Moyen Age que l'indignation de Joinville, par exemple, s'adresse plutôt à la vertu excessive de Blanche de Castille, qui oblige son saint de fils à faire chambre à part avec sa femme. Les époux avaient dû s'assurer de la complicité de leurs huissiers respectifs pour se réserver quelques moments d'intimité en dehors des soirées que la reine mère jugeait propices à la perpétuation de la race (p. 299). On sait que la jalousie maternelle n'a pas empêché Saint Louis de multiplier les descendants.

Du lit, déjà, on peut tout faire — y compris entendre la messe. Ainsi, le sire de Joinville, souffrant d'une fièvre double-tierce et d'un rhume si grand de la tête que « la reume me filoit de la teste parmi les nariles » (p. 235), fait-il venir son chapelain dans son pavillon. Le prêtre n'est pas moins souffrant que le chroniqueur :

il se pâme avant l'eucharistie. Joinville aussitôt se lève, en simple cote, soutient l'officiant et le menace de le garder dans sa chambre jusqu'à ce qu'il ait fini son sacrement ! Force fut au prêtre d'oublier sa fièvre double-tierce...

La pudeur, dans cette promiscuité, nous la trouverons chez les moines, qui ont en la matière quelques siècles d'avance sur la civilisation. Il faut dire que très tôt, on s'est plaint de l'homosexualité qui sévissait dans les cloîtres voués à la continence mais non à l'isolement. Saint Benoît est déjà confronté à ce problème, et lorsqu'il impose la communauté de chambre à ses disciples, il n'oublie pas de préciser qu'il n'est pas question de partager le même lit (*singuli per singula lecta dormiant*), précaution inhabituelle à l'époque et qui sera scrupuleusement reprise par toutes les règles postérieures. Une chandelle brûlera toute la nuit dans la chambre, et les moines dormiront vêtus, avec leur ceinture. Sainte Hildegarde commente clairement cette prescription ; les moines portent une chemise et se ceignent d'une ceinture ou d'une corde « afin que le vêtement avec lequel ils dorment ne s'écarte pas et qu'ils n'apparaissent nus[208] ». Raison officielle. En fait, la médecine suivait alors la Bible pour situer dans les reins la formation de la semence masculine. La ceinture était censée la contrarier et éviter les pollutions nocturnes[209].

Au VIIe siècle, saint Fructuosus, évêque de Braga, fixe de son côté — comme dans les institutions pour jeunes filles du XIXe ! — la distance à respecter entre les lits : « Entre chaque lit on laissera un intervalle d'un lit, afin que les corps, trop proches de leurs voisins, ne nourrissent pas de désirs lascifs[210]. »

Dernier problème : le lever. Les moines ne doivent jamais voir leur propre nudité. Comment, dès lors, changer de vêtement ? Saint Paterne indique bien qu'on ne porte pas les mêmes chemises de jour et de nuit : quand on a usé le vêtement de jour, explique-t-il, on le porte pour dormir[211]. On développera un cérémonial compliqué pour échapper à son regard et à celui du voisin. Saint Udalric, qui a recueilli au XIe siècle les règles des moines de Cluny, nous le décrit en détail. Lorsqu'on se lève pour les prières nocturnes, « avant de rejeter la couverture, il faut se revêtir de sa cuculle et s'en couvrir les jambes avant de se lever ». Le matin, même exercice avec les chausses que l'on vêt dans son lit. A-t-on chaud la nuit ? On ne se découvre que les pieds, les bras et la tête ! Doit-on changer de caleçons ? Il faut attendre que les autres soient secs, et ne pas oublier de garder froc ou manteau pour cette délicate opération, « afin qu'aucune partie de sa nudité ne puisse être vue par quiconque[212] ».

En 1248, les croisés comme Joinville portaient donc une *cote* pour dormir — la même sans doute que portait le roi lorsque, réveillé sur le bateau échoué à Chypre, il se précipite à sa chapelle, « deschaus, car nuit estoit, une coste sans plus vestue » (p. 180).

Le vêtement de nuit, cependant, est loin d'être général en dehors des couvents et des croisades... Les pauvres dorment nus pour épargner un linge rare et cher. E. Le Roy Ladurie, en étudiant le registre de l'Inquisition de l'évêque de Pamiers, a souligné cette habitude chez les paysans de Montaillou (p. 206). Il faut être un parfait cathare, comme Bélibaste, pour dormir habillé quand il est contraint de partager la couche de sa concubine, ou pour garder un caleçon quand il dort avec Arnaud Sicre. Si Arnaud note ce détail, n'est-ce pas qu'il lui a paru singulier (p. 207) ?

Miniatures et enluminures confirment cet usage. Une *Charité de saint Nicolas*, à la Bibliothèque nationale, représente entièrement nu dans son lit le père des trois jeunes filles que l'évêque dote pour leur épargner la prostitution. Le *Theatrum sanitatis* montre un insomniaque dans le même appareil. Dans les romans courtois, où l'on aime évoquer quelque scène vaudevillesque, les héroïnes dorment en général nues — le public aurait-il accepté une frustrante chemise de nuit ? Ainsi dort la dame de Fayel, amie du Châtelain de Coucy dans le roman de Jakemes (v. 291). Ainsi dort la demoiselle qui accueille Lancelot dans le roman de Chrétien de Troyes (v. 1263). Si par hasard quelqu'une a conservé sa chemise, comme dans le *Florimont* d'Aimon de Varennes (v. 8939), ce n'est que pour corser une scène d'amour que le vêtement n'empêchera pas ! Il n'y a guère qu'Euriaut, l'héroïne du *Roman de la Violette*, qui s'impose de dormir vêtue (v. 583). Mais il s'agit pour elle de respecter une promesse exigée par son amant, et qui étonne beaucoup sa servante — preuve s'il en est de la rareté du vêtement de nuit.

Dormir nus — dormir ensemble. N'est-ce pas une équation parfaite pour fabliaux ou poèmes moraux ? La littérature médiévale fourmille d'anedoctes sur les « accidents » qui peuvent survenir entre compagnons de lits qui ne sont pas forcément mari et femme. Gautier de Coincy évoque l'inceste, chez cette veuve romaine qui ne s'est pas aperçue que son fils avait poussé à côté d'elle (I, Mir 18). A Montaillou, Arnaud de Vernioles découvre ainsi ses tendances homosexuelles à dix ans, avec un camarade de classe « qui se rasait déjà la barbe » et qui partageait son lit. Chez maître Pons, professeur et élèves partageaient la même chambre. En changeant d'école, Arnaud de Vernioles sera même amené à partager le lit de son professeur qui, « lésinant sur la literie », accueille — le plus chastement du monde, cette fois — deux étudiants dans son propre lit[213]. Même son de cloche chez Brantôme, où deux cousines élevées sous la même couverture deviennent « fricarelles » (IX, p. 200). Sans parler des situations imaginées par Gautier le Leu, maître incontesté du fabliau obscène. Tel paysan confond le derrière de son hôtesse avec la bouche de son frère et tente de le nourrir avec un brouet qui paraîtra suspect le lendemain matin. Tel chevalier niais prend le cul d'un invité pour la bonde d'un tonneau et le perce d'un violent coup de tisonnier — qui induira tout autant la victime en erreur...

Les meilleurs amis peuvent se fâcher après une mauvaise nuit dans un lit commun. Un rondeau d'Eustache Deschamps (t. IV, p. 37) se plaint « du pet qu'a fait Oudart » en partageant le lit avec trois compagnons. « Pour ce, dès or, lit à par lui li faut » concluent Meliant, Enguerrand et Machaut...

En fait, dormir nus — et dormir nus ensemble — est vite assimilé à une liaison amoureuse. Dans l'iconographie médiévale, ce sont les amants qui sont ainsi représentés. Et lorsque le roi Marc découvre Tristan et Yseut endormis dans la forêt, la chemise de la reine et les braies du neveu suffiront à éteindre ses soupçons : « *Si ils s'aimassent follement, Jamais n'y eussent vêtement* », conclut le roi (v. 1981-1982). Et il renonce à sa vengeance.

Sans doute est-ce pour cela que la chemise de nuit se répand de plus en plus du xiiie au xvie siècle, du moins chez les nobles et les riches bourgeois. Une miniature nous montre saint Louis dans une chemise bleu ciel. Très tôt, on sait qu'un vêtement de nuit peut être vu et qu'il peut faire l'objet d'une certaine recherche. Il s'agit alors d'une chemise qui s'arrêtait à mi-cuisses, comme le montre une peinture du « saut Tristan » datant de 1400[214].

Y eut-il une sorte d'âge d'or de la pudeur où l'on pouvait dormir nu côte à côte sans mauvaise pensée ? L'image est trop simpliste. On aura compris que pruderie excessive et confiance mal placée ont longtemps coexisté et n'ont servi de sujet d'étonnement ou d'indignation qu'à des fins littéraires. Lorsque des ébauches de pudeur apparaissent, elles sont liées, ici aussi, à l'évocation de l'acte sexuel plus qu'à la vue des corps nus.

La chambre ouverte (xvie-xviie siècle)

Dans les classes populaires, l'intimité est un luxe que certains ne se paieront jamais. Dans son *Tableau de Paris,* Mercier peindra encore ces gueux entassés, hommes et femmes, sur la paille d'un cabaret borgne, « faisant chambrée commune » (VII, p. 239). Trop pressé sans doute de noter la scène, il ne prend le temps ni de s'indigner, ni de s'apitoyer.

C'est dans la vie bourgeoise et dans la vie de cour que peu à peu se met en place un nouveau système de pudeur. Tout aussi lentement. La Renaissance, à cet égard, vit encore largement sur l'héritage médiéval, sans toujours avoir sa retenue. La multiplication des chambres, dans les châteaux que riches bourgeois et grands seigneurs bâtissent, ne garantit pas l'intimité à leurs hôtes. Le plus souvent, elles communiquent entre elles et pour gagner la dernière, il faut traverser toutes les autres. Le couloir extérieur, qui dessert séparément chaque pièce, a bien été introduit à Blois, dans l'aile Louis XI (1498-1503), mais il reste rare : les châtelains le plus souvent se contentent d'adapter leurs appartements au goût du jour sans en changer profondément la disposition. La chambre est une pièce comme une autre, où l'on reçoit, où l'on s'amuse, où l'on courtise aux yeux de tous.

Malgré les grandes verrières qui commencent à se répandre, les chambres restent obscures et assurent, le soir, un semblant d'intimité aux couples qui souhaitent s'isoler. Les lits à balda-quin jouent le même rôle et tentent de sauvegarder un minimum de décence dans des assemblées qui en manquent souvent. Encore ne faut-il pas malmener ces pauvres lits avec la véhémence d'un Henri II mignotant Diane de Poitiers, ou, comme on en accusa Charles IX, faire supprimer les rideaux des lits pour assister aux orgies des courtisanes[215].

Les courtisans d'ailleurs suivent l'exemple royal. Les *Dames galantes* de Brantôme ne manquent pas de polissonneries du même acabit. Depuis Charlemargne, rois et grands seigneurs ont l'habitude d'inviter leurs gentilshommes à leur lever. Lorsque la Renaissance réapprend le culte de la chair, les hommes, qui ont toujours aimé se vanter, profitent des visites matinales pour exposer leurs dernières conquêtes — quand ce n'est leur légitime épouse... Un « très grand seigneur », que ses amis venaient chausser tôt matin, était encore au lit avec sa femme. D'un geste preste, il releva la couverture. La main de l'épouse, encore posée sur le « cas » de son compagnon, n'eut pas le temps de se retirer (t. IX, p. 69).

Louis d'Orléans n'était guère plus délicat. Il eut un jour la surprise de voir accourir à son lever un courtisan... dont il tenait encore la femme entre ses bras. Le mari trompé, apparemment, ne se doutait de rien et venait en toute innocence souhaiter le bonjour au duc. « Je vais vous montrer le corps le mieux fait du monde », propose le séducteur : et de découvrir sa maîtresse de la nuit, en ayant grand soin de tenir caché son visage. Nos deux compères échangent longuement leurs impressions sur l'alerte personne ainsi exposée, et le mari s'en ressort sans le moindre soupçon d'avoir détaillé sa femme... Celle-ci, à qui il raconte l'aventure le soir même, n'aura garde de le détromper (IX, p.67).

La même aventure est exploitée dans la première des *Cent Nouvelles Nouvelles* — avec moins de vraisemblance, s'agissant de deux bourgeois voisins. On y apprend incidemment que dans la chambre où l'heureux voisin fait baigner et coucher son amie, les serviteurs de la maison sont présents et qu'ils ne semblent pas faire mine de se retirer quand commencent les ébats. Situation qui semble toute naturelle au narrateur...

Brantôme, en racontant les deux aventures citées plus haut, condamne sans ambiguïté cette exhibition forcée. Mais ce n'est pas au nom d'une pudeur féminine encore méconnue : les maris n'auront qu'à s'en prendre à eux-mêmes s'ils se retrouvent cocus, conclut-il en substance, avant de proposer une autre série d'exemples.

Partager sa chambre est une institution. La refuser serait une offense grave — y songerait-on, à une époque où l'on n'a guère de raison de se méfier de ses hôtes ? Lorsque Henri III, rappelé en France pour succéder à son frère, s'arrête à Turin, il y reçoit

Damville, gouverneur du Languedoc, qui s'était attiré l'inimitié de Charles IX et de Catherine de Médicis par son attitude modérée face aux huguenots. Pour le jeune roi, il est ce qu'on peut appeler un « ennemi objectif ». N'empêche. A Turin, il dormira dans la chambre de Henri III. Les deux hommes, sans doute, sont beaux-frères par la main gauche, mais le frère de Damville, François de Montmorency, qui a épousé la demi-sœur du roi, n'en moisit pas moins dans les prisons parisiennes. On est étonné de la facilité avec laquelle on pénètre alors dans la chambre des rois[216].

Quinze ans plus tard, les guerres de religion culminent. Henri III vient de faire assassiner le duc de Guise, ce rival déclaré que l'on avait surnommé le « roi de Paris ». Furieux, les Parisiens refusent de reconnaître Henri III, et ne l'appellent plus que « Henri de Valois », comme s'il avait perdu toute légitimité dynastique. C'est dans cette atmosphère, en janvier 1589, que le roi, qui séjourne à Blois, apprend qu'un passementier parisien est de passage dans la ville. Il le fait mander à son réveil le lendemain matin. Voilà donc un petit marchand inconnu, venu d'une ville ouvertement insurgée contre l'autorité royale, convié à partager l'intimité du souverain. Lorsqu'il pénètre dans la chambre du Valois, effectivement, celui-ci est toujours couché aux côtés de sa femme. Sans se formaliser, Henri s'enquiert de la qualité de son hôte et des nouvelles de la capitale...

« Et de moi, enchaîne-t-il, me connoissez-vous bien ?

« — Oui, Sire, respondit cest homme, je vous reconnois pour mon Roy.

« — Et celle (lui dit le Roy) que vous voiez ici couchée près de moi, qui pensez-vous qu'elle soit ?

« — C'est la Roine (respondit ce pauvre homme).

« — Oui, mon ami. Et à Paris, comment m'appelle-t-on (dit le Roy) ? Est-ce pas Henri de Valois ?

« — Oui, Sire, respondit l'autre.

« — Je ne suis donc plus Roy à leur compte (dist-il) et toutefois vous voiez que je couche avec la Roine. Or, mon ami, les nouvelles que vous porterez à Paris, dés que vous y retourniez, ce sera que vous avez veu Henri de Valois qui estoit couché avec la Roine. Ne faillez pas de le leur dire, entendez-vous[217] ? »

Le roi peut se permettre de s'amuser ainsi aux dépens de son peuple. Il n'y voit nulle imprudence à une époque qui ignore encore le régicide. Six mois après, le 1er août 1589, il recevra dans sa chambre, sur sa chaise percée, un jeune jésuite à qui il n'ose refuser sa porte. C'est ainsi que Jacques Clément peut pénétrer jusqu'à Henri III. Le meurtre du roi marque la fin d'une dynastie, la fin d'une Renaissance, mais aussi la fin d'une époque où les rois n'avaient pas à se méfier de leurs sujets. La fin peut-être de la convivialité médiévale.

Faire partager sa chambre, quand on est roi, n'est déjà pas tellement prudent. Quand on est simple gentilhomme, cela peut même être franchement dangereux. L'Estoile ne s'étonne guère qu'un gentilhomme soit tué par un serviteur qui couchait dans sa chambre (II, p. 69) ou qu'un bourgeois soit poignardé par un valet caché sous son lit (III, p. 192). Dans l'aristocratie et la bourgeoisie, d'ailleurs, le port de la chemise de nuit s'est désormais généralisé. Le sieur Marchais, avocat rue Saint-Antoine, en portait une lorsqu'un valet jailli de sous son lit tenta de l'étrangler, puis de le poignarder, ce 12 novembre 1588. Lardé de vingt-neuf coups de couteau, il parvient à s'échapper, dévale l'escalier et s'enferme dans le bûcher. Les voisins accourus à ses cris s'emparent de l'agresseur, qui sera roué et tenaillé le mardi suivant devant la maison de la victime. Sur le devant de la charrette qui le mène au supplice, la chemise de nuit, lacérée, sanglante, rappelle aux badauds le motif de la condamnation.

Le XVIIe siècle semble presque un siècle de chambre plus que de salon, tant abondent les anecdotes indiscrètes, accidents et attentats où la pudeur naissante est baptisée à l'eau des urinaux. On continue en effet à offrir sa chambre et son son lit, de haut en bas de l'échelle sociale. Certains abusent de l'usage. Ainsi Mme de Vervins, femme du premier maître d'hôtel du roi, si « lubrique » qu'elle retient de force les invités qui lui plaisent et les fait dormir dans un lit installé dans la chambre conjugale ! Le lendemain, le mari, en partant à la cour, fait tirer la porte sur le couple. Mme de Vervins néglige bien sûr de s'enfermer à double tour avec sa nouvelle folie : gare à l'impudent qui se fût risqué à entrer dans la chambre[218] !

A la cour, les usages se sont figés. Dans la chambre du roi dort le premier gentilhomme de la chambre ou le premier valet de chambre, qui n'ont pas le droit de se retirer tant que le roi est dans son lit. Dans la chambre des grands personnages, il y a toujours un peu de lumière — les rideaux du lit assurent l'obscurité et isolent le dormeur.

Ces précautions n'empêchent pourtant pas les incidents, car on continue à pénétrer dans les chambres sans se soucier de la moindre bienséance. Jean Gombauld, un jeune poète bien en cour — qui finira académicien —, entre ainsi à l'improviste dans la chambre de la reine Marie de Médicis. « Elle estoit couchée sur son lict, raconte Tallemant des Réaux (II, p. 454), la juppe relevée ; on luy pouvoit voir les cuisses, car le lict n'estoit que de lacis. » Il n'y eut pas de scandale. Voir la reine généreusement troussée n'est pas un crime de lèse-majesté — comme l'est, en revanche, le manque de respect à la verge royale[219].

Il faut avouer que l'on se promène au Louvre, et dans tous les hôtels aristocratiques, comme dans un moulin. Là, on trouvera la reine mère troussée jusqu'au ventre ; ici, Monsieur le Grand tout nu en train de s'huiler pour le « combat » qu'il va livrer avec le roi[220]. La Porte, premier valet de chambre d'Anne d'Autriche, est parfois conduit chez la reine après minuit, lorsque tout le monde s'est retiré de la chambre[221]. Le même La Porte, envoyé en mission secrète auprès de Mlle de Fruges, s'y présente avant le jour, refuse de se nommer aux valets qui le reçoivent et exige d'être introduit dans la chambre ! Sur sa bonne mine, il y est conduit, laissé seul et sans lumière. La chambre est plongée dans l'obscurité ; la demoiselle se réveille en sursaut, se lève, marche à tâtons vers ce visiteur inconnu — messager et destinataire font connaissance par le front[222]. On multiplierait à l'envi les exemples. La clé n'est pas encore le garant de la pudeur et, malgré les assassinats, on ne se sent pas en danger la porte ouverte.

Le xviie est riche en surprises de ce genre. La reine mère, Marie de Médicis, trouve sous son lit le maître des requêtes, Boinville[223]. Christine de Savoie, sœur de Louis XIII, découvre sous le sien le jeune Michel de Thoré, président aux enquêtes et follement épris d'elle ! A peine Madame était-elle seule dans sa chambre que notre galant se jette sur le lit. La duchesse le reconnaît et le fait chasser, bien sûr, mais « pour faire le conte bon, on dit qu'elle voulut voir s'il luy offrit quelque chose qui en valust la peine, et ayant trouvé que le présent estoit honneste, elle ne voulust pas qu'on luy fist du mal[224] ». Quant au père du jeune homme, ambassadeur de Madame, l'extravagance de son fils l'avait mis dans une position délicate. Ilses pardonna cependant, nous dit Tallemant des Réaux, et pour les mêmes raisons que la duchesse.

C'est dans les voyages que l'on s'amuse le plus des petites mésaventures et des désagréments de la cohabitation. On trouve encore des voyageurs complaisants, prêts à accueillir dans leur lit un compagnon inconnu, lorsque l'auberge est pleine. Mal leur en prend parfois, lorsqu'ils tombent sur de joyeux drilles comme La Rancune, un des héros du *Roman comique* de Scarron (I, ch. 6). Celui-ci, qui se serait fait crever un œil pour rendre borgne son voisin, s'est mis en tête d'ôter toute envie de dormir au bourgeois qui lui a ouvert sa couche. Feignant une rétention d'urine, il le réveille à tout bout de champ pour lui réclamer le pot de chambre, qu'il finit d'ailleurs par renverser, contenant et contenu, dans la barbe de son voisin...

Loge-t-on entre amis ? Il faut se méfier des distractions, plus dangereuses que les plaisanteries. Et s'il fut un distrait sous la coupole de l'Académie française, ce fut bien le poète Racan, qui distribuait des aumônes à ses amis en les prenant pour des gueux, ou qui faisait sécher ses bas sur la tête de sa tante qu'il confondait avec un chenêt... Malherbe et Yvrande eurent bien quelque appréhension à partager sa chambre dans une hôtellerie bien remplie. Appréhension vaine, d'ailleurs, car la nuit se déroula sans incident. Quelle ne fut cependant la surprise d'Yvrande, le lendemain matin, lorsqu'il voulut s'habiller et chercha en vain ses chausses. Il s'imaginait déjà victime de quelque sombre farce lorsqu'il avisa Honorat de Racan... « Sur ma foi, lui dit-il, ou vostre cul est plus gros qu'hier, ou vous avez mis mes chausses sur les vostres[225]. » Vérification faite, l'auteur des *Bergeries* dut en convenir et rendre, honteux et confus, les chausses qu'il avait prises pour son caleçon.

C'est bien pis encore lorsqu'on doit dormir avec son frère, surtout lorsque celui-ci est roi ! Malgré tous ses palais, Louis XIV dut un jour loger avec Monsieur dans une minuscule chambre, à Corbeil. Le roi avait quinze ans. Sans y penser, il cracha sur le lit de son frère. Ce sont alors pratiques courantes, pourvu que l'on vise son propre lit... Philippe d'Orléans, piqué au vif, cracha sur le lit de Sa Majesté qui derechef lui cracha au nez. Monsieur bondit alors sur le lit du monarque et le compissa royalement. Ce que voyant, Louis rendit la pareille à son frère. Enfin, « comme ils n'avoient plus de quoi cracher ni pisser, ils se mirent à tirer les draps l'un de l'autre dans la place : et peu après ils se prirent pour se battre[226] ».

Partager son lit avec une femme, fût-elle parente, est par contre suspect. Gédéon Tallemand, trésorier de Navarre, partit un jour à la campagne avec Mme Gervaise. Comme ils étaient parents, et « pour ne pas tant salir de draps », ils couchèrent ensemble sans penser à mal. Mais le matin, quand arriva François Gervaise, on voulut lui cacher l'aventure. La demoiselle ayant, hélas ! pris les pantoufles de l'oncle Gédéon, le mari s'émut de voir les mules de sa femme aux pieds du trésorier. Bon garçon, il crut ou fit semblant de croire à l'erreur d'un valet[227].

Comment était vécue la pudeur dans ces péripéties de voyage ? On en trouve peu de traces, chez les hommes comme chez les femmes. A moins, bien sûr, qu'on ne dorme en compagnie d'un personnage de qualité : la pudeur va de bas en haut, au XVIIe siècle, et c'est insulter ceux qui nous sont supérieurs que leur montrer notre nudité. « S'il arrivoit qu'à cause du mauvais logement on dût coucher dans la chambre de la personne pour qui l'on doit avoir du respect, la civilité est de la laisser dés-habiller et coucher la première : et après se dés-habiller à l'écart et contre le lit où l'on doit coucher, et se coucher sans bruit, demeurant tranquille et paisible durant la nuit[228]. » Observons que le noble personnage surpris dans son intimité n'a pas, lui, à se soucier de pudeur. Même chose le matin : levons-nous le premier, vêtons-nous en hâte et refermons notre lit, « la bien-séance ne souffrant pas qu'une personne que nous devons respecter, nous voye nuds, et en dés-habillé ». La bienséance : tel est alors le nom social de la pudeur.

Entre personnes de même rang, on s'embarrasse moins. Surprendre une femme dans le simple appareil d'une beauté qu'on vient d'arracher au sommeil : s'il y a de quoi troubler l'âme d'un Néron, l'affaire est suffisamment courante pour qu'on n'en fasse pas une tragédie. Surprendre un homme ? Certains ont des pudeurs inattendues dont se gaussent leurs amis. Ainsi de Racan. Mlle de Gourmay, une vieille fille qui se pique de littérature et qui, la veille, a commis un impair, vient tôt matin prier le poète d'excuser sa conduite. Avec cette belle insouciance dont l'époque est coutumière, elle entre dans la chambre et tire les rideaux du lit. Racan s'éveille en sursaut, l'aperçoit, et se précipite dans un cabinet où il se claquemure. « Pour l'en faire sortir, il fallut capituler [parlementer] », assure des Réaux, un brin moqueur (I, p. 161).

Pudeur, surprise, effroi ? Une attitude peu virile en tout cas. Racan eût été mieux inspiré de se lever, comme le chevalier de Miraumont, pour raccompagner sa visiteuse.

Le chevalier dormait nu. Il devait de l'argent à sa visiteuse matinale. Malgré toutes les civilités qu'il lui fit en la raccompagnant jusqu'à la porte, il ne revit jamais l'importune à son lever[229]. Voici déjà l'époque où la nudité masculine porte ombrage à la pudeur féminine... Ombrage ? Voire... Je croirai plus volontiers avec Venette que la femme du xviie siècle, comme sa grand-mère, lorsqu'elle entrevoit quelque membre égaré, sent au même instant son cœur « échauffé par une passion de laquelle elle ne peut se deffendre qu'avec peine » (p. 3). Mais la pudeur, n'est-ce pas précisément de vouloir s'en défendre ?

La promiscuité de chambre et de lit, sauf pudeur exceptionnelle, est donc facilement tolérée. Mais n'oublions pas les jésuites, héritiers des pudibondes règles monastiques et vigilants cerbères créés par la Contre-Réforme. C'est par leur canal souvent que la pudeur des cloîtres se répand dans le siècle. Un missionnaire jésuite rédigeant une *Civilité honneste pour l'instruction des enfants*, tente ainsi de percer les secrets de l'alcôve commune : « Dès que vous commencerez à vous connoître [élégant euphémisme pour un adolescent pubère], couchez seul autant que vous pourrez : au moins ne souffrez point avec vous aucunes personnes de sexe différent, quand ce seroit vostre sœur ou vostre Mère, cela est très contraire à l'honnêteté, ainsi qu'à la pureté » (p. 20). A côté de cette éternelle obsession de l'acte, on trouve déjà la pudeur du regard, dans cette interdiction de se déshabiller en présence des autres (p. 52) ou dans cette recommandation, lorsqu'on couche avec quelqu'un du même sexe, de « garder l'honneur partout » (p. 53).

Cette familiarité de lit a un exemple historique célèbre : les jeux auxquels se livraient Henri IV et le jeune Louis XIII, et que le médecin Héroard rapporte avec amusement. Le dauphin n'a pas deux ans qu'il s'ébat déjà dans le lit de son père. Le roi est-il malade ? Il fait déshabiller ses enfants pour les coucher avec lui. Rentre-t-il de chasse ? Le petit Louis l'aide à changer de chemise. Quant aux jeux auxquels père et fils s'adonnent... Évoquant les fiançailles du dauphin et de l'Infante d'Espagne, le roi taquine son fils : « Où est le paquet de l'Infante ? Il le lui montre disant : Il n'y a point d'os, papa — puis comme il fut un peu tendu : Il y en a astheure, il y en a quelquefois. » Le garçon n'a pas cinq ans... Il en a huit passés, en 1610 — l'année où il sera appelé à régner — lorsqu'il batifole encore dans la couche royale : couché dévêtu avec son père, « il a gambadé toute la nuit, lui portant les pieds sur la poitrine et sous la gorge ; le Roi ne faisait que le chatouiller ». « On reste confondu d'une grossièreté poussée à ce point », s'indigne Soulié, l'éditeur du journal d'Héroard. L'émoi de l'érudit est peut-être outré... Certaines scènes pourtant le justifient.

Le bon roi Henri, apparemment, ne devait pas porter tous les jours de chemise de nuit. Un jour qu'il revient du lit paternel, où il s'est joué « fort privéement », le dauphin se met à taquiner les dames de sa cour, en les abreuvant de « mots nouveaux et paroles honteuses et indignes de telle nourriture [éducation], disant que celle de papa est bien plus longue que la sienne, qu'elle est aussi longue que cela, montrant la moitié de son bras ». Il est bien temps de s'inquiéter. L'éducation qu'Héroard donne au futur roi ne le prédispose pas plus au langage châtié, et le médecin n'est pas le dernier à lui enseigner les mots grivois[230].

Une relation privilégiée s'établit en tout cas autour du lit entre père et fils. L'enfant, remarque Héroard, ne permet qu'au roi de se mettre sur son lit, et lorsqu'Henri IV lui-même lui propose de coucher avec le petit More, nain de la reine, le dauphin rétorque qu'« il noircirait les draps, papa ». On a tenté d'expliquer par cette éducation singulière les penchants tout aussi singuliers du futur roi. Il faut cependant ajouter qu'il ne se gênait pas plus alors avec les femmes qu'avec les hommes et qu'il aimait autant fesser ses femmes de chambre pour voir leur « cu bien gras » et leur « conin ». En revanche, cette éducation à la gasconne, déplacée dans un Paris qui commence à se policer, a contribué à faire, de Louis le Juste, Louis le Chaste.

La chambre de réception du Grand Siècle

On ne ferme pas du jour au lendemain les portes de toutes les chambres. Entre le libre accès et l'intimité, il y a l'étiquette, une réglementation de la réception qui culmine sous Louis XIV.

Dans les hôtels aristocratiques, l'habitude se prend de recevoir dans son lit. Les femmes surtout en ont adopté l'usage, même si un Richelieu peut se permettre de donner des rendez-vous dans son lit[231]. Dans la chambre à coucher, véritable sanctuaire de la civilité classique, trône le lit, au centre de la pièce, le chevet adossé à la muraille. Un meuble imposant, aussi long que large, parfois placé sur une estrade et surmonté d'un dais, enveloppé de rideaux, garni d'oreillers, amoncellement d'étoffes où se perd le visage de l'hôtesse. Elle est généralement assise, parfois couchée. Tout autour du lit, une balustrade ou un paravent délimite la *ruelle*, où sont disposés tabourets et pliants pour les invités. Quant aux intimes, ils n'hésitent pas à s'asseoir, à se coucher, à se vautrer sur le lit de l'hôtesse.

De jeunes désœuvrés, petits marquis à la Molière, papillonnent d'hôtel en hôtel, butinent un compliment, coltinent le dernier sonnet d'un Trissotin à la mode. Ce sont les « coureurs de ruelle ». Leur sans-gêne est parfois suffocant : l'abbé de Romilly était tellement familier chez Mme de Gondran qu'il lui arriva, en visite et devant tout le monde, de se jeter sur le lit et d'y glisser la main[232]. Le chevalier de Roquelaure, trouvant un jour madame la Princesse engoncée jusqu'au cou dans son lit, lui adressa un peu galant compliment : « Je pense, Madame, que vous vous congratulez[233]. » Il n'y avait pas alors de diable à deux têtes pour surveiller les petites filles qui dorment avec les mains sous les draps...

La décence prendra sa revanche. A force de familiarité, les âmes prudes finirent par s'offusquer. Un moyen radical de décourager ceux qui font le « goguenard » en s'asseyant sur le lit de la maîtresse de maison : quatre jeunes gens « esveillez » peuvent s'emparer de la courtepointe pour envoyer d'un bon coup le fanfaron « cul par sus teste dans la ruelle[234] ». Mais les manuels de civilité réglementent d'ordinaire la visite.

Subtile gradation, chez Antoine de Courtin. Dans la chambre de la reine, interdiction de s'approcher du lit s'il n'y a pas de balustre (p. 23) ; « en la chambre d'une personne de grande qualité où le lit est clos », il est défendu de s'asseoir sur cette balustrade (p. 24). Chez les personnes ordinaires, enfin, « c'est une très-grande indécence de s'asseoir sur le lit, et particulièrement si c'est d'une femme : et même il est en tout temps très mal-séant et d'une familiarité de gens de peu, lorsque l'on est en compagnie de personnes sur qui l'on n'a pas de supériorité, ou avec qui l'on n'est pas tout à fait familier, de se jeter sur un lit et de faire ainsi la conversation » (p. 54).

La pudeur au lit souffre du même mal que la pudeur au bain : il lui manque une pièce pour se manifester. Les femmes n'ont pas plus de salon que de salle de bains. Barrières, paravents et manuels de civilité rejoignent les essences et les baignoires couvertes qui servent d'expédients à la pudeur. Au XVIIIe siècle, quand on aménagera des boudoirs, puis au XIXe, quand la chambre sera bien distincte de l'appartement, les conditions seront réunies pour promouvoir une nouvelle forme de pudeur.

Dans sa chambre, une femme reçoit donc visite et compliments de son entourage aux grands moments de son existence : lorsqu'elle se marie, au réveil de sa nuit de noces, lorsqu'elle accouche ou devient veuve. Elle y juge les vers nouveaux que les poètes de ruelle s'empressent de venir lui dire — à moins qu'elle ne tienne salon. Mille autres occasions lui imposent de garder le lit, notamment pour raisons médicales. Purges et saignées sont alors l'abc de la médecine tant curative que préventive. Toute autre médication se voit d'ailleurs précédée d'une mise en condition sous cette forme. Or il faut garder un certain temps le lavement dans le ventre pour qu'il fasse son effet, ce qui impose de rester couché... Les deux mille purges de Louis XIV sont autant de visites et de conseils en chambre. Quant aux phlébotomies, les donneurs de sang le savent, elles requièrent elles aussi la position allongée.

Une de ces visites à une femme malade est entrée dans l'histoire : celle que rendit Buckingham à Anne d'Autriche en 1625. Le duc était-il alors l'amant de la reine ? La Porte, qui raconte l'incident (p. 8), soutient le contraire. Il a intérêt : sa « négligence » à cette occasion lui coûta sa place de porte-manteau ordinaire. Toujours est-il que Sa Majesté gardait le lit pour une saignée lorsque MM. de Buckingham et de Holland furent introduits dans la chambre : ils « y demeurèrent beaucoup plus tard que la bienséance ne le permettait à des personnes de cette condition lorsque les Reines sont au lit ; et cela obligea madame de la Boissière, première dame d'honneur de la Reine, de se tenir auprès de Sa Majesté tant qu'ils y furent ; ce qui leur déplaisait fort : toutes les dames et tous les officiers de la chambre ne se retirèrent qu'après que ces messieurs furent sortis ». Visite de galanterie ? Visite d'espionnage ? Les imaginations ont vagabondé sur les rapports de la reine et de Buckingham. Celle de Louis XIII la première, qui fit renvoyer La Porte et quelques femmes de chambre soupçonnées d'avoir servi l'Anglais. Ce fut pis l'année suivante, lorsque la reine reçut Chalais, soupçonné d'avoir voulu empoisonner les chemises du roi ! Louis XIII « défendit qu'aucun homme n'entrât désormais dans le cabinet ou dans la chambre de la reine, à moins qu'il n'y fût présent[235] ». Ce qui était rare.

Après un accouchement, la jeune mère reçoit pendant trois jours dans son lit — un lit spécial, aménagé dans une pièce à part s'il s'agit d'une grande dame. Certaines ne se privent pas d'organiser des bals pendant leur grossesse. Mme du Maine, petite-fille du Grand Condé et belle-fille du roi, n'avait pas voulu que sa grossesse, en 1702, interrompît ses « nuits blanches de Sceaux » : elle fit donner des bals masqués dans sa chambre, auxquels elle assistait de son lit, « ce qui faisait un spectacle assez singulier », note Saint-Simon (II, p. 7). D'autant plus singulier qu'à l'époque, les médecins recommandaient d'éviter toute émotion susceptible de laisser des traces, comme une « envie », sur la peau du bébé. Et l'on put craindre que celui-ci ne naquît avec un masque de carnaval !

Après la nuit de noces, la femme est littéralement livrée aux amis qui envahissent la chambre. Épreuve redoutable, à en croire les descriptions de Saint-Simon. A son mariage, Mme de Saint-Simon « reçut sur son lit toute la France, à l'hôtel de Lorge [chez ses parents], où les devoirs de la vie civile et la curiosité attirèrent la foule ». L'épreuve n'était pourtant pas terminée : après avoir reçu « toute la France », la nouvelle duchesse était présentée au roi et recevait « toute la cour sur son lit dans l'appartement de la duchesse d'Arpajon, comme plus commode parce qu'il étoit de plain-pied » (I, p. 229). On n'affiche plus les draps rouges du sang virginal (ou de sang de pigeon...) comme en Espagne, mais certains maris, dit-on, les gardent comme témoignage en cas de procès d'impuissance... Quant aux jeunes épouses, après leur première expérience, il arrive qu'elles s'exclament, comme Mme de Gondran : « Ah, mon pauvre Chaumont [son frère], ne crains pas que je sois jamais putain ! » Il est vrai qu'elle avait été mariée à dix-sept ans avec un

« cheval » qui « y avait été si rudement qu'elle fut plus de huit jours à s'en plaindre ». Ce ne fut pourtant qu'un serment d'ivrogne : « Cette innocente croyait que toutes les fois, cela faisoit autant de mal ; mais quand elle vit le contraire, elle se desdit de ce qu'elle avoit promis à son gros Lolo[236]. »

Enfin, en dehors de ces réceptions et de ces cérémonies, ces dames ne dédaignent pas d'accorder à quelques privilégiés la faveur d'assister à leur toilette. La seconde, s'entend, car une jolie femme se doit de commencer la journée par une toilette *fort secrète*, à laquelle jamais ne sont conviés les amants. La seconde devient alors un *jeu inventé par la coquetterie* où l'on s'émeut autant de ce que l'on cache que de ce que l'on devine. « Un peignoir qui se dérange, une jambe demi-nue qu'on laisse entrevoir, une mule légère qui échappe du pied mignon qu'elle renferme à peine, un déshabillé voluptueux où la taille paraît plus riche et plus élégante donnent mille instants flatteurs à la vanité des femmes[237]. »

Une femme refuse-t-elle d'ouvrir sa porte ? Mal lui en prend, si elle a affaire à un « farceur » comme le duc de Bourgogne, petit-fils du Roi Soleil ! A Marly, pour éveiller la princesse d'Harcourt, le duc mobilise une vingtaine de Suisses qui envahissent la chambre en menant un tintamarre de tambours ; l'hiver, il vient la bombarder de boules de neige[238]... Toute la cour se mêle à ces farces que pimente l'effroi de la princesse, facilement impressionnable.

Les cérémonies du lit nuancent cette « pudeur féminine » tant vantée au xviie siècle. On s'offusque d'une parole leste ou d'une syllabe sale, on se caparaçonne de chemises et de peignoirs, mais on ne songe guère à défendre l'intimité d'une pièce. Voilà qui nous change des discours sévères des prédicateurs, qui nous auraient facilement fait croire à la bigoterie de l'époque...

L'empire de la chemise

Si la chemise de nuit est connue et utilisée depuis le plus haut Moyen Age, elle ne s'est pas encore généralisée au xviie siècle. Ceux qui l'ont adoptée ont droit, dans les *Curiosités françaises* d'Oudin, à une expression ironique : ils « couchent comme l'épée du roi dans son fourreau » (p. 124). Dans les salons précieux, la chemise, de jour ou de nuit (mais pas le trivial bonnet !), se répand et devient, dans le jargon recueilli par Somaize, « la compagne perpétuelle des morts et des vivants » (p. xiv). Mais ailleurs ?

Nous avons vu comment le chevalier de Miraumont usait de sa nudité pour éconduire une créancière qui venait le relancer jusque dans son lit. Le baron de Moulin, un « assez plaisant robin », usait d'une ruse similaire, facilitée par la myopie de sa propre créancière.

Notre homme la reçut un jour au lit, prétextant une maladie et

— selon le seigneur des Réaux (IV, p. 40) — déguisa son cul en tête comme il avait l'habitude de le faire dans son carrosse pour épater les badauds. Devant cette face pâle qui semblait parler d'une voix caverneuse, voilée par la couverture, la brave dame n'eut guère de peine à admettre l'indisposition. Le baron força un peu la note en toussant lamentablement, ce qu'il ne put faire sans vesser au nez de la visiteuse. « Je vois que Monsieur est bien mal, commente celle-ci : il a l'haleine bien mauvaise. » *Se non è vero, è bene trovato...*

Pantalonnades mises à part, les hommes doivent encore suffisamment dédaigner la chemise de nuit pour que Cathos, une des précieuses ridicules de Molière, ne puisse « souffrir la pensée de coucher contre un homme vraiment nud » (sc. V, t. I, p. 208). La réplique n'est pas exagérée. Tallemant des Réaux raconte le mariage d'une de ces prudes, qui retardait tant qu'elle pouvait l'entrée dans le lit conjugal. Encore hurla-t-elle d'y trouver son mari, qui avait été obligé de s'y cacher tandis que les servantes dévêtaient l'épousée. La mère dut se fâcher pour que sa fille acceptât l'odieuse promiscuité — et la précieuse se retrouva enceinte au bout de trois semaines (v. p. 370).

C'est probablement pour ces épouses farouches qu'on mit au point, au xviiie siècle, la fameuse « chemise conjugale ». Qui eut l'idée de ces chemises percées d'un trou à l'endroit congru, que l'on porte jusqu'en plein xxe siècle ? On aimerait connaître cet anonyme père la Pudeur. Et l'on se plaît dans l'ignorance à l'imaginer sous les traits de « M. Nicomède », président de la Compagnie de la pudeur imaginé par Anatole France. Dans les trousseaux pour jeunes mariées qu'il a mis au point, en effet, « il se trouve des chemises amples et longues, avec un petit pertuis qui permet aux jeune époux de procéder chastement à l'exécution du commandement de Dieu relatif à la croissance et à la multiplication. Et pour mêler, si j'ose dire, les grâces à l'austérité, ces ouvertures sont entourées de broderies agréables[239] ».

Ici encore, le roman est en tous points conforme à la réalité. Joseph Vaylet a gardé de ces chemises dans son musée d'Espalion[240]. Broderies diverses festonnent le « trou du bonheur », accompagnées de pensées hautement philosophiques du style « Dieu le veut »... Une autre ouverture, sur la poitrine, permet à la jeune mère d'allaiter sans ôter son vêtement. Quant à l'homme, son « portail » est surmonté d'un « pont-levis » avec, sur le nombril, un bouton permettant de l'attacher et de ne pas être gêné par l'étoffe en cours de devoir conjugal. Modèle standardisé déjà : l'ouverture fait quelque seize centimètres de haut — « une large main d'homme » — ce qui fait soupirer à certaines épouses déçues : « il y a plus de portail que de bétail »... La femme aussi a des aménagements à sa chemise : une « coulisse » lui permet de clore le portail quand elle ne se sent pas en état d'y loger le bétail — et le mari se le tient pour dit. Les anciennes appellations indiquent l'origine de ce vêtement :

« chemise à ouverture parisienne », disait-on dans les campagnes où elle fut cependant d'usage plus longtemps que dans la capitale... « Chemise de la famille chrétienne », « chemise à faire un chrétien » : c'est en effet le couvent qui la fournissait dans le trousseau de ses pensionnaires, et l'on peut sans trop s'avancer en trouver l'origine dans les institutions de plus en plus pudibondes du xviiie siècle.

Dès le xviie siècle, en effet, les prêtres appellent à « garder l'honnesteté et décence en leur couche nuptiale[241] » les époux trop fougueux. Mais qu'entendaient-ils par « décence » ? Un *Discours sur les plaisirs permis et les plaisirs défendus de l'attouchement*, par le père Héliodore, nous apprend que la « pudeur dans la couche conjugale » visait uniquement les excès de volupté et les positions défendues (p. 194). Cette pudeur de l'acte deviendra vite pudeur du regard. Et le père Héliodore poursuit : « Fuyez les yeux des domestiques, des enfants, des amis ; que vos chastes flâmes n'en allument point de criminelles ! » (p. 203). Des ébats publics à la chemise conjugale, le chemin fut bref en un siècle !

On s'accommoda très vite de ce nouveau vêtement. « De toute façon, commente Vaylet, la chemise de chanvre, quand elle était neuve, était trop raide pour être soulevée. Il fallait donc bien qu'il y eût une fente. » Ne tenait-elle pas debout toute seule avant qu'on ne l'étrenne ? Et ne fallait-il pas la frapper contre un arbre pour l'assouplir ? Le trou d'ailleurs trouva vite de multiples usages. Il permettait de changer plus facilement de serviettes hygiéniques, ou de mettre discrètement les pieds du nourrisson au chaud... Peut-être trouverait-on encore de telles chemises dans des campagnes reculées. En 1952 une femme est venue accoucher à Caen dans cette tenue. C'était son douzième enfant. « Son mari ne l'avait jamais vue non revêtue de la chemise. »

Le xviiie siècle, en dehors de ces excès, généralise le vêtement de nuit. La cour, qui a contribué à l'imposer par la promiscuité à laquelle elle condamne les souverains, revêt des robes de plus en plus pudiques. Marie-Antoinette dort par exemple « lacée avec des corsets à crevés de rubans et des manches garnies de dentelles » et un grand fichu sur la tête[242].

Dans les manuels des jésuites, on apprend à échanger sa chemise de nuit contre une chemise de jour sans regarder son propre sexe — une gymnastique qui bientôt sera enseignée dans les collèges. « Levez-vous donc avec tant de circonspection, qu'aucune partie de votre corps ne paroisse nue, quand même vous seriez seul dans la chambre [...]. Prenez d'abord les habits qui vous couvriront le plus, pour cacher ce que la nature ne veut pas qui paroisse, et faites cela pour le respect de la Majesté d'un Dieu qui vous regarde, et ne sortez jamais de la chambre à demi vêtu[243]. » La référence au regard de l'autre (ici, Dieu) est encore nécessaire. Il n'empêche : nous voyons déjà se former dans l'éducation religieuse la conception rigoriste de la pudeur individuelle. L'œil de Dieu, braqué en permanence sur les nudités malséantes, remplace l'œil de l'autre que l'on craignait au XVIIe siècle.

Au XIXe siècle, la chemise de nuit est entrée dans les mœurs. Le père de Victor Hugo, en Italie, s'étonne de voir, lors d'un tremblement de terre, les femmes sortir nues de leur maison. En France, elles auraient toutes porté une chemise. « Les vélites et les lanciers, tout militaires qu'ils étaient — d'une chasteté irréprochable —, embarrassés par ces femmes et ces jeunes filles d'une si complète nudité, les couvrirent de leur manteau[244]. » Des militaires plus pudiques que les femmes... Nous avons vraiment changé de siècle ! Les campagnes italiennes, vues par le général Hugo, ressemblent à celles de la France médiévale. « L'habitude de coucher nu est presque générale dans les campagnes d'Italie et les îles avoisinantes. » Dans la Basilicata, Léopold Hugo a vu « des malheureuses créatures auxquelles les moines, leurs maîtres, ne permettaient pas de bâtir de maison, entassées à sept cents dans une même maison. Dans la même chambre couchaient plusieurs ménages, et dans le même lit, sous la même couverture, étaient le père, la mère, toute leur famille : de grandes filles à côté d'enfants mariés. C'étaient les troupeaux du monastère » (ibid). Lors des campagnes d'Italie, en 1805, les Français, héritiers des idées révolutionnaires, avaient l'impression d'apporter dans leurs bagages les lumières qui mèneraient vers la civilisation ces barbares encore assujettis aux moines, aux nobles, à l'Ancien Régime. La pudeur en faisait partie : ne sont-ce pas les moines de Banzo qui sont cause de la promiscuité de leurs « troupeaux » ?

Les mythes du bon sauvage assimilent volontiers nudité, barbarie et état originel. Les mythes de l'âge d'or, d'autant plus florissants que la civilisation contraint l'esprit de l'homme, ont vite assimilé cette nostalgie d'une époque où l'on était plus libre avec son corps. Victor Hugo s'est sans doute souvenu des campagnes italiennes de son père en évoquant, dans L'homme qui rit, « cette mode du sommeil nu » qui vient d'Italie et remonte aux Romains : Gwynphaine et Dea ont été élevés ensemble dans le même lit, tandis que le vieil Ursus dormait à même le sol. L'âge venant, Gwynphaine voulut rejoindre Ursus sur le plancher : « C'est du côté de l'homme qu'avait commencé la honte. » Dea, en effet, pleurait, réclamant « son camarade de lit ». « Un homme à côté d'elle était un besoin du sommeil de l'innocence. La nudité, c'est de se voir nu ; aussi ignorait-elle la nudité[245]. » Rappelons que Dea était aveugle, ce qui préservait la pudeur masculine de son compagnon.

Mythe évanoui. Le XIXe siècle traquera là où il le pourra la chambre commune. Dans les lycées, un règlement de police de 1809 stipule que « les lits seront séparés par des cloisons de deux mètres de hauteur » et que « les dortoirs seront éclairés pendant la nuit[246] ». Il fut sans doute difficile de mettre ce programme en application, car en 1812, un rapport d'inspectrice s'indigne de l'état des dortoirs dans un pensionnat de jeunes filles. « Elles sont comme si elles étaient couchées dans le même lit, et cela est contraire aux bonnes mœurs et à la décence. Nous désirons qu'entre chaque lit, il se trouve la place d'une chaise, et un châssis de planche ou de toile de deux à trois pieds [65 à 90 cm] de haut, de sorte que les élèves ne puissent ni se toucher, ni se voir[247]. » Honni soit qui mal y pense ! Prescription qui fut longtemps d'actualité. A Saint-Martin-de-Tours, après la Seconde Guerre mondiale, on enseignait toujours aux internes à se déshabiller à genoux, pour que leurs voisines ne les voient pas nues...

Il valait mieux, dans ces conditions, ne pas tenter de conserver la vieille coutume française de la réception en chambre. Au début du xxe siècle, Mme Steinheil, qui fut célèbre pour avoir recueilli dans des circonstances très particulières le dernier soupir du président Faure avait une bicyclette à vendre... En réponse à une petite annonce, un monsieur « entre deux âges » se présente, qu'elle reçut, le plus naturellement du monde, dans son lit. Il devait être « impressionnable et outrageusement pudique », car après avoir balbutié qu'il reviendrait, il prit définitivement la poudre d'escampette[248]...

Il est sans doute difficile de juger de la fréquence de tels comportements — que notre époque connaît encore. Recevoir dans sa chambre n'a plus de raison d'être depuis que le salon a trouvé sa place dans l'appartement. Dans les studios même, le lit se cache dans des placards ou se travestit en divan. Quant à la chemise conjugale, elle n'est plus qu'un souvenir folklorique. Sans doute la mode des pyjamas, importée d'Inde au début du siècle, a-t-elle porté un coup décisif à la pudeur conjugale — il devenait difficile de se trousser discrètement en cas de devoir[249]. Les habitudes, après un siècle de flottement, ont suivi les nouvelles directives de la pudeur, imposées par le code pénal : dans l'intimité — où ne pénètrent plus le législateur ni le directeur de conscience — elle s'évanouit ; dans la vie sociale — devant les subtilités de l'« attentat à la pudeur » toujours possible — elle reprend ses droits.

Chapitre V

LES PROCESSIONS NUES

« Je suis bien aise de voir des tétons et des fesses, mais je ne veux pas qu'on me les montre », disait Diderot (*Salon 1765*). Vu ou regardé, aperçu ou exhibé, le nu change radicalement de valeur. Il suffit de montrer un baigneur du doigt pour qu'il sente tout à coup l'absence de maillot. Quelle étrange pudeur faisait rougir les hommes, au XVIIᵉ siècle, lorsqu'ils étaient flagellés en chemise, eux qui s'exhibaient fièrement en se baignant devant les femmes ?

Nous touchons ici un des plus curieux ressorts de la pudeur, qui colore la nudité de nuances parfois contradictoires. Inconsciente, la nudité retrouve cette innocence mythique — âge d'or, Eden, paradis naturiste — que l'on peut appeler « apudeur ». Volontaire, elle témoigne d'une « impudeur » condamnée par les autorités civiles, morales ou religieuses. Imposée, elle devient le pire des outrages, un châtiment infamant auquel les mêmes autorités avaient jadis recours. Processions nues, flagellations, humiliations : ce sont peut-être là les plus étonnants témoignages de la sensibilité médiévale.

Nudité innocente côtoie nudité pécheresse. C'est dans le symbolisme compliqué de la nudité médiévale qu'il faut voir l'origine de ces contradictions. Dans la conception judéo-chrétienne, la nudité est d'abord celle d'Adam et d'Ève avant le péché originel. Un Adam qui, sur la cathédrale de Chartres ou celle de Reims, ne craint pas de montrer sa nudité à toute la chrétienté. Il n'a pas encore croqué la pomme. A peine le péché accompli, le voilà couvert de feuilles de figuier. Le membre viril, dans l'iconographie religieuse, devient symbole d'innocence. Paradoxe ? Oui, pleinement. A tel point que le Moyen Age, déchiré entre innocence et péché de la chair, hésite continuellement entre deux eschatologies : si les damnés sont nécessairement nus en enfer, les élus seront tantôt vêtus (par opposition aux réprouvés), tantôt nus (pour concrétiser leur innocence).

Dans la vie, un chrétien pourra donc se retrouver nu pour symboliser la pureté (par exemple, dans le baptême primitif) ou comme châtiment d'une faute. Nudité juridique qu'il importe ici d'évoquer. Si la chair nue, dans l'Antiquité, celle des athlètes ou des empereurs, était valorisante, la chair médiévale, celle du péché, celle du corps supplicié du Christ et des martyrs, est avant tout vulnérable : « Dans la nudité, les écrivains bibliques ont vu beaucoup plus souvent la perte d'une dignité humaine et sociale que la possibilité d'une excitation dangereuse. Et cette nudité est un état de dénuement et de faiblesse. Selon la Bible, il est honteux pour un adulte d'être réduit à cet état d'enfant. Le vêtement symbolise la richesse et l'intelligence qui rendent apte au commandement, le vêtement résume aussi toutes les dissimulations qui rendent la vie sociale possible, et non pas seulement les précautions prises pour éviter les excitations sexuelles. » Remarquable analyse de la conception médiévale de la nudité, qui témoigne en tout cas de la longévité des conceptions bibliques, puisqu'elle est extraite d'une conférence du R.P. Pie Regamey de 1967 et qu'elle introduit une réflexion sur le nudisme contemporain...

Cette « perte d'une dignité humaine et sociale » fera donc partie de la justice médiévale jusqu'à la Révolution. Là où l'armée dégrade, là où la République déchoit du droit de vote, l'Église déshabille.

La justice humaine

Les *Fioretti* racontent que pour punir la désobéissance de frère Rufin, saint François l'envoya prêcher nu à Assise[250]. L'humiliation tenait lieu de châtiment : briser un être en brisant une habitude, en le dépouillant de cette pudeur inculquée dès le premier âge, est une tactique encore en usage dans les interrogatoires « musclés » des pays totalitaires. Le Moyen Age y avait aussi recours, en l'assortissant ou non d'autres amendes ou châtiments, dans le domaine judiciaire. Adultère et débauche sont les crimes le plus souvent punis par une semblable exhibition ; mais la plupart des crimes — jusqu'à la simple médisance — étaient susceptibles de l'être.

Livrer nus les amants adultères aux moqueries collectives apparaît comme un verdict de bonne justice : on est puni par où l'on a péché. La plus originale de ces punitions consistait à faire parader les amants nus dans la ville, enchaînés l'un à l'autre par les organes sexuels. Gaignebet[251] a publié une curieuse illustration, en marge d'un manuscrit du XIVe siècle, de ce châtiment folklorique. L'homme y est littéralement traîné par la verge, par une ficelle reliée aux organes de sa partenaire. La disproportion des sexes par rapport au corps frappe le regard ; un héraut sonnant de la trompe précède le couple et ameute les badauds, tandis qu'un homme d'arme les suit pour maintenir l'ordre. On imagine aisément les lazzis et les commentaires de la foule reconnaissant, dans ce défilé, qui son voisin, qui sa voisine...

Ce châtiment est encore prévu au xvie siècle dans *Les coustumes et stablissements du chasteau de Clermont Souverain*, publiées en 1596 et présentées comme la traduction d'un vélin de 1262 rédigé « en langue Agennoise tres antique et difficille ». Une référence qui n'est pas unanimement admise ; quoi qu'il en soit, le châtiment de l'adultère, qui fait l'objet d'une éloquente gravure sur bois (la seule de l'ouvrage !), témoigne d'une survivance tardive de la coutume médiévale en Gascogne. On remarquera, dans l'extrait suivant, que le vieil agennois fait office de latin : il permet de nommer ce que la décence ne permet pas de dire en français... « Et qui sera pris avec femme mariée en edultere, où marié ou autre femme, où femme mariée avec homme, qu'ils courent la ville tous nuds, et la femme aille premiere et tire l'homme avec une corde *per la colha*, et quelle [sic] crie *que va premeira ou dezen que aital fara aital penra*[252] et chacun de ses adulteres donne soixante cinq sols de justice les deux parts [les deux tiers] aus seigneurs et la tierce part aux consuls » (p. 38). Puni par où l'on a péché ? Le coutumier de Clermont-Soubiran semble partisan de cet avatar du talion : le voleur sera aussi « flétry » en courant la ville « avec le larrecin au col[253] » (p. 41), le boulanger qui a vendu son pain trop cher devra donner sa fournée pour l'amour de Dieu (p. 46), quant à celui qui a violé une femme mariée... « qui peleira femna marida que perga les colhas (p. 44) ». Inutile de traduire...

La « flétrissure » pouvait être aggravée — par exemple, lorsque le mari trompé était un personnage important. L'exemple le plus célèbre fut le châtiment « d'une insigne cruauté » de Philippe d'Aulnay, amant de la reine Marguerite de Bourgogne, et de Gauthier d'Aulnay, amant de Blanche de Bourgogne, femme du futur Charles IV. Le 12 avril 1314, à Pontoise, « devant tout le monde, ils sont écorchés vifs, leurs membres virils avec leurs génitoires amputés, leurs têtes coupées, et, traînés vers le gibet, les corps dépouillés de toute peau sont suspendus par les bras[254] ». Marguerite et Blanche de Bourgogne furent répudiées et enfermées à vie. En 1315, Louis le Hutin fera étrangler sa femme. Une vision digne d'enflammer l'imagination d'un Alexandre Dumas. Les adultères des belles-filles de Philippe le Bel lui inspireront *La Tour de Nesle*. La castration publique, *pro pudor*, est censurée. Philippe d'Aunay, amant platonique de la reine au premier acte, et qui se révélera être son fils au cinquième, est discrètement assassiné dans l'escalier de la tour...

Les particuliers faisaient parfois preuve de la même cruauté que les rois, lorsqu'ils voulaient punir eux-mêmes leur femme. La loi absolvait en effet leur crime, pourvu que les amants fussent surpris sur le fait et que la vengeance s'abatte avec la même vigueur sur les deux coupables. Le meurtre légal s'accompagne parfois d'un raffinement symbolique. Un sieur de Bautru, au xviie siècle, fera ainsi mourir son valet « à force de luy faire dégouster de la cire d'Espagne sur la partie peccante[255] ». Un châtiment dûment chansonné (« *Quand il cacheta près du cu Son valet qui le fit cocu* »...), qui fait pendant à celui imaginé par Barbey d'Aurevilly pour « le dîner d'athées »...

Exposer nus ceux qui ont péché semble inscrit dans une justice logique et universelle. A Rome déjà, la femme adultère devait se prostituer publiquement au son d'une cloche — une peine qui ne fut supprimée que sous Théodose[256]. Au Tonkin, on pourra encore voir, en 1893, un homme et une femme nus, crucifiés sur un radeau de bambou, les lèvres cousues et obturées par de la poix, abandonnés au courant du fleuve Rouge. Une vision jugée digne de faire la couverture de *L'Intransigeant* du 24 août pour donner un salutaire frisson aux pudiques bourgeoises de la Belle Époque.

Nous voyons mise en pratique ici la confusion entre sentiment et action, typique du Moyen Âge. La femme adultère, les amants concubins, sont déclarés « impudiques » : on n'imagine donc pas qu'ils pourraient faire preuve dans leur sensibilité d'une pudeur dont ils se sont affranchis dans leur conduite. Aussi ne nous étonnerons-nous pas de retrouver un châtiment aussi populaire en pleine époque classique. En 1643, une femme adultère est condamnée à être « battueë et fustigée nuë de verges » au marché Notre-Dame d'Étampes, tandis que son complice, d'autant plus coupable qu'il est prêtre, est condamné aux galères[257]. Sans doute à l'humiliation de la nudité se joint ici la punition physique : la peine populaire devait prendre cet habit juridique : voit-on un magistrat entériner la peine du déshabillage ?

Débauche et, à partir du XVIe siècle, prostitution étaient aussi des crimes justiciables d'une humiliation publique. Crimes graves puisqu'ils peuvent attirer la colère de Dieu sur toute une ville. Dans une armée en campagne, et tout particulièrement dans une croisade entreprise au nom du Christ, la débauche est particulièrement grave — outre le fait qu'elle gaspille une énergie plus utile au combat. Aussi, lorsqu'un chevalier qui suivait Saint Louis fut surpris dans un « bordeau » de Césarée, on le jugea selon l'usage du pays : ou bien la « ribaude » le menait par le camp, en chemise, une corde liée aux génitoires, ou il perdait son cheval et son armure avant d'être chassé de l'armée[258]. Il se sépara plus aisément de ses armes que de sa pudeur.

Selon une symbolique héritée de l'Antiquité, l'âne se retrouve fréquemment lié à la luxure et à l'humiliation publique. Animal satanique, portant un nom évoquant ses prouesses sexuelles (*baudet*) et un membre de proportion menaçante (on envoyait l'importun se faire foutre par l'âne comme aujourd'hui on le voue aux Grecs), l'âne est utilisé aussi bien dans les processions parodiques (les fêtes de l'âne) que dans les châtiments publics. C'est sur un âne que les Milanais chassèrent la femme de Frédéric Barberousse en 1162, et sur ce même âne que l'empereur se vengea en obligeant les Milanais à embrasser un à un son anus. Sur l'âne, on promène, dans les charivaris, les maris complaisants, les prostituées, les adultères. Nus, et la tête tournée vers la queue. C'est ainsi que Gaston d'Orléans, au XVIIe siècle, condamna la Neveu, courtisane alors fameuse, à parcourir Paris nue sur un baudet, agrippée à sa queue[259]. Une punition qu'apparemment Muyart de Vouglans connaît encore au xviiie siècle[260], mais dont on commence déjà à perdre l'habitude, même si les peines corporelles demeurent en vigueur jusqu'à la Révolution. Le principe de base reste l'humiliation de la nudité plus que la peur des coups. La flagellation d'ailleurs est plus thérapeutique que répressive : folie et criminalité proviennent d'un afflux de sang au cerveau ; or la flagellation appelle le sang à l'endroit battu ; donc elle combat l'excès de sang à la tête. Le syllogisme est parfait.

L'évolution de la pudeur rendra difficile l'application d'un châtiment dont on a oublié le caractère public. Dans les pays où l'on donnera le fouet jusqu'au xixe ou au xxe siècle, on pourra recourir à la trappe testée par Mme Papofsky, dans *le Général Dourakine*, et réellement utilisée dans la Russie des tsars. La main qui vous fouette, sous le plancher, reste invisible, et la pudeur est sauve. La peine, à ce stade, n'est plus l'humiliation, mais le fouet, dont les coups peuvent être mortels.

Une justice pudique

Très vite on a vu apparaître des réflexes de pudeur dans la justice humaine — à tel point qu'on peut se demander si les châtiments prévus ou décrits sont appliqués à la lettre. Justice pudique déjà qui permet aux saintes Perpétue et Félicité, l'an 203, d'affronter vêtues le taureau qui servira à leur supplice, quand elles ont été condamnées à périr nues. Encore le peuple s'émeut-il du simple filet qu'on leur a mis sur le corps, « en partie à cause de la beauté de la jeune fille, en partie pour ses mamelles gonflées encore par un accouchement récent[261] ». Perpétue et Félicité sont renvoyées, et rhabillées décemment. Lorsque le taureau, d'un coup de corne bien calculé, déchire la tunique de Perpétue, celle-ci a un ultime réflexe pour se couvrir, « attentive à la pudeur plus qu'à la douleur ».

Nous sommes, en ce iiie siècle, à un tournant de l'histoire des mentalités. Dans la civilisation antique, la nudité, de règle dans les stades, semble faire partie du spectacle plus que du châtiment. Devant la honte des jeunes chrétiennes, on songe moins à se moquer d'elles qu'à leur épargner cette ultime humiliation. Les supplices des martyrs — et surtout des femmes, dont beaucoup marchaient vierges à la mort — contribua sans doute à raffermir le lien judéo-chrétien entre nudité et châtiment. De Brunehaut à lady Godiva, on aime humilier publiquement les femmes.

La première réaction à ces exhibitions est peut-être celle d'Étienne de Fougères, chapelain d'Henri II Plantagenêt. L'évêque en tout cas suggère que la femme adultère soit punie « privéement » (v. 858), et l'on peut supposer qu'il entend par là éviter les processions scandaleuses. Il ne va pas pour autant jusqu'au pardon que le Christ accorda à la femme adultère : il propose aux maris cocus d'attacher leurs femmes à l'écurie et de les faire boire au seau... L'humiliation reste de règle, et peut-être le symbolisme de l'âne lubrique.

C'est ainsi que l'on voit apparaître des peines de substitution, des *jeux-partis* comme celui proposé au chevalier de Césarée. Une amende peut remplacer l'humiliation : au Breuil, en Bourbonnais, un pet vaut quatre deniers. Les prostituées qui s'établissent dans la ville sont en effet astreintes à cette curieuse redevance, selon une charte du 27 septembre 1398 : elles devront payer « *unum Bombum, sive vulgariter Pet* » en traversant le pont de la ville, ou passer à l'amende. Quatre deniers... le prix de la pudeur ? La somme, qui devait alors représenter le prix de deux ou trois grands pains, ne devait pas enrichir la municipalité, et l'amende a tout l'air d'un succédané à l'épreuve primitive[262].

Le plus simple cependant reste d'habiller en partie le condamné. Il y a tant de moyens d'humilier les gens... Chez Joinville, le condamné est exposé en braies, en chemise ou, lorsque le crime est particulièrement grave, avec les boyaux et la fressure d'un porc autour du cou, « en si grande quantité qu'ils lui venoient jusqu'au nez » (ch. 371, p. 315). Les usages varient tellement et les expressions sont si vagues que l'on hésite parfois à les interpréter. Dans les textes, *nu* et *en chemise* permutent sans problème. Dans la sensibilité médiévale, on est nu dès qu'on est privé de ses vêtements, voire de ses armes[263] ! La vision de la nudité est globale et ne s'arrête pas, comme aujourd'hui, aux organes sexuels. On peut s'étonner des expressions « tout nu en sa chemise » que l'on rencontre à tout moment : « nu » ne fait qu'insister sur une vexation plus symbolique que réelle.

Le caractère symbolique de cette dénudation apparaît bien dans les règles monastiques. Le moine fugitif, par exemple, devra apparaître nu et déchaussé devant le chapitre[264]. « Nu et déchaussé » ? Benoît XII traduira : « en chemise, ou nu selon la coutume de l'église ou du monastère, mais portant des caleçons et des brodequins sans chaussures[265]. » La nudité (relative) n'a d'autre but que l'humiliation. Dans la règle de saint Lanfranc, elle est utilisée contre le moine fugitif (p. 500), contre celui qui refuse de reconnaître sa faute (p. 499) ou contre celui qui a laissé tomber le corps et le sang du Christ (p. 492). Pour les autres, même s'ils ont commis une faute grave, la nudité n'est pas requise. Le fouet est donné sur le vêtement (p. 497).

C'est une décision de l'assemblée d'Aix-la-Chapelle, en 817, qui a statué que « quelque faute que les moines aient commise, ils ne seront pas fouettés nus en présence des autres[266] ». Décision, on le voit, qui dépend des usages de chaque monastère, mais qui dissocie bien les deux types de châtiment, corporel ou symbolique.

Les règles les plus détaillées sont ici encore celles d'Udalric (1086), qui les a vécues et observées à Cluny avant de les théoriser. Le moine fautif (III, 3 et 8) ne sera présenté que torse nu à l'abbé, seul habilité à le battre. Comment se mettre torse nu, lorsqu'on porte ces chemises de laine que l'on ne peut ôter sans offenser la pudeur ? Il faut un rituel particulier pour cette dénudation qui ne peut se faire que par le haut. « Le col de sa chemise sera élargi (*laxatur*) par une incision, à gauche et à droite, afin qu'il puisse sortir les bras et lier sa chemise par les manches sur ses caleçons : il prend une poignée de verges de la main droite, et dans la gauche sa cuculle mise dans les plis réglementaires. Un frère, prévu à cet effet, le précède. Il vient ainsi devant le père abbé et demande son pardon en posant verges et cuculle devant lui » (p. 734). Le mouvement a une charge érotique plus grande que la nudité même. Le moine ne se déshabillera pas devant l'abbé ; il ne se rhabillera pas davantage. Il sortira pour repasser sa chemise et reviendra habillé se prosterner devant le père !

« Si la faute du moine a été publique, le châtiment le sera également, pour que celui qui a eu connaissance de la faute connaisse également la correction » (p. 735). « Devant tous ceux qui voudront y assister, et de préférence au milieu de la rue, qu'il soit déshabillé, lié et battu. » La publicité de l'humiliation fait partie du châtiment ; elle est dosée selon la gravité de la faute et la qualité du coupable. Un novice, par exemple, sera fouetté en chemise et non torse nu, avec des verges d'osier plus légères et plus minces (p. 742). Ces distinctions nous montrent combien nudité et flagellation sont alors séparées dans la correction des moines fautifs.

Entre nudité et chemise, on peut corser les choses : en obligeant par exemple une femme à porter une pierre dans sa chemise, ce qui la force à se trousser largement. Plus elle relèvera le vêtement, moins l'effort sera grand, et l'on comprend à quels tiraillements sont tour à tour soumises sa pudeur et sa fatigue tandis qu'elle suit la procession dans cet appareil. En 1247, il est par exemple ordonné que « la femme qui dira vilonie à autre, si come de putage, paiera 5 sous ou elle portera la pierre toute nue an sa chemise a la procession, et cele [l'insultée] la poindra après an la nage [fesse] d'un aguillon[267] ».

La flagellation publique pose les mêmes problèmes que celle des monastères. Jusqu'à la Révolution, elle se fera en chemise, ou avec cette sorte de pagne, ouvert sur les côtés pour ne dérober que les fesses, que représente une gravure de Damhouder (p. 362). Il y eut même, semble-t-il, des femmes bourreaux chargées d'administrer les verges aux condamnées de leur sexe. Une ordonnance de Saint Louis prescrit que ceux qui ont été convaincus de blasphème seraient battus « li hommes par hommes, et les femmes par seules femmes, sans présence d'hommes[268] ». Mais on sait que les ordonnances du saint roi furent parfois difficiles à mettre en application.

En séance de torture même, la pudeur ne sera pas violée, du moins si l'on suit les prescriptions de Damhouder, valables pour la Flandre du xvie siècle. Le patient — qui a cependant bien d'autres soucis en tête et bien d'autres choses à cacher que sa vergogne de nudité — sera mis « tout nud déshabillé, derrière son dos sur un bancq bien estroict, et ce plus que le corps du pacient, son dos embas, et son ventre en hault, ses verendes [parties honteuses] seulement couvertz avecq ung drappeau de linge, ou brayes[269] ». Les inquisiteurs modernes n'auront pas toujours ces scrupules.

Mais ne confondons pas non plus les ouvrages théoriques et la pratique. S'il existe peu d'exemples où l'on tourmente un homme à cet endroit, les femmes doivent s'attendre à toutes les vexations de la part de leur tourmenteur. Tous les prétextes sont bons. Leonora Galigaï, arrêtée en 1617, est-elle soupçonnée de cacher des bijoux ? Elle sera fouillée jusqu'au caleçon — et le capitaine des gardes qui la « tasta un peu » l'entendait bien comme une polissonnerie gratuite, plus que comme une fouille, puisqu'il lui dit « en riant » qu'il fallait y mettre la main[270]. N'était-il pas tentant de mortifier ainsi celle qui fit si longtemps sentir son pouvoir tyrannique à la France ? L'humiliation est une réponse de la peur au pouvoir déchu.

Doit-on questionner une sorcière ? Tous les scupules se trouvent levés : la « luxure » des femmes est une des principales dispositions à la sorcellerie (comme plus tard elle le deviendra pour l'hystérie). Et si la sorcellerie est liée à la débauche, il est bon d'aller la chercher dans les endroits les plus secrets : les sorcières « ont, pour garantir le silence, certains charmes magiques à cet effet, soit dans les vêtements, soit dans les poils du corps et parfois dans les lieux secrets qu'il ne faut pas nommer[271] ». Pour leur délier la langue, la torture ne suffit donc pas : il faut les dévêtir et les raser. Raser la tête ? Raser le pubis ? On sait que ces femmes n'ont pas de pudeur, qui embrassent sans vergogne l'anus du diable et se livrent à tous dans des sabbats frénétiques. Les inquisiteurs, eux, en ont quelquefois. « Quoi-qu'en Allemagne, un tel rasage, surtout autour des lieux secrets, soit le plus souvent jugé déshonnête — raison pour laquelle nous n'en usons pas — les Inquisiteurs ordonnent cependant, dans d'autres pays, que tout le corps soit rasé. L'Inquisiteur de Cumes nous l'a appris l'année dernière, en 1485. Il a fait enduire de cire quarante et une sorcières pour les raser par tout le corps. Cela s'est passé dans le comté de Burbia, communément appelé Mormbserbad, aux frontières de l'archiduché d'Autriche, près de Milan. »

La sorcière mise en condition, l'interrogatoire peut commencer. La théorie des « zones insensibles » donne libre cours au sadisme latent des inquisiteurs : il est admis que le diable, en entrant dans le corps, laisse une marque insensible que l'on recherche à grands coups d'aiguilles sur la poitrine, dans les reins, dans les jambes... L'a-t-on trouvée ? La possession est prouvée.

Le condamné bien torturé, bien amendé, bien exposé, reste un point délicat : l'exécution. Ici encore, il faut — une dernière fois

— se déshabiller. Parfois entièrement, pour revêtir une chemise soufrée, lorsqu'on est condamné au bûcher[272]. Sinon, on se met en chemise et le bourreau hérite les vêtements de celui qu'il exécute. A moins qu'on ne fasse amende honorable à la cathédrale, on se déshabille publiquement sur les lieux de l'exécution. Gravures et récits d'exécution ne manquent pas de nous représenter robes ou chausses des suppliciés sur l'estrade où est dressé le billot. Hélène Gillet, la jeune infanticide condamnée en 1625 et laissée à moitié morte par un bourreau maladroit, a ôté sa robe sur l'échafaud, et, lorsqu'elle sera sauvée par la foule indignée, il faudra aller la récupérer[273].

Sans doute, certaines représentations plus anciennes font-elles alterner les pendus en chemise et les pendus entièrement nus. La plus célèbre est celle qui accompagne l'épitaphe de Villon dans l'édition princeps de Pierre Levet (f° giii). La justice médiévale était pourtant plus pudique, et l'on serait tenté de voir dans cette gravure l'exploitation d'un cliché symbolique plutôt que l'expression de la réalité. La justice, encore fortement teintée de religion, a gardé le sens du respect élémentaire dû aux morts, fussent-ils criminels. En 1315, Enguerrand de Marigny, gouverneur du royaume, fut exécuté après un procès spectaculaire qui retint contre lui quarante et un chefs d'accusation. « Après sa mort il fut détaché, dépouillé, laissé nud à terre, et remis en croix avec un autre habillement. C'est le premier vol en l'air, et l'exemple le plus bizarre de la persécution de la fortune dont vous ayés peut-être ouï parler[274]. » Une justice qui rhabille un pendu dépouillé par des voleurs se permettrait-elle d'en exposer elle-même dans le plus simple appareil ? Certainement pas : et même lorsque la victime, décapitée, est exposée pendue dans un sac, pas question de lui laisser les reins nus ! En 1438, Robinet l'Ermite, de la garnison de Compiègne, est pendu après avoir été décollé aux Halles. Le bourreau dut donner deux sous pour acheter une braye neuve au soldat, qui n'en avait pas, en plus de cinq sous pour le sac et des deux sous huit deniers pour « une demi-lame ferrée pour ficher la tête[275] ». Les frais professionnels heureusement lui sont remboursés par la municipalité.

A-t-on perdu ce respect humain au xvie siècle, dans les troubles et les haines des guerres civiles ? Les récits de la mort de Marie Stuart, en 1587 — rédigés cependant par des amis de la reine assassinée — nous le feraient bien croire. Elle fut brutalement déshabillée par son bourreau, qui refusa de laisser opérer les femmes de chambre. La robe fut abaissée jusqu'à la ceinture, le pourpoint ôté ; « son corps de cotte avoit le collet bas, de manière que son col et sa belle gorge, plus blanche qu'albastre, paroissoient nuds et découverts. Elle mesme s'accommoda le plus dilligemment qu'elle pouvoit, disant qu'elle n'estoit pas accoustumée de se despouiller devant le monde, ny en si grand'compagnie (on dict qu'il y pouvoit bien avoir quatre à cinq cens personnes), ne se servir de tels vallets de chambre[276] ». Encore le bourreau ne voulut-il pas rendre le corps supplicié aux proches de la reine : il « la deschaussa et la mania à sa discrétion », et le chroniqueur anonyme dont s'inspire Brantôme suggère qu'il put profiter en cachette d'une reine dont la beauté avait été unanimement louée...

Si l'on excepte quelques exemples récents où des rancunes, des envies, des obsessions personnelles ont imposé des vexations superfétatoires, la justice officielle était plutôt pudibonde dès le siècle de Saint Louis. Quelques vieux usages, remontant sans doute à une justice populaire et spontanée, ont maintenu des processions nues où il fut le plus souvent permis au condamné de garder les derniers remparts de la pudeur. Lorsqu'un Gaston d'Orléans, dont on connaît l'esprit gaillard, ressuscite ces vieilles coutumes pour chasser une courtisane de Paris, il n'a que faire de ces précautions. Mais là même où ces défilés se maintenaient, plus d'ailleurs comme éléments de folklore que comme expiations d'un crime, ils ont dû s'adapter aux exigences modernes. C'est dans leur tablier, par exemple, que les Ardennaises transportaient au siècle dernier la pierre que leur ancêtres portaient dans leur chemise[277]...

Dans la justice populaire et privée, en revanche, la nudité restera toujours un instrument privilégié — assortie ou non de vigoureuses fessées. On a très tôt compris que la pudeur était un point faible de l'individu et qu'une discipline « d'en bas » était autrement plus convaincante qu'une discipline « d'en haut »...

Grecs et Romains ne manquaient pas d'y avoir recours, et si les premiers chrétiens ont dénoncé les excès du fouet, parfois administré jusqu'à la mort aux esclaves, on n'en continue pas moins à fouetter les criminels, les hérétiques, les enfants... voire, ce qui est plus singulier, son précepteur ! Mais il faut être le roi Dagobert pour faire les choses à l'envers et châtier de la sorte Sadragesille, qui avait manqué de respect à son royal élève[278].

La tradition veut que le poète Jean de Meung, qui avait traité de « putes » les dames de la cour (*Roman de la Rose*, v. 9156), ait dû subir ce châtiment : elles le « despouillèrent tout nud » et menacèrent de lui faire passer à coup de verges le goût de la satire sociale. Le poète avait plus d'un tour dans son sac et se souvenait de la parabole de la femme adultère. Il ne demanda qu'une faveur qui lui fut imprudemment et prématurément octroyée : que « la plus grande putain » lui donne le premier coup... « et par ainsi il évita le fouet[279] ».

La nudité totale est tellement bien associée au fouet dans l'esprit des enfants qu'elle provoque parfois de regrettables confusions. Henri IV en sait quelque chose, qui se rappela toute sa vie son séjour à Salon-du-Crau, en Provence, au retour d'un voyage à Bayonne en 1564. Le petit prince de Navarre avait dix ans lorsqu'il s'arrêta dans la ville de Nostradamus. Le médecin-prophète fut introduit dans sa chambre, à l'heure du lever, et eut tout loisir d'examiner l'enfant nu avant qu'on lui passât sa chemise. Il se retira en confiant au gouverneur du prince que celui-ci deviendrait à coup sûr roi de France. Quand la prédiction sera réalisée, le Béarnais aimera la raconter à son entourage, « y ajoutant, par gausserie, qu'à cause qu'on tardoit trop à luy bailler la chemise, afin que Nostradamus pût le contempler à l'aise, il eut peur qu'on vouloit lui donner le fouet[280] ». On fouettait en effet les enfants à leur lever pour les fautes de la veille, estimant que la nuit, en leur portant conseil, leur en donnerait une meilleure conscience...

Mais le fouet n'est pas toujours associé au châtiment de la nudité, et une justice populaire peut se contenter de chasser nu celui qu'elle veut punir. En Écosse, on déshabillait et on expulsait les lépreux qui, au mépris de l'interdiction, pénétraient dans la ville. Le même sort fut réservé à l'un d'eux à Paris en 1502[281]. En 1576, le prince de Condé se fera justice de la même façon des habitants de Nuis, en Bourgogne, qui l'avaient « injurié et outragé » en tuant « un sien gentilhomme qu'il leur avoit envoyé » : « Cest pauvre ville fut mise à feu et à sang, beaucoup de pauvres femmes et filles violées, et les autres mises toutes nues hors la ville[282]. » Est-ce trop solliciter le texte que de souligner qu'un tel châtiment est placé par le journaliste sur le même pied que le meurtre ou le viol ?

Nudité châtiment, nudité argument. L'humiliation, la fessée, l'*argumentum baculinum* : preuves sans répliques lorsqu'on se trouve à court d'arguments face à un adversaire trop coriace... Le fesser publiquement, c'est le traiter en enfant capricieux et réduire ses discours au caquetage anodin d'un marmot. Et du même coup l'on met tous les rieurs de son côté. A la fin du XVe siècle, en Lombardie, un cordelier eut recours à cet argument ultime pour répondre à un professeur de théologie qui avait prêché en public contre l'Immaculée Conception de la Vierge. Outré par l'« argumentation de sophiste » déployée par le théologien pour prouver que Marie « avait été corrompue par le péché originel », notre moine, qui avait les muscles aussi épais que l'entendement, se saisit de l'orateur. Voilà le maître de théologie sur les genoux du cordelier qui le trousse et le corrige vigoureusement sur ses fesses nues — car le docte savant ne portait pas plus de caleçon qu'un bénédictin de stricte obédience. « Comme ce maître avait parlé contre le Tabernacle de Dieu [c'est-à-dire la Vierge], il se mit à le frapper sur ses tabernacles carrés [c'est-à-dire ses fesses] qui étaient nus, car ni n'avait ni caleçon ni antienne[283]. Et comme il voulait diffamer la bienheureuse Vierge en alléguant peut-être Aristote dans son livre des *Priorités*, le prédicateur réfuta ses arguments en lisant dans le livre de ses *postériorités*[284]. » Tout cela, bien sûr, à la grande joie des assistants surpris par ce débat d'un nouveau genre. Une femme, dans l'assistance, demande au moine de dire quatre mots de sa part au théologien — et bientôt l'auditoire tout entier délègue ses coups à l'ardent défenseur de la vertu mariale. De sorte que « s'il avait voulu satisfaire tout le monde, il n'aurait rien pu faire d'autre de sa journée ». Enfin relâché, le *magister* s'enfuit honteux et confus — *valde confusus* — et définitivement réfuté. Peut-être, conclut Bernardin de Bustis, qui rapporte la scène, la sainte Vierge a-t-elle elle-même inspiré cet acte à son zélateur ? Il est digne en tout cas d'être intitulé « miracle » dans les sermons de Bernardin.

On connaît les multiples avatars de ces fessées idéologiques. Rappelons ces « fessées patriotiques » de la Révolution, grâce auxquelles les femmes remirent en vogue les pantalons. Théroigne de Méricourt, la « belle Liégeoise » qui servit de porte-drapeau aux femmes du peuple, dut la subir le 31 mai 1793 pour avoir soutenu le girondin Brissot : des femmes de la Montagne l'attendaient aux Tuileries, où l'Amazone de la Liberté fut troussée et corrigée de main de maître. « Tuée par cette injure barbare dans sa dignité et son courage », écrit Michelet[285], elle perdit l'esprit et fut internée jusqu'à sa mort. Curieuse évolution du châtiment corporel. Là où le fouet ne tue plus, le ridicule s'en charge ; seule reste l'avanie, les fesses mises à nu, qui ramènent brutalement à la réalité matérielle ceux qui se perdaient dans les labyrinthes des grandes idées.

La littérature populaire s'empare du thème et l'exploite abondamment. La comtesse de Ségur, quand elle en a fini avec le derrière de ses petites filles non modèles, fouette l'idiot des *Vacances* pour l'abandonner *in naturalibus* à la compassion de ses héros (ch. XII). Exbrayat fesse sa grande rousse irréductible d'Imogène et don Camillo barbouille de rouge le cul communiste d'une paroissienne. Le point culminant de cette passion littéraire pour la flagellation fut atteint dans les années 1907-1910 : après les *Onze Mille Verges* d'Apollinaire, les Jean de Virgans, Aimé Van Rod, Victor Leca, Pierre Dumarchey, baron de M... s'enflammèrent pour les châtiments corporels à forte coloration érotique. 1907-1910 : c'est aussi l'époque de la querelle du nu au théâtre, du froufrou et des ligues de pudeur. Il n'y a pas de hasard...

Une justice éternelle

Si la justice terrestre recourt symboliquement à la nudité pour marquer la déchéance de l'homme coupable, la justice divine ne manquera pas d'utiliser le même châtiment. On en brandit la menace aux pécheresses et aux coquettes qui s'attifent de perruques et de divers ornements. Vous ne voudriez pour rien au monde être vues nues par qui que ce soit, leur dit le père Arnoux, chanoine de Riez, en 1655, eh bien « en enfer vous serez toutes nuës à vostre grande honte et confusion, de quoy les diables feront de très grandes risées[286] ». Même menace chez Bouvignes contre les femmes trop décolletées : « En punition de leurs nuditez criminelles, elles sont trainées nuës et foulées aux pieds par les Demons à la veüe de tous les habitants de l'Enfer » (p. 150). La preuve ? Les femmes condamnées à revenir sur terre pour témoigner de leur peine. Qui n'a vu, parmi les prêcheurs du

Grand Siècle, cette réprouvée qui hante nue les rues de Paris pour s'y être promenée poitrine au vent de son vivant ? Et les deux loups qui la suivent les concernent de plus près : il s'agit des confesseurs trop tolérants de la jeune femme[287].

Comme la nudité n'est pas un châtiment assez cruel pour des crimes aussi graves, l'imagerie chrétienne y a ajouté des profusions de bêtes immondes — le plus souvent crapauds, mais aussi serpents ou rats — qui s'accrochent aux seins et au sexe des femmes luxurieuses. Un supplice primitivement réservé aux filles mères, mais qui fut généralisé dès le XIIᵉ siècle, et qui devient inséparable de l'allégorie de la Luxure dans l'iconographie des églises. Les diables ont tort de se moquer des âmes nues qu'ils reçoivent à la pelle : en temps que réprouvés, ils n'ont eux-mêmes d'autres vêtements que leur abondante toison, un pudique pagne de flammes ou quelque bouche grimaçante s'ouvrant sur le ventre.

Une opposition idéale s'est peu à peu dégagée entre enfer nu et paradis habillé. « Dieu hait la nudité des corps, parce qu'elle est une figure de celle de l'âme, explique l'abbé Boileau[288], et qu'elle luy représente continuellement notre pauvreté intérieure ; et le démon aime la nudité du corps, parce qu'elle le fait souvenir que par son adresse nous avons été dépoüilléz de toutes les grâces qui ornoient nôtre ame. » On trouve parfois cette opposition figurée dans les jugements derniers des églises ou des livres d'heure[289]. Un catéchisme en tableaux de la fin du XIXᵉ siècle, reproduit dans *La Beauté du diable* de Roland Villeneuve (p. 66), oppose la mort du juste à celle du pécheur. Le juste a soin de mourir en chemise de nuit, tandis que le pécheur malade paraîtra nu au jugement dernier...

Un autre thème eschatologique vient cependant contredire celui-ci : la nudité, symbolisant la pureté originelle et l'innocence de l'âme pesée par saint Michel, peut aussi désigner les élus. Un François d'Assise, par humilité, tiendra à mourir nu sur la terre nue. Et l'on pourra trouver — rarement cependant — élus et damnés réunis comme à Autun dans la même nudité.

L'Apocalypse de saint Jean contient en germe cette opposition entre nus et vêtus. Les martyrs y sont en effet revêtus d'une robe blanche par les anges (VI, 11 et VII, 9-14). Une scène parfois représentée et souvent élargie à l'ensemble des élus. Pendant tout le Moyen Age, on coud les cadavres nus dans leur linceul. Le « rhabillage » céleste s'imposait donc pour comparaître devant le Créateur. Un jugement dernier de Jean Provost montre un ange rhabillant une femme à peine sortie du tombeau.

A la Renaissance, cependant, la redécouverte du nu anatomique balaiera ce système symbolique de la nudité : élus, damnés, anges et saints se fondront dans la même nudité qui n'a plus de signification qu'intrinsèque. Conséquence logique : ces chairs dévoilées pour leur seule beauté deviennent impudiques aux yeux des théologiens, et le *Jugement dernier* de Michel-Ange, qui n'est pas plus choquant que bien des miséricordes ou des voussures des cathédrales médiévales, sera barbouillé par Daniel de Volterra.

Processions nues

Dénudation — humiliation. L'équation ne s'applique pas qu'aux criminels. Le masochisme inhérent au christianisme apocalyptique fait du corps un langage privilégié pour s'adresser à Dieu. Comment la tradition juive, qui tient pour sacrilège le prêtre qui s'avance nu vers l'autel, a-t-elle pu engendrer cette piété médiévale où prêtre et ouailles offrent leur nudité dans des processions solennelles ? Par le même processus sans doute qui fit de l'adoration debout la prière à genoux. On se prosterne devant un dieu qui nous dépasse ; on s'offre nu à lui comme le moine coupable vient à l'abbé sa tunique à la main.

On a parfois exagéré l'ampleur de ces processions dont le témoignage a amusé ou scandalisé les xviii\ :e et xix\ :e siècles. Y allait-on réellement tout nus, comme le prétendent apparemment les chroniqueurs ? La signification imprécise du terme lui-même nous en fait douter — sauf dans de rares cas, tardifs, et qui oublient les motifs pieux de la procession.

Au Moyen Age, les processions déshabillées — c'est-à-dire en chemise — commencent très tôt. Nu-pieds à l'origine, nu-tête depuis l'époque carolingienne, puis progressivement en chemise, en braies, en caleçon, les pénitents défilent ainsi sur les routes — parfois en plein hiver ! — et partent dans cette tenue en pèlerinage. Dès le xii\ :e siècle, nous les trouvons « nuz piez, en langes [chemise de laine], a tapim [en silence] » sur les routes de Jérusalem[290]. Lors des grands désastres, sécheresses ou pluies prolongées, guerres, ils vont dans cette tenue visiter les reliques de leurs saints.

Le 2 août 1224, quand le roi Louis VII part assiéger La Rochelle, « le clergé et les religions [les ordres], et le peuple de Paris s'esmurent et alerent sollempnelment, nuz piez et en langes, a procession dès l'eglise Nostre Dame jusques en l'abbaïe Saint Antoine, que Diex envoiast victoire au roy de France. » Trois reines y assistèrent en chemise, dont la reine mère Ysemberge et Blanche de Castille, femme du roi Louis[291].

A Liège, en juillet 1245, c'est une sécheresse exceptionnelle qui pousse le peuple à se rendre « à nus piés, sens chemise », chez les moines blancs de Cornillon. Le ciel ne se voila pas la face et la sécheresse perdura. On recommença et l'on visita saint Laurent, toujours sans chemise. Même échec. Il fallut une troisième procession à Saint-Gilles en Publémont pour que la Vierge intercédât auprès de son fils et fît pleuvoir sur la ville. Les trois processions furent scrupuleusement organisées les années suivantes à la même époque, et l'on s'y rendit chaque fois nu, « déchaus » (sans chausses), à jeun, confessé, sans ménestrel ni jongleur et en silence... A aucun moment, Jean d'Outremeuse, qui décrit longuement la scène[292], ne s'en étonne ni ne s'en indigne.

Si l'on peut encore comprendre ces processions sans chemise (probablement en caleçon) organisées dans un juillet torride, on ne peut que louer l'endurance de ceux qui, en 1315, défilèrent nus à Saint-Denis, à Chartres, à Rouen, et par toute la France, pour prier que cessent les pluies diluviennes et la froidure qui menaçaient moissons et vignes dans le royaume. Les pénitents se rassemblaient devant les reliques des saints, « pieds nus, et même, sauf les femmes, tout nus[293] ».

Le xvie siècle voit se multiplier ces processions, surtout dans l'exaltation paranoïaque des guerres de religion. Paris, qui soutient la Ligue (catholiques extrémistes), en connaît plus d'une en 1589, après l'assassinat des Guise. Processions à la fois religieuses et politiques, donc, puisqu'on y appelle à la sédition et qu'on y torture comme dans les rites vaudous des figurines de cire à l'image d'Henri III. Le 30 janvier, le 31, le 3 février, « comme aux précédens jours », hommes et femmes « qui sont tous nuds en chemise » déferlent dans les rues de la capitale, « tellement qu'on ne vit jamais si belle chose, Dieu merci ». Le port de la chemise n'est d'ailleurs pas obligatoire. Dans le cortège du 3 février, on remarque une grande quantité de gens tous nus portant de très belles croix ; quelques-uns avaient attaché à leur cierge des croix de Jérusalem, les autres, les armoiries des ducs de Guise. « Ceux qui avoient gardé leur chemise avoient par-dessus de grands chapelets de patenostres » — ce qui sous-entend que les autres avaient ôté l'ultime vêtement.

Sous la chemise il n'y a pas toujours la peau, comme dans les chansons de Damia. On a quelquefois des précisions troublantes. Ainsi, le 14 février, plus de mille personnes se retrouvent à Saint-Nicolas-des-Champs, « tant fils, filles, hommes que femmes tous nuds ; et même tous les Religieux de Saint-Martin-des-Champs, qui étaient tous nuds-pieds, et les Prêtres de ladite Église de Saint-Nicolas, aussi pieds nuds, et quelques-uns tous nuds, comme étoit le curé, nommé Maître François Pigenat, duquel on fait plus d'état que d'aucuns autre, qui étoit tout nud, et n'avoit qu'un guilbe [chiffon] de toile blanche sur lui. » Drôle de façon d'être tout nu... Concluons cependant que « tout nud », « nud en chemise » continuent à permuter et que la pudeur bien souvent est sauve dans ces processions.

Bien souvent... mais pas toujours. Dans la folie des guerres de religion, la piété échappe aux prêtres. Ce ne sont plus eux qui organisent ces cérémonies : c'est le peuple à présent qui se lève la nuit pour y mener le curé de la paroisse — ce qui explique peut-être le costume dans lequel il se présente à l'église... Tiré brutalement de son lit, mêlé à une foule fanatisée et nue, il n'est plus maître des événements et ne peut que les condamner... à posteriori. Le curé de Saint-Eustache, « avec deux ou trois autres de Paris (et non plus) », tentèrent en vain d'y mettre bon ordre et d'interdire ces défilés nocturnes « pource que pour en parler franchement, tout y estoit de Quaresmeprenant, et que bonne maquerelle pour beaucoup estoit umbre de devotion. Car en icelles hommes et femmes, filles et garsons, marchoient pesle mesle ensemble, tout nuds, et engendroient des fruits autres que ceux pour la fin desquels elles avoient été instituées. Comme de fait, près la porte Montmartre, la fille d'une bonnetière en rapporta des fruits au bout de neuf mois, et un curé de Paris, qu'on avoit ouï prescher, peu auparavant, qu'en ces processions les pieds blancs et douillets des femmes estoient fort agréables à Dieu, en planta un autre qui vint à maturité au bout du terme[294] ».

Les processions médiévales se terminaient-elles de la même façon ? Peut-être. J'incline cependant à voir dans ce témoignage le choc au XVIe siècle de deux cultures, la médiévale et l'antique, porteuses de valeurs contradictoires. La procession partait, comme naguère, dans la conscience d'une nudité mortifiante. Mais ces jeunes gens au sang bouillant, à qui l'on apprend depuis deux générations la beauté du corps et les vertus de la chair, ne regardent plus avec les yeux de leurs aïeux les jeunes filles dénudées qui les accompagnent. Usage archaïque dans une société qui a changé de références, les processions nues soulèvent l'indignation des curés et des bourgeois. Elles sont condamnées à disparaître. Celles qui survivront, comme les danses de Saint-Quiriace et de Saint-Thibaud à Provins, supprimées en 1710, ne sont plus que prétextes à dissolutions et scandales qui les apparentent plus aux fêtes des Innocents.

Mercier décrira encore une procession de ce genre à la fin du XVIIIe siècle, mais seuls les petits garçons osent à présent y figurer en Mannekenpis, et les sarcasmes du peintre de Paris ne les épargnent guère. Le Grand Pardon qui ébranle le faubourg Saint-Laurent, quinze jours après la Fête-Dieu, est pourtant impressionnant. Les encensoirs et les chasubles de toutes les paroisses de la ville s'y retrouvent ! « Deux cents jardiniers en cheveux ronds sont transformés en prêtres et portent l'habit sacerdotal. Deux reposoirs qui rivalisent représentent l'un un chapitre de l'Ancien Testament, et l'autre du Nouveau. Toutes les couronnes de fleurs sont suspendues dans les airs. Des enfants nus, gras et dodus, sont autant de petits saint-Jean, et l'agneau vivant les suit, mené avec un ruban couleur de rose ou de bleu. Dans cet état d'innocence et de nudité, quelquefois ces enfants ont donné aux petites filles du quartier la première information sur la différence des sexes. Des Madeleine de huit à dix ans pleurent les péchés qu'elles commettront un jour et de grosses servantes, vraiment pécheresses, les tiennent par la main ; ce serait bien à celles-ci de pleurer. Une multitude de vierges, âgées de quatre à cinq ans, allongent la procession[295]. »

Est-il nécessaire de préciser que le témoignage de Mercier est apparemment le dernier d'une forme de piété déjà désuète ? Quand, après la Révolution, d'autres processions s'organiseront, elles auront soin de répondre aux nouvelles mentalités et aux exigences d'une pudeur toute fraîche.

Les flagellants

Fouet et processions nues ont eu leurs rendez-vous historiques : en 1260, en 1349, en 1574, d'Italie en Allemagne et d'Allemagne en France, des troupes de flagellants traversèrent l'Europe. Un phénomène que l'on ne peut comprendre aujourd'hui qu'en le comparant à la dévotion populaire qui pousse par exemple les catholiques philippins à se fouetter ou se faire crucifier dans les cortèges pascaux. Lorsqu'en 1701 l'abbé Boileau entreprend l'histoire des flagellants européens, on a perdu le sens profond de cette « superstition de s'écorcher ainsi la peau, et de se mettre tout en sang au milieu des ruës dans les Villes et dans les Bourgs ». A son époque, la *discipline* a déjà changé de caractère et le mépris pour la chair n'est plus qu'une formule de prêcheur. On serait tenté de voir l'origine des auto-flagellations dans l'incroyable sévérité des pénitentiels médiévaux. Pierre de Damien, qui apparemment introduisit la discipline personnelle dans la pratique religieuse au XIe siècle, s'impose une pénitence de cent années qu'il effectue en vingt jours en « se donnant la discipline durant tout le tems qu'il met à chanter vingt fois le Pseautier[296] ».

Quelques instants d'égarement peuvent compter lourdement si l'on suit les prescriptions de Bède le Vénérable. Douze ans de pénitence pour un faux témoignage sur l'Évangile, quinze ans pour l'inceste, sept ans pour la sodomie, quinze jours par baiser... Sont-ce de tels scrupules qui ont conduit les âmes dévotes à se châtier plus sévèrement pendant une période plus courte ? Toujours est-il que la pratique, une fois instaurée, fit vite des adeptes et s'enracina pour longtemps dans les mœurs monastiques.

Dès le début, on déplore des excès que l'on ne cessera jamais de dénoncer. Les plus zélés, qui n'en finissent pas de payer le péché originel, se sentent coupables par nature et s'astreignent tous les jours à se punir d'être des hommes. Anson Dominique, que l'on avait surnommé le Cuirassier pour son ardeur à se tanner la peau, n'oubliait jamais son fouet quand il sortait du couvent, « pour ne manquer pas de discipline, quelque part qu'il soit obligé de passer la nuit ». Dans sa cellule, le Cuirassier pouvait se fouetter tout à son aise, mais, s'il devait passer la nuit en communauté, il devait se plier aux règles élémentaires de la décence. « Lors même qu'il se trouvoit dans un endroit qui ne lui permettoit pas de se dépouiller tout-nud, et de se fustiger tout le corps, il se frappoit du moins les jambes, les cuisses, la tête et le coû avec une rigueur extrême[297]. »

La discipline se faisait donc originairement tout nu. Pierre Damien le voulait ainsi, et rédigea un opuscule contre les moines du Mont-Cassin, qui refusaient de se fustiger nus en commun[298]. Ceux-ci invoquaient l'Assemblée d'Aix-la-Chapelle qui, en 817, avaient interdit la nudité dans les sanctions prises contre les religieux... Dans le secret de sa cellule, on fait ce que l'on veut, et les esprits mal tournés qui imaginent qu'une pénitence trop poussée finit nécessairement par un nouveau péché critiquent autant les frères qui se fouettent nus que les sœurs qui se cherchent les puces. La pudeur s'arrête aux portes de leur chambre.

Mais les flagellations communes deviennent publiques lorsqu'elles sortent des cloîtres pour cimenter de redoutables sectes de pénitents fanatisés. C'est en 1260 que les premiers flagellants se répandirent en Italie, formant des cortèges apocalyptiques qui grossissaient de bourg en bourg.

« La crainte de la venue du Sauveur et du Jugement dernier les avoit saisis d'une telle manière, que nobles et roturiers, jeunes et vieux, et les enfants même de cinq ans s'en alloient tout-nuds, à la réserve des parties naturelles qu'ils couvroient, et sans aucune honte, marchoient ainsi deux-à-deux en procession ; chacun avoit son foüet de courroïes à la main, et se fustigeoit les épaules jusqu'à ce que le sang en sortît : ils poussoient des plaintes et des soupirs, et versoient des torrens de larmes, ni plus ni moins que s'ils avoient vû de leurs propres yeux la passion du Sauveur... Ils ne se contentoient pas d'aller ainsi de jour, mais de nuit avec des cierges allumez et au milieu du plus grand froid de l'hiver, il y en avoit des centaines, des mille et des dix mille, qui, avec des Prêtres à leur tête, portant des Croix et des Etendars, couroient par les Villes et par les Eglises, et se prosternoient avec humilité devant les Autels[299]. »

En devenant publique, l'autoflagellation se devait de devenir pudique — si tant est que la simple dissimulation des organes génitaux (*opertis tantummodo pudendis*) suffise à sauvegarder la décence. Le moine qui rédige la chronique de Saint-Julien n'émet qu'une minime réserve en évoquant la honte que les flagellants auraient dû ressentir et dont ils se sont affranchis (*deposita verecundia*). Quant aux femmes, déjà plus sensibles à la pudeur, elles se déclarent solidaires en privé et se donnent « avec modestie » la discipline dans leur chambre (*cum omni honestate haec eadem faciebant*).

L'histoire des flagellants épouse spontanément celle de la pudeur. Partis nus au xie siècle, les reins couverts au xiiie, nous les retrouvons torse nu en 1349, lorsque la grande peste décime l'Europe. « Nus à partir des reins », les décrit Jean de Fayt[300], « nus en caleçon » pour Nangis[301], dévêtus « jusques aux petits draps » pour Jean Le Bel[302] ; « avec, en guise de braies, des chemises tombant des cuisses au talon » selon Albert de Strasbourg[303]... Et si certains, isolés, oublient ces nouvelles lois de décence, le peuple se charge de les rappeler à l'ordre. Tel ce frère Juniperis qui se flagellait publiquement « ayant mis ses chausses sur sa tête et ayant roulé sa robe autoir de son cou[304] » : il se fit conspuer par les habitants des bourgs qu'il traversait et par les frères du couvent où il voulut se réfugier — « mais il n'y prit garde, tellement saint était ce bon petit frère ! »

S'ils ne se distinguent plus par leur exhibitionnisme vestimentaire, les flagellants ont besoin d'une autre mise en scène. En

Allemagne, où ils apparaissent tout d'abord à la mi-juin, ils sont organisés en sectes structurées et hiérarchisées. Lorsqu'ils pénètrent dans une ville, le peuple accourt et fait cercle autour d'eux. Par petits groupes, ils se déshabillent, se déchaussent, font la parade, comme des acteurs avant le spectacle, et, prosternés contre le sol, se font fouetter par leurs compagnons. Gestes précis, mise en scène minutieusement réglée, oraisons et miserere savamment entremêlés d'hymnes en langue vulgaire, escourgées renforcées de nœuds et de quatre pointes de fer qui leur déchirent le dos... Un spectacle audiovisuel parfaitement au point, qui leur vaut des adeptes par dizaines dans chaque ville traversée. Ils demandent à ceux qui les suivent trente-quatre jours de pénitence et de flagellations : durée fixée par le Christ lui-même dans une lettre portée par un ange à l'église Saint-Pierre de Jérusalem, dont ils produisent la copie[305].

Jean de Fayt, abbé de Saint-Bavon à Gand, un des docteurs les plus en vue de la faculté de théologie de Paris, et à ce titre appelé à rendre compte des débordements de la secte au pape d'Avignon, a décrit de façon hallucinante les dévotions et les superstitions dont ils faisaient l'objet. On conserve leur sang comme des reliques, en essuyant avec des draps leurs épaules déchirées, on leur demande des miracles, des guérisons. Soucieux de se préserver de toute souillure, ils développent une misogynie et un antisémitisme contagieux. Une femme se mêle-t-elle à eux pendant la séance ? La pénitence est réputée nulle et reprise intégralement[306]. Comment après cela ne pas croire à leur sainteté ? Si les autorités spirituelles se disputent à leur sujet[307], les autorités civiles comprennent le danger de tels débordements. L'empereur Charles IV les bannit d'Allemagne. Ils se répandent en Flandre. A Liège, de nouveaux « compagnons » traduisent leurs chants en français[308] — les voilà prêts à envahir la France. Ils sont déjà à Troyes et à Reims quand le roi Philippe VI les interdit par tout son royaume et que le pape Clément VI les condamne par une bulle. Ils n'en continuent pas moins à faire des adeptes et, au Noël suivant, on en compte plus de huit cent mille dans le royaume[309]... Le mouvement s'éteindra lentement — quelques foyers continueront à couver, notamment en Flandre, où ils ont été le mieux accueillis. C'est de là qu'ils repartiront au xvie siècle.

Lorsque les flagellants réapparaissent en pleine guerre religieuse, le mysticisme médiéval est bien mort. Les processions que l'on organise ont un but politique plus que religieux. Les Guise soutiennent les pénitents de Paris, le roi se mêle à ceux de Bourges... Le cardinal Charles de Lorraine trouve la mort en voulant suivre les siens en plein décembre, en 1574. Appuyés par le roi, par le pape, par les chefs politiques et religieux de l'époque, pénitents bleus et blancs rivalisent d'ardeur. Mais la mode est artificielle. Les guerres de Religion achevées, ils n'auront plus de raison d'être. Le Parlement de Paris s'avise tout à coup de l'indécence de ces exhibitions et les interdit en 1601.

On sait que les pénitents continuèrent à se flageller en Espagne, de plus en plus décents, de plus en plus couverts... et, du moins les en accuse-t-on, de moins en moins mystiques. Les jeunes gens, soupçonne le docteur Doppet [p. 46] se fouettent sous le balcon de leurs belles pour les divertir. Comme ils sont désormais engoncés dans une cagoule, ils portent à leur discipline des rubans aux couleurs de leur dame... Ainsi les vieilles coutumes s'adaptent-elles aux nouvelles mentalités.

Tant que les flagellations sont soutenues par une dévotion sincère, quoique exagérée, on ne s'indigne ni de leurs abus ni de leurs paradoxes. Mais elles deviennent tout naturellement indécentes lorsqu'on se met à poser un autre regard sur la chair. « Que peut-on imaginer de plus indécent que d'exposer le derrière et les cuisses toute nuës au Soleil, s'exclame l'abbé Boileau, et de prendre ainsi la discipline ? La seule idée d'une action si obscène suffit pour la faire trouver ridicule et impertinente » (p. 315). Se les inflige-t-on en privé pour ne pas choquer par sa nudité toute la communauté ? Voilà bien la preuve qu'elles sont condamnables ! « La nature, dit Tertullien, a attaché la crainte ou la honte, à toute action qui est mauvaise » ; or, « la crainte et la pudeur accompagnent ceux qui les pratiquent [les flagellations] »... Une seule conclusion s'impose à d'aussi limpides prémisses...
Les paradoxes succèdent à l'indignation et au raisonnement : les anciennes règles défendent en effet aux moines de regarder aucune partie nue de leur corps. Comment pourraient-ils se flageller sans se voir (p. 317) ? Et pour couronner la démonstration, l'insinuation habituelle : n'est-il pas infâme d'exposer les jeunes filles « et leurs cuisses d'une excellente beauté, quoi que consacrées à la religion » (!) ? Infâme, oui, même si elles ne se battent qu'« en présence de Dieu seul » (p. 318). Personne n'échappe à la tentation...
Impudique lorsqu'on se l'applique soi-même, le fouet l'est plus encore s'il est administré par un autre. Et dans les collèges, les punitions corporelles n'ont pas fini de révolter les âmes vertueuses. « On nous apprend, pendant les cinq ou six premières années que nous vivons, à cacher notre derrière et les parties *honteuses* ; au bout de ce temps vient un régent qui nous force à déboutonner nos culottes, à les abattre, à trousser la chemise, à tout montrer, pour recevoir les étrivières en pleine classe. Ces parties ne seraient-elles plus *honteuses* quand c'est un cuistre qui les regarde et qui les touche[310] ? »
Il y a pis. Les théories médicales viennent au secours des détracteurs du fouet, comme jadis elles étaient venues au secours de ses promoteurs. La discipline d'en haut, assurent les Diafoirus, affaiblit les nerfs optiques et est responsable des myopies qui sévissent dans les monastères bien plus que les longues soirées où l'on se penche sur un parchemin écrit en lettres minuscules à la lueur d'un oribus. Les moines dès lors préfèrent se déchirer les

fesses plutôt que les épaules. C'est tomber de Charybde en Sylla, assure Boileau (p. 306). Les maladies de l'esprit sont plus à craindre que celles du corps. Et « lorsque les Muscles lombaires sont frappés à coups de verges, ou de foüet, les esprits animaux [sont] repoussez avec violence vers l'os *pubis*, et ils excitent des mouvements impudiques à cause de la proximité des parties génitales : Ces impressions passent d'abord par le cerveau, et y peignent de vives images des plaisirs défendus, qui fascinent l'esprit par leurs charmes trompeurs et reduisent la chasteté aux derniers abois. » Ne croirait-on pas cette description riche d'expérience personnelle ?

La discipline d'en haut n'est pas plus innocente : voici, ressortie par le docteur Doppet, la théorie de l'échauffement qui nous démontre qu'elle est aussi excitante qu'une discipline d'en bas. Les conclusions qu'en tire le médecin philosophe sont parfois étonnantes : suppression du châtiment corporel pour les enfants, mais aussi dissolution des ordres monastiques — plus facile sans doute que l'interdiction de la discipline dans les cloîtres. Pour couronner la démonstration, le médecin joint en annexe un traité des aphrodisiaques qui évitera aux débauchés de recourir à ce genre d'expédients !

Car si la flagellation n'était pratiquée que par d'innocents et zélés chrétiens parfois déçus dans leur bonne foi, le mal ne serait pas bien grave... Mais depuis les Romains, on connaît et on utilise les pouvoirs aphrodisiaques d'une fustigation bien appliquée. Le Moyen Age ne semble guère avoir connu ces raffinements érotiques, mais Pic de la Mirandole au xve siècle, Brantôme au xvie, Meimbom au xviie, Doppet au xviiie, abondent en exemples de ce curieux libertinage auquel le marquis de Sade donnera ses lettres de noblesse. Dans les maisons closes du xviiie siècle, on use à tour de bras de ces martinets garnis de pointes d'or ou d'argent, au manche en bois de rose... L'érotisation du fouet, à la fin du xviiie siècle, correspond paradoxalement à un mouvement de pudeur, de la même façon que la littérature érotique, au xvie siècle, manifeste une épuration de la langue commune. Faute de pouvoir éliminer une pratique que l'on condamne, on la circonscrit dans un champ clos où elle paraît inoffensive. Dans les collèges, dans les pénitences, dans les sentences des tribunaux, le fouet disparaîtra petit à petit, au fur et à mesure qu'il envahira les maisons closes.

Les abus dans ces domaines devenaient manifestes. Depuis Quintilien[311], on sait le danger de précepteurs à la moralité douteuse. « Je rougis de dire à quelles actions déshonorantes se portent des hommes abominables en abusant de ce détestable droit de frapper, et parfois, quelles occasions offrent à d'autres aussi la crainte ressentie par ces malheureux enfants. Je n'insisterai pas sur ce point : ce qui se laisse deviner est déjà trop. »

Rien n'a changé au xviiie siècle, et l'on a intérêt, si l'on souhaite échapper au père fouettard du collège, à être laid et maigrichon.

Le docteur Doppet souligne cette étrange manie des enfants les plus angéliques à mériter le fouet plus souvent que leurs condisciples (p. 58)... Ne risque-t-on pas d'ailleurs, en battant les jeunes enfants, de leur inculquer ces goûts auxquels le chevalier de Sacher-Masoch donnera son nom ? Pic de la Mirandole, Rhodiginus, le docteur Doppet en sont convaincus (p. 32-33). Et Tallemant des Réaux nous révèle que Mme de Rohan s'est trouvée dans cette situation ! Son père, Sully, avait comme tout bon père de l'époque l'habitude de fesser la petite Marguerite devant tout le monde. Il aurait même « prophetizé que sa fille seroit une bonne dame ; car un jour, après l'avoir fessée à son ordinaire, devant les gens, il luy mit le doigt où vous sçavez, et se l'estant porté au nez : Vertudieu ! ce dit-il, qu'il sera fin ! » Marguerite de Béthune devint effectivement une bonne dame, mais elle eut toujours « la vision de se faire battre par ses gallants ; on dit qu'elle aimoit cela[312] ».

Quant aux confesseurs qui prescrivent le fouet à leurs pénitentes pour le donner eux-mêmes derrière l'autel, on n'a pas attendu le docteur Doppet pour les dénoncer. Depuis le XVIe siècle court l'histoire de ce curé qui s'apprêtait à amender ainsi une pécheresse lorsque le mari entra dans l'église. Le brave homme n'osa pas soupçonner le recteur de mauvaises intentions, mais il le pria doucement de le laisser prendre la place de sa femme. « Elle a la peau si fragile, expliqua-t-il, qu'il vaut mieux que j'accomplisse pour elle la pénitence. » Et la femme, en se rajustant, de recommander au prêtre : « Frappez fort, monsieur le curé, car j'ai beaucoup péché[313]. »

Des Innocents aux pensées coupables

Comment évoquer les processions nues et les châtiments corporels sans parler de la fête des Innocents qui, depuis le plus haut Moyen Age, unit les deux usages dans de savoureuses et indécentes parodies ? Ont-elles fait couler d'encre, ces fêtes qui prolongent peut-être les saturnales romaines et marquent symboliquement, pour un jour, le renversement du monde. Faire un relevé des indignations pudibondes qu'elles ont suscitées, depuis saint Augustin au Ve siècle jusqu'à la suppression des dernières au XVIIIe, serait déjà présomptueux : Davin a relevé une trentaine de conciles, d'arrêts du Parlement, d'ordonnances, de toutes les époques et de toutes les régions, qui en interdisaient — tout aussi inutilement — la célébration. Fête des Innocents, parce que c'est celle des enfants de chœur et des clercs minorés. Fêtes de fous parce que l'ordre du monde s'y trouve provisoirement remis en question. Fête de l'âne parce que la fuite en Égypte était fêtée le même jour que les Innocents. Fête des sous-diacres parce que les diacres y sont saouls... Contentons-nous de signaler les principaux liens qui l'unissent à notre histoire de la pudeur.

Il se commettait toutes les indécences imaginables dans ces

cérémonies parodiques où l'église était abandonnée au bas clergé. Les premiers conciles, plutôt que de stigmatiser quelques nudités égarées, s'en prenaient surtout aux danses, aux chansons obscènes, aux déguisements, à la caricature de tout ce qui, trois cent soixante-quatre jours par an, inspirait crainte et respect. Des laïcs affublés de vêtements religieux, des clercs « usant d'habits indécents et non appartenants à leur estat et profession[314] », n'est-ce pas le comble de l'inconvenance pour ceux dont la dignité s'attache à leurs habits ? C'est le principe même de la fête qui est condamné.

Les péripéties de la fête, cependant, donnaient d'autres motifs d'offenser la pudeur des âmes chastes. Dès le lever du soleil... La coutume veut en effet que les filles paresseuses soient surprises dans leur lit et fessées par le premier qui les réveillera. Belle occasion pour les galants de prendre un acompte sur les charmes de leur promise, et pour les amoureux rebutés de prendre leur revanche. Les conteurs de la Renaissance ne pouvaient passer à côté d'un sujet aussi riche en mauvaises plaisanteries et en quiproquos. Marguerite de Navarre imagine qu'un tapissier de Tours, amoureux de sa chambrière, en profita pour la surprendre en toute impunité et avec la bénédiction de sa femme — il s'empressa de « luy bailler les Innocens d'autre façon qu'il n'avoit dict à sa femme » (45e nouvelle) et continua son manège longtemps après que le monde eut repris son ordre habituel, puisqu'il lui donna les Innocents sur l'herbe, puis sur la neige...

A l'église, la pudeur n'était pas autrement respectée. Outre les chants obscènes qui tenaient lieu de messe, certains s'y présentaient presque nus — voire carrément nus. A Sens, une des villes dont la fête de l'âne était la plus connue, des hommes nus recevaient au cours de l'office de matines plusieurs seaux d'eau sur le corps[315]. A Marseille, les deux plus beaux adolescents de la ville, habillés en divinités sylvestres, avaient licence de se livrer aux actes les plus déshonnêtes[316].

Après les cérémonies, des processions s'organisaient, dont l'évêque Louis de Sens nous a laissé cette description horrifiée : « On conduit par la ville des hommes nus, indécemment, sans un voile sur leurs parties honteuses (*sine verendorum tegmine*), on se rend à des théâtres montés sur des chars et des véhicules crasseux, où l'on se livre à des gesticulations infâmes de tout le corps, en proférant des mots obscènes et bouffons, et en faisant bien d'autres abominations que l'on rougit de rapporter[317] ». Si les fêtes de Sens sont décidément parmi les plus inconvenantes, d'autres villes ont plus de retenue, et l'évêque de Toul insiste sur la décence des farces qui sont montées dans sa ville, *semper tamen honnestis, omnia cum honestate*[318]... Il y avait alors autant de fêtes différentes qu'il y avait de villes pour les célébrer et Sens, qui nous a transmis les témoignages les plus complets sur la fête de l'âne, sur l'office qui y était chanté, sur la mise en scène des messes parodiques, avait probablement une réputation à soutenir. Les fêtes des fous, comme la plupart des fêtes chrétiennes dont la coloration païenne était un peu trop prononcée, ne résistèrent pas aux guerres de Religion. Quelques-unes, à Autun, à Douai, à Provins, à Antibes, sont célébrées jusqu'au xviie ou au xviiie siècle, mais elles seront emportées pas la nouvelle vague de puritanisme qui s'abattra alors sur la France.

Ces processions parodiques, comme les autres exhibitions auxquelles on pouvait assister dans les rues des villes médiévales, témoignent en fin de compte de l'ambiguïté de la chair et de la nudité dans la conscience collective. Chair innocente ou pécheresse, nudité humiliante ou libératrice : il est parfois difficile d'interpréter les réactions des chroniqueurs ou des auteurs religieux. D'autant plus difficile que les termes vagues, la sensibilité globale à une nudité qui peut très bien s'accommoder de vêtements, nous permettent mal de fixer un seuil de tolérance à la nudité. Les images de ces processions ou de ces châtiments saugrenus sont cependant parmi les plus pittoresques et les plus caractéristiques de l'Europe chrétienne d'avant la Renaissance.

Chapitre VI

CONVERSATIONS DE CHAISE PERCÉE

C'est peut-être le « caractère distinctif des Français », suggérait l'érudit Franklin, « de ne pas pisser seuls ». Le Français a
souvent ressenti le besoin de rompre par des conversations, des
lectures ou des parties de cartes des séances de chaise percée
qu'un Louis XIV ou un Jean-Jacques Rousseau n'hésitaient pas à
prolonger des demi-heures, voire des heures. Grégoire de Tours,
au vi^e siècle, parle d'un prêtre qui y emmenait son serviteur pour
tenir la chandelle[319]. Gargantua se faisait accompagner de son
précepteur, qui lui « répétait ce qui avait été lu, exposant les
points plus obscurs et difficiles[320] ». Et Franklin a connu, à la fin
du siècle dernier, ces chaises à deux ou plusieurs trous qui
invitent à tuer l'ennui ensemble[321].

Qu'il y ait eu en France, jusqu'au « grand resserrement » du
xixe siècle, pour reprendre l'expression de Roger-Henri Guerrand, un plaisir particulier à tenir chaise ouverte, c'est incontestable. Qu'il y ait là un « caractère distinctif » de notre génie
national, ce serait hélas ! présomptueux de le prétendre. Lorsque
Hérodote visite l'Égypte, il s'étonne ainsi que les Égyptiens, par
rapport aux Grecs, fassent tout à l'envers : « Ils satisfont leurs
besoins naturels dans les maisons, mais ils mangent dans la rue,
ce qu'ils expliquent en disant que, si les nécessités honteuses du
corps doivent être dérobées à la vue, les autres doivent se faire en
public[322]. » Faut-il en conclure que les Grecs se cachaient pour
manger, mais non pour restituer leurs repas ? La pudeur
égyptienne devait faire figure d'exception dans l'Antiquité. Les
latrines grecques, lorsqu'elles existent dans une maison, sont
prévues pour plusieurs[323]. Bien connues également les latrines
publiques romaines, auxquelles on a improprement donné le
nom de Vespasien.

Si la coutume survit en France jusqu'à la Révolution, elle a
certainement ses adeptes dans le reste de l'Europe. A Strasbourg,
en 1440, on installe sur le marché aux vins un cabinet à trois
sièges — un fourni par le marché, l'autre par le couvent des
carmélites, le troisième par l'Alteimmeister, ce qui permet à

chaque propriétaire de taxer séparément son siège[324]... Et lorsque la princesse Palatine adresse à l'électrice de Hanovre sa célèbre lettre sur les incommodités de Fontainebleau, sa correspondante lui répond du tac au tac en lui vantant le plaisir « de chier partout quand l'envie vous en prend », sans égard pour personne. La cour de l'électrice n'avait rien à envier à celle du Roi Soleil.

S'il y a eu, en revanche, un génie national dans l'art de pousser sa crotte, c'est dans le discours scatologique qu'il faut le chercher. Les variations sur le torchecul n'intéressent pas que Rabelais et les poètes baroques : le mémorialiste, comme Saint-Simon, y est aussi sensible que la grande dame, comme la Palatine ; les théologiens s'interrogent sur le sort de l'hostie après consommation, les historiens comme Franklin racontent l'histoire des chaises percées, les municipalités inventent les urinoirs qu'Henry Miller saluait comme typiquement français... Ces dernières années ont connu un regain d'intérêt, tant de la part des romanciers que des historiens, pour la fonction excrémentielle. L'histoire de la merde de Dominique Laporte et celle des commodités de Roger-Henri Guerrand dispenseront d'insister longuement sur ce chapitre.

Les chaises communes à la maison

Au sein de la grande pudeur monacale, les latrines occupent déjà un domaine à part. Nulle gêne ici à s'abandonner de concert aux « nécessités naturelles ». Le plan du couvent de Saint-Gall, dressé au IXe siècle, contient des latrines à neuf places, sans oublier le banc de repos pour les moines qui attendent que l'une d'elles se libère[325]. Seule règle de pudeur : les moines ne peuvent pénétrer dans la pièce que la tête couverte ! Les novices ne se couvrent que lorsqu'ils s'asseyent... Maîtres et novices partagent les mêmes latrines et s'y rendent ensemble, mais les maîtres ont droit, au centre de la pièce, à deux lunettes de bois sur lesquelles les enfants n'oseront jamais s'asseoir. Si, pendant la nuit, un élève est saisi par un besoin urgent, il doit réveiller son maître, qui l'accompagne aux toilettes, et un condisciple qui porte la lanterne[326]. Certains couvents ont cependant des toilettes plus confortables : la règle de saint Lanfranc (ch. IV, col. 486) recommande au veilleur, dans sa dernière ronde, de passer par les latrines voir si personne ne s'y est endormi !

Ne caricaturons pas cependant cette promiscuité des latrines médiévales. Chez ceux qui en possèdent — car la grande majorité se partagent encore le fumier de la cour — apparaissent très tôt des réflexes de pudeur et des protections contre le regard d'autrui. Le prêtre dont parle Grégoire de Tours était dissimulé par une tenture lorsqu'il se rendait à ses « nécessités ». Des tentures dont on entourera par la suite les chaises percées des rois. Les comptes d'Etienne de La Fontaine, argentier du roi, signalent en effet au premier juillet 1351 « cinq nécessaires enveloppées de cuir et couvertes de draps par dessus[327] », et on les imagine volontiers surmontées de dais identiques à ceux des baignoires des grandes dames. Les châteaux forts ont d'ailleurs leurs cabinets — dont on perdra l'usage par la suite et que l'on prendra pour des oubliettes ! Les mots qui les désignent — le plus usuel est « privés » — marquent bien l'intimité que l'on entend y maintenir.

Ce n'est donc pas au Moyen Age que se pose le problème de la pudeur dans les toilettes, mais à partir du xvie siècle : les latrines progressivement disparaissent des châteaux. Leur suppression est symptomatique d'une civilisation fascinée par l'apparence, par le décor extérieur, et qui tend à nier dans le parfait ordonnancement de son architecture les nécessités humiliantes du corps humain. Où placer un « retrait » dans une demeure dessinée selon une rigoureuse symétrie qui symbolise dans la pierre une civilisation elle-même tirée au cordeau ?

Les conséquences ne tardent pas à se manifester ; elles concernent aussi bien la pudeur que l'hygiène. L'obsession scatologique dans la littérature des xvie et xviie siècles traduit sur un mode humoristique l'embarras des courtisans, qui ne disposent plus d'un recoin pour satisfaire leurs besoins. On vante ce que désormais on ne peut plus cacher ; on écrit ce que l'on rencontre un peu partout dans les palais.

Dans les réceptions, sans doute, des valets passent avec des pots de chambre ; mais il est malvenu de les réclamer avant de passer à table : on risque de retarder le repas[328] ! Et si les valets sont trop demandés ? Qu'à cela ne tienne, on pisse dans les cheminées, derrière les portes, sur les tentures, sur les balcons. Chaque pavé de la cour, chaque degré de ces grands escaliers d'honneur que l'on montre aujourd'hui avec fierté, sont ponctués d'étrons. En 1578, Henri III, écœuré, ordonnera que l'on brosse le château où il loge tous les jours, avant son lever. En 1606, Henri IV interdit tout délestage intempestif à Saint-Germain ; le jour même où est édictée l'ordonnance, le dauphin est surpris à arroser le mur de sa chambre. Louis XIV n'aura qu'une solution pour échapper au déluge de merde qui inonde Versailles, le Louvre ou Fontainebleau : déménager tous les mois, renouer avec la vieille mode de la cour itinérante, pour qu'on puisse laver un château tandis qu'il en salit un autre. On comprend l'effroi de la princesse Palatine — à qui l'antigermanisme du siècle dernier a prêté des mœurs barbares qui étaient loin d'être les siennes — en découvrant la cour française. « Tout l'univers est rempli de chieurs et les rues de Fontainebleau de merde, car ils font des étrons gros comme vous, madame », écrit-elle à l'électrice de Hanovre[329].

On s'est beaucoup amusé à commenter cette célèbre lettre de « Madame » qui — par gageure ? — se complaît à citer le verbe « chier » à toutes les lignes. Lettre isolée dans la correspondance de la duchesse d'Orléans et qui manifeste plus de pudeur que l'obscénité des propos ne le laisse supposer. Si Charlotte-

Élisabeth de Bavière se plaint de ne pas chier à l'aise à Fontainebleau, où rien n'est prévu à cet effet, c'est sans doute parce qu'elle n'a pas de chaise pour poser ses fesses, mais aussi parce que « tout le monde nous voit chier ; il y passe des hommes, des femmes, des filles, des garçons, des abbés et des Suisses... ». La grossièreté provocatrice de la lettre n'est-elle pas une réponse à l'humiliation d'une femme obligée de se trousser en plein air sous les yeux des passants ?

La réponse de l'électrice de Hanovre, qui prend le parti inverse, vante la liberté de pouvoir déféquer sans honte et sans pudeur. « Vous avez la liberté de chier partout quand l'envie vous en prend, vous n'avez d'égard pour personne ; le plaisir qu'on se procure en chiant vous chatouille si fort que, sans égard du lieu où vous vous trouvez, vous chiez dans les rues, vous chiez dans les allées, vous chiez dans les places publiques, vous chiez devant la porte d'autrui sans vous mettre en peine s'il le trouve bon ou non, et, marque que ce plaisir est pour le chieur moins honteux que pour ceux qui le voient chier, c'est qu'en effet la commodité et le plaisir sont pour le chieur. »

Derrière cet échange de bons procédés et de gros mots, on voit poindre une situation nouvelle. La multiplication de l'excrément due à la suppression des lieux d'aisance entraîne un sursaut de pudeur à la fois chez le « chieur » (comme la Palatine) et chez celui qui le voit chier (« honteux », pour l'électrice). Car la mise entre parenthèses de nos virgules, qui s'achève au XIXe siècle, se manifeste dès le XVIe chez les moralistes chrétiens et dans les hautes sphères de la société.

Les traités de civilité, s'il reconnaissent encore à l'homme — ou à l'enfant, auquel ils sont destinés — le droit de péter, en soulignent l'incongruité. Pratiques, ils recommandent, selon un « vieux précepte » dont on trouve la première mention chez Erasme, de dissimuler le pet derrière une toux feinte[330]. Premier pas dans la direction d'une pudibonderie excessive qui engendrera après la Révolution des générations de constipés.

Les latrines communes sont aussitôt assiégées par les pédagogues forts des gros tirages qui leur garantissent une audience exceptionnelle. La *Civilité honnête*, rédigée vers 1648 par un missionnaire jésuite, en proscrit l'usage : « Si vous allez ensuite à vos nécessités de nature, ne les faites pas en présence du monde : gardez l'honneur partout » (p. 53). Après avoir interdit aux enfants de coucher avec leur sœur ou leur mère et de se déshabiller devant quiconque, c'est une mise en quarantaine systématique du corps qu'entreprend notre jésuite. Pendant un certain temps, ces préceptes demeureront théoriques et réservés à une élite bourgeoise et aristocratique. Formulés par les prêtres sous l'Ancien Régime, ils connaîtront le succès lorsqu'ils seront repris par le gouvernement de la vertu.

Si la Révolution dissout les ordres religieux, elle est encore confrontée aux toilettes communautaires dans un autre domaine : les pénitenciers. Jeremy Bentham, philosophe anglais proche des idées révolutionnaires françaises, évoque le problème dans son projet de *Panoptique*, prison circulaire où les détenus seraient continuellement sous les yeux des gardiens. Il faut des lieux d'aisance dans chaque cellule ; il faut des compagnons de cellule, car la solitude est fatale à la santé morale de l'homme ; il faut qu'aucun recoin de la cellule n'échappe à la surveillance. A partir de ces données, une seule solution s'impose : « Un léger écran, que le prisonnier pourra interposer à volonté, ne sera peut-être pas estimé superflu. Tout en sauvegardant la décence, il pourrait être ajouté de façon à ne pas masquer au regard de l'inspecteur toute entreprise défendue[331]. »

Dans la maison du XIXe et du XXe siècle, le cabinet reste intégré à la salle de bains et permet au moins une promiscuité familiale. Voici donc les époux « exposés à constater leur régularité réciproque » ! Paul Reboux, en 1930, ne peut trop recommander la cloison ou le paravent (p. 70). « Mais ce n'est pas seulement la vue qui peut être révélatrice, ajoute-t-il. Le bruit a sa part dans cette satisfaction donnée aux besoins du corps. » Comment dès lors sauver « la décence et le respect réciproque » ? Un premier subterfuge consiste à détacher à l'avance les coupons de papier et à les froisser incessamment. « Il en résulte un petit bruit soyeux et continu avec lequel les autres se confondent. » Le second moyen est plus raffiné : un distributeur à musique couvrira les bruits intempestifs grâce à « une mélodie cristalline, souvent délicieusement désuète : airs du *Grand Mogol*, des *Cloches de Corneville* ou bien le *Carnaval de Venise*. Le rouleau est réglé pour mêler l'art à la nature ». On peut bien sûr, en 1930, préférer quelques mesures de jazz. « Mais il est à craindre que les harmonies de cette musique-là ne fassent double emploi avec celles qu'il est de bon ton de dissimuler » ! A bon entendeur... L'appartement moderne isole lui de plus en plus les toilettes dans un réduit obscur — où l'on range comme dans un placard les derniers vestiges de la pudeur.

Dans la rue : « une idée vraiment républicaine[*]*»*

Sortons des logis et des palais. Un besoin urgent nous saisit dans la rue : avons-nous comme le prétend l'électrice de Hanovre, la liberté de chier partout quand l'envie nous en prend, sans égard pour qui nous regarde ? Oui... parfois. Mais il est bon d'avoir alors des protecteurs ! Témoin l'aventure du colonel Hailbrun, Écossais au service du cardinal de Richelieu, qui, « passant à cheval dans la rue Tictonne, se sentit pressé. Il entre dans la maison d'un bourgeois, et décharge son paquet dans l'allée. Le bourgeois se trouve là et fait du bruit ; ce bonhomme estoit bien empesché. Son valet dit au bourgeois : Mon maistre est à M. le Cardinal. — Ah ! Monsieur, dit le bourgeois, vous pouvez chier partout, puisque vous estes à Son Éminence[332] ».

Tallemant des Réaux cite l'anecdote comme un exemple de la crainte qu'inspirait alors Richelieu.

Le « paquet » est-il de moindre conséquence ? Nulle gêne dès lors à avoir. Hommes et femmes arrosent sans vergogne le premier mur qu'ils rencontrent avec la totale insouciance d'un chien marquant son territoire. Les estampes grivoises du XVIIIᵉ siècle exploitent le thème de la jolie précieuse troussée sous les fenêtres d'un indiscret[333], ou de telle grande dame qui se laisse séduire par les proportions d'un laquais arrêté devant chez elle...

Les dames sont les premières gênées par cette liberté dont la nature leur interdit une jouissance aussi totale que celle de l'homme. Elles ont oublié la méthode égyptienne d'uriner debout[334] et préfèrent emporter en sortant leur pot de chambre — leur « bourdalou », diront-elles lorsque les sermons interminables du prédicateur jésuite les obligeront à en faire grand usage dans les églises. Peut-être regrettent-elles le temps jadis où les municipalités pensaient à elles. Rappelons-nous les fastueuses entrées royales, du temps d'Anne de Bretagne : les officiers municipaux y avaient prévu, de distance en distance, de petites troupes de jeunes personnes qui proposaient à la suite les indispensables instruments. L'ordonnance de la procession devait s'en trouver notablement troublée[335]...

Perdue dans la nature ou recueillie dans un vase idoine, l'urine des femmes n'en fut pas moins jugée indécente par les sociétés bourgeoises du XIXᵉ siècle. Ce sera désormais un « privilège viril de faire ça debout, ostensiblement, gaillardement, ce qui ne va pas sans prestige auprès des femmes, auxquelles il est bon de rappeler fréquemment leurs infériorités, pour leur apprendre à tenir leurs langues ravageuses, à modérer leurs criailleries qui cassent la tête[336] ». Cette rétention imposée n'est pas seulement une révolution de mentalité : c'est aussi une révolution physiologique. On mesure la maîtrise de leur corps que l'on imposa aux femmes lorsqu'on se remémore la mésaventure de Mlle de La Fayette, dame d'honneur de la reine Anne d'Autriche, qui pissa de rire sous elle devant toute la cour[337]. A une époque qui manifeste physiquement ses émotions — que ce soit par des torrents de larmes, des coups de pied ou un relâchement vésical — succède une société policée qui dissimule ses états d'âme. Ce n'est pas un hasard non plus si ce repli émotionnel dans la bonne société est contemporain du romantisme, qui reverse dans la littérature pleurs et mouvements dont on se trouve frustré dans les salons.

Quant aux hommes, n'en déplaise à Gabriel Chevallier, ils ne sont pas toujours aussi fanfarons avec les femmes, même s'ils se livrent entre eux à de gaillardes exhibitions qui sont, elles, intemporelles. On se racontait ainsi, au XVIIᵉ siècle, l'aventure de la duchesse de Chevreuse, célèbre autant par les complots que par les aventures galantes qui ont jalonné sa vie. En se sauvant de Loches en 1633, elle dut revêtir des habits d'homme qui abusèrent le vieux gentilhomme chargé de la conduire à la frontière espagnole. La fuite était précipitée, mais la prostate du guide avait ses exigences...

« — Monsieur, lui dit-il une fois, il faut que je pisse ; cela ne vous arrestera point, je pisseray tout à cheval.

« Et en disant cela, il tire tout ce qu'il portoit.

« — Hélas ! adjousta-t-il, pauvre courtaut ! autrefois tu estois bien plus gaillard. Monsieur, tel que vous le voyez, il pissoit jadis entre les oreilles du cheval ! Et pissez-vous ? lui disoit-il.

« — Je n'en ay pas envie.

« — Je voy bien ce que c'est ; vous n'oseriez le monstrer, il est trop petit. »

Quand la duchesse se fit connaître, le gentilhomme confus lui présenta toutes les excuses qu'elle voulut[338]. Anecdote réelle ou plaisanterie adaptée à la situation : peu importe ; elle marque bien en tout cas les limites, qui n'ont guère varié, des exhibitions viriles et de la pudeur féminine...

On commence en effet à s'offusquer de cette trop grande liberté de polluer les rues des villes et des villages. Depuis longtemps, sans doute, on s'élève contre la boue et la crotte qui s'accumulent dans les rues de Paris et que les « abbés crottés » (en soutane), les dames à longues traînes ou les maîtres d'armes comme celui du *Bourgeois gentilhomme* déposent dans tous les salons où ils pénètrent. Mais à la fin du XVIIIᵉ siècle, c'est au nom de la pudeur autant que de la propreté ou de l'hygiène que s'indignent les Parisiens. Les morceaux de bravoure de Mercier ou de Rétif de la Bretonne brandissent encore le spectre du méphitisme, des « maladies gratuites » et de la pollution des eaux de la Seine. Mais à côté de ces dangers bien réels, on évoque la décence. Un *Essai sur la propreté de Paris*, paru en 1797, développe ce nouvel argument au milieu des traditionnelles récriminations contre les ordures de la capitale : « Je suis indigné, explique ce *citoyen français*, par la malpropreté de Paris ; je me trouve humilié [...] de voir des hommes et des femmes, contre la décence et les bonnes mœurs, satisfaire publiquement à leurs besoins[339]. »

C'est dans cet esprit qu'apparaîtront les premières vespasiennes, au XIXᵉ siècle. « Une idée vraiment républicaine », bien dans l'esprit du parti, égalitaire et hygiénique, s'enthousiasme l'instituteur de Clochemerle quand le progrès social arrive sous cette forme dans son village[340]. Une réaction à peine caricaturale : l'apparition des urinoirs, en 1841, fut saluée avec des accents bien plus pathétiques par le poète Barthélemy.

Sur nos boulevards, des tourelles de pierre
Dispensent la pudeur de baisser la paupière[341].

Pendant un siècle, les urinoirs publics, dont Roger-Henri Guerrand a magistralement retracé l'histoire, semblent la solution idéale au problème de la décence dans les rues. Ses promoteurs pouvaient-ils prévoir les multiples usages auxquels l'édicule se prêterait malgré lui ? Le moins grave est encore la provocation du maire de Clochemerle, qui installe l'urinoir communal face à l'église, sous les fenêtres de la vieille demoiselle Putet — même si les utilisateurs ne prennent pas « toutes les précautions qu'eût exigées une scrupuleuse décence ». Sans parler des adeptes de ce que l'on a poétiquement baptisé ondinisme ou pagisme, qui viennent y déposer le matin leur pain du soir[342], la réaffectation des édicules publics à la drague homosexuelle a entraîné un sursaut de pudeur chez les édiles. Les *tasses* traditionnelles, devenues objets de musée, ont cédé la place aux urinoirs individuels, qu'une allusion irrévérencieuse à un moderne Vespasien a fait surnommer « chiraquiennes ». Dans les bâtiments publics, des plaques de verres dépolis assurent la sécurité morale de l'utilisateur dans les toilettes communes. Dans un monde qui croit avoir triomphé de la pudibonderie, la répugnance à envisager les fonctions excrétrices assure le relais de la pudeur éternelle.

« *Venez me voir à mon cabinet* »

Ainsi se terminait naguère un sketch consacré aux doléances d'une « dame pipi » à son ministre de tutelle... Deux siècles plus tôt, le ministre aurait pu être pris au mot.

Nous avons commencé en maison ce tour d'horizon des lieux d'aisance. Au lever : des toilettes communes. Dans la rue : des toilettes communes. Chez les amis : des chaises percées servant de lieux de réception. Cette curieuse manière de recevoir n'était pas réservée qu'aux rois ou aux grands seigneurs comme les exemples le plus souvent cités inciteraient à le croire. Marguerite de Navarre met ainsi en scène une bourgeoise amoureuse qui reçoit son voisin sur sa chaise percée sans que celui-ci ne songe à s'en offusquer le moins du monde[343].

Mais il est vrai que très tôt on associe cette pratique à l'exercice du pouvoir royal. « Il y a deux choses dans vostre mestier dont je ne me pourrois accommoder, disait à Louis XIII son fou Marais. — Hé ! quoy ? — De manger seul et de chier en compagnie[344]. » Recevoir de cette façon fait-il donc partie du métier de roi ?

On sait que c'est en cet endroit que fut assassiné Henri III — et le détail a son importance, puisque Jacques Clément frappa au ventre avant que le roi n'ait eu le temps de remonter ses chausses, ce qui rendit le coup mortel[345]. Cette tolérance initiale rendue nécessaire par l'urgence de certains dossiers devient en deux siècles un droit auquel les courtisans sont farouchement attachés. « C'est l'étiquette qui place la chaise-percée d'un prince au milieu des courtisans, à qui il accorde les entrées, et qui fait que tel offre le coton », note Sébastien Mercier[346]. Comment en est-on venu à formaliser de façon aussi importune les besoins royaux, au point de rendre proverbiaux les lieux où il les satisfait (« là où le roi va à pieds », « où le roi ne peut envoyer son laquais à sa place »...) ?

Replaçons-nous d'abord dans le contexte d'une civilisation qui a du temps et admet les longues méditations ou les divertissements sur la chaise percée. Louis XIII, à neuf ans, y joue aux cartes avec son demi-frère, le duc de Vendôme. Louis XIV, à onze ans, y papote avec son premier valet de chambre La Porte, et s'y prélasse jusqu'à ce que le cardinal de Mazarin, venu assister à son coucher, se lasse de l'attendre[347]. Avec l'âge, le monarque souffre de plus en plus de troubles digestifs qui l'obligent à des purges périodiques. Dans son lit pour les garder, sur sa chaise pour les rendre, le voilà forcé de recevoir en cette position où, estime Franklin, « il s'efforçait en général de rester digne et imposant[348] ». Seuls ses valets, Mme de Maintenon, le comte de Toulouse, quelques familiers, pouvaient pénétrer dans son cabinet. Mais il pouvait, pour se distraire, y prier quelque favori, où y donner audience à ses secrétaires d'État, auxquels il a accordé un « brevet d'affaires ». De parties de cartes en audiences, de constipations réelles en constipations feintes pour ennuyer un cardinal, les rois prennent l'habitude de « faire leur trône de leur chaire percée », comme disait Montaigne[349].

L'un d'eux s'y refuse-t-il ? Cela paraît si extraordinaire qu'on le cite en exemple ! Ainsi Maximilien, grand-père de Charles Quint : « La pudicité de cêt Empereur êtoit si grande que dans les necessitez ordinaires, auxquelles la nature nous oblige, il se retiroit à part sans se servir de valets de chambre, ni de page, et c'est ce qu'il observa toute sa vie fort religieusement[350]. » Lorsque le chanoine Moreau accueille l'empereur dans son *Recueil curieux d'un grand nombre d'actions fort édifiantes des Saints et d'autres personnes distinguées qui ont vécu dans ces deux derniers siècles,* publié en 1696, cette pudeur est suffisamment rare pour être montée en épingle — qui s'aviserait aujourd'hui de béatifier tous ceux qui se rendent seuls en cet endroit ? Si rare, d'ailleurs, que notre auteur croit bon de préciser : « Il semblera à beaucoup de personnes que cette pudeur est trop scrupuleuse pour des hommes, qui en pareilles occasions n'ont pas la délicatesse des femmes. » Délicates, les femmes ? Marie de Médicis avait, elle aussi, un porte-chaise, Nicolas Guillois ; un homme, donc, alors que le service des reines était presque exclusivement réservé aux dames[351].

En quoi consistait ce « service » dû aux reines et aux rois sur leur chaise percée ? Le rôle des porte-chaise d'affaires n'est pas toujours explicite. A eux le soin d'entretenir la chaise du roi, de la chercher — ou de la faire chercher — à sa demande, peut-être même de tenir le bassin, comme suggère le président de Chevry, qui propose d'en coiffer le favori disgrâcié[352]. A eux aussi de présenter le coton — mais allaient-ils au-delà ?

Nous touchons ici ce que Gabriel Chevallier appelait « le fondement de la royauté ». Le courtisan préposé à cet office devait-il y porter lui-même la main ? Nous n'avons qu'un témoignage incontestable en ce sens : celui d'Héroard, médecin de Louis XIII. Comme le jeune enfant, encore dauphin, se plaignait d'avoir été torché avec un papier trop rude, son précepteur lui rappelle qu'il est temps d'apprendre à se passer de sa nourrice pour ce faire : « Monsieur, avez-vous pas bien entendu que papa vous a dit que vous apprinssiez à vous lavez les mains tout seuls et à vous torcher le cul ? — Oui. — Que ne lui disiez-vous qu'il ne le torchoit pas lui-même ! — Je ne l'eusse osé, il m'eût donné le fouet[353]. » Ainsi, en 1606, Henri IV avait encore besoin qu'on lui rendît ce service. Ce n'était pas une habitude courante : le sarcasme d'Héroard le prouve, ainsi que ceux de Tallemant des Réaux à l'adresse d'une grande dame qui avait la même habitude. « Madame de Saint-Ange est dans une propreté si ridicule qu'elle ne veut pas toucher le bord de sa juppe, et encore moins un pot de chambre ; de sorte qu'on la met à pisser, et luy torche le cu, comme un enfant » (t. V, p. 407).

Comme un enfant, non comme un roi... On s'est notamment demandé si Louis XIV avait un serviteur affecté à ce genre de tâche, et Gabriel Chevallier s'est amusé à le personnifier sous les traits d'un ancêtre de son général de Laflanel. « Au xviie siècle, un de Laflanel avait tenu le coton à Louis XIV, en un temps où ce roi souffrait d'une exceptionnelle activité d'entrailles qui eut quelques répercussions sur son humeur et les affaires d'État. Mais le gentilhomme préposé à l'auguste nettoyage s'acquittait si délicatement de sa tâche que le monarque, avec cette suprême dignité qui lui a mérité dans l'histoire le nom de Grand, ne put se retenir de lui dire une fois : "Ah, mon bon ami, comme vous me torchez ça ! — Sire, répondit l'autre avec une admirable présence d'esprit, c'est mieux que du coton, c'est de Laflanel !" Madame de Montespan, qui se trouvait là, les seins libres pour l'agrément de son maître, rit fort de la saillie, et ce trait, partout répété dans Versailles, donna une grande illustration aux Laflanel, illustration qui devait se perpétuer jusqu'à la chute de l'Ancien Régime. » Les Laflanel, bien après la Révolution, gardèrent de cet emploi honorifique un culte du loyalisme « qui avait pour origine le fondement même de la royauté[354] ». La charge et le nom du porte-coton n'apparaissent cependant qu'au xviiie siècle, époque à laquelle des roturiers la reprennent, et il est délicat de dire si les gentilshommes qui servaient de porte-chaise à Louis XIV avaient la sollicitude d'un Laflanel.

Cet usage, respecté ou non, avait néanmoins pour fonction de marquer de façon particulièrement suggestive la dépendance du vassal vis-à-vis de son suzerain. On le retrouve, par exemple, dans une curieuse charte détaillant les obligations du seigneur de Sourches, en Anjou, qui relevait de la baronnie de Montreuil-Bellay. « Le seigneur de Sourches doit être présent quand Madame la baronne de Montreuil-Bellay fait son entrée à Sourches. Il doit la porter sur ses épaules jusque dans son château et lui donner de la mousse *ut ipsa clunes suas in forica tergeret* [pour qu'aux latrines, elle se torche elle-même les fesses][355]. » La prescription est déjà significative de l'état dans lequel devait se trouver la cour du château de Sourches ;

significative aussi de l'acte d'allégeance que constitue le fait de présenter la mousse ; mais il est clairement indiqué que la baronne se torchera elle-même (*ipsa*) sans le recours de son hôte. Fort heureusement : le texte prend tout son sel lorsque l'on sait que depuis 1661, la seigneurie de Sourches appartenait à Louis de Bourbon, le Grand Condé, que l'on imagine mal recevant dans le respect de la coutume sa suzeraine de Montreuil-Bellay...

On imagine mieux, enfin, les rapports de force qui s'établissent entre l'hôte qui reçoit sur sa chaise et son invité en relisant un des plus célèbres passages de Saint-Simon, consacré aux mœurs du duc de Vendôme. « Il se levoit assez tard à l'armée, se mettoit sur sa chaise percée, y faisoit ses lettres et y donnoit ses ordres de matin. Qui avoit affaire à lui, c'est-à-dire pour les officiers généraux et les gens distingués, c'étoit le temps de lui parler. Il avoit accoutumé l'armée à cette infâmie. Là, il déjeunait à fonds, et souvent avec deux ou trois familiers, rendoit d'autant, soit en écoutant, soit en donnant ses ordres ; et toujours force spectateurs debout. Il faut passer ces honteux détails pour le bien connaître. Il rendoit beaucoup, quand le bassin étoit plein à répandre, on le tiroit et on le passoit sous le nez de toute la compagnie pour l'aller vuider, et souvent plus d'une fois. Les jours de barbe, le même bassin dans lequel il venoit de se soulager servoit à lui faire la barbe. C'étoit une simplicité de mœurs, selon lui, digne des premiers Romains, et qui condamnoit tout le faste et le superflu des autres » (II, p. 574).

On pourrait croire que cette « simplicité de mœurs », cette « saleté extrême » dont il tirait vanité, manifestait chez ce petit-fils d'Henri IV une royale indifférence à sa condition élevée et un louable souci de garder une certaine familiarité avec ses subordonnés. Au contraire, c'est le même duc de Vendôme qui accoutumait ses subalternes à l'appeler « Monseigneur » ou « Votre Altesse », épithètes réservées au dauphin et au roi. Les réceptions sur la chaise percée participaient à la même tactique : l'intimité, la nudité, dans la haute société du xviiie siècle, loin d'être humiliante pour celui qui la dévoile, l'est pour celui qui en est témoin. Ici aussi, il arrive qu'il y ait des réticences. Le duc de Parme avait un jour envoyé son évêque en ambassade auprès du duc de Vendôme. Le digne ecclésiastique « se trouva bien surpris d'être reçu par Monsieur de Vendôme sur sa chaise percée, et plus encore de le voir se lever au milieu de la conférence, et se torcher le cul devant lui. Il en fut si indigné que, toutefois sans mot dire, il s'en retourna à Parme sans finir ce qui l'avoit amené, et déclara à son maître qu'il n'y retournerait de sa vie après ce qui lui étoit arrivé (p. 575) ».

Le duc envoya alors à M. de Vendôme un jeune prêtre, Giulio Alberoni, que Saint-Simon déteste autant que le petit-fils d'Henri IV. S'ensuit une scène du plus haut burlesque où l'émissaire parmesan, assistant à la même scène que l'évêque qui l'y a précédé, s'extasie devant le derrière de son hôte et va le baiser en s'exclamant : « *O culo di angelo !* » « Rien n'avança plus

ses affaires que cette infâme bouffonnerie », conclut Saint-
Simon. Alberoni, en effet, devint secrétaire personnel du duc de
Vendôme, et finira sa carrière comme cardinal en Espagne. Il faut
bien sûr faire la part de la charge dans ce portrait, mais les
réceptions du duc de Vendôme étaient célèbres à l'époque, et la
scène est l'occasion pour Saint-Simon de rappeler que la pudeur
n'a pas la même raison d'être pour un évêque et pour un fils de
jardinier.

Le duc de Vendôme eut d'ailleurs des imitateurs. Gaignières
rapporte que le marquis de Watteville reçut ainsi le maréchal de
Force sur sa chaise percée et, comme Vendôme, se leva au milieu
de l'entretien. Le maréchal aussitôt prit sa place sur le siège en
déclarant : « Je reçois votre visite ici[356]. » Même réaction donc
que l'évêque parmesan : refus d'une relation humiliante — mais
avec plus d'humour et de tact que le prélat. En recevant à son
tour le marquis sur la selle aisée, le maréchal se remettait sur un
pied d'égalité avec lui.

Il est donc faux d'imaginer un xviiie siècle indifférent aux
excréments et à la nudité dévoilée dans ces fonctions publiques.
L'indignation, le dégoût, la pudeur existent, et les réactions ne
manquent pas. Mais dans un siècle fortement hiérarchisé, on ne
s'indigne pas contre n'importe qui et seuls les grands personnages — à commencer par le roi, mais prisonnier, lui, de
l'étiquette — peuvent se permettre de recevoir de cette façon. La
pudeur ici encore a un arrière-goût social ; le siècle de Louis XIV
fut celui des querelles de préséances — les « séances » de chaise
percée s'intègrent ainsi dans un ensemble parfaitement structuré.

Le grand resserrement

On ne s'étonnera donc pas que je fasse commencer le « grand
resserrement » anal dont parle Roger-Henri Guerrand non pas au
xixe siècle, mais dès le xvie siècle, parallèlement à la grande
libération scatologique qui dura trois siècles. Les deux tendances
sont complémentaires. Simplement, jusqu'à la Révolution,
l'indignation n'a pas les moyens de se faire entendre. Sous
l'Ancien Régime la respectabilité ne s'accorde pas sur la
conduite, mais sur la naissance ; il en ira autrement au
xixe siècle, et les préceptes qu'assenaient obstinément et inutilement les manuels de civilité depuis trois siècles deviendront
effectifs lorsqu'ils serviront à distinguer les honnêtes gens de la
populace mal élevée... Plus que d'un « grand resserrement », c'est
d'un « grand escamotage » qu'il faudrait parler. Depuis le
xvie siècle, en effet, tout se passe comme si la fonction excrétrice
et tout ce qui s'y rapporte avait été purement et simplement
effacé. Et tout d'abord le mot lui-même.

Au xiiie siècle déjà, lorsque Gautier de Coincy évoque le crime
d'une noble Romaine qui avait jeté son enfant incestueux dans les

« privés », les latrines sont innommables — « en si ort liu c'on nel doit dire », en un lieu si dégoûtant qu'on ne doit pas le nommer[357]. Au XVIe siècle, Henri Estienne, qui n'a pourtant pas sa langue dans sa poche, les appelle encore « l'endroit de la maison qui n'est pas honneste à nommer ».

Il semble même qu'il s'agisse là d'une pudeur spontanée, et non imposée par des esprits grincheux. Un colloque de Mathurin Cordier, en 1563, met en scène un élève timide et un maître qui l'incite à surmonter sa pudeur. La leçon porte sur les usages du papier :

« — Je diray encore un autre usage du papier, et très fréquent au collège.

« — Que ?

« — Je n'oserois pas le dire sans compliment.

« — Qu'est-il besoin de faire des compliments, entre amis, car les paroles ne puent pas.

« — Je le diray donc, puisque vous le voulez ?

« — Dites librement.

« — Pour torcher son derrière au privé[358]. »

Des périphrases aux compliments, on en arrive à la suppression radicale d'une mention gênante. Henri Gelin en a relevé un curieux exemple « dans le fatras des redevances féodales » en Poitou. Il était d'usage d'apporter au seigneur, à Noël, la bûche traditionnelle bien calée dans des monceaux de « mousse » qui servait de papier hygiénique, le tout surmonté d'un roitelet attaché à une longue perche. La consommation en mousse était si importante au château qu'on devait atteler deux, huit, voire vingt-quatre bœufs à la charrette ! Au XVIIe siècle, la nature trop précise de la redevance gêne les receveurs, et l'on voit se multiplier les redevances pittoresques, comme à Nueil-sous-Passavent, où l'on conduit au seigneur « un tout petit roitelet perché au sommet d'une gaule et placé dans une charrette attelée de vingt-quatre bœufs[359] » ! L'historien non averti serait en droit de s'interroger sur la taille des oisillons à l'époque...

Le lieu lui-même n'a pas plus d'existence que le mot qui le désigne. Il ne suffit plus, pour les auteurs de manuels de civilité, de se cacher pour déféquer. La *Galatée* de Giovanni Della Casa, secrétaire du pape Paul IV, recommande au courtisan de ne pas se préparer à s'y rendre lorsqu'il est en compagnie, et de ne pas se laver ostensiblement les mains après, « pour ce que la raison pour laquelle il se lave représente quelque chose de maussade à l'imagination de ceux qui le voyent[360] ». Il est donc dans l'ordre normal des choses que les architectes de la Renaissance aient éliminé le réduit qui ne pouvait être nommé ni évoqué... Il ne restait plus qu'un pas à franchir dans ce grand escamotage : la suppression du chieur lui-même. En 1731, l'*Éthique galante* recommande de ne pas le voir : « Quand on passe à côté d'une personne en train de se livrer à un besoin naturel, on fait semblant de ne pas le remarquer, il est par conséquent contraire à la politesse de la saluer[361]. »

Le nom a disparu, le lieu a disparu, l'occupation a disparu : tout est en place pour le « grand resserrement » analysé par Roger-Henri Guerrand. La vague de pudibonderie qui déferle sur la France au XIXᵉ siècle s'abat avec une singulière violence sur la défécation. Une plaisanterie naguère banale devient criminelle. Un tôlier en fit l'amère expérience, quand il remit à la mode le traditionnel pot de chambre orné d'un œil avec la légende « Je te vois ». En 1855, la tribunal correctionnel de la Seine le condamna à un mois de prison ferme ! « Quelles choses pouvait voir l'œil placé au fond du vase ? Toute la question est là », plaida le procureur, et de conclure : « Le tribunal appréciera[362]. » Le tribunal apprécia plus le réquisitoire que la plaisanterie.

Les urinoirs apparus quelques années auparavant inspirèrent les mêmes émois — comment ne pas les voir ? Ce fut bien pis en 1859, lorsqu'un publiciste avisé trouva intelligent d'y coller des affiches ! Le scandale éclata. « Les affiches apposées sur les colonnes-urinoirs ne peuvent être consultées par une femme, même au bras de son mari », décréta en 1860 M. de Caumont, ancien gérant de la Compagnie d'affichage. C'est alors qu'on mit à la mode les colonnes d'affichage indépendantes, et ces dames purent tourner autour sans mauvaises pensées — même en l'absence de leur mari[363].

Aujourd'hui, les toilettes on cessé d'être ce « lieu censé ne pas exister en ce monde[364] ». On les décore, on les fait visiter, on en fait des posters humoristiques... Leur réhabilitation appartient cependant plus au domaine artistique qu'à celui de la vie courante. Le renouveau uro-scatologique doit plus à un Marcel Duchamp (*Fontaine*), à un Rimbaud (« Obscur et froncé comme un œillet violet... »), à un Céline (« Au long des berges, les hommes urinent avec un sentiment d'éternité comme les marins.. ») qu'à une réelle évolution des mœurs. Provocation, humour, poésie restent les paravents nécessaires d'une fonction qui continue à humilier l'homme. « Nous naissons entre la merde et l'urine », *inter facces et urinam nascimur*, disait saint Augustin. L'homme réduit à n'être qu'un « moulin à merde », pour reprendre l'expression de la princesse Palatine, est ramené sur terre deux fois par jour par ces nécessités naturelles. La honte, qui est à la base de la pudeur, s'est manifestée dans cet acte bien plus souvent et bien plus fort que dans la dénudation. Si l'on excepte la parenthèse de la haute aristocratie des XVIIᵉ et XVIIIᵉ siècles — limitée socialement et historiquement — la pudeur sur la chaise percée est bien plus importante qu'un premier survol ne le laissait croire. Et la libération qui de nos jours remet ce sujet à la mode est loin de déborder du domaine artistique ou scientifique dans le domaine de la vie privée.

Chapitre VII

LE ROI NU

Après une révolution qui ressemble fort à celle de 1917, une famille aristocratique, exposée dans un musée de l'Ancien Régime, est condamnée à vivre selon ses anciennes habitudes sous l'œil incrédule ou goguenard des visiteurs. Excellent sujet pour une pièce d'Anouilh[365], sentence inhumaine pour une société qui a fait de la violation de la vie privée un crime sévèrement puni ; mais, pour une famille princière de l'Ancien Régime, cette publique intimité faisait partie des devoirs quotidiens. La pudeur des rois reste jusqu'en 1789 un vestige insolite et codifié de l'ancienne convivialité médiévale, qui échappe aux prescriptions des moralistes.

Dur métier que celui de roi ou de reine. Marie-Antoinette ne s'adapta jamais aux contraintes parfois odieuses de l'étiquette, et la répugnance qu'elle éprouve à vivre en public contribua pour beaucoup à nourrir l'hostilité populaire vis-à-vis de « l'Autrichienne ». Dans l'ombre de la reine veille « madame l'Étiquette », surnom que Marie-Antoinette donne elle-même à Mme de Noailles, l'intransigeante dame d'honneur. Mme Campan, première femme de chambre de Sa Majesté, dénonça « cette règle minutieuse qui poursuivait nos rois dans leur intérieur le plus secret, dans leurs heures de souffrances, dans celles de leurs plaisirs, et jusque dans leurs infirmités humaines les plus rebutantes » (t. I, p. 98).

Car l'intimité des rois ne concerne pas seulement les courtisans : toute la France est invitée à Versailles, les grilles des Tuileries ne sont jamais fermées, quiconque est vêtu correctement peut pénétrer dans les appartements du Louvre... Chaque jour, les « carrabas » et les « pots-de-chambre », ces omnibus qui font sans cesse la navette de la Ville à la cour, déversent à Versailles des flots de provinciaux curieux, qui viennent comme à un zoo voir vivre ces bêtes curieuses que sont les rois et les princes du sang. Un zoo : c'est l'image qui vient spontanément à l'esprit en lisant les souvenirs de Mme Campan. Le repas des fauves jouit alors de la même faveur qu'aujourd'hui — faveur amplement justifiée par l'appétit pantagruélique que les Bourbons ont hérité de Louis XIV. Le dîner du roi et des princes est en effet public, et chacun se presse dans les jardins et les corridors de Versailles pour voir le dauphin manger sa soupe, court à perte d'haleine pour ne pas manquer le bouilli des princes, et arrive exténué, mais à temps, chez Mesdames, sœurs du roi, qui en sont déjà au dessert... La journée a été bien remplie (t. I, p. 101).

Cette publicité n'est pas sans inconvénients, voire sans risques. On vole tant qu'on peut dans les appartements du roi, argenterie, lustres ou pots de chambre ! Le petit dauphin, futur Louis XIII, trouve des colporteurs à la porte de sa chambre. Mais on risque tout aussi bien de se faire insulter dans le noir, comme le Régent[366], ou de se faire trousser et fesser par des pages facétieux.

La pudeur non plus n'y trouve pas son compte. La royauté est une institution figée. Lorsque la pudeur est entrée dans les manuels de civilité, elle est ressentie comme une contrainte par ceux qui n'ont pas l'habitude de surveiller leur conduite. La Tour Landry, au xive siècle, Courtin, au xviie, prennent soin de préciser que leurs prescriptions ne concernent pas les grands, qui édictent les lois de la galanterie et en sont naturellement dispensés. Qui se permettrait de donner au roi des leçons de pudeur ? Lorsque les usages se figent, la permission devient obligation. On interdit au roi la pudeur. Comme dans le conte d'Andersen, personne n'ose lui dire qu'il est nu. Comment le saurait-il, si un petit garçon — ou une petite archiduchesse autrichienne — ne le lui faisait remarquer ?

Le roi appartient à son peuple autant que le peuple à son roi. Telle est la teneur du serment que le dauphin doit prononcer à Reims pour recevoir la couronne. Et tout ce qui touche au roi ou à sa famille intéresse le peuple. Aujourd'hui les potins princiers ont gardé la faveur d'un large public. Quoique les journalistes qui les coltinent soient tenus au respect de la décence et de la vie privée, leur curiosité semble sans bornes. Imagine-t-on celle des mémorialistes des xviie-xviiie siècles, qui s'adressent à un public restreint et n'ont pas de contraintes légales ? Sous leur plume, tout devient affaire d'État. Les premières pollutions de Louis XV sont notées par Marais ; les premières règles de Mme la Duchesse, par Dangeau ; le dépucelage de Louis XIV intéresse Saint-Simon et celui du duc de Bourbon, Dangeau[367]. De tels exemples seraient multipliés à l'infini. On comprend que des reines élevées dans des cours moins indiscrètes, comme ces cours d'Espagne et d'Autriche où puisèrent les Bourbons, se soient mal adaptées à cette curiosité qui semble typiquement française. Leur pudeur devait en outre se plier à d'autres humiliations : un examen complet à leur entrée en France, des témoins à leur nuit de noces, des accouchements publics, sans compter les agaçantes cérémonies du lever et du coucher où il faut parfois attendre dans le froid que qui de droit vous passe dans les règles votre chemise.

L'épreuve de la pudeur

Conquérir le pouvoir, même si on le possède de droit à sa naissance, ne se fait pas sans un certain nombre de cérémonies qui évoquent les épreuves couronnant les rites d'initiation. Épreuves de la pudeur ? Pourquoi pas, puisque la vie d'un roi devra se dérouler sous l'œil de toute une cour, de tout un peuple ? On a parfois donné ce sens symbolique à certains rites dont nous allons parler.

Le tout premier acte de la vie d'un roi aurait dû être cette épreuve de la pudeur. Le conditionnel déjà : car la pudeur ici a très vite triomphé de l'épreuve. Le sacre du roi à Reims ne fait en effet que rappeler le baptême de Clovis en 496, baptême qui fut jusqu'à la Révolution assimilé à un sacre. L'onction qui symbolise le droit divin du nouveau monarque n'est autre que l'onction baptismale primitive, qui ne s'est maintenue dans la cérémonie que pour rappeler le miracle de la Sainte Ampoule.

On se rappelle que le baptême primitif, par immersion, exigeait une nudité intégrale qui fut, selon la tradition, celle de Clovis et des trois mille Francs qui le suivirent dans les fonts de saint Rémi. L'onction elle aussi était originellement intégrale. Dans l'Église orientale, les candidats étaient oints « du bout des cheveux à la pointe des pieds », selon les catéchèses baptismales de saint Cyrille, évêque de Jérusalem au IVe siècle[368]. Le baptême est en effet calqué sur le bain des anciens, au sortir duquel il était d'usage de se frotter tout le corps d'huile. L'huile, dont les athlètes s'enduisent pour assouplir leurs muscles, dont on lave les cadavres pour les embaumer, est censée protéger le corps de la corruption. Le nouveau chrétien, après s'être symboliquement lavé de ses péchés, se garantira symboliquement l'âme de nouvelles errances en s'oignant « comme l'athlète qui entre dans le stade[369] ».

Le baptême de Clovis ne se déroula pas autrement — sinon que la cohue qui se pressait au baptistère empêcha le clerc préposé à cet office d'approcher avec l'huile consacrée, et que le roi aurait dû se passer d'onction si le Saint Esprit, en forme de colombe, n'avait apporté la Sainte Ampoule à l'évêque de Reims. Ensuite ? Les Mérovingiens sans doute se firent baptiser, mais ce baptême avait-il valeur de sacre ? On n'a pas mention d'un sacre de roi de France avant celui de Pépin, père de Charlemagne, en 751, et nulle mention de la Sainte Ampoule avant que l'archevêque Hincmar n'en transcrive — ou n'en forge — la légende au IXe siècle. Qu'en fut-il alors de l'onction intégrale ? Les descriptions des sacres qui nous sont parvenues sont trop peu précises pour qu'on puisse dire quand elle disparut. Il est certain en tout cas que l'huile de la Sainte Ampoule, même si elle était réputée inépuisable, ne pouvait être gaspillée inconsidérément. On n'en retirait qu'une goutte, au bout d'une aiguille d'or, pour la mêler au saint chrême auquel elle donnait sa vertu. Et l'on se contenta d'une onction symbolique en sept endroits du corps royal : la tête, la poitrine, le dos entre les épaules, chacune des deux épaules et le pli de chaque bras. La nudité dès lors n'était plus nécessaire.

La pudeur impose ensuite la chemise du sacre, de soie ou de toile cramoisie, ouverte aux endroits de l'onction. Lorsque l'archevêque de Reims s'avance avec le saint chrême, les évêques de Laon et de Beauvais sont chargés de délacer les fils d'or qui ferment les échancrures. Malgré la richesse du tissu, malgré la hantise du corps nu, le sacre reste une cérémonie « indécente », où est mimée, pour la conjurer, l'humiliation du monarque. En chemise, au Moyen Age, équivaut symboliquement à la nudité. Lors du couronnement de Charles VIII (1498), le *Cérémonial français* précise que le roi avait vêtu sa chemise « à nud sur sa chair[370] ». Il y a aussi ce déshabillage public, au milieu d'une foule, de princes, d'écclésiastiques en luxueux costume de cérémonie. Il y a cette prosternation du roi, couché pieds nus et en chemise dans une cathédrale en grand apparat. Derrière le cérémonial figé qui est décrit sous les Bourbons, au plus fort de l'absolutisme royal, il faut lire cette soumission symbolique du pouvoir temporel au pouvoir spirituel, cette allégeance du roi à son peuple que confirment les serments qu'il devra prononcer avant l'onction.

Les reines doivent se plier aux mêmes règles. Elles ne sont cependant ointes qu'à la tête et à la poitrine, avec le saint chrême non mêlé à l'huile de la Sainte Ampoule. Est-ce par pudeur qu'après Marie de Médicis, elles déclinèrent le sacre, qui pour elles n'est pas obligatoire ? Il serait téméraire de l'affirmer. D'autant que leur tout premier acte de reine, avant même le sacre, est une sérieuse épreuve de pudeur. Du moins s'il faut en croire les rares témoins qui nous parlent de cet examen auquel sont soumises, paraît-il, toutes les reines de France. Froissart est le premier à parler de cet usage qui veut que « quelconques dame, com fille de hault signeur que elle soit, que il convient que elle soit regardée et avisée toute nue par dames, à savoir se elle est propise et fourmée à porter enfans[371] ». Isabeau de Bavière, avant même d'être présentée à Charles VI, fut amenée en Brabant où la duchesse la reçut aimablement et « l'ordonna à l'usage de France »... Il ne s'agit donc pas d'un fait exceptionnel (« il est d'usage en France », affirme Froissart), même si nous n'en avons guère d'autre trace. Il peut s'agir là d'une réponse des rois à la guerre des mariages qui se livra aux XIe-XIIe siècles entre rois et papes, et dont Georges Duby a écrit l'histoire[372]. Puisque les rois ne pouvaient plus répudier leurs épouses bréhaignes, il fallait bien prendre quelques précautions — bien vaines, l'histoire nous l'apprend — avant de glisser une reine dans la couche royale. Un mariage représentait un gage de paix, et il était aussi important pour la reine que pour le roi de limiter les risques d'incidents diplomatiques, d'annulation — ou d'exécution. On ne peut malgré tout s'empêcher de trouver dans cette exhibition une atmosphère morbide de marché aux esclaves.

L'usage s'est-il maintenu au-delà du Moyen Age ? Nous disposons d'un curieux témoignage de Mme Campan sur l'arrivée de Marie-Antoinette en France, en 1770. A la frontière entre le royaume et l'empire, un pavillon représente symboliquement les deux puissances. Marie-Antoinette est avec sa cour dans le salon autrichien. « Lorsqu'on eut entièrement déshabillé madame la dauphine, pour qu'elle ne conservât rien d'une cour étrangère, pas même sa chemise et ses bas (étiquette toujours observée dans cette circonstance), les portes s'ouvrirent. » C'est ainsi que Marie-Antoinette prend possession de sa future suite — et je suppose, même si Mme Campan omet de le préciser, qu'elle s'est rhabillée avant de changer de pièce et de pays (t. I, p. 50).

Notons qu'il s'agit ici aussi d'une étiquette « toujours observée en cette circonstance ». L'a-t-elle été sans interruption depuis le xive siècle ? Rien ne nous permet ni de l'affirmer, ni de le nier. La signification du geste s'est d'ailleurs infléchie. Il n'est plus question ici d'examen gynécologique. L'abandon symbolique de son pays d'origine à travers ses vêtements n'est pourtant pas très convaincant. On a plutôt envie d'y voir une réinterprétation d'un usage indélicat dont on a voulu gommer l'aspect agressivement sexuel. Si la pudeur n'a pas supprimé le fait, elle en adoucit la portée.

Le même phénomène s'est produit avec un autre usage, probablement légendaire, mais qui a fait couler beaucoup d'encre sur un sujet pourtant embarrassant : la *sella stercoraria* sur laquelle devait s'asseoir le pape élu par le conclave, pour que l'on puisse s'assurer que l'on n'a pas élu une papesse. C'est après la mésaventure de la papesse Jeanne, dont on avait découvert le sexe lorsqu'elle avait accouché au cours d'une cérémonie officielle, que cette pratique aurait été instituée. « Pour éviter que telle adventure ne survint plus à la Papalité, fut lors ordonné que le dernier diacre, par une selle percée tasteroit les parties honteuses du Pape, et tesmoigneroit s'il est homme masle, disant : *testiculos habet*[373]. » Mayer[374] a pour sa part retenu la formule *Mas nobis dominus est*, et la tradition populaire utilise encore cette description plus éloquente : *Duos habet et bene pendentes*.

On s'accorde aujourd'hui à reléguer dans les facéties irrespectueuses du Moyen Age cette légende qui fut reprise par les plus doctes historiens de l'Église jusqu'au xviiie siècle. Lorsque Naucler la signale en 1501, il émet des réserves (*sunt etiam qui scribant* [...] p. 713), mais parle au présent. Mayer, en 1690, n'est pas moins prudent (*multi asserunt* [...]) et parle déjà au passé (*olim*). Cette docte prudence n'était bien sûr pas suivie par tout le monde, et la *sella stercoraria* fut admise comme une vérité assurée pendant des siècles. Rabelais l'évoque dans son *Quart Livre* (ch. 48), lorsque ses héros débarquent sur l'île des Papimanes. Ceux-ci, jugeant insuffisant de baiser la mule du souverain Pontife, comme le veut l'usage, se déclarent prêts à lui embrasser

« le cul sans feuille, et les couilles pareillement. Car il a couilles,
le Père Sainct, nous le trouvons par nos belles Décrétales :
aultrement ne seroit-il Pape. De sorte qu'en subtile philosophie
décrétaline ceste conséquence est nécessaire : il est Pape, il a
doncques couilles. Et quand couilles fauldroient [feraient défaut]
au monde, le monde plus Pape n'auroit » (p. 668). Estienne de la
Fontaine traduit en roman un « pasquil » (petit poème satirique)
que l'on fait courir à Rome à l'élection d'un pape et qui se
termine ainsi :

> ... Puis Rome disposa
> De se garder d'une semblable astuce
> Cerchant les lieux secrets, pres du prepuce
> Du grand Pontife : et nul pouvoit avoir
> Les clefs du ciel (c'est estre Pape) que pource
> Si tel avoit couillons falloit savoir[375].

Cette légende nous intéresse à plus d'un titre : d'abord à cause
de son extraordinaire longévité — à tel point que l'on entend
encore jurer *per testiculos papae*. Ensuite pour la fidélité avec
laquelle les historiens de l'Ancien Régime se la sont transmise,
vérifiant le principe selon lequel plus un mensonge est gros, plus
il a de chances d'être cru. Enfin parce que cette coutume qui les
embarrassait a entraîné la même réponse que l'examen pré-
nuptial des reines de France : une réinterprétation symbolique
qui en atténuait le caractère scandaleux. Naucler suggère ainsi
que la fonction de cette « chaise d'infamie » était de rappeler à
celui qui était appelé à une telle dignité qu'il n'était qu'un
homme soumis aux nécessités de la nature. L'humiliation du
futur pape jouerait donc le même rôle que celle des généraux
romains chansonnés lors de leurs triomphes — et peut-être que
celle des rois de France prosternés en chemise devant tout leur
peuple. Nous sommes habitués à cette valeur mortifiante de la
chair montrée — ou maniée.

Tout est consommé

La seconde étape, dans la vie d'une reine de France, est la nuit
de noces. Seconde épreuve de la pudeur ; second examen à réussir
pour consolider son trône. Il est essentiel en effet qu'on ne puisse
jamais contester la consommation du mariage. Les bonnes
relations entre deux pays peuvent en dépendre. La cour
espagnole, par exemple, demande en 1615 que des témoins
garantissent la consommation du mariage entre l'infante Anne et
le jeune roi Louis XIII. Pour d'autres raisons, Anne de Bretagne
avait eu besoin du témoignage de six bourgeois pour sa nuit de
noces avec Charles VIII : la reine venait en effet de faire casser un
mariage par procuration qui l'unissait à Maximilien d'Autriche,

et il fallait témoigner qu'elle s'était donnée sans contrainte à son nouvel époux.

A une époque où la parole n'a plus cette valeur sacrée du Moyen Age, mais où la justice, plus conservatrice, a gardé la preuve du serment, le mariage devient de plus en plus fragile. Pour se séparer de Jeanne de France, le roi Louis XII n'aura qu'à jurer qu'il ne l'avait jamais possédée physiquement. La reine répudiée en sera béatifiée, mais sa vie terrestre s'est trouvée brisée par un serment facile. On comprend, devant ces complications diplomatiques, l'inquiétude des cours étrangères quand elles envoient leurs filles se faire épouser par un roi de France.

Le mariage de Louis XIII et d'Anne d'Autriche a bien ce caractère de gage dans un mariage de raison entre deux pays rivaux. Nés la même année, ils sont promis l'un à l'autre dès le berceau — même si le pauvre dauphin, à qui l'on rebat les oreilles avec cette alliance et les obligations qu'elle comporte, n'est plus très empressé de rencontrer l'Espagnole. Sommé à tout bout de champ de montrer le *paquet* de l'Infante, le *mignon* de l'Infante, la *guillery* avec laquelle il lui fera un petit dauphin, le garçon finit par demander grâce[376]. Fera-t-il un enfant à sa future reine ? « Non pas, s'il-vous-plaît, papa »... A quinze ans, cependant, il faut bien qu'il s'y décide. Sans grande conviction : « M. de Grammont et quelques jeunes seigneurs lui faisoient des contes gras pour l'assurer ; il avoit de la honte et une autre crainte, enfin ils l'assurent. Il demande ses pantoufles, et prend sa robe et va à la chambre de la Reine à huit heures, où il fut mis au lit auprès de la Reine sa femme, en présence de la Reine sa mère[377]. »

Un médecin n'a pas à pénétrer dans la couche conjugale. Héroard n'en est pas moins affirmatif pour conclure à la consommation — répétée — lorsque le dauphin revient vers dix heures et quart. « Il y paroissoit, le gland rouge », note-t-il sobrement. Les ambassadeurs espagnols se contenteront-ils de cette « preuve » ? Il y a encore des Pyrénées, à l'époque, et l'amitié entre les deux peuples n'est pas suffisamment solide pour que l'on fasse confiance à un examen aussi sommaire — n'oublions pas que jusqu'à sa mort, Louis XIII soupçonnera sa femme d'espionner pour le compte de l'Espagne et lui interdira de correspondre avec sa famille. La nuit de noces heureusement a eu d'autres témoins : les deux nourrices d'Anne et de Louis, qui confirmeront aux ambassadeurs la double consommation. Et ceux-ci pourront rassurer leur gouvernement[378]. La pratique n'est pas exceptionnelle et répond parfois à de sages précautions : au mariage de don Carlos, roi de Naples, en 1738, « la princesse de Columbiano jugera des coups pour qu'il ne se fasse aucun excès[379] »...

Même quand on n'est pas roi, même quand la publicité de la nuit de noces s'arrête aux rideaux du lit, il n'est pas bon d'être trop pudique quand on se marie à la cour. Louis XIV, qui avait droit de regard sur les unions de ses proches et qui désirait qu'elles fussent heureuses, veillait au grain jusqu'à la dernière minute. En 1698, le comte d'Ayen épousa Mlle d'Aubigné, nièce de Mme de Maintenon — et donc du roi. « Après le souper, on coucha les mariés. Le Roi donna la chemise au comte d'Ayen, et madame la duchesse de Bourgogne à la mariée. Le Roi les vit au lit avec toute la noce ; il tira lui-même leur rideau, et leur dit pour bonsoir qu'il leur donnoit à chacun huit mille livres de pension[380]. » Ce qui, certainement, ne manqua pas de raffermir le courage du comte...

Refuse-t-on la compagnie ? C'est indubitablement parce que l'on a quelque chose à cacher. Lauzun, à soixante-trois ans, se mit ainsi en tête d'épouser Mlle de Quintin, qui en avait quinze. Il ne se doutait pas qu'en épousant la fille cadette du maréchal de Lorges, il devenait le beau-frère d'une des plus redoutables plumes de son temps, le duc de Saint-Simon... Le mémorialiste ne voit pas d'un bon œil son vieux beau-frère se déshabiller seul avec ses valets de chambre, et ne se risquer dans la chambre de sa femme que quand tout le monde en est sorti, elle couchée, les rideaux tirés, « et lui assuré de ne trouver personne sur son passage » (I, p. 231). Pudeur ou peur d'un mari trop âgé qui craint d'avoir présumé de ses forces ? Réponse le lendemain matin : le duc de Lauzun, rassuré sur lui-même, fit « trophée de ses prouesses » devant toute la cour, et madame reçut, comme le voulait l'usage, sur le théâtre de l'exploit.

Mais si le mariage n'est pas destiné à être consommé de suite, la pudeur reprend tous ses droits ! Ainsi, lorsque le duc de Bourgogne, petit-fils de Louis XIV, épousa à quinze ans Marie-Adélaïde de Savoie, qui n'en avait que douze, il n'eut droit qu'à une nuit de noces symbolique. « En sortant de table on fut coucher la mariée, de chez laquelle le Roi fit sortir absolument tous les hommes. Toutes les dames y demeurèrent et la reine d'Angleterre donna la chemise, que la duchesse de Lude lui présenta. Monseigneur le duc de Bourgogne se déshabilla dans l'antichambre au milieu de toute la cour, assis sur un ployant. Le Roi y étoit avec tous les princes. Le roi d'Angleterre donna la chemise qui lui fut présentée par le duc de Beauvillier. » Pudeur et publicité font encore bon ménage sous le régime de l'étiquette, et les deux adolescents se couchent en toute innocence « en présence des rois et de toute la cour ». La retraite commence en bon ordre : les rois d'abord, suivis bientôt des courtisans, à l'exception du dauphin (père du marié), des dames de la princesse, du duc de Beauvillier et de la duchesse de Lude. Le dernier à partir sera le marié lui-même, qui aura juste le droit d'embrasser sa femme. Il se rhabillera dans l'antichambre — surtout pas en présence de la princesse ! — et retournera dormir dans ses appartements. Fureur du Roi Soleil, le lendemain, lorsqu'il apprend la conduite inconvenante de son petit-fils : « Il ne vouloit pas que son petit-fils baisât le bout du doigt de sa femme jusqu'à ce qu'ils fussent tout à fait ensemble[381]. » Une étiquette peu propice à l'intimité n'empêchait pas la pruderie... Et la pruderie n'empêchait pas l'impertinence : le mot de la fin appartient au duc de Berry, onze ans, « gaillard et résolu », qui « trouva bien mauvaise la docilité de Monsieur son frère, et assura qu'il seroit demeuré au lit ».

Tout est fendu

La troisième et la plus importante épreuve des reines de France reste l'accouchement public de leur premier fils. Dans toutes les civilisations, sans doute, l'enfant mâle, l'héritier, est attendu et fêté. Mais dans un royaume qui n'acceptait pas de donner la couronne à une femme, dans un royaume qui venait de ressusciter la loi salique pour évincer Édouard III d'Angleterre, descendant par sa mère de Philippe IV, la naissance d'un dauphin revêtait une importance particulière. Est-ce à cette époque que naquit la coutume de l'accouchement public des reines ? Brantôme (t. IX, p. 336), qui rapporte l'accouchement public de Constance de Sicile, en 1194, ne signale aucune coutume semblable en France. Pourtant l'usage est bien établi en 1601, lorsque Marie de Médicis est sur le point de mettre au monde le premier héritier de la couronne des Bourbons.

La pudeur féminine est alors entrée dans les mœurs, même chez les Gascons. Henri IV s'inquiétera de celle de sa femme : « Ma mie, lui dit-il, vous sçavez que je vous ay dit par plusieurs fois, le besoin qu'il y a que les Princes du sang soyent à vostre accouchement. Je vous supplie de vous y vouloir resoudre, c'est la grandeur de vous et de vostre enfant. » La reine, qui a d'autres soucis en tête, se hâte d'accéder à cette prière. Le roi, plus soucieux sans doute de la pudeur de l'accouchée, insiste : « Je cognois vostre naturel qui est timide et honteux, je crains que si vous ne prenés une grande résolution en les voyant, cela ne vous empesche d'accoucher, c'est pourquoi derechef, je vous prie de ne vous estonner point : puisque c'est la forme que l'on tient au premier accouchement des Reynes[382]. »

Et voici la chambre envahie par François de Bourbon, prince de Conti ; Charles de Bourbon, comte de Soissons ; Henri de Bourbon, duc de Montpensier ; Catherine de Bourbon, duchesse de Bar — frères et sœur du roi —, ainsi que par quelques dames venues servir la reine. Rien d'agréable pour eux dans ce pénible devoir où ils ne viennent ni en spectateurs curieux ni en héritiers présomptifs jaloux de leurs droits. Louise Bourgeois, sage-femme de la reine, nous décrit leur « grand-peine » devant les douleurs de la reine ; le roi craint fort que son cousin Montpensier, le plus émotif des trois, ne tombe en faiblesse.

Rien ne leur sera épargné. Leur présence ne suffit pas : ils sont venus pour voir, qu'ils regardent ! La chaise sur laquelle Marie est placée pour accoucher est entourée d'un pavillon ; les princes sont assis dessous, vis-à-vis d'elle. Le petit Louis pointe la tête ; le roi commande aux princes « de se baisser pour voir l'enfant tenant à l'arrière-faix, avant que la sage-femme en fît séparation[382] ». Pour la « grandeur » du dauphin et de sa mère, il ne fallait pas qu'il y eût le moindre soupçon de substitution.

Cet accouchement public connut bien des fluctuations dictées par l'étiquette ou la pudeur. Sous Louis XIV, on ménage le plus possible reines et dauphines en gésine. Elles commencent le travail dans une chambre attenante à la pièce de réception et ne sont portées qu'au dernier instant sur leur lit de parade ; sous la tente qui le dissimule aux assistants ne prennent plus place que le roi et les accoucheuses. Les entrées en revanche sont plus nombreuses, et en comptant ceux qui sont présents par les droits du sang, de leur charge ou pour les nécessités du service, on peut estimer qu'une trentaine de personnes se bousculent au chevet de l'accouchée[383]. Dès les premières douleurs, tout le palais est sur le pied de guerre, quelle que soit l'heure. En 1686, la dauphine eut les premiers symptômes de la délivrance à quatre heures du matin : roi, dauphin, Monsieur, Madame « et tous les princes et princesses du sang qui ont droit d'être aux accouchements des reines » sont immédiatement éveillés, et feront le pied de grue jusqu'à midi pour voir naître le duc de Berry[384].

Le duc de Berry est le second petit-fils de Louis XIV. Trois générations plus tôt, il aurait pu naître calmement sans déranger toute la famille. Là aussi, la coutume a changé. Sous Henri IV, seule la naissance du premier fils est publique ; lorsque Marie de Médicis accouche pour la seconde fois, en 1602, il n'y a personne autour d'elle — sinon les dames de sa cour et ses médecins[385]. Au xviiie siècle, on reviendra à cette formule, après l'odieux accouchement de Marie-Antoinette.

Le xviiie siècle est un siècle voyeur. Le public, qui se délecte des estampes badines et qui aime voir à Versailles vivre dans son milieu cette espèce rare qu'est une famille royale, se presse aux portes du palais quand on annonce, le 19 décembre 1778, que la reine est sur le point d'accoucher. On va lui apprendre, à cette Autrichienne, à bouder les dîners publics : elle ne pourra pas se retenir d'accoucher comme elle se retient de manger. Des « flots de curieux » envahissent brutalement la pièce : cette fois, l'accouchement est « public » dans son sens le plus large. Le tumulte est si fort que la reine pense en mourir. La tente qui jadis la dérobait aux regards ? Elle est remplacée par de sommaires paravents, qu'il a fallu arrimer avec des cordes pour ne pas qu'on les renverse sur la reine. Masquent-ils les détails de l'opération ? Voilà deux Savoyards montés sur des meubles pour n'en pas perdre une miette ! Nous sommes loin des émois du duc de Montpensier ! Malgré l'hiver, la chaleur humaine est trop forte. Dans le dernier effort pour mettre au monde la future « madame Royale », Marie-Antoinette perd conscience. Dans la cohue, on ne peut apporter le bassin d'eau chaude pour la saigner ; le chirurgien la pique à sec. Ce sera le dernier accouchement public de l'Ancien Régime. L'étiquette sera abolie pour la naissance des derniers enfants du couple royal[386].

Au récit pathétique du Mme Campan, on peut opposer la sobre

relation du *Journal de Louis XVI* : « La Reine est accouchée à onze heures et demie d'une fille. J'ai passé tout de suite dans le grand cabinet pour la voir emmailloter[387]. » Quelques mots sur l'incident, une conclusion optimiste — « depuis elle a toujours bien été » — et pas un mot sur la foule et les affres de la parturiente. Quant à l'« intimité » des autres accouchements, elle est toute relative : « Ma maison, celle de la reine, et les grandes entrées, et les sous-gouvernantes entrèrent au moment des dernières douleurs, et se tinrent dans le fond de la chambre, sans intercepter l'air[388]. » Ce n'est donc pas la pudeur de la reine que l'on sauvegarde, mais cette précieuse santé qui peut encore fournir quelques héritiers. La comparaison de ces témoignages est frappante. En deux cents ans, on est passé de l'épreuve (et de la preuve) au spectacle. De l'enfant, pas un mot ; de la joie de voir naître un dauphin, pas plus. La gêne est devenue curiosité — et pourtant, si l'on avait voulu subtiliser un garçon à une fille, ç'aurait été possible désormais. L'étiquette a vidé la coutume de sa signification ; elle a du même coup banni tout sentiment.

Si l'accouchement des reines et des dauphines est important pour la dynastie, celui des princesses du sang ne l'est pas moins. En cas d'extinction de la branche aînée, ce sont leurs fils qui assureront la succession, et les rois se doivent de vérifier que là non plus, il n'y a pas erreur de marchandise. Les cris de joie dans ce cas sont inversés : le roi peut éprouver une mauvaise joie de voir que son frère « n'a fait qu'une fille ». En voyant apparaître celle de son frère Gaston d'Orléans, Louis XIII se serait écrié, soulagé : « Tout est fendu[389] ! » Louis le Chaste pouvait avoir la parole vive...

Les plaisanteries sur le sexe des héritiers sont les bienvenues dans une cérémonie qui est aussi un « heureux événement ». Si, au xviie ou au xviiie siècle, des esprits chagrins s'amuseront à reculotter des enfants Jésus sur les toiles des anciens maîtres, on n'a guère conscience, alors, d'une pudeur enfantine qui ne naîtra qu'au xixe. On a vu l'obsession de la *guillery* que l'on entretenait chez le petit Louis XIII. Elle commença tôt. Il avait d'ailleurs de quoi, s'il faut en croire Héroard, puisque ce gros bébé avait « les parties génitales à l'avenant du corps » (I, p. 5). Lorsque la tante du Bar, qui « considéroit les parties si bien formées de ce beau corps », jeta la vue sur « celles qui le faisoient être Dauphin », elle ne put s'empêcher de susurrer à sa dame d'honneur que le garçon « en étoit bien parti (fourni) » — un mot qui charma le roi son père... En 1607, le petit duc d'Orléans qui devait mourir à quatre ans sans avoir été baptisé naquit avec « la quille droite, ferme » — « je l'ai maniée », assure Héroard (I, p. 258).

Ne quittons pourtant pas ces pénibles accouchements publics sur les gauloiseries et les curiosités des témoins privilégiés. Quand on est roi, on peut recréer l'intimité au milieu de la foule, et la tendresse, l'inquiétude paternelle — ou grand-paternelle en l'occurrence — a aussi sa place dans cette épreuve. Lorsque sa belle-fille met au monde un premier héritier, Louis XIV tient beaucoup à en être le premier averti, malgré la foule qui a les mêmes yeux et la même curiosité que lui. Il s'est donc mis d'accord avec Clément pour que personne n'apprenne avant lui le sexe de l'enfant. Dès que l'accoucheur aura délivré la mère, Louis XIV lui demandera s'il s'agit d'un garçon. S'il lui est répondu « Je ne sais pas, Sire », il devra comprendre que c'est une fille ; dans le cas contraire, il sera répondu « Je ne sais point encore, Sire. » Quand le monarque entend la formule escomptée dans la bouche du chirurgien, il sait, et est le seul à savoir, qu'il lui est né un petit duc de Bourgogne.

Les levers du Soleil

Sont-ils connus, les levers et les couchers du roi pour lesquels les plus grands musiciens composaient de tonitruantes symphonies ! Chambres de parades, estrades, balustrades, petites et grandes entrées, musiciens... Chaque jour apporte son cérémonial, réglé comme un rite d'adoration. Et parfois même, on se couche pour mieux se relever. C'est le cas à Reims, où la cérémonie du sacre commence dès l'aube, quand les évêques de Laon et de Beauvais viennent « réveiller » le roi pour le conduire à l'autel. Le roi bien sûr ne dort pas : il s'est levé, a revêtu sa chemise de sacre et s'est couché sur un lit de parade... Ces cérémonies figées répondant à une étiquette inébranlable et parfois importune ne sont pourtant pas propres à la cour du Roi Soleil. Et elles n'ont pas toujours été habillées de cette étiquette qui fonctionne souvent comme un rempart à la pudeur.

On pourrait faire remonter les levers du roi à Charlemagne, à une époque donc où l'intimité du monarque n'avait pas de raison d'être préservée ni d'être monnayée. De la même façon que l'empereur invitait ses proches dans sa piscine, il les priait parfois à son lever. « Pendant qu'il se chaussait et s'habillait, il admettait ses amis, et si le comte du palais l'avertissait qu'un procès ne pouvait être terminé que par sa décision, il faisait introduire sur-le-champ les parties intéressées, prenait connaissance de la cause et rendait son jugement comme s'il eût siégé sur son tribunal[390]. » Il s'agit là d'une familiarité qui devait être la même à tous les niveaux de la société et qui n'est pas encore envahie par le cérémonial de l'étiquette. La seule chose qui surprenne Eginhard, c'est que Charlemagne, sans retirer faveur ni fierté de sa dignité impériale, se conduise en la circonstance comme le moindre de ses sujets.

Ces levers royaux sont institutionnalisés au xvie siècle, à l'époque où naissent les premiers traités d'étiquette qui tentent de réglementer la vie de cour. Sous Henri II « fut institué un nouveau conseil appelé *Les affaires du matin*. Encore obscur est-il, le Roi étant éveillé, sa chemise lui est apportée. Lors tous les grands et la plupart de la noblesse entrent pour le saluer : sa chemise prise, qui lui est baillée par le premier et le plus grand des princes qui se trouve là, et lui habillé, après s'être prosterné à genoux devant un petit oratoire et autel qu'on lui dresse en sa chambre, ses dévotions faites, lui relevé, chacun se retire et ne demeure que ceux des affaires[391] ».

La différence est flagrante entre les levers de Charlemagne et de Henri II. Une intimité imposée par l'urgence d'une affaire à régler devient une cérémonie à laquelle assistent même ceux qui n'ont rien à demander au roi — encore que l'on parle de « conseil » comme pour atténuer le côté gratuit et rituel. Le principe qui triomphera jusqu'à la Révolution est déjà trouvé : celui qui passe la chemise du roi — et qui a donc le contact le plus direct avec son intimité — est le seigneur le plus élevé de l'assistance. Intimité est-elle nudité ? Il semble qu'ici la pudeur individuelle du souverain ait eu une certaine marge de manœuvre.

Lorsque Henri IV rentrait tout en sueur de la chasse et que le dauphin Louis lui passait la chemise, il devait changer totalement de linge de corps. L'État de la France pour 1712 semble ménager davantage la pudeur de Louis XIV lorsqu'il énumère les différents stades du lever du roi : celui-ci revêt d'abord une robe de chambre et passe hauts-de-chausses et bas avant de retirer sa chemise[392]. Au mariage du futur Philippe Égalité, en 1769, lorsqu'on passe la chemise au marié, toute la cour put constater qu'il avait le pubis rasé[393]. Quant aux reines et aux grandes dames, qui obéissaient au même cérémonial, elles ne portaient rien sous leur chemise. Sans doute commence-t-on à s'offusquer d'une Mme de Gondran, au xviiᵉ siècle, à qui il « prend fantaisie » de changer de chemise devant des hommes qu'elle n'a jamais vus[394], ou d'une Mme du Châtelet, au xviiiᵉ, qui ne se prive pas de laisser couler sa chemise devant son valet Longchamp. On ne s'offusque pas moins lorsqu'une reine — fût-elle « une des plus ribaude triballe [lesbienne] dont on ait jamais ouï parler » — se fait donner la chemise « et quelque chose au delà » par un valet de chambre[395]. Mais ces pudeurs restent limitées. Les reines restent assujetties au cérémonial de la nudité, et nous verrons Marie-Antoinette poser en Vénus Médicis devant des dames trop longues à lui passer sa chemise.

Dans l'évolution du lever — et du coucher — du roi, nous voyons de nouveaux rapports s'établir entre le roi et ses sujets ; des rapports qui échapperont longtemps à la révolution de l'intimité qui se manifeste dès le xviᵉ siècle dans les classes bourgeoises. La conquête de la vie privée ne s'accomplit que très lentement, et l'aristocratie obéit jusqu'au xviiiᵉ siècle à des règles de familiarité qui ont de moins en moins cours dans les milieux bourgeois. La royauté reste le dernier refuge de la vieille convivialité.

Dès le xviᵉ siècle, cependant, lorsque de nouvelles conceptions architecturales permettent de découvrir un espace privé, le roi tente de freiner cette familiarité trop grande des courtisans. Charles IX édicte des ordonnances qui vont dans ce sens et nomme un grand maître des cérémonies de France[396], mais sans grand succès. L'ambassadeur vénitien Lippomano s'étonnera que, lors des dîners d'Henri III, n'importe qui puisse s'approcher du roi[397]. Sans doute l'Italien est-il obsédé par la manie des poisons qui sévit dans son pays, mais l'avenir lui donnera raison. Henri III a perdu le contrôle de sa vie privée. Refuse-t-il de recevoir un moine sous prétexte qu'il est sur sa chaise percée ? « Si on le rebutoit, on diroit à Paris qu'il chassoit les Moines et ne les vouloit voir[398]. » Pour n'avoir pas été maître de son intimité, Henri III laissera entrer son assassin dans sa chambre.

Si l'étiquette à partir de Louis XIV tient à distance les courtisans, le peuple ne s'y juge pas soumis et jouit parfois d'une plus grande familiarité avec le roi que certains hauts personnages. Il faudra attendre la Régence pour que les jardins des Tuileries soient fermés à dix heures du soir — et Napoélon osera le premier interdire son palais à tout venant.

Quant à cette étiquette qui définit de nouveaux rapports entre la personne du roi et le monde restreint des courtisans, il est intéressant de la voir changer de nature au fil des rois qui se succèdent, selon l'autorité qu'ils gardent sur leur entourage. Alienor de Poitiers, qui rédige sous Charles VIII le premier livre d'étiquette connu, y codifie les *Honneurs de la cour*, un ensemble de pratiques qui honorent les courtisans et sont directement issues de la dignité royale. Les *Affaires du matin* qui réglementent les levers d'Henri II sont elles aussi « instituées » par le roi et acceptées par les nobles de sa suite. La dignité royale toute neuve est suffisamment forte pour imposer ces usages qui lui rendent hommage. Sous les derniers Valois, le pouvoir royal trop faible ne peut plus faire respecter cette étiquette. La reine mère Catherine de Médicis s'en plaint à ses fils ; en 1563, elle rédige à l'intention de Charles IX un *Avis pour la police de sa Cour* qui restera lettre morte[399]. Elle y évoque aussi ces levers royaux qui semblaient des actes d'allégeance quotidiens. Henri III ne réussira pas plus à rétablir les anciens usages, malgré les manuels d'étiquette qu'il adresse à ses courtisans pour leurs étrennes[400].

D'autres marques de respect naissent cependant à cette époque : mais elles viennent des courtisans et non plus des princes. Par « hypocrisie », par « flatterie », on se met à inventer des appellations ronflantes, telles que « Majesté et autres mots sycophantes que la flatterie a inventés depuis[401] ». Mais « en contre-échange, la rébellion et mépris de la dignité royale a pris siège en nos cœurs, et ne peut-on qu'à bien grand peine les arracher. »

Cette étiquette à l'envers, issue des milieux des courtisans et non plus du pouvoir royal, sera récupérée au xviie siècle par les Bourbons, et surtout par le Louis XIV d'après la Fronde. L'intimité du monarque, la nudité du monarque, le regard du monarque sont désormais des denrées distribuées avec parcimonie et qui distinguent les favoris. Pendant trois longs règnes, la faveur royale maintient une dépendance stricte des courtisans ;

de plus en plus large — après la mésaventure de Lauzun, Louis XIV n'aura plus de favori en titre — elle est de plus en plus fragile. On en retire de la fierté. Le comte de Brienne, ministre de Louis XIV, est fier de pouvoir pénétrer à toute heure chez le roi, « même dans sa garde-robe où j'entrais quand il était sur la chaise percée, sans avoir eu besoin de brevet d'affaires[402] ». On y met le prix qu'il faut — la charge de « porte-chaise d'affaires », qui consistait à s'occuper des chaises-percées du roi, était estimée à vingt mille livres[403]. L'étiquette, jadis engendrée par la dignité royale, restaure désormais cette dignité. Le lever du roi et des gentilshommes jouera ce rôle. « Cette étiquette [...] était calquée sur la dignité royale qui ne doit trouver que des serviteurs, à commencer même par les frères et les sœurs du monarque », commente Mme Campan (I, p. 98). Donner la chemise au roi n'est plus un service, c'est une humiliation que l'on exige d'un inférieur pour mieux marquer la distance qui le sépare de soi. Cette nouvelle conception de l'étiquette ne va pas toujours sans incident.

Le roi lui-même peut éprouver des difficultés à se faire servir : en 1693, quand le prince royal du Danemark arrive à la cour de Louis XIV, il lui incombe théoriquement de donner la chemise au roi à son lever. Il n'entrera donc dans la chambre de son hôte qu'après que celui-ci aura pris la chemise[404].

Les princes du sang connaissent parfois les mêmes difficultés, à cette époque dominée par les querelles de préséance. Monsieur, frère du roi, s'était plaint à Louis XIV de ne pas être servi par M. le Duc, cousin du roi. Le monarque autorisa son frère à régler l'affaire au mieux de ses intérêts. Un matin donc que Philippe d'Orléans, qui venait de se lever, vit passer M. le Duc sous ses fenêtres, il le pria de venir à lui et le fit entrer en parlant dans sa chambre. Tout à coup, le prince ôte sa robe de chambre ; le premier valet de chambre donne la chemise (de jour) à M. le Duc ; le prince retire sa chemise (de nuit) ; le premier gentilhomme adresse un signe discret, mais impératif, à M. le Duc... Et celui-ci, la rage au cœur, est bien obligé de passer la chemise à Monsieur[405].

Passe encore lorsqu'on est prince du sang. Mais il arrive que de grands seigneurs « le portent si haut » qu'ils tentent d'imposer cette prérogative royale à leurs propres courtisans. Ainsi M. de Guise, petit-fils du Balafré et grand chambellan de France, voulut lui aussi se faire passer la chemise par les grands seigneurs qui lui rendaient une visite matinale. « Il se trouva huict ou dix personnes qui firent cette sottise-là. Une fois on la présenta comme cela à l'abbé de Retz [le futur cardinal] qui la laissa tomber dans les cendres et s'en alla[406]. » Querelles sur la tête d'une épingle, sans doute, mais le moindre geste est lourd de conséquence dans une société où tout est symbolique, où la politesse est réglée comme du papier à musique et où chaque faux pas est impitoyablement comptabilisé. Desgranges, maître des cérémonies de Louis XIV, notait dans un registre tous ces petits incidents d'étiquette, qui tenait lieu de jurisprudence. A-t-on imprudemment embrassé quelqu'un, ôté son chapeau, donné la chemise ? Une mécanique se met en marche qu'il n'est plus possible d'arrêter. Dans ces calculs savants, dans ces courses à la préséance, la nudité est prise en otage et la pudeur n'est plus de mise.

On ne peut en effet manquer de rapprocher l'humiliation de la chemise à la nouvelle conception de la pudeur qui se fait jour au xviie siècle et que nous avons rencontrée sporadiquement au cours des chapitres précédents. Une pudeur sociale, qui va de bas en haut. S'il est impoli de se montrer nu à quelqu'un qui nous est supérieur, on ne se gêne pas, comme Mme du Châtelet, devant son valet. Courtin signalait le même usage dans l'habillement, ou lorsqu'on devait partager sa chambre avec quelqu'un à qui l'on doit le respect. Nous avons vu aussi bien l'abbé Vermond recevoir dans sa baignoire que le duc de Vendôme sur sa chaise percée : dans l'un et l'autre cas, il s'agit d'imposer au visiteur une supériorité dont on ne jouit pas par le rang et que l'on veut rendre effective par la situation. Le lever jouera le même rôle. Le manuel de civilité de Courtin, qui a analysé le plus finement les rapports entre les différentes strates de la hiérarchie sociale sous Louis XIV, donne la formulation la plus nette de cette pudeur sociale : « La bienséance ne souffre pas qu'une personne que nous devons respecter, nous voye nuds, et en dés-habillé » (p. 159). Lorsqu'on se rappelle qu'au Moyen Age, désigner la nudité est signe de honte, et qu'au xixe siècle, se montrer nu, c'est déchoir de sa dignité, on comprend la place originale qu'occupe la pudeur dans l'aristocratie aux siècles classiques.

Au xviiie siècle, cependant, l'étiquette, figée, se vide de son contenu et devient importune au fur et à mesure que la pudeur invidivuelle pénètre les hautes sphères et détrône la pudeur sociale. Mme Campan a beau dire que l'étiquette garantit la dignité royale, Marie-Antoinette n'avait que faire de cette déférence quand elle faisait le pied de grue, nue, en plein hiver, devant une chemise qui ne cessait de passer de main en main. La scène et les commentaires qui la rendent compréhensible sont caractéristiques de ce lent retournement des mentalités.

« L'habillement de la princesse, explique Mme Campan (I, p. 97-98), était un chef-d'œuvre d'étiquette, tout y était réglé. La dame d'honneur et la dame d'atours, toutes deux si elles s'y trouvaient ensemble, aidées de la première femme et de deux femmes ordinaires, faisaient le service principal ; mais il y avait entre elles des distinctions. La dame d'atours passait le jupon, présentait la robe. La dame d'honneur versait l'eau pour laver les mains et passait la chemise. Lorsqu'une princesse de la famille royale se trouvait à l'habillement, la dame d'honneur lui cédait cette dernière fonction, mais ne la cédait pas directement aux princesses du sang ; dans ce cas, la dame d'honneur remettait la chemise à la première femme qui la présentait à la princesse du sang. Chacune de ces dames observait scrupuleusement ces usages comme tenant à des droits. »

Vous avez suivi l'explication ? Voici la leçon pratique.

« Un jour d'hiver, il arriva que la reine, déjà toute déshabillée, était au moment de passer sa chemise ; je la tenais toute dépliée ; la dame d'honneur entre, se hâte d'ôter ses gants et prend la chemise. On gratte à la porte, on ouvre : c'était madame la duchesse d'Orléans : ses gants sont ôtés, elle s'avance pour prendre la chemise, mais la dame d'honneur ne doit pas la lui présenter ; elle me la rend, je la donne à la princesse ; on gratte de nouveau : c'est madame, comtesse de Provence ; la duchesse d'Orléans lui présente la chemise. La reine tenait ses bras croisés sur sa poitrine et paraissait avoir froid. Madame voit son attitude pénible, se contente de jeter son mouchoir, garde ses gants, et, en passant la chemise, décoiffe la reine, qui se met à rire pour déguiser son impatience, mais après avoir dit plusieurs fois entre ses dents : "C'est odieux ! quelle importunité !" »

Lorsqu'elle publie ses mémoires après la Révolution, Mme Campan se fixe le difficile objectif de réhabiliter la mémoire d'une reine détestée par le peuple, à qui l'on attribue communément la responsabilité du mécontentement populaire et dont des mémorialistes peu scrupuleux comme Soulavie ou Lauzun dénoncent la conduite scandaleuse. Confondant comme bien d'autres pudeur des sentiments et pudeur de la conduite, l'ancienne femme de chambre de la reine peint une Marie-Antoinette dont la pudibonderie sera garante de la vertu. Pour un public qui comprend de moins en moins les importunités de l'étiquette, elle dresse un portrait humain, proche de la façon de ressentir du lecteur, où la femme est écrasée par la machine impitoyable et absurde des façons de la cour.

Cette « apudeur » que l'on réclame des grands et des rois a une double signification. Tout d'abord, originairement, de grands intérêts sont en jeu lorsqu'on détient un pouvoir absolu. Un mariage royal est garant de paix ; il faut pouvoir garantir sa consommation. Un héritier peut briser les espoirs de ses proches ; sa naissance ne peut être contestée. Le mariage ne peut rester stérile ; il faut vérifier la bonne constitution de la future reine... Mais à côté de cette « apudeur » au premier degré, nous avons vu se développer des explications plus symboliques, moins offensantes, qui intègrent ce qui désormais est ressenti comme une humiliation dans l'édifice rassurant d'une étiquette. L'étiquette à son tour se sclérosant, il n'est resté dans certains cas que le spectacle, malsain, gaillard, comme le grand accouchement que dut subir la reine en 1778.

Parallèlement à cette explication historique, le rôle du roi dans la géographie de la pudeur classique répond à une nouvelle conception du pouvoir absolu. Le roi appartient à son peuple autant que le peuple à son roi. « L'État, c'est moi », aurait dit Louis XIV à une époque où une conception plus métaphysique (dans le sens comtien) du pouvoir se faisait jour : si l'État est une réalité désincarnée qui n'a pas d'existence concrète, tel devra être le roi — pur esprit, sans corps et donc sans pudeur. Sa dignité, il la porte en lui, dans son ascendance que des généalogistes habiles font remonter au mythique Pharamond. Le roi nu est toujours le roi. Le bourgeois, en ôtant les vêtements qui le distinguent du croquant, perd du même coup sa dignité et son pouvoir. La pudeur, après 1789, ira de haut en bas. Le roi nu d'Andersen ne sera plus le roi, mais un fantoche ridicule et humilié par deux ouvriers rusés.

DEUXIÈME PARTIE

LA PUDEUR DANS LA REPRÉSENTATION

Chapitre VIII

LES ARTS PLASTIQUES ET LA PUDEUR

Nous ne sommes plus habitués à associer art et pudeur. Les bûchers allumés par Savonarole et où chacun venait déposer ses tableaux licencieux ou ses livres païens nous semblent fanatisme aveugle ; les feuilles de vigne que l'on répand à la pelle sur les nus au xviiie siècle paraissent le fruit d'une obsession malsaine, et nos ateliers de restauration s'empressent d'effacer les repeints de pudeur qu'un artiste postérieur a ajoutés à l'œuvre d'un maître. Il ne nous vient pas à l'idée que de telles attitudes aient pu être généralisées à certaines époques, et qu'un mouvement aussi vaste que la Renaissance ait pu être confiné dans les limites très restreintes de l'avant-garde artistique.

Si notre art n'a d'autres frontières que l'imagination des créateurs, c'est parce que le xixe siècle romantique a réussi à imposer le mythe de l'artiste inspiré qui échappe aux lois communes. Que ne pardonne-t-on pas à un « artiste » — excuse absolutoire et condescendante, dans certains milieux, à toutes les étourderies et à toutes les audaces ? Photographie-t-il des nus ? C'est pour la bonne cause. Déjeune-t-il sur l'herbe, valse-t-il au bal des Quat'z-Arts avec des modèles qu'il n'a pas eu le temps de rhabiller ? Il faut passer cela à son génie...

A cet artiste romantique affranchi des règles de la vie sociale, le xxe siècle surréaliste a ajouté l'art provocateur, qui brise les tabous du conformisme petit-bourgeois — et parmi eux, la pudeur. Nous en oublions que la représentation du nu, dans la peinture, dans la sculpture, a posé des problèmes idéologiques, religieux, ou tout simplement de pudeur, à une époque où l'artiste était encore « artisan », celui qui crée un objet, peigne ou cathédrale, et tant qu'à faire lui donne une forme agréable à l'œil. Intégré dans la société, l'artiste ne peut échapper aux règles de pudeur.

Pudeur individuelle dans ses rapports avec un modèle à qui il ne peut pas toujours demander de se déshabiller complètement. Pudeur sociale lorsque le tableau, la statue, achevés, doivent recevoir l'approbation du public. Il n'y a pas la barrière d'une exposition en galerie entre le commanditaire et l'œuvre ; une statue décore une fontaine publique, un tableau la cheminée d'un salon. Pudeur religieuse, enfin, à une époque où les thèmes iconographiques sont empruntés à l'histoire sainte, où les églises servent de musées et où la moindre faute peut faire figure d'hérésie.

L'étude de la nudité en art, de sa signification, de ses rapports avec ces trois formes de pudeur se révèle complexe, parce que, malgré tout, la sensibilité personnelle représente une part essentielle dans la création artistique. On résume généralement l'histoire de la nudité artistique à une pruderie exagérée au Moyen Age, une brusque libération à la Renaissance et un académisme assagi dans l'art classique. Une division qui n'est pas à rejeter, mais à nuancer en fonction des milieux auxquels s'adresse l'œuvre d'art et de l'accueil qu'elle y reçoit.

Le Moyen Age : la peur du nu ?

A la fin du xviiie siècle, Jacques Dulaure prétendait la pudeur gauloise. Nos ancêtres, qui allaient nus à la bataille, « par bravade », avaient soin de se couvrir le sexe, et sur leurs statues, les organes sexuels étaient cachés, ou remplacés par un « gros bouton en forme de tête de clou[1] ». Pour le vertueux révolutionnaire, il s'agissait de démontrer que c'était l'église catholique qui, avec sa foule de saints phalliques, avait introduit chez nous l'art obscène et païen de la Méditerranée...

Une meilleure connaissance de l'art celte nous rassure sur la prétendue pudibonderie celtique. Nous pourrons continuer à employer l'adjectif *gaulois* avec ses connotations coutumières. Sans doute est-ce en Gaule que l'on rencontre un des premiers réflexes de pudeur artistique, chez Grégoire de Tours, au vi[e] siècle. Mais c'est déjà une Gaule chrétienne, et un sujet d'indignation tout aussi particulier, puisque c'est un christ nu qui mobilise le clergé. Le thème du crucifix suscite d'ailleurs des problèmes si différents de ceux des autres nudités artistiques que nous devrons lui consacrer un chapitre entier.

Mise à part cette pudeur — toute relative : il a fallu trois miracles pour que le clergé réagisse ! — de l'évêque de Tours, l'art médiéval se laisse très difficilement analyser en termes de pudeur ou d'impudeur. C'est vrai que la nudité y est rarement représentée et que, lorsque le sujet l'impose, les artistes ont recours à certains subterfuges dont le plus flagrant est de supprimer carrément le sexe de l'homme. Hantise du corps dans une chrétienté obsédée par le péché originel et l'œuvre de chair ?

Un coup d'œil sur les portails, les vitraux, les miséricordes des stalles nous convainc du contraire. L'art médiéval ne craint pas le nu, ne craint pas de l'afficher dans les lieux qui nous semblent les plus sacrés, au vu et au su de toute une foule qui ne s'en formalise pas. Les Adam et les saints ne lui suffisent pas. « Grottesques »

ithyphalliques, scènes d'accouplement, derrières rebondis pullu-
lent en marge des manuscrits, sous les stalles des chanoines, sur
les chapiteaux des églises. Depuis le XVIᵉ siècle, on s'amuse à
relever dans l'art religieux ces personnages que notre sensibilité
moderne trouve obscènes. Qu'ils suscitent l'indignation ou la
sympathie des commentateurs, que l'on y voie l'expression de la
fantaisie d'un ouvrier ou une véritable religion populaire
parallèle à la religion officielle, on accepte rarement de les
intégrer dans un art, dans une sensibilité, dans une dévotion
uniques. On ne peut les séparer de l'ensemble de l'art religieux,
comme une verrue sur un corps harmonieux, ces « grottesques »
— et le simple fait qu'on ne dispose pour les désigner que d'un
terme inventé à la Renaissance prouve qu'ils n'avaient pas de
raison d'être distingués des autres thèmes iconographiques. Ils
forment un contrepoint à la statue habillée, à l'intériorité
religieuse d'un art d'une intensité expressive inégalée. Contrepoint indispensable. Lorsqu'un chanoine s'assied sur une stalle
sculptée d'un pet-en-gueule, il ne peut oublier, au milieu des
discussions théologiques, qu'il y a en lui une partie humaine et
souffrante. N'est-ce pas d'avoir voulu épurer la religion de toute
obscénité humaine que Réforme et Contre-Réforme se sont
purifiées au feu des autodafés ?

L'art, comme la cathédrale, comme le monde, forme un tout au
Moyen Age. Il n'y a pas, par exemple, d'art obscène, de littérature
érotique, de dessins licencieux. Sur la tapisserie de Bayeux, une
homme bandant jusqu'aux genoux s'apprête à se jeter sur une
femme éplorée qui cache pudiquement son sexe — tandis qu'à
l'étage supérieur, le fourbe Harold rencontre pour la première
fois le duc Guillaume de Normandie. Allusion au « viol » du
serment que prêtera Harold ? La tapisserie de Bayeux aime ce
genre de commentaires.

Scènes d'accouplement également à Courpiac, à Verac, à
Payroux[2] et peut-être sur le portail de Notre-Dame de Paris. Sans
doute toutes ces scènes ne sont pas toujours visibles à l'œil nu, et
tel détail d'un vitrail, d'un chapiteau placé au sommet d'un pilier
interminable, n'est peut-être pas destiné à être vu. Du moins par
un œil humain. Car les églises sont avant tout censées être les
maisons de Dieu — d'un Dieu alors moins pudique que celui
qu'on imagine aujourd'hui.

Les thèmes obligeant à la nudité, voire à l'obscénité, se
trouvent à foison dans le légendaire pieux. Sans reparler des
diables, ou des martyres des saints, certaines scènes de l'Ancien
Testament ou de la *Légende dorée* fournissent la matière
première. Jusqu'en 1660, on pouvait paraît-il voir dans la
chapelle de sainte Marie l'Égyptienne, à Saint-Germain-l'Auxer-
rois, un vitrail représentant la sainte troussée jusqu'aux genoux
avec la légende : « Comment la sainte offrit son corps au
nautonier pour son passage[3]. » Daniel dans la fosse aux lions,
Jonas, Adam et Ève, le Christ enfant ou à son baptême... sont
traditionnellement représentés nus. Il n'est donc pas obscène de

représenter ce que cautionne la religion. L'imprégnation de ces thèmes est si forte qu'ils influenceront la représentation de réalités qui n'ont plus rien à voir avec la religion : lorsque le miniaturiste du *Livre des merveilles* veut peindre des hommes sauvages, il les enferme dans un « paradis terrestre » et les fait passer pour Adam ou Ève[4]. C'est alors une façon courante de lire le monde : la grande muraille de Chine est le château où sont enfermés Gog et Magog, et si les sources du Nil sont inaccessibles, c'est parce qu'il naît au paradis...

La dévotion populaire, enfin, s'est inventé un nombre incroyable de saints guérisseurs de la stérilité, qui avaient leur place dans les églises — certains d'ailleurs l'y ont toujours — et qui prenaient parfois la forme de statues ithyphalliques. Une bonne centaine de saints se prêtaient à ce jeu qui scandalisera, au XVIe siècle, les humanistes protestants. Pierre Viret, en mentionnant les « vilenies que les Chrestiens Papistes commettent de jour mesme en leurs temples, és festes, vœus et invocations de leurs patrons et saincts et sainctes, ausquels ils attribuent la vertu de faire porter des enfants aux femmes[5] », est le premier à parler de saint Foutin, dont le membre, long d'un demi-pied, accueille les chandelles des dévotes ; de saint Arnaud, dont on soulève le tablier pudiquement posé sur la partie miraculeuse ; de saint Greluchon, dont on gratte les génitoires, dont il est « horriblement bien fourni »... Henri Estienne, Marnix de Sainte-Aldegonde se font l'écho de ses descriptions. La multiplicité des saints et la vitalité des cultes prouvent qu'il ne s'agissait pas là d'une religion populaire héritière de traditions païennes, comme il est rassurant de le conjecturer, mais d'une pratique admise par le clergé et encouragée par de puissantes abbayes, comme celle de Déols, qui y trouvent des sources de revenus substantiels.

Si, dans certains cas, on ne craignait pas les nudités les plus agressives, pourquoi, dans d'autres, y a-t-il ces réflexes de pudeur ? Un premier élément de réponse est contenu dans une symbolique que nous avons déjà signalée. L'art médiéval est d'une extrême sobriété et chaque détail y a sa pertinence — jusqu'au modelé anatomique. S'il faut traduire la honte d'Adam après le péché, il est nécessaire de représenter d'abord la nudité innocente. Dans les voussures du portail nord de la cathédrale de Chartres, un Adam pudique se cache le sexe ; il n'a de sens qu'opposé à celui qui s'expose sans honte avant le péché. De la même façon, un Christ nu n'a de sens que lorsqu'il s'agit d'illustrer le *velamen capitis*, épisode apocryphe évoquant la Vierge qui recouvre du voile de sa tête les reins nus de son fils crucifié. C'est dans ce système structuré qu'il faut replacer la représentation ou la suppression du sexe. La bible de Holkham, par exemple, ne dessine que rarement les organes génitaux ; mais ils sont parfaitement détaillés dans la scène du Déluge, tant pour l'homme que pour la femme, chez qui ils symbolisent les péchés qui ont suscité la colère céleste.

Le rôle symbolique que jouent les organes sexuels, par leur

absence ou leur présence, est souligné *a contrario* par l'absence de convention formelle dans leur représentation. Il est très facile de cacher un sexe masculin en dessinant un personnage de dos : les peintres du XVIIIe et du XIXe siècles excelleront dans cette mise en scène hypocrite. Lorsqu'un miniaturiste médiéval représente un homme nu de dos, ses organes sexuels sont parfaitement visibles[6]. Un personnage de face, en revanche, peut très bien se retrouver châtré à ras, avec une absence de vraisemblance qui restera inégalée jusqu'aux animaux asexués du dessin animé moderne... Quant aux femmes, depuis l'Antiquité et jusqu'au XXe siècle, il est clair qu'elles n'ont pas de sexe pour l'artiste. L'art médiéval sera le seul à oser représenter les organes féminins et les poils pubiens, à oser braver le tabou de la femme enceinte... Le sexe féminin fait même l'objet d'une élégante scène courtoise peinte vers 1400[7], où l'on reconnaît les principaux chevaliers de la Table ronde, Lancelot, Tristan, les grands amoureux du roman courtois, faisant leurs dévotions à Vénus : du sexe bien apparent de la déesse s'échappent des rayons qui vont frapper la bouche des adorateurs. Des amours aux pieds griffus, quoique discrets, témoignent du caractère diabolique de cette scène païenne.

Ce ne sont donc pas des raisons de pudeur qui effacent à certains moments les sexes des personnages. La suppression des parties naturelles s'inscrit d'ailleurs dans une indifférence plus générale à la chair, aux muscles, à la plastique humaine. La religion chrétienne demande à l'art de traduire d'autres aspirations, d'autres croyances, d'autres témoignages que ceux de l'art païen. C'est de beauté morale, intérieure, que l'on s'inquiète, et ce que l'on perd en beauté plastique est compensé par l'extraordinaire force intérieure qui émane de l'homme médiéval. Comment pourrait-on juger en termes de pudeur un art qui ne se soucie pas de l'enveloppe charnelle ? Il n'y a pas d'érotisme dans les scènes les plus osées : la chair est faiblesse, vulnérabilité, souffrance ; celui qui s'y abandonne renonce à une volupté supérieure et on le plaint sans doute comme on se moque aujourd'hui de celui qui fait vœu de chasteté... A la limite, le nu, les scènes d'accouplement des églises, sont moraux, puisqu'ils contiennent une leçon qui contredit ce qu'ils représentent.

Seule réaction peut-être de pudeur dans l'art médiéval : son point de jonction avec le nu réel. Il semble en effet que l'on ait répugné à recourir à un modèle nu. Paul Richer a pu analyser la production — somme toute maigre — de l'époque romane en la ramenant à deux types, l'un hérité de l'antiquité grecque, l'autre de l'art byzantin[8]. Pudeur, vraiment ? Peut-être. Mais dans un art qui est avant tout *ars*, métier, la connaissance des règles et des canons est plus importante que la fidélité au réel. L'essentiel, c'est la fidélité à l'idée du nu, qui n'est pas inscrite sur la peau de l'homme.

Le même système de valeurs, les mêmes interprétations se maintiendront jusqu'à la Renaissance dans la perception de la nudité. Mais l'élaboration, à la fin du XIIᵉ siècle, et au XIIIᵉ, de nouveaux cadres de référence, la redécouverte du monde réel après un âge roman un peu trop platonicien auront leur répercussion dans la représentation du nu. Les thèmes restent chrétiens ; le sens profond de la chair pécheresse ou meurtrie n'a pas changé. Mais à partir du XIIIᵉ siècle, on se montre de plus en plus sensible au modelé du corps humain, à tel point qu'il devient nécessaire de postuler des modèles. L'album de Villard de Honnecourt est à ce point de vue unique en son genre. « Il n'est pas douteux que Villard de Honnecourt n'ait eu plus d'une fois recours à la complaisance d'un compagnon qu'il priait de se dévêtir ; ses dessins en témoignent », estime Richer (p. 164). La précision du trait, le souci de saisir le jeu des muscles exclut tout recours aux canons habituels. Mais les études graphiques de l'architecte n'avaient pas de valeur intrinsèque : l'étude des corps humains ne sert dans son esprit qu'à mieux représenter les vêtements qui les couvriront, et qui, à cette époque, se font effectivement de plus en plus collants. On suit par exemple l'évolution d'un personnage de la silhouette géométrique au croquis du nu, puis au dessin vêtu. Dans ces corps qui ne l'intéressent qu'en tant que supports des draperies, Villard de Honnecourt a probablement réalisé les premières académies connues.

Les cathédrales gothiques participent à la même volonté. Bien avant l'intérêt de la Renaissance italienne pour l'anatomie, les artistes qui sculptèrent les cathédrales de Chartres, de Reims, et surtout les superbes nus de Bourges parviennent à un rendu parfait des tensions et des efforts musculaires. Là aussi, le recours au modèle est manifeste. S'il y a eu un préjugé à dépasser, c'est ici qu'il faut le chercher, et l'évolution intrinsèque de la société l'explique sans que l'on invoque l'influence de la statuaire antique — encore sous terre — ou du *Risorgimento* italien qui ne s'est pas encore manifesté.

Le gothique aurait pu continuer sur sa lancée si des particularismes locaux ne l'avaient fait éclater au XVᵉ siècle. Deux modèles de nus se partagent alors la peinture. Le style courtois international remet à la mode le nu féminin, qui se fait plus sensuel. Les maîtres flamands — Van Eyck, Roger del Pasture, les frères Limbourg — allaient imposer un type de femme original : épaules tombantes, petits seins, ventre rond... Paul Richer a démontré qu'elles adoptent en fait l'attitude imposée aux femmes par les robes à ceinture élevée, qui les font paraître constamment enceintes (p. 240 et suiv.). Au delà du phénomène de mode qui répand un type apprécié jusqu'au XVIᵉ siècle, il est tentant d'y voir quelque pudeur de modèle qu'il faut peindre à travers sa robe moulante... Pourtant, le modèle féminin n'hésite plus à se déshabiller, comme le montre une gravure sur bois conservée à Chantilly, représentant le peintre et son modèle[9].

Ces nus un peu maniérés, au corps modelé par le souvenir du vêtement, sont en même temps les premiers nus véritablement sensuels que nous livre le Moyen Age. Après les « affreuses mamelles pendantes » que Richer détestait dans les Ève romanes, voici des Ève désirables, qui semblent constamment enceintes, des femmes qui, jusque dans leur damnation, ont conservé la chair ferme et la « mamelette durelette » des poètes courtois. Le temps n'est déjà plus aux nudités humiliées.

A la même époque, mais dans le sud de l'Europe, le Quattrocento redécouvre lui aussi la chair triomphante. Mais la Renaissance qui s'amorce connaît les mêmes paradoxes de la pudeur — la libération de l'art, la précision de plus en plus grande des statues et des toiles correspondront à un recul du nu domestique. Et c'est dans une atmosphère de pudibonderie montante qu'éclot l'hymne à la nudité. C'est en partie ainsi qu'il faut interpréter le recours au modèle antique ou aux cadavres disséqués : outre la recherche d'autres canons pour la représentation du corps humain, il faut y voir un début de gêne devant le modèle nu. Michel-Ange lui-même, d'après Vasari[10], avait horreur de copier une personne vivante, « à moins qu'elle ne fût d'une incomparable beauté ».

Le nu italien du xve siècle en revêt des aspects très variés. Il peut être macabre, comme ce *Jugement dernier* de Signorelli, dont les muscles saillants ressemblent à une leçon d'anatomie sur un cadavre écorché. Il peut être paisible comme une statue antique, chez Donatello ; harmonieux et sensuel chez Botticelli, dont la Vénus pudique invite plus qu'elle ne dérobe. Mais c'est dans ces recherches que se constitue une nouvelle vision du nu et du monde.

Autres temps, autres chairs

Ce n'est donc pas une autre nudité que découvre la Renaissance italienne, mais une autre chair, une autre leçon de vie qui heurte de front la nudité gothique. Même lorsque l'artiste prolonge l'exploration macabre du xve siècle, fasciné par le *transi* saisi à l'instant de sa mort, il parvient à exprimer, dans la tension ultime des muscles luttant contre l'affaissement des chairs, un hymne à la vie et à la force. Les gisants de Louis XII et d'Anne de Bretagne, à la basilique Saint-Denis, ne doivent rien à ces morts vivants des danses macabres du xve siècle. Figés dans leur dernier souffle, ils sont souvenir de chair vivante bien plus qu'entrée dans un autre monde qui n'a plus de réalité concrète. La menace de la mort est menace de fin de vie et non plus de châtiments éternels.

Même exaltation de la chair dans la floraison subite du nu vivant. La chair nue ne symbolise plus la souffrance ou la mortification, mais la puissance chez l'homme, le désir chez la femme. Question de thème, bien sûr : les jugements derniers, les Ève pécheresses font place à des David triomphants, à des Diane surprises au bain... Mais cet hymne païen à la puissance souveraine du corps dépasse le renouvellement des thèmes iconographiques : un Christ en croix, un saint martyrisé véhiculent le même message d'une force humaine qui transcende la souffrance. Le clergé ne s'y trompera pas et réagira autant contre cette nouvelle leçon de la chair que contre la nudité qui n'est, somme toute, qu'un héritage gothique.

Cette nouvelle vision du corps naît d'abord de la collaboration entre artistes et anatomistes. La connaissance de plus en plus précise des muscles et des mouvements, des tensions du corps humain suscite un art de plus en plus centré sur l'énergie, sur le jeu, à la limite gratuit, des musculatures. A voir ces captifs de Michel-Ange déployant une force surhumaine pour sortir de leur gangue de pierre, on songe irrésistiblement aux exhibitions du body-building contemporain. C'est le même plaisir de faire rouler des muscles solides pour la seule beauté du geste. Même le corps au repos, comme celui du David de Michel-Ange, n'est que tension et préparation à l'effort, et la seule crispation de la main nouée sur la pierre qui abattra Goliath contient cette exaltation de l'énergie humaine. Le contraste est frappant si l'on compare les figures de Michel-Ange aux morts de la cathédrale de Bourges, qui déploient les mêmes efforts pour soulever le couvercle de leur tombeau.

La redécouverte du nu antique est aussi déterminante dans cette nouvelle perspective du corps humain. La nudité grecque véhicule le même message exclusivement humaniste. Les « couroï », les athlètes au combat ou au repos, ne se préoccupent que de l'apparence extérieure, du rendu plastique de l'énergie musculaire. Mais ce qui était vécu dans la Grèce antique comme la reproduction de la réalité — les athlètes concouraient nus dans le stade — devient formalisme à la Renaissance. Imagine-t-on un David affrontant nu le géant Goliath ? L'exaltation de la nudité passe donc par ce nouveau système référentiel qui servira de transition avec la vision médiévale dévalorisante : la chair n'est pas valorisante en soi, mais par référence à un modèle antique. Les contemporains qui se risquent à se faire représenter nus ont besoin de cette justification : Bronzino peint Cosme de Médicis en Orphée, Andrea Doria en Neptune ; Simonetta Vespucci pose en Cléopâtre pour Pierre di Cosimo, et Diane de Poitiers incarne sa déesse éponyme... Cette façon d'effacer le nu par une référence antique, que nous avons déjà signalée dans les livres de médecine de l'époque, peut être interprétée comme une première concession à la pudeur. Il est délicat pour une grande dame d'exposer son portrait nu ; se montrer en Diane est une excuse que l'on invoquera pendant quatre siècles...

Dernière influence sur la vision du nu à la Renaissance : les rapports qui s'établissent entre modèle et artiste. Rapports ouvertement sexuels chez Cellini, par exemple, qui interrompt constamment ses séances de pose pour coucher avec ses modèles[11]. « Les mêmes scènes se renouvelèrent durant plusieurs jours », note-t-il froidement dans ses Mémoires. Il s'accommode aussi bien de femmes mariées, comme Catherine — pour se venger de son mari, avoue-t-il ! — que de jeunes filles « pures et vierges », comme Jeanne qu'il engrosse, ou de jeunes garçons, comme Cencio, quoique Cellini ait toujours démenti les accusations de la mère de son apprenti. Michel-Ange, malgré la répugnance que lui prête Vasari pour les modèles vivants, utilisera les services de Tommaso dei Cavalieri, le plus célèbre de ses amants. On ne peut nier l'influence de ces relations entre modèle et artiste sur les œuvres, qui matérialisent un désir érotique.

Est-ce cela que l'on ressent confusément en découvrant ces œuvres ? Toujours est-il que la Renaissance, en libérant la nudité, a déclenché la plus formidable campagne de pudeur artistique des temps modernes. Les réactions viennent de partout, du peuple, des autorités religieuses, des princes, des artistes eux-mêmes...

Le peuple reste le censeur suprême pour les statues monumentales qui lui sont destinées. Il faudra paraît-il édifier de nuit, en 1504, le *David* de Michel-Ange qui soulevait l'indignation populaire — ce qui ne l'empêcha pas d'être lapidé. Il fallut y ajouter une « guirlande » garnie de vingt-huit feuilles de cuivre, ancêtre lointain des feuilles de vigne qui pousseront au xviiie siècle[12]. Des feuilles dorées sur le marbre blanc : le côté artistique est préservé... Le *Neptune* de Jean de Bologne connaît la même ceinture de feuilles lorsqu'il couronne la fontaine de la ville, et le pape Paul IV, s'il n'est pas l'instigateur de ce rhabillage, ne manque pas de l'approuver[13].

Certains sculpteurs prennent les devants. Lorsque Cellini présente son monumental *Jupiter* à François Ier, il a jeté dessus « une légère et gracieuse draperie pour lui donner plus de majesté » (II, p. 51). C'était compter sans l'hostilité de la duchesse d'Étampes, qui ne supportait pas le sculpteur italien et suggéra que le voile devait dérober quelque imperfection du travail. « A peine eut-elle proféré ces mots, que je soulevai le voile et le déchirai avec colère, en découvrant les parties génitales de ma statue. Madame d'Étampes pensa que je n'avais montré cette nudité que pour l'insulter. » Le roi dut s'interposer entre la colère de sa maîtresse et l'indignation de son sculpteur favori.

Cet exemple nous oblige à nous interroger sur les limites de la nudité au xvie siècle. Ces statues que nous voyons aujourd'hui sans voile étaient-elles présentées telles quelles au public de l'époque ? Le fait qu'on s'empresse de recouvrir celles qui le sont nous inciterait à penser que la nudité n'était alors qu'un stade préalable, comme jadis, chez Villard de Honnecourt, et qu'elle ne servait qu'à mieux étudier le jeu des draperies. Cellini lui-même reconnaît qu'un Jupiter montrant ses organes génitaux manque de majesté, et la « gracieuse draperie » qu'il y ajoute fait partie, dans son esprit, de l'œuvre achevée. On ne peut bien sûr conclure sur de trop rares exemples. Retenons simplement que le passage d'une nudité mal dégrossie à une étude anatomique précise et porteuse d'un érostime sous-jacent ne se fit pas sans heurts.

Chez les ecclésiastiques, la pudeur est à la fois plus large et plus complexe. Mettons à part les Jean de Capestran et les Savonarole. Les *brucciamenti delle Vanità* qu'ils allument dans l'Italie du Quattrocento sont plus populaires que religieux. Le moine florentin jouira de l'appui du parti des *Piagnoni* (les « pleurnichards »), mais non de celui des autorités ecclésiastiques dont, de son côté, il condamne le relâchement...

Encore faut-il faire la distinction, dans une Église dépassée par les événements, entre les princes fastueux qui, avec le pape Alexandre Borgia, appuient l'art nouveau, et les dignitaires plus circonspects. Pour ceux-ci, la pudeur ne se limite pas aux organes sexuels. D'emblée, ils saisissent la véritable portée de cette révolution mentale : ce sont les nouvelles valeurs accordées à la chair qu'ils condamnent, l'absence de toute intériorisation et de toute religiosité dans les sujets les plus sacrés. Un pied trop réaliste, un décor trop profane suffisent à déchaîner leurs foudres. C'est l'humanisme plus que la Renaissance qui les inquiète. Un exemple précis nous permettra d'analyser en détail la réaction qui s'amorce.

Lorsqu'en 1536, Alexandre Farnèse, qui vient d'être élu pape sous le nom de Paul III, commande à Michel-Ange le *Jugement dernier* qui devra compléter la décoration de la chapelle Sixtine, le « divin » est au sommet de sa gloire ; la Renaissance est encore dans sa phase ascendante, et le Farnèse, prince fastueux et protecteur des arts, ne semble pas annoncer la pudibonderie qui régnera au Vatican dans la seconde moitié du siècle. La Sixtine est déjà inondée des nudités dont Michel-Ange a parsemé la *Genèse* de la voûte. Rien ne préparait donc au scandale qui devait éclater quelques années plus tard.

Bien mieux, lorsque Biagio da Cesena, maître des cérémonies du pape, reproche, lors d'une visite au chantier, l'indécence de la composition, Paul III prend le parti du peintre. Celui-ci, pour se venger de son censeur, le peint sous les traits de Minos, le juge infernal, nu comme un diable et un serpent appendu au sexe, comme les allégories de la Luxure. Le pape à nouveau ne fait qu'en rire et réplique à Biagio, qui se plaint de ce tour pendable : « Messire Biagio, vous savez que Dieu m'a donné puissance sur la terre et le ciel, mais mon autorité ne s'étend pas jusqu'à l'enfer ; il vous faudra de la patience si je ne puis vous en libérer[14]. » Messire Blaise se le tient pour dit : les nus de Michel-Ange sont protégés par le pape.

Paul III peut prendre parti contre son conseiller ; il est plus difficile de défendre son point de vue contre l'indignation de toute une ville. En 1541, lorsque le public peut contempler l'œuvre achevée, un tollé général dénonce l'inconvenance de la fresque. Pietro Aretino, le Pétrone du xvie siècle, se fait l'interprète de l'indignation populaire — peut-être pour assouvir une vengeance personnelle contre Michel-Ange. « En tant que baptisé, lui écrit-il en 1545, je suis révolté par la licence, si contraire à la spiritualité, que vous vous êtes permise en exprimant les concepts auxquels se résolvent les aspirations de notre vraie croyance[15]. » L'indécence des personnages est un signe d'impiété (*impietà di irreligione*), crime particulièrement grave à l'époque où renaît l'Inquisition. On y voit en effet les anges et les saints, « ceux-ci sans aucune honnêteté terrestre, ceux-là privés de tout ornement céleste ». Les ornements célestes : ailes, aubes, auréoles, toute une imagerie à laquelle la peinture a renoncé depuis longtemps. L'honnêteté terrestre : quelque vêtement qui cache au moins les organes sexuels. Dans la version primitive, effectivement, seul le Christ a droit à un vague mouvement de draperie. Peinture de salle de bains, conclut l'écrivain, indigne de la plus grande chapelle de la chrétienté.

Oublions un moment l'animosité personnelle de l'Arétin, à qui Michel-Ange avait refusé sa collaboration. On s'est étonné, on s'est scandalisé de voir ce « maître pornographe donner des leçons de décence au chaste Michel-Ange[16] ». On a plutôt l'impression que ce romancier satirique a senti d'où venait le vent, et que cette lettre — qu'il publiera en 1550 — est une justification de sa propre œuvre autant que la condamnation de celle du maître. « Moi, dans une matière lascive et impudique, non seulement j'use de mots détournés et déguisés, mais je raconte avec des termes irrépréhensibles et chastes. » Cette tartufferie de l'auteur le plus licencieux de l'époque est peut-être tout simplement un brevet de vertu qu'il veut s'octroyer à bon compte.

La fresque de Michel-Ange deviendra le symbole de la lutte pour une vertu retrouvée. Lorsqu'en 1664, Gilio da Fabriano publie son *Dialogue sur les erreurs des peintres*, c'est au *Jugement dernier* qu'il s'en prend avec le plus de véhémence. Son argumentation permet de faire nettement la différence entre la pudeur populaire, dont l'Arétin s'est fait l'écho, et la pudeur ecclésiastique, formulée par le concile de Trente. Il y a effectivement chez Gilio une réaction pudibonde qui épouse bien l'indignation populaire de son temps. En théologien, il sait que l'on ressuscitera nu, « car la Résurrection sera celle des corps et non des vêtements » (p. 100). Mais le peintre n'en est pas pour autant dispensé de pudeur. « On a mis au point certains artifices louables pour garder l'honnêteté : comme de cacher avec un voile gracieux les parties honteuses des saintes figures », ce qui fut fait pour la Vierge, mais pas pour tous les personnages saints. Cette pudeur cependant ne manque pas de poser problème au théologien, d'abord parce que les damnés sont traditionnellement nus, mais aussi parce que le jour du jugement, « on ne saura plus ce qu'est la honte » ; bien plus, tous les vents alors auront cessé : comment dès lors faire se mouvoir les draperies (p. 93) ? On ne saurait penser à tout...

C'est pourquoi la principale critique de Gilio ne concerne pas la nudité en soi, mais cette nouvelle valeur de la chair dont

Michel-Ange est devenu le héraut. L'erreur du peintre, selon Gilio, est de ne pas avoir approprié le sujet et l'exécution. Si l'artiste avait voulu montrer « la délicatesse du corps, la beauté, la grâce », il devait peindre une nativité. S'il voulait représenter l'homme nu, il pouvait peindre un baptême, « dans lequel on peut montrer l'anatomie ». Mais dans une flagellation, une crucifixion — ou un jugement dernier — les effets de muscles sont nuisibles. L'homme doit y être « sanglant, laid, déformé, affligé, consumé, et mort » (p. 87 et suiv.). L'attaque ici est plus précise — et plus grave. Nous sommes sur le terrain de la décence plus que de la pudeur : une feuille de vigne ou un mouvement de draperie ne suffisent plus à rendre la fresque honnête. Au delà de Michel-Ange, est dénoncée toute une conception humaniste de la vie qui exalte l'énergie plutôt que la faiblesse humaine. Rétorque-t-on que l'on ne fait qu'imiter les Anciens ? Leur religion n'était ni pure, ni chaste, ni sainte : il n'y a donc pas lieu de s'y référer (p. 105).

La position de Gilio s'explique aussi historiquement. En 1564, le « reculottage » du *Jugement dernier* a déjà été entrepris. En 1559, Paul IV a en effet demandé à Daniele da Volterra de recouvrir de draperies les nudités les plus provocantes de la Sixtine. Daniele, ami de Michel-Ange, dut exécuter à contre-cœur cette commande qui lui vaudra d'entrer dans l'histoire sous le surnom de *Braghettone* (le « caleçonneur »). Il dut en tout cas distribuer avec parcimonie les draperies, car la fresque continua à susciter le scandale. C'est dans cette atmosphère que le dialogue de Gilio prend tout son sens : quelques draperies ne suffiront pas à effacer l'indécence inhérente à l'œuvre même ; elles ne feront qu'ajouter une « erreur historique » à toutes celles dont Gilio a dressé la liste, puisqu'il faudra postuler pour les agiter un vent qui se sera arrêté. En fait, les adversaires de Michel-Ange réclament désormais la destruction pure et simple de l'œuvre. Consciemment ou non, Gilio apporte de l'eau à leur moulin.

C'est pourtant vers un nouveau reculottage que l'on s'oriente : en 1566, saint Pie V demandera à Girolamo da Fano de compléter l'entreprise de Daniele. La fresque est momentanément sauvée. En 1596, Clément VIII à son tour songe à la détruire. Il fallut une supplique de l'académie de Saint-Luc pour l'en dissuader. De siècle en siècle, le *Jugement dernier* continuera à symboliser l'esprit nouveau châtré par la Contre-Réforme. Au xviiie siècle, Clément XIII y fit faire quelques autres retouches, et le bruit courut, en 1936, que Pie XI voulait à son tour ajouter des draperies[17]... Pourquoi cette fresque précisément fut-elle choisie comme victime expiatoire de toute une conception de l'art ? A cause de la personnalité de son auteur ? sans doute ; à cause aussi du moment précis où elle fut livrée au public.

Réforme et Contre-Réforme : même combat

En 1541, quand Michel-Ange fait enlever les échafaudages, la diète de Ratisbonne consacre la rupture entre protestantisme et catholicisme ; en 1542, l'Inquisition est rétablie ; en 1545, le concile de Trente tient sa première assemblée ; en 1546, le pape Paul III approuve l'ordre des Jésuites. En cinq ans, tout est en place pour lutter contre la Réforme, tolérée par la première Renaissance.

En quoi ces moyens de répression concernent-ils l'art ? L'indécence des œuvres d'art fut très vite assimilée par le peuple, à l'esprit luthérien inspirateur de tous les vices. Assimilation ironique, si l'on pense que les protestants reprochaient eux aussi aux « papistes » la licence de leurs mœurs et l'immoralité de leurs statues ! Michel-Ange, dans un pamphlet qui circule à Florence en 1549, est considéré comme « l'inventeur des ordures » et le promoteur des « caprices luthériens » : « On ne peint ou ne sculpte aujourd'hui dans les saintes églises que des figures propres à ruiner la foi et la dévotion ; mais j'espère qu'un jour Dieu enverra ses saints pour renverser de pareilles idolâtries », conclut le zélé catholique[18]. La course à la pudeur rejoint donc la chasse au protestant. Et les instruments de la Contre-Réforme se retournent contre les artistes. L'Inquisition se penche sur les Cènes du Véronèse. Les jésuites, « Mignons de Jésus-Christ » comme les appelait Ronsard, prendront en main la réforme morale de la société — et leur intransigeance est déjà proverbiale : « Là où vous peschez Pour un petit poisson vous tirez une truite[19]. » Quant au concile de Trente : « Désormais, toute superstition doit être bannie, dans l'invocation des saints, la vénération des reliques, l'usage sacré des effigies ; que tout ce qui est jugé honteux soit éliminé, que toute indécence enfin soit fuie, afin que les effigies ne soient plus peintes ni décorées avec un charme insolent (*procaci venustate*)[20]. » Un texte très général, sans doute, mais qui laisse toute liberté aux théologiens de censurer ce qu'ils estiment *turpis, lascivus* ou *procax*... Le concile interdit en outre d'exposer tableaux et statues dans les églises sans l'approbation de l'évêque, qui a le dernier mot en la matière.

On n'attendait que cet avis du concile pour fourbir ses armes. Gilio da Fabriano en 1564, Molanus en 1570, le cardinal Paleotti en 1582, précisent la pensée des pères conciliaires[21]. Pour eux, la nudité est explicitement devenue affaire de religion. « Remercions Dieu que notre religion n'ait rien que de chaste et de pudique », conclut Molanus après avoir fustigé l'art païen (f° 70, v°). En même temps on sent la pression populaire derrière le discours théorique du théologien flamand : s'il demande, comme le prescrit le concile de Trente, de soumettre tout cas litigieux à l'arbitrage de l'évêque, c'est pour que les particuliers ne brisent pas eux-mêmes les statues qui les choquent (f° 41-43). Là sans doute est le danger dans une ambiance de guerre de religion doublement iconoclaste.

En attendant, la pudeur triomphe. Sur le trône pontifical ne s'asseyent plus les puissantes familles qui tenaient au début du siècle des cours fastueuses, mais un Paul IV, qui avait été à l'origine de la nouvelle Inquisition ; un Pie V, ancien Grand Inquisiteur... Les œuvres d'art un peu trop licencieuses brûlent les doigts. On les donne, on les mutile, on les détruit. Pie V lui-même donne l'exemple et offre les collections d'antiques du Vatican au peuple romain, à ses cardinaux, aux princes. Jacques Boonen, évêque de Gand, puis archevêque de Malines, fait brûler des tableaux, briser des statues qu'il juge obscènes. Montaigne, attentif à toutes les modes nouvelles, ne se prive pas de se gausser de cette rage iconoclaste : « Ce bon homme, qui en ma jeunesse, chastra tant de belles et antiques statues en sa grande ville pour ne corrompre la veue, se devoit adviser, comme aux misteres de la Bonne Deesse toute apparence masculine en estoit forclose, que ce n'estoit rien avancer, s'il ne faisoit encore chastrer et chevaux et asnes, et nature enfin » (III, 5, p. 94).

Et les artistes, dans tout cela ? Ils cessent bien sûr de représenter les nudités interdites. Certains vont même plus loin. Le sculpteur Bartolomeo Ammanati, pris de remords pour les erreurs de sa jeunesse, adresse à l'académie de Florence une belle lettre d'autocritique, dans laquelle il décourage les jeunes artistes de représenter des nudités : « On peut fermer un mauvais livre, mais les statues s'offrent sans cesse à tous les regards[22]. »

La nudité n'est cependant qu'une pierre dans le grand mur de la décence qui s'édifie au xvie siècle. « Pour un petit poisson vous tirez une truite », disait Ronsard... C'est souvent vrai. On va parfois chercher l'irreligion et l'indécence dans des détails qui nous semblent anodins. Le Caravage fut obligé de refaire un saint Mathieu qui laissait voir « grossièrement ses pieds[23]. » Les antiquités dont le pape Pie V se débarrasse précautionneusement ont autant le tort d'être païennes que d'être dénudées. Et l'interrogatoire de Véronèse par le tribunal de l'Inquisition, le 18 juillet 1573, offre de curieuses perspectives à une histoire de la décence. C'est pour indécence en effet que le peintre comparaît devant le tribunal sacré de Venise. Que lui reproche-t-on ? Les bouffons, les Allemands ivres, les nains « et autres niaiseries » qu'il a introduits dans la dernière Cène de Jésus Christ, parce qu'il lui restait « un peu d'espace »... Indécent et inconvenable, estiment les inquisiteurs. En vain le peintre invoque-t-il les « licences » que peuvent se permettre « les poètes et les fous » : on lui rétorque que son tableau ressemble furieusement aux « peintures pleines de niaiseries » que l'on expose « en Allemagne et autres lieux infestés d'hérésie » pour « avilir et tourner en ridicule les choses de la sainte Église catholique, pour enseigner la fausse doctrine aux gens ignorants ou dépourvus de bon sens ».

Voilà le Véronais accusé d'hérésie pour quelques ivrognes et un chien qu'il a refusé d'échanger contre une honnête Madeleine... Il se permet alors d'invoquer les exemples de ses maîtres — à commencer par le *Jugement dernier* de Michel-Ange. Mal lui en prend ! On lui démontre à présent que les nudités de Michel-Ange sont tout à fait décentes, puisqu'il n'y aura plus de vêtements au jour du jugement ! A Venise, les saints nus se retrouvent plus décents que des hallebardiers habillés... Et le pauvre Véronèse se voit condamné à amender son tableau à ses dépens dans un délai de trois mois[24]. Sans doute, le concile de Trente agissait prudemment en refusant de définir les critères de la décence ; mais en laissant aux responsables religieux locaux le soin de trancher en ces matières, il contribuait à brouiller un peu plus les cartes.

Ainsi le xvie siècle s'est-il trouvé divisé en deux courants contradictoires qui se sont développés simultanément. L'un, artistique et aristocratique — et, au départ, appuyé par les hauts dignitaires ecclésiastiques — redécouvrait une nudité dépouillée de la symbolique médiévale ; l'autre, populaire, inventait une pudeur artistique qui jusque-là n'avait pas de raison d'être. Les deux tendances, nées en Italie, se sont répandues rapidement à travers l'Europe catholique. C'est sous la pression du protestantisme naissant, mais aussi, ce qui est nouveau, sous la pression populaire, que les autorités religieuses ont dû prendre nettement position sur un sujet d'interprétation délicate. C'est le peuple qui, le 19 mars 1549, découvre à Santa Maria del Fiore, à Florence, « d'indécentes et sales figures en marbre de la main de Baccio Bandinelli, à savoir *Adam et Ève* », et qui en fait reproche au sculpteur. Le duc devra suivre la réprobation générale[25].

Dans la bataille, l'Église perdait la cohérence du système symbolique médiéval. La première conséquence de cette prise de position forcée des autorités religieuses fut la séparation de l'art profane et de l'art sacré, qui n'avait jamais été pressentie. Gabrielle Paleotti, cardinal de Bologne, est le premier à théoriser cette distinction dans son *Discours sur les images sacrées et profanes* (1582). On admit la beauté dans la représentation de scènes mythologiques ou historiques, tandis qu'elle était sévèrement proscrite des sujets religieux. C'est ainsi que naquit la tolérance du nu antique, convention dont l'art souffrira pendant trois siècles. L'univers religieux, en revanche, privé de la nudité, perdait sa cohérence : les Baptêmes du xviie siècle vêtent le Christ de longs pagnes ou de manteaux qui rompent avec la symbolique de la chair innocente. La sensibilité au nu s'exacerbe de plus en plus : un Christ enfant devient impudique — Innocent X demande à Pierre de Cortone d'en rhabiller un dans un tableau du Guerchin — ; une Vierge allaitant peut susciter des désirs coupables — Innocent XI demande à Maratta d'ajouter une guimpe sur la poitrine d'une Vierge de Guido Reni, dans la chapelle du Quirinal.

Et — pourquoi pas ? — une Vierge sans enfant... Christine de Suède demanda un jour à un père jésuite si une peinture trop réussie de la Vierge ne le troublait pas. Et comme celui-ci déniait en rougissant, la reine l'accusa de « s'appliquer plus au derrière de ses jeunes écoliers[26] ». Ailleurs elle traita d'« ignorant » un

prêtre offusqué par Adam et Ève peints « un peu trop au naturel »
— s'agit-il des Dürer du Prado, qui lui ont appartenu ?

Certains religieux pourtant sont plus accommodants. Un frère
prêcheur, Borghini, à qui l'on reprochait de ne pas s'être
débarrassé d'une *Délivrance d'Andromède*, expliquait qu'il n'y
voyait quant à lui que la délivrance du monde arraché à la mort
éternelle par la prédication de la vrai foi[27]. L'art était entré dans
une longue période d'hypocrisie et de compromissions.

La seconde conséquence fut de séparer un art à large diffusion
d'un art érotique destiné à un cercle restreint. Les positions
sexuelles décrites par l'Arétin et illustrées par Giulio Romano
circulent sous le manteau, et Brantôme nous cite à l'occasion des
scènes où de grands seigneurs réunis autour d'une estampe un
peu osée échangent des commentaires de collégiens se partageant
un *Play Boy*. Entre le plaisir solitaire du livre érotique et l'art
public du Moyen Age, nous en sommes encore à une publicité
restreinte, un groupe d'amis pour qui la pornographie naissante
est surtout prétexte à de grosses plaisanteries. La coupe du duc
d'Anjou, gravée de scènes tirées de l'Arétin, était célèbre à la cour
de France. Le duc n'y laissait boire que les femmes, qui
découvraient au fur et à mesure des postures de plus en plus
osées, finement ciselées à l'intérieur du calice. Les unes rougis-
saient, les autres « en crevoient tout à trac » ; celles-ci préféraient
mourir de soif, car il était interdit de leur servir à boire dans une
autre coupe ; celles-là clamaient que « la veue et la peinture ne
souille point l'âme » — mais on se moquait autant de celles qui
buvaient les yeux fermés que de celles qui les gardaient ouverts[28].
La pornographie devait naître à l'époque où le nu était traqué
dans l'art général ; elle procède aussi de l'évolution qui a fait de
la chair mortifiée une chair désirable. Le pouvoir séducteur du
nu représenté commence à être reconnu, même si Montaigne
prétend encore qu'il peut éteindre le désir sexuel. Ce n'est pas en
tout cas l'avis de cette amie de Brantôme qui, s'étant longuement
arrêtée devant un tableau trop suggestif, se tourna tout à coup
vers son domestique en lui suggérant : « Il la faut aller esteindre :
c'est trop bruslé » (IX, p. 50).

Troisième héritage du nu antique retrouvé à la Renaissance : la
pudeur féminine qui s'érige en dogme à cette époque. Si la
courtoisie du xve siècle affectionnait le nu féminin, la Renaissance s'est surtout enflammée pour le nu masculin. Influence des
« mœurs italiennes » plus ou moins tolérées dans les hautes
sphères et dans les milieux artistiques ? C'est possible, probable
même chez un Michel-Ange. Mais il ne faut pas négliger
l'influence de la statuaire antique, qui privilégiait de loin
l'athlète sur la déesse. Héritière aussi de la tradition grecque : la
« Vénus pudique » qui, à l'instar de la Vénus Médicis, se couvre
sexe et seins dans un geste effarouché. La femme désormais a une
pudeur, qui ajoute à sa séduction. Et c'est au prix de cette pudeur
que les peintres lui refuseront le droit au sexe.

La pruderie triomphante du XVIIᵉ siècle

« Elle fait des tableaux couvrir les nudités, Mais elle a de l'amour pour les réalités[29]. » Combien d'Arsinoé compta le XVIIᵉ siècle, qui fit en France une hécatombe des tableaux de maître ? Dans une société dominée par des salons précieux, des confesseurs jésuites, des rois trop prudes ou des maîtresses royales pudibondes, les prescriptions du concile de Trente vont frapper comme un couperet. Une seconde série de guerres de religion — entre jésuites et jansénistes — s'accomplira à son tour au nom de la pudeur. De la cour à la ville, on fait assaut de vertu.

L'exemple vient d'en haut et, encore une fois, de Louis le Chaste. Au milieu de la cour grossière d'Henri IV, il s'y prend jeune, le dauphin, pour découvrir une pudibonderie qui ne le quittera plus. Il n'a pas deux ans qu'il fait voiler la statue d'Orphée dans une grotte où on veut le faire entrer. Et lorsqu'on lui montre la *guillery* d'une statue d'Hercule, en lui demandant fort impudemment ce que c'est, « il répond honteusement en souriant : "Faut pas le dire"[30] ». Il est vrai que, comme Arsinoé, il a plus de goût pour les réalités, et il lui arrive de s'emparer d'une paire de ciseaux pour menacer un gentilhomme de sa suite : « Velà de quoi je couperai votre guillery. » Obsession de la castration, commenterait un psychanalyste, et nous avons vu que le jeune dauphin en présente tous les symptômes. Est-ce de ne pouvoir s'en prendre à la guillery de ses courtisans qu'il s'attaqua à celle des tableaux et des statues ? Le parallèle est tentant à établir. Toujours est-il que le roi manifeste une hostilité farouche aux nudités qui l'entourent.

On le surprit plus d'une fois à barbouiller les tableaux de sa chambre, nous apprend le chanoine Moreau (p. 492), qui ne peut que louer ce zèle édifiant. Tout autour du roi, on s'empresse d'en faire autant. A commencer par la reine, Anne d'Autriche, dont le premier acte de régence, en 1643, fut de brûler pour cent mille écus de tableaux indécents[31]. Le cardinal de Mazarin n'est pas de reste : il mutile lui-même les statues de ses palais[32]. Une frénésie de destruction s'empare par à-coups des plus hauts dignitaires, qui ressuscitent pour leur compte les bûchers de Savonarole. Si le clergé applaudit des deux mains, encourage à l'occasion, certains ne mâchent pas leurs mots. Tel Tallemant des Réaux, indigné par les autodafés perpétrés par monsieur de Noyers, surintendant des bâtiments — le « concierge de Fontainebleau », comme l'appelle des Réaux : « Sa cagotterie parut furieusement en ce qu'il brusla quelques nuditez de grand prix qui estoient à Fontainebleau[33]. »

Dans les églises, malgré le concile de Trente, on trouve encore à redire dans la décoration. Il faut avouer que les susceptibilités sont de plus en plus pointilleuses. Une paroissienne se plaint notamment de devoir ouïr la messe sous le regard « lascif » d'un berger qui, sur sa tapisserie, folâtre avec des bergères — cela n'est rien, la console Juvernay, décidément obsédé par les poitrines : n'y a-t-il pas, dans une église sœur, le tableau d'une dame débraillée (une Vierge ?) au-dessus d'un autel (p. 68-69) ? Il vaudrait mieux, conclut le prédicateur, voir les murailles des églises toutes nues.

C'est un peu la tendance générale. Pour retrouver une foi plus pure, on s'empresse de se débarrasser de l'ancien mobilier, soudain démodé. Les tapisseries monumentales, qui réchauffaient les murs du sanctuaire aux xve et xvie siècles, sont bradées, vendues ou données — quand elles ne servent pas, comme la tapisserie de l'Apocalypse à Angers, à boucher les crevasses du presbytère ou à protéger du froid les orangers de l'abbaye... On opère le plus souvent un tri soigneux : à Notre-Dame de Nantilly, à Saumur, on se garde les tapisseries tirées de sujets religieux, mais on élimine les scènes de chasse ou celles tirées de l'histoire romaine... Est-ce cette hantise de l'image qui favorisa l'éclosion d'un art baroque plus sensible aux moulures, aux dorures ou aux fouillis d'objets hétéroclites ? Les sculpteurs, en tout cas, y trouvèrent leur compte : quelques nudités égarées dans un amoncellement de vases, de fleurs, de guirlandes, passent souvent inaperçues et ne choquent pas les fidèles trop bigots. Les boiseries qui font le tour du déambulatoire, dans la cathédrale de Chartres, sont semées de ces petits personnages sans honte.

L'Église ne limite pas son pouvoir aux lieux saints. Les directeurs de conscience se chargent de convaincre les « familles chrétiennes » de se débarrasser des « hameçons d'impureté », comme le père de Bouvignes appelle les tableaux indécents. Parmi les devoirs des époux chrétiens, Cerné — dans un traité *Du mariage, des femmes-grosses et des sages femmes* qui n'a pas grand-chose à voir avec l'histoire de l'Art — inclut d'« oster les tableaux lascifs de leurs maisons » (p. 154). Même idée chez le père Héliodore, qui s'en prend non seulement aux tableaux représentant des caresses impudiques, mais aussi à ceux consacrés au « martyre des Vierges les plus pures, mais peintes d'une manière qu'elles n'auroient pas souffert [sic] si elles avoient été présentes, et qui leur auroient esté moins supportables que leur martyre » (p. 236). Il appelle par conséquent « à brûler les livres, à faire réformer les sculptures et les peintures qui donnent lieu de croire que nous n'estimons pas assez cette vertu [la pudeur] » (p. 267).

On est parfois atterré de voir un tel manque de sensibilité artistique chez des esprits aussi éclairés que l'avocat Sauval. Pour peindre les mœurs dissolues des cours de François Ier et d'Henri II, il ne manque pas d'évoquer les « statues de bronze et de marbre, tant d'hommes et de femmes, que de dieux et de déesses, où la lubricité triomphoit ; celles qu'on ne voulut pas vendre, furent jettées en bronze et exposées aux yeux de chacun dans les cours et les jardins de Meudon, de Fontainebleau, des Tournelles, aussi bien que du Louvre ». Non contents de ramener ces œuvres d'Italie, les rois font venir à leur cour des peintres « dont le pinceau n'était pas moins dissolu que les mœurs »... comme Léonard de Vinci. Et Sauval ne peut blâmer ceux qui, à son époque, détruisent les fresques de leurs appartements[34]. Ces conseils d'esprits trop scrupuleux ne furent qu'exceptionnellement mis en pratique. Le nu conserve ses droits au xviie siècle. Les jardins de Versailles ou de Marly accueillent des statues renouvelées de la plastique grecque qui ne choquent guère les Arsinoé de la cour. Mais on respecte désormais les conventions mises au point à la fin du xvie siècle. Des sujets antiques ou allégoriques, jamais religieux ou contemporains.

Kenneth Clark, en classifiant les valeurs du nu artistique, a mis en évidence l'appauvrissement de l'art du xviie derrière une continuité formelle apparente : c'est en fait le nu « extatique », dionysiaque, celui qui manifeste une énergie non maîtrisée par la volonté, qui sort de l'imaginaire des artistes (II, p. 123).

La pudeur est dans l'intention. Elle règne aussi dans la forme. La draperie triomphe, et les effets qu'elle permet consolent peintres et sculpteurs de l'étude des muscles qui les occupait au xve siècle. Le nu féminin, surtout, conventionnellement assexué, retrouve sa place et inspire les chefs-d'œuvre de Rubens. Si l'on excepte cependant les maîtres qui, comme Rubens ou Rembrandt, savent rendre toutes les nuances de la carnation et l'indolence voluptueuse des chairs offertes, les peintres glissent vers un maniérisme qui donne à la nudité une froideur convenue. La distance qui s'introduit entre l'œil et la toile tient lieu de pudeur. De l'avoir méprisé, d'avoir choisi dans la rue des modèles qu'il peignait de façon fort peu académique valut au Caravage les traditionnelles accusations d'indécence. On se reconnaissait dans ses nus, tandis que les corps idéalisés des peintres de salon n'offrent aucun miroir au spectateur.

Ajouts et feuilles de vigne

« Réformer les sculptures et les peintures », préconisait le père Héliodore. Qu'entendait-il par là ? Pour les peintures, pas de doute : le xviie siècle est l'époque où l'on invente les « repeints de pudeur », de discrets plis d'étoffes que l'on ajoute, sur le modèle du *Jugement* retouché par Daniel de Volterra, aux endroits idoines des toiles du xvie. La *Sainte Famille* de Van Orley fut ainsi affublée d'un voile verdâtre sur le sexe de l'enfant Jésus, qui ne fut effacé qu'en 1980.

Pour les sculptures, les *réformes* visent-elles une simple castration ou l'adjonction de ces feuilles de vigne qui allaient obséder les collectionneurs et les conservateurs de musée ? On a parfois attribué à Paul IV — le véritable « caleçonneur » de Michel-Ange — la paternité de ces appendices de plâtre ou de cuivre. L'invention serait bien dans le goût de la Contre-Réforme, qui ne sait plus que faire pour sauvegarder à la fois la pudeur et les collections d'antiques. Mais les gravures du xviie représentant les groupes qui, comme le Laocoon, sont aujourd'hui équipés de ces cache-sexe nous montrent les statues dans leur état original. Comprendrait-on d'ailleurs la fureur castratrice du xviie siècle s'il avait été si simple de voiler l'objet du litige ? Lorsqu'en 1770, Mme Necker tentera de convaincre Pigalle de renoncer à son Voltaire nu, elle lui représentera qu'« on ne peut plus, comme autrefois, se revêtir de feuilles de laurier[35] ». Aurait-elle parlé de feuilles de laurier si les statues avaient alors connu les feuilles de vigne ? Cet autrefois désigne sans doute les ceintures de feuillage que l'on ajoutait à la Renaissance aux statues exposées publiquement. Invoquons enfin l'expérience du père Palamor — fils de M. de Sancy, qui finit père de l'Oratoire sous ce surnom parce qu'il jurait constamment « par la mort » — en visite à Rome chez l'ambassadeur, M. de Brassac. « Un jour que l'ambassadrice devoit aller voir la vigne de Médicis, il se mit tout nu dans une niche où il n'y avoit point de statue ; il y a là une galerie qui en est toute pleine[36]. » Plaisanterie de collégien, sans doute, mais aurait-elle été possible si les statues des Médicis n'avaient pas partagé la nudité du père Palamor ? En France, selon Sébastien Mercier (X, p. 133), les feuilles de vigne apparurent un beau matin à Marly, sous l'influence de Maria Leszczynska, conseillée par son confesseur, pour voiler la virilité des héros. Anatole France se plaît à nouveau à en attribuer l'idée à son « Monsieur Nicomède », président de la Compagnie de la pudeur : « Nous avons mis six cents feuilles de vigne ou de figuier aux statues des jardins du Roi », se vante-t-il à Jérôme Coignard (p. 205).

Feuilles de vigne ou de figuier ? La question est de taille... Les deux formats furent effectivement employés — et le terme allemand, *Feigenblatt*, opte pour le second. On sait que c'est de feuilles de figuiers que se revêtirent Adam et Ève, lorsqu'ils prirent conscience de leur nudité après le péché originel. Symbolisme capital, selon Pierre de Lancre, puisque le figuier est un « arbre triste et lugubre, lequel sans nulle bonne odeur porte un fruit mol et subject à corruption » (p. 40). La feuille de figuier, dans ce cas, remonterait aux Adam et Ève médiévaux, qui, par pudeur, portaient parfois anticipativement le rameau opportun — à l'époque, Adam ne se contentait pas d'une simple feuille... Mais la vigne a aussi ses défenseurs : certaines traditions veulent en effet que ce soit dans les vignes que Cham, Sem et Japhet découvrirent leur père Noé ivre et nu — le fils le plus vertueux l'aurait recouvert du premier voile venu, qui ne fut pas toujours son manteau[37].

La Révolution sonna la chute des feuilles. La pudeur était une vertu révolutionnaire, il ne fallait pas qu'une reine parût plus patriotique qu'un sans-culotte. La Restauration tâcha bien de rétablir ce digne ornement de la monarchie, mais ni l'héritier légitime, ni le fils de Philippe Égalité ne purent habituer leurs citoyens à ces caprices. Lorsque le *Spartacus* de Foyatier, le *Laboureur* de Lemaire et d'autres statues des Tuileries furent victimes de ces « dégoûtants contre-sens », le *Journal des Artistes* aiguisa sa plume. « Quoi ! s'écria-t-il, appliquer un cataplasme sur les parties viriles des statues pour soustraire honnêtement ces parties à la vue du public ; les empaqueter dans du plâtre gâché, afin de satisfaire la pudibonde sollicitude qui doit veiller, dit-on, sur les jeunes regards ! quelle bévue ! Et en ridiculisant ainsi les beaux-arts, les rénovateurs de cette vieillerie monastique, de cette momerie de pensionnat, se ridiculisent eux-mêmes[38]. » Les feuilles de vigne ne résistèrent pas à cet assaut et disparurent de Paris... jusqu'au second Empire...

Les musées de province cependant furent plus conservateurs. Flaubert découvrit ainsi avec stupéfaction cette mode au musée de Nantes. L'écrivain donnerait volontiers tous ses trésors « pour savoir le nom, l'âge, la demeure, la profession et la figure du monsieur qui a inventé pour les statues du musée de Nantes des feuilles de vignes en fer-blanc, qui ont l'air d'appareils contre l'onanisme. L'*Apollon du Belvédère*, le *Discobole* et un joueur de flûte sont enharnachés de ces honteux caleçons métalliques qui reluisent comme des casseroles. On voit, d'ailleurs, que c'est un ouvrage médité de longtemps et exécuté avec amour, c'est escalopé sur les bords et enfoncé avec des vis dans les membres des pauvres plâtres, qui s'en sont écaillés de douleur. Par ce temps de bêtises plates qui court, au milieu des stupidités normales qui nous encombrent, il est réjouissant, ne fût-ce que par diversion, de rencontrer au moins une bêtise échevelée, une stupidité gigantesque. Malgré tous mes efforts je ne suis parvenu à me rien figurer sur le créateur de cette pudique immondicité. J'aime à croire que le conseil municipal en entier y a pris part, que MM. les ecclésiastiques l'avaient sollicitée et que les dames l'ont trouvée convenable[39]. »

On aimerait en effet pénétrer cette psychologie de la feuille de vigne. Lorsqu'elle apparut dans l'esprit d'un zélé moraliste, lorsqu'elle attira tout à coup l'attention sur une partie du corps que les esprits sains ne dévisageaient pas avec insistance, elle put à bon droit passer pour plus inconvenante encore que ce qu'elle recouvrait. « La pensée d'une feuille adhérente comme un polype au sexe d'une statue est plus indécente que toutes les pensées des grivois et des rieurs cyniques », estime à bon droit le *Journal des Artistes*. Et l'éditorialiste pense aux enfants qui prennent au musée leur premier cours d'éducation sexuelle, et qui peuvent penser à quelque « horreur anatomique »... « Maman, qu'est-ce qu'il a donc ?... — Taisez-vous, mademoiselle, cela ne vous regarde pas... »

La feuille de vigne provoqua incontestablement plus de jeux de mots et d'allusions grivoises que ce dont elle prenait la place. Les humoristes se mirent à attendre l'automne et la chute des feuilles, ou à prétendre que tel Apollon était dur de la feuille... Elle correspond cependant parfaitement à la nouvelle mentalité, à cette idée de la pudeur et de la nudité qui ne s'attache plus au corps dans son ensemble, mais à l'organe génital. Fini le temps où l'on est « nu en chemise » : on est désormais soit nu, soit en chemise. Lorsqu'elle apparaît au xviiie siècle, elle consacre un état de fait vieux de deux siècles : le sexe est un organe « à part », qui résume en lui tous les bas instincts du corps, qui ne peut être ni montré ni manié. Elle méritait bien de devenir l'emblème de la pudeur et de dévolopper à son tour toute une imagerie symbolique : on peut désormais « parler sans feuille de vigne »...

En même temps, cet appendice insolite qui semble avoir poussé tout seul sur la statue est la première reconnaissance officielle d'une pudeur artistique. Une draperie qui se prolonge au bon endroit, un glaive tendu au niveau du ventre, un rameau qui sort d'un buisson pour masquer le héros, appartiennent malgré tout à la logique interne d'un tableau, d'une statue. La « coïncidence » fait sourire, mais satisfait la raison. C'est à cette logique qu'appartiennent les voiles de la Renaissance ; la feuille est toujours attachée au rameau, l'épi à la gerbe. Au stade suivant, une ceinture de feuillage sacrifiera la logique interne (à quoi sert-elle ?) mais ne contredit pas aux lois de la physique (on sait comment elle tient) ; c'est la ceinture que l'on ajoute au *David* de Michel-Ange, celle que l'on voit encore au jeune homme d'une *Allégorie* peinte par Signorelli à la même époque (Dussler, p. 161). Avec cette feuille tombée on ne sait d'où, adhérant par on ne sait quel prodige, nous sommes en pleine absurdité, en pleine convention. La feuille de vigne n'appartient plus à l'œuvre : elle appartient tout entière à la pudeur.

Pourquoi la feuille de vigne a-t-elle prévalu dans l'arsenal mis au point par la pudeur après le concile de Trente ? Après tout, un bout d'étoffe en plâtre ou, comme on l'a osé en Allemagne jusqu'au début du xxe siècle[40], un véritable suspensoir, auraient aussi bien fait l'affaire. On peut y trouver toute une idéologie sous-jacente. La feuille de vigne est plus qu'un simple cache-sexe. Il y a une référence à la nature, au vêtement spontané d'un homme sauvage qui se promènerait nu. L'homme policé ne peut admettre qu'un de ses semblables qui aurait connu l'étoffe continue à s'exhiber nu. Une feuille sera donc le seul vêtement qui lui convienne. Si le figuier vient spontanément à l'esprit de celui qui a une culture biblique élémentaire, la vigne a un côté plus « terroir », presque « vieille France ». Elle évoque une grivoiserie de bon aloi, une gaieté qui garde sa dignité. La figue décidément est trop exotique — outre le geste obscène qu'elle continue à symboliser et qui serait du plus mauvais goût à cet endroit ! La feuille de vigne, dans sa « bêtise échevelée », est bien la plus géniale trouvaille d'un Nicomède...

Les émois du xviiie siècle

Si la feuille de vigne fleurit au xviiie siècle, c'est aussi parce que la nudité est de moins en moins à la mode. On connaît la pudeur ambiguë de ce siècle fasciné par le déshabillé, essentiellement voyeur et qui répugne à se dévoiler. La pornographie de l'époque

est un peu un négatif de la feuille de vigne : dans un intérieur
surchargé, des personnages en grand habit et en dentelles
n'exhibent que leur sexe, comme si ce que l'on cache mettait en
valeur ce que l'on montre.

Le même principe sous-tend l'art « officiel », qui adore les
« scènes de genre », dames surprises à leur toilette, à leur lever, à
l'intromission d'un clystère... Art de l'instant, du fugitif, qui
suggère plus qu'il ne montre et qui n'a garde d'aller jusqu'au
bout de ses promesses. Le nu est trop brutal pour être porteur du
petit frisson que l'on attend du déshabillé. Il s'étale dans de
grandes allégories, dans la statuaire monumentale des jardins
royaux ou des hôtels aristocratiques. Les Coustou, Coysevox, Le
Lorrain, maintiennent les traditions du grand nu désormais entré
dans les mœurs. La vraie provocation consistera à briser leur côté
académique pour retrouver une chair plus réaliste, quotidienne,
qui suscitera les mêmes scandales qu'aux siècles précédents. Un
Pigalle dans la sculpture, un Boucher dans la peinture nourriront
ce genre de controverse.

Boucher est la bête noire de Diderot, dont la sensibilité
bourgeoise confine à la pruderie. Il a bien saisi pourtant la charge
érotique que contiennent ces tableaux où rien apparemment ne
choque la bienséance. « Sa débauche doit captiver les petits-
maîtres, les petites femmes, les jeunes gens, les gens du monde, la
foule de ceux qui sont étrangers au vrai goût, à la vérité, aux idées
justes, à la sévérité de l'art ; et résisteraient-ils au brillant, au
libertinage, à l'éclat, aux pompons, aux tétins, aux fesses, à
l'épigramme de Boucher ? » Derrière la critique artistique, la
critique morale pointe. Diderot, prototype de ces bourgeois
vertueux et bien pensants qui feront la Révolution, s'entend
parfaitement avec Greuze, dont l'idéal est de « peindre une
femme toute nue sans blesser la pudeur ». Il ne pouvait
approuver l'art d'un Boucher, premier peintre du roi, protégé de
Mme de Pompadour et maître incontesté des scènes galantes.
« Cet homme ne prend le pinceau que pour me montrer des tétons
et des fesses. Je suis bien aise d'en voir, mais je ne veux pas qu'on
me les montre. »

Ce n'est pas l'art des tétons qui dérange Diderot, mais leur
origine parfois trop évidente. « Que voulez-vous que cet artiste
jette sur sa toile ? Ce qu'il a dans l'imagination. Et que peut avoir
dans l'imagination un homme qui passe sa vie avec les
prostituées du plus bas étage ? La grâce de ses bergères est la
grâce de la Favart dans *Rose et Colas* ; celle de ses déesses est
empruntée à la Deschamps[41]. » Le nu est acceptable tant qu'il est
désincarné. Mais dès qu'il sort de son académisme glacé, il
réveille la pudeur des censeurs.

C'est le même problème, mais vu sous un autre angle, qui crée
le scandale dans ce que l'on pourrait appeler la réconciliation des
anciens et des modernes. Il était de bon ton, à la Renaissance, de
se faire portraiturer nu comme une gravure antique. La mode
s'en était un peu perdue, mais l'idée restait dans l'air. La

première à l'avoir réexploitée fut — s'il faut en croire Soulavie — Mme de Pompadour elle-même, qui se piqua de gravure dans les années 1750. Elle représenta ainsi son amant Louis XV sous les traits d'Apollon couronnant le génie de la peinture et de la sculpture — aussi nus l'un que l'autre. « Cette indécence a fait demander quel garde-du-corps du roi et quel page lui avoient servi de modèles ; et on a répondu que c'étoit MM. de*** et de** ; aussi, des vers et des vers ont couru, relativement à ces anecdotes secrètes ; ils ont prouvé au moins à toute la cour que Madame de Pompadour n'avoit aucune notion des convenances en gravant le roi tout nud, sous la forme d'Apolon » (p. 286).

L'entourage du roi est plus sourcilleux que le monarque lui-même. Le « plus vieux citoyen de Bruxelles » l'apprit à ses dépens : Manneken-Pis était en pleine activité, en effet, lorsque Louis XV suivit la procession du Saint-Sacrement de Bruxelles. Des soldats, jugeant la majesté royale offensée par ce petit bonhomme urinant impassiblement sur son passage, « l'abélardisèrent » incontinent. Le roi fut moins pudibond. Il fit panser le pisseur de bronze et le nomma chevalier de l'ordre du Saint-Esprit[42]...

La sculpture n'allait pas tarder à connaître un autre scandale, lors d'une nouvelle poussée du nu antique. Le 17 avril 1770, au terme d'un dîner de philosophes chez Mme Necker, un hommage spontané à Voltaire décida les convives à offrir sa statue au patriarche de Ferney. Pigalle — comme par hasard présent — exhiba une maquette qu'il avait — comme par hasard — préparée et qui fut acceptée dans le même enthousiasme. Un enthousiasme qui fit passer bien des choses, et notamment la nudité de philosophe antique que l'artiste avait imaginée pour le philosophe moderne.

Lorsque la griserie est retombée, le projet de Pigalle apparaît dans toute son ambiguïté. Il n'emporte apparemment que des approbations : de la part de Voltaire, d'abord, qui n'avait pas été consulté ; de la part de ses amis, enchantés d'une idée véritablement révolutionnaire ; de la part de ses ennemis, surtout, ravis de pouvoir traîner le philosophe dans le ridicule. Parmi les premiers souscripteurs : Jean-Jacques Rousseau...

C'est alors que les choses se gâtent. Mme Necker, tout d'abord, tente de freiner l'enthousiasme général. Elle entreprend le sculpteur et son modèle pour remettre un peu de décence dans le sujet. « Je veux vous consulter sur une fantaisie de Pigalle, écrit-elle à ce dernier : il veut vous peindre nu, à quelque prix que ce soit. On a beau lui représenter que ce serait indécent au milieu des neuf Muses ; qu'on ne doit avoir sur cette statue, ni rides, ni muscles ; que la vieillesse de Voltaire est une portion de l'immortalité ; qu'une draperie siérait à ce visage expressif ; qu'on ne peut plus, comme autrefois, se revêtir de feuilles de laurier ; que vous avez trop mangé de l'arbre de science pour vous passer de vêtements ; qu'il faut laisser travailler notre imagination qui donnera peut-être à la tête de cette statue un corps ailé ou diaphane ; qu'on ne se met pas nu pour écrire, et cent autres excellentes raisons, le barbare répond invariablement que lui, Pigalle, veut aussi vivre dans la postérité, qu'il prétend que son nom vous suive dans toute la suite des siècles, qu'il y a place pour tout le monde et qu'il veut sculpter Voltaire. Que ferons-nous, Monsieur[43] ? »

Que faire ? Il est trop tard pour revenir en arrière. L'avant-garde philosophique ne peut avoir l'air plus prude que le commun des penseurs. Voltaire le comprend bien : « Nu ou vêtu, il ne m'importe. Je n'inspirerai pas d'idées malhonnêtes aux dames, de quelque façon qu'on me présente à elles. Il faut laisser M. Pigalle maître absolu de sa statue. C'est un crime en fait de beaux-arts de mettre des entraves au génie. » Mme Necker elle-même l'admet : « Ce n'est point par pudeur que je m'opposais au projet de Pigalle... Nu ou habillé, nous ne nous verrons jamais qu'à travers un cercle de lumière qui éblouira nos yeux. »

Quant au public... Depuis qu'il est admis dans l'atelier de Pigalle, on accourt de partout pour voir « le squelette de M. Voltaire ». On le chansonne : —

> Voici l'auteur de l'Ingénu
> Monsieur Pigal nous l'offre nu
> Monsieur Fréron le drapera
> Alléluia[44].

Alexis Piron — lui aussi octogénaire ! — ironise sur « l'auteur dont l'épiderme Est collé tout près des os[45] ». Bachaumont, qui a été voir, le 4 août 1772, le projet qui se réalise, en retient « le coup d'œil hideux d'un cadavre décharné plutôt que d'un être vivant » et estime que ce spectacle répugnera toujours, « surtout aux femmes » !

Même si chacun se dit libre de tout préjugé et de toute pudeur, Voltaire ne posera pas nu pour Pigalle — les séances nécessaires pour fixer le visage sont déjà un supplice pour l'un et pour l'autre. L'anatomie passée à l'immortalité avec le philosophe et le sculpteur est celle d'un vieux soldat de la guerre de Sept Ans — ce qui ne manque pas de faire sourire l'historien de l'art : le modèle est « décharné, certes, mais comme un homme qui fut "encharné", ce que ne fut jamais Voltaire. De là des restes de vigueur, que l'on remarque aux clavicules, aux bras, un peu partout[46] ». Il va de soi que le sculpteur n'a pas omis de faire passer un bout de draperie sur l'endroit dont le spectacle répugnerait le plus aux femmes...

La statue fut oubliée du vivant même de Voltaire. Elle ne fut associée à aucun des honneurs rendus au philosophe, ni de son vivant, ni après sa mort. Dans tous les manuels, le Voltaire de Houdon, qui pose aussi en philosophe antique, mais vêtu, a supplanté celui de Pigalle. Si l'œuvre ne fait plus parler d'elle, l'idée au moins aura été retenue. Le nu antique, qui « héroïse » le modèle, fera fortune — et celle notamment de David et de David d'Angers. Une idée que l'abbé Morellet, qui participa à la polémique autour du Voltaire de Pigalle, attribue à Diderot — « nous ne pûmes détourner de cette mauvaise route ni le philosophe ni l'artiste échauffé par le philosophe[47]. »

L'idée quoi qu'il en soit est dans les esprits. Elle l'est si bien qu'elle apparaît dans les crayonnages personnels de David. On a conservé tous les carnets d'esquisses du peintre pour le *Serment du jeu de paume*. On y voit l'étude des visages, des attitudes, de la mise en scène évoluer du premier coup de crayon au tableau final. Comme il est normal de le faire pour une toile de cette importance, trois ou quatre académies ont précédé le tableau définitif, ce qui permet d'admirer dans leur costume le plus simple tous les leaders de la Révolution. On a ainsi la surprise de découvrir un Robespierre nu, casqué à la romaine, un glaive au côté, dans l'attitude inspirée que lui prête le *Serment*[48]. L'Antiquité et la nudité étaient si étroitement associées dans l'esprit du peintre qu'une simple étude académique aboutit à cette aimable caricature.

La République et l'Empire, nourris d'Antiquité, ne pouvaient oublier le nu à l'antique. Le public ne suit pas toujours ce nouvel art officiel. La statue du général Desaix, commandée à Dejoux en 1802, tombe ainsi dans le ridicule dès son inauguration. Le héros de Marengo devait trôner place des Victoires, en héros antique, bien entendu, c'est-à-dire nu et « montré avec tous les attributs du mâle[49] ». Le résultat ne fut pas probant. On ajouta un cache-sexe au général Desaix — le traditionnel pan de manteau, puisque la feuille de vigne était provisoirement bannie. Le ridicule s'ajouta à l'indécence. Inaugurée le 15 août 1810, la statue disparut en octobre derrière une palissade. Elle fut refondue à la Restauration pour la statue du Béarnais...

L'idée sans doute était généreuse d'honorer un homme en le déshabillant. Elle venait cependant un siècle trop tard. Au XIXe siècle, quand elle s'impose, la nudité est redevenue humiliante et l'on a perdu l'habitude de voir le roi nu. Le nu antique repose ensuite sur un non-sens. Les Grecs et les Romains ont sans doute sculpté de préférence des personnages nus, mais c'étaient des athlètes, non des philosophes... Lorsqu'ils se risquaient à représenter un empereur dans le même appareil, ils n'oubliaient pas de lui prêter le corps d'un gymnaste bien formé. La beauté plastique était la base même de leur sculpture, et lorsque Mopinot, qui fut le seul à défendre le Voltaire de Pigalle, assure qu'« un tel corps nud est beau en sculpture, lorsqu'il est fort hideux au coup d'œil[50] », il juge selon une théorie moderne de l'art qui n'a rien à voir avec les conceptions antiques. Pour le sujet qui nous intéresse, le nu antique peut être considéré comme le dernier avatar — et le plus accompli — de l'académisme. En introduisant un voile référentiel entre l'objet et le regard, il détruit du même coup toute impudicité. Telle est sans doute la véritable raison de sa vogue, auprès de défenseurs de la vertu tels que Diderot et les révolutionnaires. On voit ce qui séduisait dans cette formule l'Encyclopédiste qui n'aime pas qu'on lui montre des tétons et des fesses : pour parodier la formule de Greuze, il parvenait à peindre un homme tout nu sans blesser la pudeur.

Le xixe siècle : au nom de l'art

Dans les rapports entre l'art et la pudeur, la vraie Révolution n'a pas éclaté en 1789, mais cinquante ans plus tard. L'art impérial, puis l'art romantique continuent en effet sur la lancée du xviiie siècle : le nu, académisé, cultivé pour sa beauté plastique, a perdu toute agressivité. Le code pénal, qui entérine l'outrage à la pudeur et aux bonnes mœurs, en exclut les publications scientifiques et les œuvres d'art. Le siècle le plus pudibond dans la vie quotidienne inventera la théorie de la nudité artistique.

En pratique, le nu conserve les deux grandes directions du xviiie siècle. Le nu antique reste à la mode jusqu'au début du xxe siècle — pour les innombrables allégories mythologiques d'un goût parfois douteux qui envahissent les salons, mais aussi, sur la trace des Pigalle et des David, pour magnifier un personnage contemporain, parfois au mépris de toute vraisemblance. Victor Hugo méditait-il nu sur le rocher des proscrits de Guernesey, comme l'a représenté Rodin en 1910 dans un monument destiné au jardin du Luxembourg ? Le nu intimiste, de son côté, se teinte d'orientalisme lorsque le romantisme met l'exotisme à la mode. Scènes intimes des bains turcs et des odalisques, d'où émane une chaude sensualité transcendée par le décor oriental ; scènes grandioses comme La Mort de Sardanapale où Delacroix joue sur l'association troublante et traditionnelle de l'érotisme et de la mort.

Ces deux traitements du nu introduisent un voile de pudeur entre objet et regard ; distanciation temporelle (nu antique) ou spatiale (nu oriental), censée éliminer toute passion. Cette conception, héritée en droite ligne du concile de Trente, est théorisée et officialisée. Un seul ennemi : le réalisme.

« Les nudités artistiques qui ne visent qu'à la seule représentation de la réalité, pouvant faire naître les mauvais sentiments qui se produisent à la vue des nudités réelles, peuvent être regardées à bon droit comme un danger pour la moralité publique. Mais si un artiste emploie des formes humaines pour rendre sensible une idée non immorale, si son œuvre est telle qu'elle atteint ce but, non seulement elle n'aura rien qui puisse offenser la pudeur, mais elle pourra même acquérir une certaine valeur morale, en ce sens qu'elle pourra produire le sentiment du beau, qui est excessivement moral de sa nature[51]. »

La nudité morale n'est pas un paradoxe : c'est surtout une arme contre les tendances réalistes qui se font jour et ramènent l'homme à sa vraie dimension. Lorsque l'on prend pour sujet « ce qu'il y a de plus beau au monde : l'homme[52] », on s'astreint à ne représenter que de nobles sentiments, puisque « généralement ce sont les vices de l'âme qui engendrent la laideur physique ». Les coupables pensées qui viennent à l'esprit en contemplant la nudité sont donc combattues par la leçon de l'œuvre. Pour peu qu'il y en ait une.

La religion emboîte le pas aux critiques d'art. Il n'est plus question de repeints et de feuilles de vigne : ce n'est plus un péché, désormais, de regarder les peintures et les sculptures nues... sauf si on le fait avec complaisance[53] !

Cette exaltation de l'art va plus loin. Puisque le regard est désormais asexué, l'artiste pourra regarder son modèle sans concupiscence et celui-ci pourra poser sans pudeur. Dogme irrécusable qui entraîne des situations parfois bouffonnes. Ainsi lorsqu'une jeune femme posant dans le plus simple appareil devant les étudiants de l'Académie se voile tout à coup avec un cri effarouché... parce qu'elle a aperçu un couvreur qui, du toit d'en face, assistait à la séance. Ou lorsque les modèles, durant la pause qui leur permet de détendre leur muscles entre deux poses, s'empressent de passer un jupon[54]. L'art est un autre monde régi par d'autres lois ; mais lorsque l'on rejoint le monde « réel », on retrouve une pudeur d'autant plus sévère. On comprend dans ces conditions pourquoi la peinture dite réaliste suscita de tels scandales : elle détruisait un monde chimérique patiemment construit autour de l'artiste.

Tout cela reste bien théorique. Le regard froid de l'artiste peut être troublé par son modèle, il peut profiter de la licence qui lui est accordée pour séduire la femme de ses rêves — sujet en or pour contes polissons[55]. Et si l'on peut regarder sans honte une jolie femme déshabillée, les problèmes commencent avec les modèles masculins. Jean Renoir a été témoin de cette gêne chez son père : « Autant la nudité féminine lui semblait naturelle et pure, autant l'exhibition du corps masculin le gênait. Quand il peignit le *Jugement de Pâris*, il commença avec Pierre Dalcour, l'acteur, qui posa pour le berger. Mais, malgré la beauté du corps de Dalcour qui était un véritable athlète, il finit le tableau avec Gabrielle, la Boulangère et Picot, déclarant qu'il serait plus à son aise[56]. » Témoignage confirmé par l'ami Vollard, stupéfait de trouver, en arrivant chez le peintre, Gabrielle en bonnet phrygien : « Regardez, Vollard, l'accueillit Renoir, comme elle ressemble à un garçon ! Depuis toujours, je voulais faire un *Pâris*, je n'avais jamais pu trouver de modèle. Quel Pâris j'aurai là[57] ! » Ainsi donc le tableau était resté en suspens pour une pudeur inavouée du maître...

Quant au tableau ou à la sculpture les plus chastes en intention, ils peuvent troubler les regards qui ne demandent qu'à l'être. Les grandes expositions classent leurs figures nues dans des albums spéciaux intitulés *Le Nu au Salon*, et « qui prennent une valeur égale à celle des illustrés les moins recommandables[58] ». La tolérance du législateur est exploitée par des marchands de pornographie qui, depuis la découverte de la photographie, ont trouvé de nouveaux champs à essarter. Sous couvert de beauté artistique circulent des nymphes et des bergers antiques qui, au prix d'une lyre et d'une diaule, sont censés « produire le sentiment du beau, qui est excessivement moral de sa nature »...

Les moralistes n'y trouvent pas leur compte ; les artistes non plus. Surtout lorsqu'on leur soutient froidement qu'un esprit artistique n'est pas choqué par les nus antiques, parce que « cela n'est pas assez vivant ». Ils n'ont plus envie de peindre des cadavres. Depuis les années 1850 où la peinture s'ouvre au réalisme et ne tente plus d'idéaliser les corps nus, il n'est pas d'année qui ne compte son scandale. Les plus retentissants sont entrés dans la légende, avec parfois quelques fioritures. Ainsi le scandale provoqué par *Les Baigneuses* de Courbet en 1853. En visitant le Salon la veille de son ouverture officielle, l'impératrice Eugénie, dit-on, aurait souffleté ces baigneuses au postérieur impressionnant et aux chairs un peu mûres. L'anecdote a été enjolivée à l'époque où le scandale qu'elle suscitait était le meilleur garant de la qualité d'un tableau. Eugénie n'était pas Victoria : si la femme de Napoléon III avait la pudeur de son époque, elle avait aussi le sens du ridicule. En fait, l'impératrice, avant d'arriver au tableau de Courbet, avait été frappée par les proportions que Rosa Bonheur avait données aux croupes de ses chevaux dans *Le Marché aux chevaux* qu'elle exposait. Il fallut lui expliquer qu'il s'agissait de solides percherons destinés à travailler la terre, et non des coursiers élancés comme ceux de l'écurie impériale. Arrivant devant *Les Baigneuses*, Eugénie avisa celle qui, de dos, passe sa chemise, et demanda en souriant si c'était aussi une percheronne. Courbet prétend que Napoléon III, ravi du jeu de mot de sa femme, aurait esquissé le geste de cravacher la croupe chevaline. Un geste cavalier qui serait bien dans l'esprit de l'empereur, mais il est peu probable que celui-ci ait visité l'exposition avec une cravache...

Aucun réflexe pudibond, on le voit, chez le couple impérial. Le scandale commence le lendemain, et auprès des spécialistes plus que chez le grand public. Le commissaire de police envisage de retirer le tableau du salon ; Delacroix confie son indignation à son journal. « La vulgarité des formes ne ferait rien, écrit-il ; c'est la vulgarité et l'inutilité de la pensée qui sont abominables[59]. » Belle expression de cette théorie de l'art moral, qui justifie la nudité par la leçon que l'on en tire. L'art « inutile » est en soi indécent. Une paire de souliers chez Van Gogh, une vieille femme qui fume la pipe, sont plus incorrects qu'une fille nue chez Delacroix[60]. Sacré maître du réalisme, Courbet accumula les scandales : l'accueil de *L'Après-dîner à Ornans*, des *Demoiselles au village*, de *La Rencontre*, quoique n'offensant pas la pudeur au sens strict, fut tout aussi froid de la part d'un public qui n'y trouvait plus un lieu d'évasion. Art inutile, comme le prétend

Delacroix ? C'est sous l'influence de Proudhon et des thèses socialistes que Courbet abandonna la thématique romantique de ses premiers tableaux. Son art au contraire est chargé d'intentions, et le nu des *Baigneuses* a aussi un rôle polémique.

Plus connus sont les scandales provoqués par les premiers tableaux de Manet. *Le Déjeuner sur l'herbe*, exposé en 1863 au Salon des Refusés, et *Olympia*, exposé en 1865, peuvent à première vue passer pour plus décents que bien des nudités sensuelles d'Ingres. Ils pastichent en fait la pudeur conventionnelle des modes orientalisantes et antiquisantes. Un Victor Hugo nu à Guernesey ne peut choquer : la convention éclate ici dans tout son non-sens. Un modèle qui déjeune nu avec des peintres vêtus offre une nudité professionnelle, comme la prostituée qui attend son client. Le mélange de personnages nus et vêtus à la mode contemporaine est un premier sujet de scandale. S'y ajoute le pastiche délibéré d'œuvres protégées par la distanciation spatiotemporelle de l'exotisme ou de l'Antiquité. *Olympia* s'inspire d'une Vénus de Titien ; elle évoque par sa pose les odalisques qui inondent le marché — mais c'est une prostituée que certains croient pouvoir identifier. Sa pose, à la limite, est plus pudique que celle des odalisques, avec sa main protégeant le sexe — mais son regard, qui jauge plus qu'il n'invite, est celui d'une « professionnelle » désabusée. Aucun dépaysement ne vient racheter l'impression d'avoir pénétré dans un bordel à l'heure où un corps lassé n'attend plus de client. Même procédé pour le *Déjeuner*, qui montre bien moins que le *Jugement de Pâris* de Raphaël qu'il parodie. En ôtant le prétexte d'une scène pastorale imitée de l'Antiquité, Manet rend la moindre parcelle de chair indécente. Et le même regard du modèle nu vient se poser sur le spectateur, qui se sent intrus soudain, comme s'il était tombé, au détour d'un buisson, sur la scène évoquée par le peintre. Au salon de 1865, un gardien posté devant l'*Olympia*, que l'on n'a pas osé refuser, protège le tableau des indiscrétions des visiteurs, tandis que Mme Manet mère explique à ses amies qu'Edouard peint très bien quand il le veut, mais qu'il s'est laissé entraîner par de mauvaises fréquentations[61]...

Confit dans le nu antique et le nu oriental, le xixe siècle ne peut que refuser le nu contemporain saisi dans sa vérité la plus crue. Il refuse de même le nu médiéval, trop réaliste ou trop religieux. La pudibonderie des siècles classiques se prolonge après la Révolution ; repeints, mutilations, disparitions ne désarment pas. Ils sont cependant le fait d'esprits trop puritains, religieuses ou gens du peuple qui ont mal digéré les leçons d'une éducation trop vertueuse. Les abus iconoclastes sont désapprouvés et réparés dans la mesure du possible. C'est ainsi que les sœurs de l'hospice de Beaune, en 1802, s'inquiètent des nudités contenues dans le polyptique du *Jugement dernier* de Roger del Pasture, exposé à tous les regards dans la grande salle. Bernard Chevaux, qui restaure la peinture, commence peut-être à les rhabiller. En 1812, en tout cas, le rhabillage est achevé par Chauvey. Les deux

peintres, conscients du « sacrilège esthétique » que leur imposaient les sœurs, ont exécuté à l'essence les surpeints de bure et de
flamme qui protégeraient les sexes des ressuscités. Ils furent
facilement ôtés en 1877 lors de la restauration dans les ateliers du
Louvre[62].

Dans les églises, les détails que l'on commence à trouver
obscènes disparaissent — comme les gargouilles d'Adame et
d'Ève, à Saint-lô de Rouen, dont l'eau était rendue par les
organes sexuels[63], — ou sont mutilés, comme cette stalle de
l'église Saint-Gervais-Saint-Protais, à Paris, représentant une
prise de clystère, et que Witkowski a pu fixer en 1900 avant
qu'elle ne soit brisée[64]. A Gargilesse, une des dernières statues
ithyphalliques de France, représentant saint Greluchon, était
censée rendre la fécondité aux femmes qui raclaient la cheville
plantée en son ventre pour en boire la poudre diluée dans du vin ;
le curé, en 1830, estima « pas bien » ces « manières-là » et fit
disparaître la statue. Mal lui en prit : la dévotion se reporta sur la
seule statue qui restait dans l'église : le gisant de Guillaume de
Naillac. En 1890, soixante ans de dévotion avaient creusé dans le
gisant, « au point précis que seul un anatomiste pourrait désigner
sans ambage », un trou profond que le curé faisait régulièrement
reboucher avec du plâtre. Pour épargner le tombeau, la statue
reparut, apparemment sans cheville puisqu'on se mit à lui
gratter le ventre et le nez. Les miracles se multipliant, il fallut
utiliser les grands moyens : saint Greluchon fut muré dans
l'escalier de la crypte et Guillaume de Naillac enfermé derrière
une grille. Les dévots désormais grattent le rejointoyage du mur
autour de la statue et jettent leur obole entre les pieds du
gisant[65].

Académisme et extrapolations sur la nudité artistique ;
scandales dans les salons ; repeints et feuilles de vigne ;
disparition ou multilation d'œuvres gênantes... L'arsenal du
xixe siècle en matière de pudeur artistique est varié. Il faudrait y
ajouter les nouvelles dispositions légales sur l'outrage aux bonnes
mœurs — Carpeaux en fut menacé lorsque le groupe de La Danse
fut proposé pour orner la façade de l'Opéra[66] et — les pressions
détournées — nombre de vieux abonnés menacèrent de résilier
leur abonnement s'il leur fallait passer devant les nus de
Carpeaux pour aller à l'Opéra... D'une manière générale, se
confirme au xixe siècle une tendance qui s'était fait jour au
xvie siècle : alors que la décence dans la vie quotidienne est
imposée en général par les autorités civiles ou religieuses, c'est
souvent de la base que part la pudeur artistique. Les contradictions résultant de ces deux forces poussant dans les directions
opposées expliquent en partie les paradoxes de ces deux époques.

La fin des tabous

Il n'est plus besoin de souligner la coïncidence entre la naissance de la photographie et l'abandon du mimétisme en art. La fidélité au réel cesse tout naturellement de devenir un critère de beauté artistique à partir du moment où elle peut être obtenue en chambre noire. Le parallèle est plus frappant encore dans l'histoire du nu. L'invention de la photographie a ôté au peintre, outre le marché du portrait, celui, sans doute aussi rentable, du voyeurisme. Dès les premiers daguerréotypes, dans les années 1850, la pornographie fait une timide apparition et se permet d'emblée, dans ces clichés qu'on se passe sous le manteau, toutes les audaces des magazines les plus durs d'aujourd'hui. La peinture, progressivement, s'affranchira d'une imitation stricte du réel pour étudier plus précisément que la photographie les jeux de lumière, de couleurs ou de forme. Le nu souvent y perdra en sensualité — alors que la sculpture, qui n'est pas concurrencée par l'image, gardera ce souci plastique d'un Rodin ou d'un Maillol.

Et nous retrouvons ici une date que nous connaissons bien : 1907, date clé dans l'histoire de la pudeur ; date clé dans celle de la peinture, puisqu'elle produit *Les Demoiselles d'Avignon* de Picasso et le *Nu bleu* de Matisse. Kenneth Clark n'hésite pas à présenter ces œuvres comme le point de départ du nu moderne ; elles sont sans doute les premières à rompre consciemment avec la « théorie du peintre photographe » et seront à la base, l'une du cubisme, l'autre du fauvisme. Curieuse coïncidence, puisqu'il s'agit chez les deux peintres du résultat d'évolutions intérieures qui n'ont rien à voir avec la mutation sociale qui s'opère autour d'eux. 1907, pour Picasso, c'est la rupture avec Fernande Olivier et la fin de la « période rose » ; pour Matisse, c'est le mûrissement de « l'été de Collioure » de 1905, qui a bouleversé sa vision du monde. Mais la répercussion d'une œuvre sur son époque n'est-elle pas due à ces coïncidences qui en font la réponse attendue à une question en suspens ? Matisse et Picasso sortent alors la peinture en général, le nu en particulier, de l'impasse dans laquelle les a plongés la photographie. Un nouvel art a trouvé ses maîtres.

Le nu libéré explose alors dans toutes les directions. Désarticulé par les expressionnistes allemands, décomposé dans les « nus vites » de Marcel Duchamp, il perd, à la veille de la Première Guerre mondiale, tout contact avec la réalité, et échappe ainsi à la pudeur bourgeoise.

Le nu « réaliste » devient alors ambigu. D'un côté, il continue d'indigner le grand public. La série des nus que Modigliani peint à partir de 1916 suscitera les traditionnels scandales. A la première exposition personnelle, chez Berthe Weil, en 1917, la police fera enlever cinq tableaux — dont un présenté en vitrine — jugés obscènes. Modigliani rompait en effet avec la tradition qui, depuis le XVIᵉ siècle, escamote purement et simplement le sexe féminin. Dans ses tableaux qui, malgré leur sensualité évidente, sont loin de l'érotisme développé par l'art pompier du XIXe siècle, la seule présence des poils pubiens suffit à briser la convention artistique.

D'un autre côté, la tolérance dont fait preuve le code pénal devant le nu déclaré artistique irrite lesdits artistes, volontiers frondeurs et qui préfèrent un bon scandale à une reconnaissance officielle. Marinetti, dans son manifeste futuriste de 1911, déclare la guerre au nu, « aussi nauséeux et assommant que l'adultère en littérature[67] ». Devant la banalisation d'un thème au départ agressif, Marinetti exige la suppression du nu en peinture pour une période de dix ans... Mais en bon chef de file d'un mouvement d'avant-garde, il s'empresse de préciser qu'aucune pudeur de mauvais aloi ne justifie son attitude : « Il n'y a rien d'*immoral* à nos yeux ; c'est la monotonie du *nu* que nous combattons. » Le nu, s'il voulait continuer à être à la pointe de l'art, devait faire peau neuve.

Il devait cependant connaître, dans les années 1920-1930, une curieuse excroissance en Allemagne et en Italie. Nazisme et fascisme connurent en effet la même fascination pour le nu, hyper réaliste, à prédominance masculine, qui suscitera ces gigantesques statues produites à la chaîne dans les années 30. Le Foro Italico de Rome, le stade olympique de Berlin, ourlés d'hommes nus aux musculatures puissantes, témoignent d'une civilisation qui a fait de la force, de l'effort, de l'énergie virile ses valeurs référentielles. Le nu antique remontre ici le bout de l'oreille. La nudité à nouveau glorifie le héros. Là où nos poilus bottés et casqués expirent sur les monuments aux morts français, les Allemands ont dressé aux victimes de la Grande Guerre des allégories nues, aux bras levés vers le ciel. Un homme nu, le flambeau olympique à la main, le regard fier, incarne le « Parti » chez Arno Beker (1938). Mais il y a plus qu'une référence à la statuaire antique dans cette soudaine efflorescence de la nudité virile. L'athlète antique était représenté soit en mouvement, soit après l'effort fourni, et la beauté plastique justifiait seule l'étude anatomique. Le nu fasciste n'agit pas, ne se bat pas. Il est vainqueur par essence. Les titres des œuvres sont en soi éloquents : les plus fréquents sont *Der Sieger* (A. Beker, O. Obermaier, F. Klimsch...), *Der Kämpfer* (F. Klimsch, G. Kolbe, R. Scheibe...), *Ehrenmal* (Meller, Thorak, Wamper...). Mais le « vainqueur » ni le « combattant » n'ont d'arme. Le poing fermé, l'attitude altière, le regard menaçant expriment uniquement leur détermination. Les torses sont larges, les muscles saillants, mais les gestes sont amples, paisibles : la force tranquille plutôt que l'agressivité belliqueuse. Sculpture de propagande, qui parle de triomphe et non de guerre.

En même temps, le nu transcendé dépasse — ou veut dépasser — l'érotisme. L'hyperréalisme se soucie peu de vraisemblance — ainsi le skieur nu du Foro Italico et les soldats nus mais casqués de certains monuments aux morts allemands... L'association

d'hommes et de femmes nus nie farouchement l'instinct sexuel :
Zwei Menschen, s'intitule sobrement un couple enlacé de
J. Thorak (1941) ; *Sportkamaraden,* l'homme et la femme nus
d'Ernst Seger qui se serrent la main... L'art fasciste arrive ainsi à
nier la nudité par sa représentation même. A la chute du régime,
ce lien entre idéologie et sexe désexualisé fut parfaitement
compris. Feuilles de vigne, castrations, barbouillages et graffitis
obscènes firent justice des dieux du stade[68].

Si l'on excepte cet art particulier, souvent éludé pour des
raisons plus idéologiques que pudiques, le nu a cessé de choquer.
Et si l'on trouve encore dans les romans des chanceliers inquiets
d'être sculptés à moitié nus par l'académie des Beaux-Arts[69], les
vieux tabous le plus souvent ont été surmontés. Plus exactement,
le développement parallèle d'un art érotique dans des revues
spécialisées a assigné d'autres buts à la nudité artistique que le
simple plaisir de l'œil. Elle peut avoir une simple valeur de
provocation, comme dans les toiles d'André Masson, ou exprimer
l'angoisse, la solitude de l'homme dans un monde qui le dépasse.
La *Famille* de Calisto Peretti semble perdue dans un désert aussi
nu qu'elle ; les nus de Jean Rustin, aux chairs affaissées, chauves,
flétries, ont perdu toute énergie en même temps que toute force
musculaire et tout vêtement protecteur. A l'inverse, au milieu des
Ève de Delvaux, ce sont les hommes vêtus qui semblent égarés
dans un monde qu'ils ne maîtrisent plus. Nous manquons sans
doute de recul pour découvrir — si elle existe — une tendance
générale dans la nudité contemporaine. Mais elle ne semble plus
désormais concernée par une conception étriquée de la pudeur.

Chapitre IX

THÉATRE ET CINÉMA : LES BATAILLES DU NU

« Lâchez un sein ! » C'est par cette célèbre réplique que Colette résume la querelle de la nudité sur scène en 1907[70]. La guerre entre le nu et la pudeur est alors engagée sur tous les fronts ; c'est au théâtre qu'elle fera cependant couler le plus d'encre. Articles goguenards ou indignés, chahuts et bagarres, interdictions et interpellations du gouvernement — rien ne peut recouvrir ce sein que l'on ne saurait voir. Les érudits entrent à leur tour dans l'arène. *L'Intermédiaire des Curieux et des Chercheurs* lance une vaste enquête qui passionne ses lecteurs ; chacun y va de sa petite anecdote, de son souvenir personnel, de sa citation. Résultat : en 1909, deux livres sont prêts pour présenter le premier état de la question. Aussi bien chez Normandy que chez Witkowski, malgré l'énorme documentation qu'ils ont brassée, on sent la thèse sous-jacente : la continuité de la nudité au théâtre, de l'Antiquité au xxᵉ siècle plaide en sa faveur à la Belle Époque. Querelle d'autant plus brûlante que le cinématographe naissant a lui aussi compris l'attrait de ce sein lâché sur le public potentiel...

L'historien le plus intègre ne peut échapper à l'atmosphère de son époque. Lorsque Gustave Cohen étudie pour sa thèse la mise en scène dans le théâtre religieux français du Moyen Age, il ne peut esquiver le problème de la nudité sur scène. Contre l'avis de la plupart des médiévistes qui ont jusque-là abordé le sujet, il conclut, en 1906, à « la présentation d'une nudité complète sur la scène... irréfutablement attestée[71] ». Lorsqu'en 1925 il publiera le *Livre du régisseur*, livre de bord d'un metteur en scène de 1501, il sera pourtant plus réservé. Voilà qui nous invite à retourner interroger ce théâtre aux effets scéniques spectaculaires qui fleurit en France aux xivᵉ et xvᵉ siècles.

« *Tout aussi nud qu'ung ver de terre* »

Mons, 1501. Après trois jours de spectacle ininterrompu où l'on a revécu l'histoire du monde depuis sa création, Jésus vient d'être condamné à mort devant toute une ville, dans la version d'Arnoul Gréban dont le succès ne s'est jamais démenti depuis cinquante ans. Les serviteurs du grand prêtre se sont emparés du roi des Juifs. Que vont-ils en faire ?

> — *Le voulez-vous avoir pendu*
> *Tout vêtu ou en sa chemise ?*
> — *Nenni, ce n'est pas la devise ;*
> *Assez en avons débattu.*
> *Nous voulons qu'il soit dévêtu*
> *Tout aussi nu qu'un ver de terre*
> *Et, pour prier ni pour requerre,*
> *Ne lui laissez, ni haut ni bas,*
> *Grands ni moyens ni petits draps*
> *Dont il sût couvrir un seul point.*
> — *Vous le voulez avoir au point*
> *Qu'il sortit du ventre sa mère ?*
> — *Justement.*
>   — *C'est grand vitupère [injure].*
> *Mais quoi, soit déshonneur ou blâme,*
> *Vous l'aurez.*
>   — *Il est tant infâme*
> *Qu'on ne le peut trop vilener [outrager].*
> — *Abrégeons sans plus sermonner.*
> *Çà, vilains, venez à la fête.*
> — *Il n'y aura ni cul ni tête*
> *Qui vous demeure ja [jamais] couvert.*
> (tâtant la tunique sans couture du Christ :)
> *Cet habit-ci n'est point ouvert ;*
> *Voulez-vous que je le dépièce [déchire] ?*
> — *Comment ? Il est tout d'une pièce*
> *Tissu du bas jusqu'au-dessus.*
> — *Ote-lui, ne barguigne plus ;*
> *Ce sera pour notre butin.*
> — *Tendez les bras, vilain mâtin ;*
> *Laissez-vous un peu dépouiller*[72].

« Ycy le desvestent tout nud, et est Nostre Dame derriere avesques les Maries », précisent les didascalies. Et Marie Salomé peut constater que les sbires du grand prêtre « l'ont si très nu dépouillé Que rien n'y a en vérité, Qui couvre sa fragilité, Pour à plus grand honte l'atraire. »

Comment peut-on après cela douter que le Christ n'ait paru nu en scène ? Et pourtant, lorsque Jésus est bien flagellé, rhabillé et conduit au Golgotha, le metteur en scène se montre plus précis dans ses indications : « Lors ils font semblant de le dévêtir tout nu et le couchent par terre », conseille-t-il[73].

Lorsque la Vierge, selon la tradition de saint Bonaventure, vient couvrir de son voile les reins de son fils, on se rend compte que celui-ci porte déjà un pagne ! « Lors Notre Dame passe tout outre et s'en va faire semblant de ceindre un couvre-chef à Jésus, mais il en a un préparé. »

Pas de doute : le régisseur voulait bien préciser que, malgré les suggestions du texte, l'acteur n'avait pas à jouer nu.

L'erreur à ne pas commettre serait d'isoler la nudité dans la mise en scène médiévale. Les indications que nous fournissent les dialogues ou les didascalies ne doivent pas plus ici qu'ailleurs être prises au pied de la lettre. « Ils le dépouillent tout nu » ? De la même façon que Grognard décapite saint Jean, que Pierre coupe l'oreille de Malchus ou qu'Hérode « se frappe d'un couteau au ventre ». On ne se prive pas plus d'enterrer Abel ou Adam, ou de ponctuer la mort du Christ par un grand tremblement de terre ! Les machinistes, les « députéz aux secrez », ont plus d'un tour dans leur sac pour donner l'illusion du réel, et il n'est pas besoin de préciser qu'ils « font semblant ». Dans les variantes du texte cité plus haut, « ils font semblant de le dévêtir tout nud » permute sans problème avec « ici le dévêtent tout nu ». Nous ne nous en étonnerons pas si nous nous rappelons que, lors des soi-disant processions nues, « nu » et « en chemise » avaient la même valeur.

En fait, mystères et passions occupent une place bien à part dans le théâtre médiéval. On n'y raconte pas une histoire, mais on y représente des événements historiques connus de tous. Ce ne sont donc pas des acteurs qui sont sur les planches, mais les vrais personnages qui ne se préoccupent guère des conventions que la morale publique se doit de respecter. Ce qui nous vaut d'ailleurs de truculentes annotations où Dieu et ses anges se retrouvent mêlés aux machinistes et aux accessoiristes, sans se départir pour autant de leur majesté : « *Nota* : ici, avertir Dieu, qui est dessous la salle de Paradis, de se faire apporter par deux anges, quand il retournera en Paradis terrestre, deux pelissons qu'on aura préparés pour les donner à Adam et Ève. » « *Nota* : ici, avertir un peintre d'aller en Paradis pour peindre rouge la face de Raphaël. »... Et puisqu'il est reconnu que le Christ a été crucifié nu, il apparaîtra tel dans les indications scéniques, sans qu'il soit besoin de préciser davantage les précautions requises par la pudeur.

Pourquoi, dans ce cas, insister pendant trente vers sur la nudité complète de Jésus ? Les deux phénomènes sont liés, dans une pièce où l'on ne peut tricher avec le spectateur. S'il voit apparaître un crucifié vêtu, il pourra crier à l'erreur historique... à moins qu'on ne l'ait longuement prévenu que, malgré les habits de l'acteur, il faut considérer le personnage comme nu. D'avoir analysé le théâtre médiéval selon des considérations modernes de mise en scène réaliste l'a fait taxer d'obscénité.

On ne peut nier non plus, dans le théâtre médiéval, un plaisir du texte indépendant de celui du spectacle. D'autres crucifixions témoignent de la même complaisance à évoquer une nudité qui ne sera pas plus représentée. Lorsque Pilate ordonne de battre Jésus, son sbire Griffon pose la question rituelle : « Tout ainsi vestu ? » « Quel lourdaud ! le coupe Pilate. Tu n'entends rien, mouton cornu ! — Il lui faut mettre le corps nu », conclut donc le valet. Et lorsqu'avec ses compagnons il dépouille le condamné, les commentaires vont bon train. « Il a beau corps et bien formé ; c'est dommage qu'il n'est plus sage. — Il a le dos à l'avantage Pour recevoir beaux horions »... Même scène sur le mont Calvaire : « Il le faut mettre en corselet Pour gentement l'essoriller. — Mais tout nu le faut dépouiller : Ainsi le veut la seigneurie. »

Plus tard, lorsqu'on aura perdu le sens de ces mises en scènes, on s'amusera de ces crucifixions érotiques. Comment ne pas rappeler le spectacle que, dans *La Guerre des Dieux* de Parny (1799), le nouveau Panthéon offre aux dieux païens ?

Du paradis la troupe infatigable,
Pour terminer, joua la passion,
Et joua bien. Les conviés, dit-on,
Goutèrent peu ce drame lamentable.
Mais un malheur qu'on n'avait pas prévu
Du dénoûment égaya la tristesse.
Bien flagellé, le héros de la pièce
Etait déjà sur la croix étendu.
On choisissait pour ce rôle pénible
Un jeune acteur intelligent, sensible,
Beau, vigoureux, et sachant bien mourir ;
Il était nu des pieds jusqu'à la tête :
Un blanc papier qu'une ficelle arrête
Couvrait pourtant ce que l'on doit couvrir.
Charmante encore après sa pénitence,
La Magdelène au pied de la potence
Versait des pleurs : ses longs cheveux épars,
Son joli sein qui jamais ne repose,
Du crucifix attiraient les regards ;
Il voyait tout, jusqu'au bouton de rose ;
Quelquefois même il voyait au-delà.
Prêt à mourir, cet aspect le troubla.
Il tenait bon ; mais quelle fut sa peine,
Quand le feuillet vint à se soulever !
« Ôtez, dit-il, ôtez la Magdelène,
Otez-la donc, le papier va crever. »
Soudain il crève ; et la Vierge elle-même
Pour ne pas rire a fait un vain effort.
« Le tour est bon, dit le Père suprême ;
On le voit bien, le drôle n'est pas mort. »
Cet incident finit la tragédie.
On se sépare avec cérémonie ;
Et les païens retournent dans leur fort,
En répétant : le drôle n'est pas mort[74].

Cet épisode prend tout son sel dans le contexte des querelles qui, sous le Directoire, opposent de plus en plus athées et partisans d'un retour au catholicisme ; Chateaubriand, dit-on, écrivit son *Génie du Christianisme* pour répondre à Parny. Et n'oublions pas les railleries du xviiie siècle sur la discipline d'en bas et les effets érotiques qu'on lui attribue, ni l'extraordinaire développement du voyeurisme à cette époque. On comprend mieux alors le succès de ces vers plats couronnés par un mauvais jeu de mots...

Le Christ, pourrait-on penser, occupe une place à part dans le théâtre médiéval, comme le crucifix dans l'iconographie. Outre l'inconvenance de l'acteur nu, il y a un côté blasphématoire à la nudité totale du Christ. C'est exact. Et l'on pourrait penser, à voir par exemple les diables nus qui caracolent sur la scène de Valenciennes en 1547[75], que l'on prenait moins de précautions pour les autres acteurs.

On le croirait volontiers, sans l'accident arrivé à l'un de ces diables. En 1496, à Seurre (Côte-d'Or), au cours d'une représentation de la *Vie de saint Martin* d'André de la Vigne, Lucifer approcha malencontreusement une torche d'un démon qui sortait nu de l'enfer... et enflamma le haut-de-chausse du pauvre diable[76] ! Ici encore, donc, la nudité symbolique, suffisamment exprimée par le texte (ou, à Valenciennes, par l'image), n'est pas réellement figurée. De la même façon, lorsque le bourreau prévient saint Vincent, dans le mystère qui retrace sa vie : « Despouillés serez très tout nu[77] », il ne passe pas à l'acte, et la rubrique explique en marge : « Ils le despouillent en la chemise et le déchaussent », et, plus explicitement ailleurs : « Ils le dépouillent tout nu jusques aux petits draps. »

Il y a mieux. Les femmes, à l'origine, ne pouvaient pas monter sur les planches. Au cours du Moyen Age, elles furent de plus en plus tolérées, mais leur présence reste rare, comme l'indique le « programme » de la Passion de Mons, où plusieurs rôles féminins sont tenus par des hommes. Colin Rifflart, qui tient entre autres la partie d'Ève, doit figurer nu(e) au paradis terrestre — comme il ressort, encore une fois, du dialogue :

Ève : *Une chose trop me déplaît :*
J'ai honte que si nus [Dieu] nous voie.
Adam : *Oncques mais pensé n'y avoie[78].*

Ils n'auront le droit de se vêtir qu'en prenant chacun une feuille au figuier, puis en recevant les pelissons de la main du Créateur. Faut-il en conclure qu'au mépris de toute vraisemblance — et de tout ridicule ! — Colin Rifflart montrait à tout le monde qu'il n'avait rien d'une Ève ? Cohen lui-même se refuse à y croire et admet que la nudité de nos premiers parents « ne devait pas être absolument complète » (p. cviii). Là aussi, on est tenté de généraliser la remarque et de ne pas prendre pour parole d'évangile les didascalies des mystères qui précisent que « se doit lever Adam tout nud[79] ».

Dans l'enthousiasme de la querelle du nu au théâtre, Witkowski étudiait aussi les accouchements qui, au mépris de tous les tabous, étaient représentés sur scène[80]. Sainte Barbe, dans un mystère, avait ainsi un charmant mouvement de pudeur, puisqu'elle se retirait derrière un rideau pour accoucher,

> A cette fin qu'on ne le voie
> Très-toute nue sans chemise
> Avec la femme de joie.

Pudeur peut-être justifiée par d'autres réalités : en 1468, à Metz, la sainte Barbe qui apparaît nue sur le théâtre est en fait un jeune garçon[81].

Ce cas n'est pas isolé. A Mons encore, la Vierge et sainte Élisabeth, doivent aussi accoucher sur scène. Et en grande cérémonie. « Ici soit faite pause d'orgues, car Elisabeth doit accoucher, note le livre du régisseur (p. 57). Et doit avoir un petit enfant que Notre Dame tiendra. » Seul inconvénient : sainte Elisabeth s'appelle Colart Olivier, celui qui, un peu plus tard, tiendra le rôle de saint Jean après avoir accouché de lui-même...

Tous ces exemples semblent suffisants pour se défier des nudités que le Moyen Age sème à profusion dans ses spectacles religieux. Très tôt, dès le drame liturgique du xiie siècle, se pose en effet le même problème que dans l'iconographie de l'histoire sainte. La Bible regorge de situations où la nudité est de mise. A Beauvais, un *Jeu de Daniel* expédie nus (*expoliati*) dans la fosse les ennemis du héros[82]. Au xive siècle, un miracle de Notre-Dame met en scène une pieuse femme qui a vécu dans un couvent de moines et que son mari vient rechercher après sa mort. L'abbé, pour s'assurer du sexe du faux moine, le fait dépouiller « tout nu » et commente :

> Or regarde,
> Tu vois à son sexe devant
> Qu'il était femme[83].

Sans doute reste-t-il hasardeux de conclure de façon tranchée et définitive. Nous avons en tout cas beaucoup de témoignages incontestables de la pudeur théâtrale dans les mystères et les passions du xve siècle. Les textes plaidant en faveur d'un théâtre nu sont, en revanche, ambigus et suspects. A mon sens, la nudité n'y était que symbolique, et la précision du texte n'était destinée qu'à pallier la réserve de la mise en scène.

Il en va sans doute différemment pour les farces, qui ne concernent pas des personnages sacrés et qui jouent en grande partie sur l'effet comique de l'exhibition. Elles apparaissent longtemps après les drames religieux sur les scènes françaises — peut-être tout simplement parce que, à l'époque romane, les clercs qui avaient le monopole de l'écriture refusaient de les transcrire. C'est en effet un répertoire de farce que semble désigner au xiie siècle saint Bernard, lorsqu'il condamne ces pièces (*ludus de theatro*) « qui excitent à la lascivité par des contorsions féminines et honteuses et représentent des actions sordides » (Migne, *P.L.* 182, col. 217). Il faut faire la part de l'exagération dans cette description qui paraît renvoyer à des spectacles érotiques ! Mais on peut y voir l'effort pour promouvoir un théâtre « joyeux, honnête, grave et digne d'être vu (*spectabilis*) » contre un répertoire de jongleurs et de forains. Et même contre le goût du public, qui devait s'ennuyer à ces représentations destinées à « réjouir les spectacteurs célestes » : « Une pièce honnête (*bonus ludus*) est celle qui fournit un spectacle quelque peu ridicule aux yeux des hommes, mais admirable pour les anges. » Le théâtre populaire, s'il existait à cette époque, allait être mis entre parenthèses pour trois siècles.

Les farces du xve siècle appartiennent, elles aussi, à un milieu plus lettré — surtout estudiantin — que populaire. Leur répertoire, plus scatologique que sexuel, ignore la pudeur, et l'on peut supposer sans gros risque d'erreur que dans la farce du meunier, par exemple, où le moribond rend son âme au diable par le cul, le spectateur devait en avoir pour son argent. Tout cela, en définitive, est question de sensibilité personnelle et peut varier d'une ville à une autre, d'une pièce religieuse à un intermède comique.

Dans certaines occasions que l'on peut assimiler à un spectacle théâtral, la pudeur était tout à fait inconnue. Les entrées royales dans les grandes villes étaient jusqu'au xvie siècle l'occasion de réjouissances dont l'ampleur nous surprend, cadeau des notables de la ville aux princes qu'ils accueillent pour la première fois. Il ne suffit pas d'un cortège : des tableaux allégoriques, aux portes et aux carrefours, jalonnent l'itinéraire du nouveau souverain, symbolisant la joie des bourgeois et leur soumission au pouvoir royal. Le 31 août 1461, lorsque Louis XI, qui vient de succéder à son père, entre à Paris, il est accueilli à Saint-Lazare par cinq dames richement vêtues, portant les lettres P.A.R.I.S. pour l'accueillir au nom de sa capitale. A leur tableau, symbolisant la civilisation qui rend hommage au prince, s'oppose à la fontaine du Ponceau un combat d'hommes et de femmes sauvages qui font « plusieurs contenances » : parmi eux « y avoit encores trois bien belles filles, faisans personnages de seraines toutes nues, et leur veoit on le beau tetin droit separé, rond et dur, qui estoit chose bien plaisant, et disoient petiz motetz et bergeretes[84] ». Elles portaient apparemment ces corsages mis à la mode par Agnès Sorel, qui ne couvraient qu'un seul sein. Rien de vraiment indécent, donc, si l'on se rapporte aux habitudes de l'époque. La même remarque d'ailleurs s'applique à ces spectacles et aux mises en scènes théâtrales : on y décrit un tableau idéal, et pas nécessairement la stricte réalité. Ainsi, à la Boucherie de Paris,

Louis XI put assister à une reconstitution de la prise de la bastille
de Dieppe : au passage du roi, les Anglais « eurent tous les gorges
couppées », ce qui dénoterait une sanglante barbarie s'il fallait
prendre la description de Jean de Roye au pied de la lettre !

En 1468, Charles le Téméraire eut un spectacle semblable à son
entrée à Lille. Pour illustrer le jugement de Pâris, on produisit
trois filles nues — le spectacle pourtant n'était pas « chose bien
plaisante » comme à Paris. Pallas en effet était incarnée par une
petite naine bossue par devant et par derrière, le cou mince,
ventrue, les bras et les cuisses secs et grêles — et certainement
très sage, comme la déesse de la raison. Junon était très grande,
mais n'avait que la peau sur les os. Vénus était aussi grande, mais
offrait un sérieux embonpoint. Elle n'eut sans doute aucun mal à
triompher de ses rivales en incarnant la plantureuse beauté
flamande que devait immortaliser Rubens[85].

Les hommes aussi étaient réquisitionnés, comme ce Noé
endormi dont on offrit le spectacle à François Ier lors de son
entrée à Angers, en 1516. Le quatrain explicatif qu'il portait ne
laisse aucun doute sur sa tenue :

> *Malgré Bacchus, à tout son chef cornu,*
> *Or son verjust me sembla si nouveau*
> *Que le fumet m'en monta au cerveau*
> *Et m'endormit les couilles tout à nu[86]. »*

Ces mystères n'eurent qu'un succès éphémère. Peut-être les
excès de réalisme leur furent-ils fatals. Sous Henri II, la coutume
s'en perdit. On accueillera désormais les rois avec des arcs de
triomphe, à la mode antique. Le souvenir en sera plus durable —
témoins ceux de la porte Saint-Denis et de la porte Saint-Martin,
élevés pour commémorer les victoires de Louis XIV en 1672 et
1674. C'est à la même époque que les mystères religieux furent
également interdits pour les indécences dont ils étaient l'occasion.

« Les mistères prophanes, honnestes et licites »

Si le Moyen Age a pu connaître certains excès dans la mise en
scène des nudités, seuls les prédicateurs intransigeants ont
condamné ce qui passait encore pour « une chose très plaisante ».
Si les Maoris en 1986 expriment leur mécontentement en
exhibant leur nudité à la reine d'Angleterre, les Français du
xve siècle expriment de la même façon leur joie d'accueillir un
nouveau roi. Les réactions pudibondes doivent être cherchées au
fond d'universités de province. Des étudiants turbulents se
permettent sans doute d'autres excès qu'une foule en liesse et il
faut parfois les contenir. Un règlement porté par la faculté des
arts, en 1488, leur interdit les danses, les chansons et les
déguisements, tout en permettant les comédies soumises à

l'approbation du principal, afin « qu'il n'y reste ni trait mordant ni satirique ni rien de déshonnête qui puisse offenser un homme de bien[87] ». Une censure limitée, donc, où l'on reconnaît une description encore actuelle du chahut scolaire.

On a pu comparer la Renaissance à un vaste chahut scolaire. Issue elle aussi des milieux intellectuels et artistiques, elle connaît les mêmes débordements d'enthousiasme qui se traduisent par les mêmes excès de conduite et de langage. Les mystères ont bon dos, dans un siècle qui se met à redécouvrir l'ivresse de la chair. Une *Conception et Nativité de la glorieuse Marie* profite ainsi du prétexte religieux pour mettre en scène l'accouchement de sainte Anne, la nuit de noces de Joseph et de Marie, une scène de jalousie entre les époux lorsque Notre Dame se retrouve enceinte malgré l'abstinence de son mari... Une complaisance dans les scènes scabreuses qui trouve son origine dans les mystères médiévaux, mais à laquelle la nouvelle civilisation donne un autre sens[88]. On ne craint plus de montrer, comme à Norfolk, en 1533, la Vierge priant pour le peuple, à genoux et montrant ses mamelles[89].

Face à un théâtre religieux de plus en plus libre, les autorités civiles sévissent. En 1541, le Parlement de Paris interdit aux confréries de la Passion de jouer le *Mystère de l'Ancien Testament*. François Ier, heureusement, protège encore les arts et n'est pas ennemi de quelques abus. Sur son ordre, les registres du Parlement entérinent le 27 janvier l'autorisation de monter leur spectacle à l'hôtel de Flandres, « à la charge d'en user bien et duement sans y user d'aulcune frauldes, n'y interposer choses prophanes, lascives ou ridiculles[90] ». Voilà qui, de toute façon, limite singulièrement le répertoire des mystères...

En 1548, la confrérie de la Passion déménage. Pour son installation à l'hôtel de Bourgogne, elle demande le renouvellement de son privilège. Les temps ont changé. Un jeune roi est sur le trône depuis un an — et n'a peut-être pas sur le Parlement la même autorité que son père. Depuis deux ans, en Italie et dans toute la chrétienté, la Contre-Réforme est en route avec un appareil répressif que nous avons étudié. Le mélange du sacré et du profane devient hérétique. Sans doute les confrères n'ont-ils pas trop respecté les restrictions de l'arrêt de 1541 : le 17 novembre 1548, une ordonnance devenue célèbre prend le parti inverse ! Puisqu'il est apparemment inconcevable de jouer des mystères sans passages scabreux, le Parlement « *a inhibé et deffendu, inhibe et deffend* » aux comédiens de jouer mystères et passions « sur peine d'amende arbitraire ». Il est en revanche permis de monter « mistères prophanes, honnestes et licites, sans offenser ny injurier aulcunes personnes[91] ». Une censure que, malgré le coup de grâce qu'elle donne au théâtre médiéval, on peut qualifier d'intelligente, puisqu'elle propose une solution valable et originale à un problème qui alors concerne toute la société. Trois ans plus tard, en 1552, paraît l'*Eugène* de Jodelle, première « comédie » classique ; l'année suivante, sa *Cléopâtre captive* découvre la tragédie. Farces et mystères ont trouvé leurs héritiers.

Tout ne s'est pas passé de façon aussi tranchée. Le mystère survivra encore quelque temps en province ; quant à la farce, elle continuera longtemps à faire la joie des Parisiens, dans la rue, sur des tréteaux de fortune, ou grâce à des troupes organisées. La plus importante, à la fin du xvie siècle, est italienne, et se fait à son tour remarquer par l'indécence de ses spectacles. Le 26 juin 1577, les *Gelosi* sont en effet interdits de jouer par la cour assemblée en mercuriale, parce que « toutes ces comédies n'enseignoient que paillardises et adultères, et ne servoient que d'escole de desbauche à la jeunesse de tout sexe de la ville de Paris ». Là encore, le roi les autorisera à jouer, contre l'avis de ses conseillers[92].

Au début du xviie siècle, quand le théâtre classique se constitue lentement dans les salons parisiens, la farce triomphe toujours dans les rues de la capitale, dans la tradition française ou sous la forme italienne de la commedia dell'arte. Les prédicateurs fulminent de plus en plus contre l'indécence des acteurs, et surtout des actrices, qui ne se plient pas à la conception toute fraîche de la pudeur féminine. La *Courtisane* qui découvre sa gorge ne fait, pour l'auteur anonyme d'un pamphlet publié en 1617, qu'imiter les comédiennes, qui jouent « en habits et postures de dissoluës et effrontées, afin de donner du plaisir aux spectateurs » (p. 173). Pierre Juvernay, en 1635, ne sera pas moins emporté contre ces farces « où les femmes même (pour l'ordinaire desbauchées) par une effronterie effrénée monstrans leurs mammelles entièrement nues sur un théâtre, prononçans mil paroles impudiques, faisans mil sousris, œillades, et autres gestes ou actions lascives et deshonnestes, jettent mil traits lubriques dans les cœurs de ceux qui sont si fols que d'assister à tels spectacles infames » (p. 70).

La solution à ces exhibitions déplacées dans une société de plus en plus précieuse a été, un moment, de remplacer les comédiennes par des comédiens dans les théâtres réputés « sérieux ». Les femmes étaient déjà rares sur scène au Moyen Age, et celles qui y montaient le plus souvent étaient recrutées sur place et ne faisaient pas partie des troupes professionnelles. Nourrices, duègnes revêches et mères autoritaires furent longtemps dévolues aux hommes de la troupe — comme le rôle de Mme Pernelle dans *Le Tartuffe* de Molière.

Les danseuses, surtout, susceptibles plus que les actrices de se livrer à des exhibitions honteuses, furent remplacées par des jeunes gens — et parfois moins jeunes. En 1663, l'« Égyptienne chantante et dansante » de la *Pastorale comique* de Molière est interprétée par le sieur Noblet l'Aîné, ce qui oblige l'auteur à composer pour lui des chants au masculin ! La prude cour du Roi Soleil ne s'étonnait pas, apparemment, de voir cet homme déguisé en femme chantant — probablement en voix de haute-contre — des airs d'amour à la cruelle Sylvie... C'est seulement en 1681, pour *Le Triomphe de l'amour* de Lully, qu'une danseuse osera paraître sur les planches.

Les hommes cependant ne sont pas à l'abri des critiques quand ils jouent la farce. Le xviie siècle a hérité du Moyen Age le comique anal dont il use et abuse. Bien sûr, un homme n'a pas de pudeur et peut montrer son derrière sans offenser les yeux chastes. Mais il est difficile, après cela, de fréquenter la bonne société. Elle donne à méditer, l'aventure de M. de Laffemas, qui demande en 1628 une charge de maître des requêtes. On ne lui en donna qu'une partie, parce qu'il avait été comédien « et qu'il avoit fait le fariné ». Dans le rôle de Gros-Guillaume, qu'il tenait le plus souvent, il usait largement de ce comique postérieur. Montauban, qui plaida pour que la charge lui fût refusée, insista lourdement sur ce point : « On me demandera si je le reconnois-trois bien ? Non ; il estoit tousjours enfariné : mais il avoit un gros porreau velu à la fesse gauche, qu'on voyoit bien clairement, quand, pour faire rire, il monstroit son cu. S'il plaisoit au Conseil d'ordonner qu'il vinst en un coing mettre chausses bas, etc[93]. » Le réquisitoire était un peu lourd ; le chancelier de Sillery se contenta d'en rire et commenta : « Montauban, vous êtes un goguenard. » Quand à Laffemas, qui plaida lui-même sa cause, il n'eut pas de mal à la gagner — du moins en partie... Il fut d'ailleurs — grâce à son expérience de fariné ? — un brillant avocat, impitoyable dans ses réquisitoires, et servit de « grand bourreau » à Richelieu, qui avait besoin de lui pour « faire ses premiers exemples ». Il fallait, comme le seigneur des Réaux, être continuellement à l'affût d'anecdotes graveleuses pour se souvenir des fesses de Gros-Guillaume...

La farce était coutumière de ces plaisanteries en ce début du xviie siècle. Le jeune Molière n'aurait pas désavoué le cul d'un avocat général, lui qui montrait sur les planches celui de ses médecins. « Je me soucierois aussi peu de ton argent et de toi que de cela », dit le docteur du Barbouillé en « troussant sa robe derrière son cul[94] ». Procédés que la critique répugna parfois à attribuer à notre grand comique, même jeune, mais qu'il n'hésita jamais à employer, sous une forme plus édulcorée, quand la faveur du roi lui donna un public plus choisi. Le théâtre classique, né de la farce, mit longtemps à renier ses origines.

Le théâtre classique : habillé en nu

Il est artificiel, sans doute, de distinguer aux xvie et xviie siècles un théâtre classique naissant d'un théâtre médiéval expirant. La Renaissance cependant a apporté des thèmes nouveaux, un intérêt pour la mythologie et pour l'histoire antique qui, s'il inspire ballets et farces, sera à l'origine de la tragédie. Comme dans les arts plastiques, les thèmes mythologiques favorisent au théâtre l'introduction de nudités. Ainsi, en 1604, un jeune enfant joue un Cupidon tout nu dans un ballet présenté à la cour. Nul n'y trouve bien sûr à redire, mais le dauphin, qui a peut-être l'âge du danseur, en est vivement frappé. Un an plus tard, Héroard note dans son journal : « Il cause étrangement, se ressouvient d'un ballet fait il y avoit un an et demande : Pourquoi est-ce que le petit Bélier étoit tout nu[95] ? »

Le *Jugement de Pâris* reste un thème prisé pour les mises en scène qu'il permet. A Béziers, en 1628, les trois déesses comparaissent toutes vêtues devant le berger du mont Ida ; celui-ci pourtant ne s'en laisse pas conter :

> *Déesses, ce seroit un jugement volage,*
> *De juger d'un soleil à travers un nuage.*
> *Votre riche parure ombrage vos thrésors ;*
> *Ces beautés sont dedans ; il les faut voir dehors ;*
> *Il vous faut exhiber à mes yeux toutes nues[96].*

La pièce est sans doute dans la tradition des entrées royales ; remarquons toutefois qu'il s'agit ici d'un déshabillage plutôt que de l'apparition d'actrices nues sur scène. Le côté un peu polisson de la scène, qui devait jouer sur un strip-tease savamment orchestré, enlève tout naturel à la présence des déesses nues. Signe sans doute que le théâtre *in naturalibus* reste rare et utilisé à des fins plus racoleuses qu'artistiques.

L'hôtel de Rambouillet, où s'élabore la littérature classique, purgera le théâtre mythologique de ses nudités complaisantes. Si la tragédie n'a guère de raison d'y recourir, la comédie et le ballet gardent le déshabillé dans leur arsenal. Les pièces de Molière en fournissent de nombreux exemples. Sans aller jusqu'à M. de Pourceaugnac, qui reçoit les apothicaires armés de clystères sur sa chaise percée, les ballets mythologiques, les pastorales, les intermèdes galants fourmillent d'amours, de sauvages, de divinités païennes plus ou moins nues. *Les Précieuses ridicules* se termine par le déshabillage des laquais démasqués — intégral si l'on voulait respecter le dialogue : « Vite, qu'on leur ôte jusqu'à la moindre chose », exige Du Croisy. De quelle manière ces rôles étaient-ils interprétés ? On sait qu'il ne faut guère se fier aux gravures d'époque, qui représentent le plus souvent des scènes idéales plutôt que des spectacles réellement donnés[97]. Il ne faut pas plus se fier à l'intitulé des rôles. Les « Maures nuds » qui dansent dans *Le Sicilien* sont ainsi désignés par opposition aux « Maures de qualité », menés par le roi lui-même, et aux « Maures à capot » (cape avec capuche) qui se mêlent à eux. On ne peut pas plus prendre au sérieux la logique des rôles. Les statues, les dieux du fleuve, les naïades qui dansent dans *Psyché*, dans *Les Amants magnifiques*, sont habituellement nus — et c'est ainsi qu'ils apparaissent dans les frontispices de l'époque. Mais n'oublions pas que lesdites naïades sont en fait des acteurs, et que l'on voit mal les sieurs Lestang, Arnal, Favier et Foignard dévoiler des corps en contradiction avec leur rôle.

C'est dans les indications de mise en scène que l'on suit le mieux les limites de la pudeur théâtrale. Adraste, « l'amour peintre », demande ainsi au modèle qu'il convoite de se montrer plus complètement et « découvre un peu plus sa gorge[98] ». Les ministres du sacrifice, dans *Les Amants magnifiques*, sont par contre « habillés comme s'ils étoient presque nuds[99] ». Notation doublement intéressante. D'abord, parce qu'elle prouve que la pudeur alors ne se contentait pas d'un pagne ou d'un voile comme pour les statues, mais exigeait de véritables habits mimant la nudité, même partielle ! Ensuite, parce qu'il est tentant d'y voir l'ancêtre du maillot qui s'imposera sur scène au xviiie siècle. C'est en tout cas la première mention d'un vêtement de décence censé imiter la chair nue.

Sans doute est-ce ainsi qu'il faut interpréter la fameuse scène des *Fâcheux*, où Madeleine Béjart parut nue sous les traits d'« une naïade sortant des eaux dans une coquille ». C'était à Vaux, en 1661, à la fête que le surintendant Fouquet offrit au roi. Louis XIV, dit-on, apprécia beaucoup le prologue de Pelisson et sa charmante interprète. Mais l'auteur et l'organisateur furent arrêtés peu après le spectacle — non pour l'audace de l'exhibition, bien sûr, mais pour celle d'un surintendant des finances qui se permettait d'offrir des divertissements plus somptueux que ceux de son souverain... Madeleine Béjart était-elle réellement nue au sortir de sa coquille ? Une gravure nous la montre à peine parée d'un collier et de deux bracelets : astuce classique pour dissimuler l'encolure et les poignets d'un maillot[100]. Les courtisans s'y seraient laissé prendre...

Le roi en tout cas ne partageait pas la pudibonderie des dévots face aux excès des comédiens. Jusqu'en 1697, les comédiens italiens purent, sans être inquiétés, « se déborder en ordures sur leur théâtre et quelquefois en impiétés[101] ». Si le roi alors les en chassa « fort précipitamment » et leur enjoignit de vider dans le mois le royaume, c'est parce qu'ils commirent l'imprudence de monter *La Fausse Prude*, où l'on reconnaissait sans peine Mme de Maintenon... Même après leur départ, la commedia dell'arte continua à faire rire les Parisiens. Le courant, en cette fin du xviie, est plutôt à la tolérance, et les comédiens ont le bon goût de ne pas en abuser. A l'Opéra, la première révolution est l'apparition des femmes dans le corps de ballet en 1681 : une entrée remarquée, puisque la dauphine et Mlle de Conti dansent elles-mêmes dans *Le Triomphe de l'Amour* de Lully, qui désormais appartient à l'histoire de la mise en scène plus qu'à celle de la musique. Les robes empesées, les souliers rigides et les pas solennels ne permettent d'ailleurs pas les écarts de décence, et c'est plus une victoire des préjugés qu'une évolution des mœurs scéniques.

Coup de théâtre, le 22 août 1702 ; Boindin fait jouer à la Comédie française son *Bal d'Auteuil*, dont les dialogues un peu lestes scandalisent le roi vieillissant. Celui-ci charge le marquis de Gesvres de réprimander les comédiens, qui jugeront prudent de retirer la pièce. Telle est, pour les historiens, l'origine de la censure dramatique. Une lettre de Pontchartrain au marquis d'Argenson, lieutenant général de la police, demande que des censeurs lisent désormais les pièces avant qu'elles ne soient montées : « Il est revenu au roi que les comédiens se dérangent beaucoup, que les expressions et les postures indécentes commencent à reprendre vigueur dans leurs représentations, et qu'en un mot ils s'écartent de la pureté où le théâtre était parvenu[102]. »

Prétexte pour établir une censure politique plus importante pour le pouvoir royal ? Peut-être. Les censeurs en tout cas ne seront pas trop regardants sur le chapitre des mœurs. Eux-mêmes parfois auraient eu besoin de leçons en la matière, comme Cherrier, auteur de *Polissoniana,* ou Crébillon fils, plusieurs fois embastillé pour ses œuvres érotiques et qui finira censeur royal en 1759 !

Le théâtre et l'opéra, en tout cas, risqueront des innovations audacieuses. Dans les années 1720, la longue robe des danseuses se raccourcit pour permettre des mouvements plus amples. La réforme était nécessaire à partir du moment où les danseuses professionnelles mettaient au point des pas nouveaux, exigeant une plus grande liberté du corps. Une jeune débutante, qui devait immortaliser son nom de Camargo, fut à l'origine du premier grand scandale chorégraphique en montrant — sans caleçon ! — son mollet aux spectateurs. Les robes redescendirent, et il fallut attendre 1770 pour qu'on ose les remonter à nouveau. C'est alors que la Saint-Huberty impose définivement le costume court, qui s'intègre d'ailleurs à une recherche plus générale d'adaptation des costumes scéniques à l'époque, au milieu ou au lieu de la pièce. Au nom de la vraisemblance, on répugne à jouer les nymphes grecques en costumes contemporains.

Dans un siècle de lumières, cette évolution aurait été très bien reçue, si un incident n'avait relancé le débat. En 1780, une jeune danseuse, Mariette, dans un entrechat élégant, laissa malencontreusement sa robe accrochée à un châssis et révéla à qui voulut le voir qu'elle ne portait pas de pantalon. Les censeurs vigilants ne fermèrent pas les yeux. Une ordonnance de police imposa le port du caleçon aux danseuses. Le maillot chair se répandit pour les scènes trop déshabillées — maillot double, exigea la police, pour qu'un accroc ne risque pas en cours de spectacle de laisser apparaître la chair interdite. Le règne du caleçon et du maillot allait durer plus d'un siècle au théâtre[103].

Le public français n'a d'ailleurs pas à se plaindre : à l'étranger, on est plus pointilleux encore sur la pudeur des danseuses. En Espagne, elles passent à l'amende si un mouvement trop vif a découvert... leur caleçon ! Casanova raconte ainsi la ruse de Nina, qui s'était vu infliger une amende de deux écus pour avoir montré sa lingerie. Le lendemain, elle exécuta le même pas avec la même envolée... mais sans caleçon. On ne put donc lui reprocher d'avoir exhibé ce qu'elle ne portait pas, et aucune ordonnance apparemment n'avait prévu qu'on pût montrer quelque chose de plus intime[104]. Nina s'en est d'ailleurs tirée à bon compte, si l'on songe qu'en 1788, aux Pays-Bas, une actrice paya de six semaines de prison un décolleté trop profond. La cour pontificale, quant à elle, préfère prévenir que sévir. Le maillot chair lui paraît trop indécent — elle exige des danseuses un maillot bleu ciel[105]. Au moins est-on sûr que les danseuses le portent... En 1780, le pape leur impose en outre un pantalon de velours noir pour monter sur les scènes romaines[106]. Ainsi déguisées, les ballerines ne devaient plus troubler les cardinaux.

C'est dans cette atmosphère de bigoterie extrême que les théâtres libertins s'ouvrirent à Paris, sous la protection de hauts personnages que l'on ne pouvait attaquer de front. Le plus célèbre fut celui de la Guimard, subventionné par le prince de Soubise : sur sa scène de Pantin furent montées les œuvres des auteurs légers de l'époque — dont une *Madame Engueule*, ancêtre lointaine de Mme Angot. La police essayait bien de contrôler ces salles — jusqu'à la Révolution, il n'y a pas de différence entre un outrage à la pudeur public ou privé — mais c'était souvent difficile, et les répétitions étaient aussi scandaleuses que les représentations.

Les « parades » que les grands seigneurs font exécuter dans leurs châteaux ou dans des théâtres privés échappent à la pudeur et à son histoire — sauf dans la mesure où les autorités parvenaient à s'y immiscer.

L'évêque de Paris fit ainsi interdire les parades de Collé, tant sur les scènes publiques que sur les scènes privées. Et la Guimard eut une désagréable surprise en 1768, quand elle tenta de ressusciter les *Fêtes d'Adam* mises à la mode par la Régence :

> *Danseuses et danseurs, nus comme à l'innocence,*
> *Seraient parés de fleurs de la tête aux mollets.*
> [...]
> *Déjà depuis longtemps tout était à l'étude,*
> *On répétait souvent ce joyeux scénario,*
> *Quand la police alors, selon son habitude,*
> *A ces jeux innocents infligea son veto*[107].

Le phénomène est trop vaste pour être maîtrisé. Les autorités civiles et religieuses n'ont aucun pouvoir sur les nobles qui s'amusent à ces spectacles — ou, le plus souvent, les jouent eux-mêmes. Par rapport au siècle précédent, la situation s'est inversée. Les grandes dames qui jadis se pâmaient devant les grossièretés des farces populaires ont la sensibilité moins vive que le public bourgeois. Mme de Genlis, assistant à Berlin à une représentation d'*Octavie*, tragédie nouvelle, ne s'offusque guère de voir, au premier acte, Antoine et Cléopâtre sortir du lit où ils ont passé la nuit (t. V, p. 10). Tout au plus s'étonne-t-elle que la reine ait dormi tout habillée dans les bras de son amant... Il n'en va pas de même du parterre, qui murmure tant qu'il faudra remplacer le lit par un divan à la seconde représentation ! Encore les plus dévots auraient-ils voulu voir les héros coucher sur une chaise...

Ainsi, à la veille de la Révolution, le genre poissard, les « farces obscènes » et la débauche sont passées du peuple à l'aristocratie, contaminant au passage le genre « noble » de la tragédie. Le peuple, que l'aristocratie a mis deux cents ans à policer, va à présent lui rendre la monnaie de sa vertu.

Les hésitations du XIXe siècle

La Révolution, avec son idolâtrie de l'Antiquité, s'est montrée, au départ, plus tolérante. En 1791, le public se passionne pour les costumes à la romaine dont le Richelieu s'était fait une spécialité. L'ancienne Comédie-Française suivit et Talma put se faire applaudir par les citoyens spectateurs dans le rôle — et le costume ! — de Brutus. Lorsqu'il entra en scène, sa partenaire, la citoyenne Vestris, lui chuchota à l'oreille :

> « Mais vous avez les bras nus, Talma !
> — (Tout bas) Je les ai comme les avaient les Romains.
> — Mais Talma, vous n'avez pas de culotte !
> — Les Romains n'en portaient pas.
> — Cochon[108]. »

La vertu romaine, hélas, n'est pas toujours au rendez-vous. Une loi du 2 août 1793 devait décréter que « tout théâtre sur lequel seraient représentées des pièces tendant à dépraver l'esprit public, et à réveiller la honteuse superstition de la royauté, sera fermé, et les directeurs arrêtés et punis selon les rigueurs de la loi[109] ». Six mois plus tard, Picardeaux, directeur de l'Ambigu, et Nicolet, directeur de la Gaîté, étaient arrêtés avec deux acteurs pour l'obscénité des spectacles qu'ils avaient montés. « Dans l'Amante du tombeau, précise l'acte d'inculpation, Nicolet a violé tous les principes de la décence et de l'honneur. Rhamin, déguisé en chien, a commis les plus dégoutantes obscénités[110]. » La terreur artistique fut sans doute de courte durée, mais ses conséquences se feront sentir pendant tout le XIXe siècle. Les théâtres libertins disparaissent et, en contrepartie, une plus grande tolérance semble se faire jour dans les spectacles destinés au grand public.

La guerre que Sosthène de La Rochefoucauld, directeur des Beaux-Arts de 1824 à 1830, entreprend contre les décolletés trop profonds et les jupes trop courtes ne trouvera guère d'échos. Son nom reste attaché à ce pantalon bouffant qui dépassait de la jupe des danseuses et les faisait ressembler à des petites filles modèles d'image d'Épinal. La révolution de 1830 mit le pantalon à bas avec le régime légitimiste.

Le XIXe siècle fut traversé au théâtre par le maillot chair, et à l'opéra par son indispensable complément, le tutu. Ses flots de gaze, qui donnaient l'impression d'une jupe éternellement relevée, étaient en fait cousus entre les jambes en guise de pantalon. Uniforme de la danseuse immortalisé par Degas, il porte lui-même un nom équivoque, déformation pudique de l'expression enfantine cul-cul. Les vêtements de scène évoquent à eux seuls l'ambiguïté d'une époque éprise d'érotisme, pourvu qu'il reste dans les limites de la convention.

Il y eut bien sûr des tentatives pour actualiser les anciens spectacles érotiques. La tolérance récente à la nudité artistique, notamment, était bien tentante. En 1848, par exemple, Dussert et Hutan reconstituaient passage Saulnier des tableaux vivants où quinze filles (de moins de seize ans) et dix hommes posaient nus. Tableaux de grands maîtres ou de peintres modernes étaient figurés devant un public averti. Le 21 mars 1848, la police effectua une descente dans l'« atelier ». Une dizaine de jeunes filles y mimaient une *Fête de Cérès* inspirée de Rubens devant une soixantaine de spectateurs. Les entrepreneurs du spectacle eurent beau arguer son but artistique, puisqu'ils donnaient aux peintres l'occasion de vivre leurs tableaux, et même leur action philanthropique, puisque des modèles qui sans cela ne pouvaient survivre trouvaient un complément substantiel à leurs séances de pose : ils furent condamnés à une amende de 100 francs, somme rondelette quand on la calcule en francs-or. L'année suivante, ils voulurent reprendre leurs ateliers. Une nouvelle descente de police les envoya pour six mois en prison. Ils se le tinrent pour dit[111].

C'est le même prétexte artistique qui préside aux soirées particulières du Second Empire. Aux Tuileries, à Compiègne, les dames de la haute aristocratie participeront à de somptueux tableaux vivants, mis en scène par Viollet le Duc ou par Cabanel, qui leur permettaient de poser dans des robes largement échancrées, ou les seins découverts. Vénus sortant de l'onde, Diane et ses nymphes égayaient les soirées de l'empereur sans offenser la morale publique[112].

Même évocation antique en 1897, lorsque Henriette de Serris, secondée par son mari, le peintre Jean Marcel, a l'idée de reproduire sur scène, au moyen de modèles vivants revêtus de maillots, les bas-reliefs et les monuments les plus notoires de la statuaire antique ou moderne. L'immobilité était aussi importante que le maillot. On ne levait le rideau que lorsque les modèles avaient pris leur pose sur la scène. Le succès fut immédiat — à tel point que les « blancs » de Mme de Serris participèrent à un gala organisé à l'Élysée par le président Loubet.

Deux troupes se constituèrent, l'une sillonnant l'Amérique sous la houlette de Jean Marcel, l'autre conduite à travers l'Europe par sa femme. Et en janvier 1907, Mme de Serris sauta le dernier pas. Sans avertir le public, elle produisit à l'Alhambra une fille réellement nue, consciencieusement enduite de blanc de perle. Il n'y eut aucun scandale devant « un des spectacles les plus beaux et les plus chastes qui soient au monde ». Le secret dévoilé, on se pressa pour s'assurer *de visu* qu'il n'y avait là aucune inconvenance. À la lorgnette — et pour la bonne cause ! — on examina ces jeunes filles vêtues de poudre d'or ou de blanc de perle, et les plus farouches n'y trouvèrent rien à redire. « Ce sont les statues elles-mêmes, que l'on croit apercevoir, bronze ou marbre, et même à la lorgnette, l'illusion ne s'efface point[113]. »

Le recours à la nudité antique témoigne surtout de la pudeur excessive d'une époque obsédée par sa dignité. Obsédée jusqu'à en mourir. La pudeur au théâtre a aussi sa martyre. Elle a nom Emma Livry. Le 15 novembre 1862, Emma est surprise par l'incendie de son théâtre, lors d'une répétition de *La Muette de Portici*. Comme dans une pièce de Labiche[114], l'actrice trop prude n'ose sortir avec ses vêtements en flammes ; quand elle se voit quasi nue, elle ramène sur elle les pans enflammés de sa robe de gaze. Elle mourra après huit mois d'atroces souffrances. « Ce qui restait de ses vêtements tenait dans le creux de la main », note un témoin à l'humour morbide[115].

Si la nudité, lorsqu'elle est voilée par la vieille convention, attire volontiers le bourgeois, elle est aussi utilisée par l'avant-garde, décidée à sortir le théâtre du conformisme où il s'enlise. La réapparition du nu sur la scène est contemporaine de ce qu'on a appelé la « réaction idéaliste » du théâtre. Ce n'est pas un paradoxe, même s'il s'agissait de prendre le contre-pied des excès parfois grossiers du naturalisme. La nudité n'a rien d'obscène ni de conformiste chez Paul Fort, qui monte en 1892 le *Faust* de Marlowe : un des septs péchés capitaux y apparaît avec un simple pagne, les seins libres, et le public du Théâtre des Arts se garde bien de s'en offusquer[116]. En fait, à la fin du siècle, un public de plus en plus large, et pour des raisons diverses, s'ouvre à cette nouvelle forme d'expression. Les ligues de vertu ne pourront plus s'y opposer longtemps.

La grande guerre de 1907

Parmi les précurseurs qui ont annoncé la grande guerre de la nudité au théâtre, deux femmes de caractère, dont les noms, pour d'autres raisons, sont restés célèbres : Colette et Mata-Hari.

La belle espionne hollandaise, initiée en Indonésie aux danses orientales, commence pendant l'hiver 1904-1905 à se produire à Paris, à l'Olympia et dans des salons privés. A vrai dire, à l'Olympia, Mata-Hari revêt un maillot chair lors de la dernière danse sacrée, au terme de laquelle elle offre à son Dieu ses trois voiles, de pureté, d'amour et de chasteté. Mais dans les salons et dans les grands cercles, où elle n'est plus passible d'outrage aux bonnes mœurs, elle ne porte que ses bijoux[117].

Colette sera une des premières femmes à paraître sans maillot sur une scène publique. La romancière, déjà célèbre pour la série des *Claudine* et sa liaison sulfureuse avec Mathilde de Morny, s'initie en 1906 au mimodrame. En décembre, elle se fait remarquer en jouant « outrageusement nue sous ses peaux de bêtes » dans le *Pan* de van Lezberghe[118]. Un scandale anodin à côté de celui qui éclatera le 3 février suivant, quand Colette embrassera Mathilde de Morny sur la scène du Moulin Rouge, puis, le 1er novembre, quand elle « lâchera le sein » dans *La Chair* de Marcel Vallée. Mais la scène déjà ne choque plus que les spectateurs de province : la capitale, en 1907, a vu d'un coup déferler une vague de poitrines qui commence à blaser les plus voyeurs.

Cause ? Conséquence ? Coïncidence ? En 1906, le Parlement, pour la première fois, repousse les crédits destinés à la commission de censure théâtrale fondée en 1870. Elle s'éteint *de facto* à l'aube de la « grande guerre du nu[119] ». La décision du Parlement témoigne certainement d'un changement de mentalité ; elle a en même temps permis l'éclosion subite d'un nombre impressionnant de revues nues.

« Paris tout nu », « As-tu vu mon nu ? », « Nue cocotte », « Tout à l'œil nu », « J'veux du nu, na », « Du nu aux nus », « A nu les femmes »... Nu est le mot à la mode dans les programmes de cette saison 1907-1908. « Au début, ce fut amusant, un brin inédit, délicat, aguichant... Mais hélas, voyant dans ce spectacle un élémentaire succès... on vit sur de moindres scènes en simple appareil de pauvres filles aux nichons tristes, au ventre tourmenté, se contorsionnant avec peine... Sentant le danger, on imagina alors une autre variété de nu, le nu canaille, effronté, celui qui ignore tout voile, toute poésie, qui se présente comme la viande sur l'étal, de la belle viande quelquefois, mais de la viande tout de même[120]. » On sent dans ce commentaire publié par un journal frivole la lassitude devant une audace qui se banalise de plus en plus. Il y a d'emblée saturation, et dans la quantité, et dans la qualité du spectacle. Entre les « spectacles clandestins, purement répugnants » de M. de Chirac[121] et les « blancs » de Mme de Serris, la frontière est incertaine. Sous couvert de nudité artistique, le Little Palace produit une « scène d'ivresse et de passion lesbienne » : « La demoiselle Lepelley se renverse sur un fauteuil, mettant à nu son torse et ses seins, tandis que la demoiselle Bouzon s'assoit près d'elle et, mettant aussi ses seins et son torse à découvert, se presse contre elle, l'enlaçant de ses bras, posant sa bouche sur la sienne, caressant ses seins avec la main qu'elle laissait aussi s'égarer plus bas ; l'enlacement ne cessait que pour permettre à la demoiselle Lepelley d'exprimer par le jeu de sa physionomie et les frémissements de son corps l'excitation érotique provoquée par les caresses dont elle venait d'être l'objet. »

On aura reconnu le style inimitable des attendus de jugement : le directeur du Little Palace fut condamné à trois mois de prison et à 200 francs d'amende ; quinze jours avec sursis et 50 francs d'amende pour les deux actrices. Le juge avait conclu « que ce spectacle, rigoureusement étranger à tout sentiment artistique, rentre, à raison de son réalisme brutal et de sa révoltante obscénité, exclusivement dans le domaine de la pornograhie[122] ».

Les réactions en effet ne se font pas attendre. Certains se contentent d'écrire aux journaux leur indignation, ou de demander finement pourquoi, si le seul but de ces spectacles est artistique, on n'y trouve que des actrices à l'exclusion de tout partenaire masculin, pourtant aussi artistique... Mais d'autres sont plus actifs. Le sénateur Bérenger, président de la Ligue contre la licence des rues, dénonce les spectacles au procureur de la République, parfois sur une simple coupure de presse, et demande des poursuites le 12 février 1907, puis le 3 avril 1908. Robert Guillou crée l'Action théâtrale, qui prétend « empêcher les Français de se jeter dans la dépravation dramatique actuelle, qui finirait par les anéantir comme l'opium fit jadis des Chinois[123] ». Des historiens du dimanche remettent à l'honneur l'art galant du xviiie siècle, qu'ils opposent à la vulgarité moderne : « La voilà, la vraie poésie du nu, le nu non pas exhibé à tous les regards, sur quelque scène de music-hall, mais le nu indiscrètement dévoilé, contemplé en cachette, dans tous ses voluptueux détails[124]. » Les procès, les amendes, les incarcérations se multiplient, tandis qu'une circulaire de Clemenceau, alors ministre de l'Intérieur, prohibe les quêtes d'artistes de caf'conc' en province, « pour préserver les appas trop décolletés des artistes contre les attouchements audacieux des spectacteurs[125] » !

Dans l'autre camp, les passions ne sont pas moins vives. Journalistes, écrivains, historiens, artistes sont sur la brèche. Pierre Loüys annonce le temps où les Filles du Rhin chanteront nues la *Tétralogie* de Wagner. Jules Claretie, de l'Académie française, « dont l'autorité et la sincérité en matière artistique ne peuvent être mises en doute », affirme au procès de Mlle Aymos « que dans la pièce de M. Parcelier, aux Folies Pigalle, il n'y avait rien qui pût éveiller des pensées malsaines, que l'apparition de la danseuse n'avait rien qui pût ressembler à une exhibition salissante... Enfin, que le spectacle ne laissait qu'une impression d'art[126] ». Son témoignage fut retenu dans les attendus de l'acquittement...

Dans le doute d'un procès qui peut être ruineux, les artistes, qui se battent moins pour la liberté de l'art que pour une mode rentable, s'entourent d'un luxe de précautions. Les plus simples consistent à voiler les zones incriminées, qui se limitent vite aux mamelons et au triangle pubien. Chaque théâtre a ses préférences pour couvrir le sein : un triangle de velours noir au Moulin Rouge, un gros brillant entouré d'une aréole de diamants à la Scala, des confettis au Ba Ta Clan... La mode est surtout aux « poitrines à tétons armés », comme celle que présentera la belle Impéria quand elle reprendra le rôle de Colette dans *La Chair*. Mais les comédiennes aiment aussi déguiser leurs seins en yeux d'un visage, en pommes ou en ballons de dirigeables...

Autre précaution : le mouvement. Mlle Liliane, à Marseille, à

Barcelone, à Rome, prend soin en dansant de ne présenter que son profil. « Jamais je ne m'immobilise face — ni pile — au public : toujours de trois quarts, au moins[127]. » Les zones dangereuses sont toujours escamotées par la rapidité du mouvement. Autre précaution : l'immobilité. La troupe des Folies Royales fut ainsi acquittée parce que, « pendant la durée de la vision », l'immobilité des actrices était parfaite, et que le cadre dans lequel elles apparaissaient donnait l'illusion de tableaux inanimés[128]. Autre stratagème : la soirée privée, qui ne tombe pas sous le coup de la loi. Le directeur du Little Palace croyait bien avoir trouvé la bonne astuce : le billet d'entrée au spectacle ne donnait droit qu'à une pièce banale, mais on remettait à celui qui l'achetait une invitation gratuite pour la soirée « privée » que nous venons de décrire. Il fallait quitter la salle pour la réintégrer sitôt que le directeur avait précisé le caractère privé de la suite du programme. Le tribunal n'apprécia pas la subtilité de l'argument.

Derrière les chicaneries des procureurs, derrière les astuces des comédiens, un ennemi commun : l'impudeur. C'est à la redéfinir qu'est consacrée l'année 1907. Deux directions sont exploitées. La première, qui consiste à cacher (derrière une étoffe de plus en plus petite, dans une salle de moins en moins privée) l'objet du délit, se révélera une impasse. La seconde, le prétexte artistique, sera la brèche dans les défenses de la pudeur par où s'engouffrera le flot de la nudité. Le procès de Mlle Aymos, en 1908, fera jurisprudence.

« Attendu surtout que les précautions prises, les jeux de lumière combinés, les gazes *artistement* préparées et développées, l'éloignement de l'*artiste* évoluant en l'espèce au fond de la scène, derrière un rideau de tulle, le charme *artistique* qui pouvait se dégager de la grâce de ses mouvements et de l'élégance de ses attitudes, le fard dont elle était recouverte, étaient appelés à enlever toute impudeur au spectacle, en donnant l'impression qu'on se trouvait en présence d'une véritable statue animée... » Trois fois artistique, donc, le spectacle des Folies Pigalle. Il méritait bien l'acquittement.

Autre élément important de ce procès : le commissaire de police, « inquiet de remplir fidèlement la mission qui lui avait été donnée » — traduisez : obsédé par l'obscénité nécessaire de la pièce — avait noté dans son rapport que la demoiselle Aymos était « rasée aux aisselles et au pubis », ce qui à son sens augmentait l'indécence de l'exhibition. Le tribunal, au contraire, estima que cet élément « était de nature à atténuer son caractère licencieux[129] ». Ce rasage entériné par un tribunal — et sans doute destiné à réduire au maximum le triangle de soie rose qui dissimulait le sexe — est le premier témoignage de la guerre entreprise au xxᵉ siècle contre le poil, porteur de toute l'obscénité d'un spectacle. Les séducteurs aux poitrines glabres qui encombrent les écrans dans les années 50 sont peut-être sortis du sexe rasé de Mlle Aymos.

Si la dénudation des corps ne répond qu'à un souci esthétique, s'étonnait un adversaire du théâtre nu lors de la « grande guerre » de 1907, pourquoi ne déshabille-t-on jamais les hommes sur les planches ? De fait, le corps masculin fut lent à s'imposer sur scène. C'est par l'intermédiaire de la danse et avec bien des détours qu'il y parvint : comme pour la libération du corps féminin, le prétexte artistique était plus facile à invoquer dans un ballet que dans une pièce de théâtre.

En 1911, le scandale fut grand déjà lorsque Nijinski dansa *Gisèle* dans un pourpoint à jupe courte « qui révélait ses formes d'une manière trop marquante[130] » sous le collant. Il était d'usage, jusque-là, de compléter le costume d'un haut-de-chausse Renaissance, anachronique mais décent. La tentative de Nijinski, dans la lancée de la libération du corps féminin, fut isolée. La seconde vague attendit les années 20, lorsque les théories naturistes s'infiltrèrent en France et aux États-Unis. En 1921, Jean Börlin, des Ballets suédois, danse nu sous un collant fin un ballet de Darius Milhaud, *L'Homme et son désir*. En 1923, aux États-Unis, Ted Shawn ne garde qu'une feuille de vigne sur son corps recouvert d'un enduit blanc pour interpréter la *Mort d'Adonis*, qui sera interdit au Moriarden Art Theater. La référence au naturisme naissant est explicite chez lui : « Si nous pouvions engendrer un culte national de la beauté de la personne, l'Amérique connaîtrait une efflorescence de la civilisation supérieure même à celle de l'ancienne Grèce », explique-t-il[131].

Il faudra attendre l'après-68 pour que la nudité masculine apparaisse réellement sur scène. Elle vient de la contre-culture américaine, avec *Hair* (1967), qui arrive en France en 1969, et *Oh ! Calcutta* (1969). Après Mai 68, un certain flottement règne encore dans l'opinion publique et dans la censure officielle : on a peur de se montrer rétrograde en s'opposant aux audaces américaines. Le nu masculin cependant doit encore prendre quelques précautions. En 1971, dans *Scenario* d'Alwin Nikolais, les danseurs portent un maillot sur lequel on projette l'image de leur corps nu. En 1973, Béjart fait danser Jörg Lannes nu, mais de dos, dans la *Traviata*. En 1976, Yann Le Gac est de face dans l'*Héliogabale* de Béjart — mais se cache le sexe. En 1977, Heinz Spoerli fait sortir Roméo nu du lit de Juliette — mais de dos encore, et le danseur en profite pour enfiler une gaine qui le protégera dans ses mouvements[132]. Ainsi résumée, l'histoire du nu dans la danse traduit caricaturalement la hantise du phallus, résultat d'une perception de plus en plus réductionniste de la nudité depuis le XVIe siècle. Ces subterfuges de plus en plus artificiels soulignent l'absurdité de la situation : le pas fut franchi, et dans la foulée de la libération de la pornographie des années 70, le sexe masculin osa monter sur scène.

Cinéma, sexe et censure

Le sexe à l'écran posait d'autres problèmes et proposait d'autres solutions qu'au théâtre. L'image cinématographique est cadrée. Ce qui, avec l'éloignement des acteurs et perdu dans une image beaucoup plus large, peut passer sur une scène de théâtre, semble monstrueux agrandi sur un écran de cinéma. Il n'y a plus moyen de fuir l'image, exclusive, ni de recourir aux artifices pudibonds du théâtre. Cette différence essentielle entre la scène et l'écran est déjà soulignée en 1896 à propos du fameux baiser qu'échangent John C. Rice et May Erwin, dans *La Veuve Jones* : « Grandeur nature, c'est déjà bestial, estime un journaliste de Chicago. Mais ce n'est rien comparé à l'effet produit par cet acte agrandi à des proportions gargantuesques et répété trois fois de suite. C'est absolument dégoûtant. De tels faits appellent l'intervention de la police[133]. »

En revanche, le cadrage et la possibilité de couper ou de corriger une image trop osée suppriment une des grandes hantises du théâtre : la peur de « l'accident ». Depuis l'Antiquité[134], on craignait en effet le coup de vent qui relève une toge, le clou saillant qui accroche l'habit, l'entrechat qui révèle inopportunément les dessous de l'actrice... Rien de tel au cinéma. On peut tourner avec des acteurs entièrement nus et rétablir la décence officielle ensuite. Albert Gout peut ainsi filmer en 1956 un *Adam et Ève* parfaitement pudique, quoique les protagonistes restent nus pendant quatre-vingts minutes... Les cadrages, les cheveux d'Ève, les arbres environnants produisent des miracles impossibles en direct sur les planches.

Ceci explique sans doute que le nu se soit imposé beaucoup plus vite au cinéma qu'au théâtre — et l'on peut même penser que le cinéma à son tour a influencé l'évolution du théâtre en ce sens. Dès l'origine, en effet, et même avant sa naissance officielle, l'image projetée sur écran a compris les possibilités qui s'offraient à elle. Les trucages de Robertson, qui, en 1798, « faisait du cinéma à sa façon » en évoquant sur un écran des « apparitions sur demande » grâce à des acteurs projetés par un jeu de glaces, permettaient déjà l'érotisation du spectacle. Parmi les spectres de Marat ou de Louis XVI qu'on lui demandait de ressusciter, il avait prévu « une femme, le sein découvert, les cheveux flottans », qui ne demandait pour formule magique que « des plumes de moineaux, quelques graines de phosphore et une douzaine de papillons[135] ». Et le danger des salles obscures où doit se dérouler le spectacle est déjà défini par le citoyen Molin : « Qui garantira aux spectateurs qu'à la faveur des ténèbres, des mains indiscrètes ne chercheront pas à s'égarer ? » Ce qui se passa d'ailleurs, au cours d'une séance à laquelle assistaient, comme par hasard, Joséphine Beauharnais et Mme Tallien[136]...

Pré-cinéma toujours, et érotique déjà : en 1887, deux femmes nues dansent dans *The Human Figure in Motion*[137]. Au centre de tous les arts plastiques, à l'origine de la peinture comme de la sculpture, il y a le désir de représenter le corps humain. Le cinéma ne devait pas faire exception. Les grands courants de libération du nu devaient exploiter très tôt ce nouveau procédé mis à leur disposition. Les films pornographiques apparaissent dans les années 1910, les films naturistes dans l'Allemagne nazie des années 20... Ce ne sont pas ces productions, réservées en général à des cercles restreints, qui influenceront durablement le septième art. En 1957, la Fédération française de naturisme crée le club Arena, où l'on peut, avant la légalisation du sexe à l'écran, assister à des projections d'œuvres naturistes : un événement capital sans doute pour l'histoire du naturisme, mais sans portée réelle sur l'évolution des mœurs.

La date clé du nu au cinéma est l'année 1933, lorsque Hedy Lamarr apparaît entièrement nue dans *Extase* de Gustav Machatty. Début d'une fulgurante carrière pour la comédienne encore méconnue. Début d'une audace nouvelle pour le cinéma. Scandale aussi et naissance des ligues de décence et des centrales catholiques. Scandale d'autant plus grand que le milliardaire qui vient d'épouser la belle Hedy se met à traquer les bobines d'*Extase* pour détruire les images compromettantes...

L'évolution du nu au cinéma évoque alors curieusement celle du nu artistique. Il lui faut des prétextes pour se manifester en toute impunité. Il les cherchera d'abord dans les évocations bibliques — quoi de plus rassurant pour les ligues catholiques ? Comme dans les livres d'heures médiévaux, les martyres des jolies chrétiennes constituent un support rêvé pour un sado-masochisme discret. L'Antiquité décadente permet d'y adjoindre une sensualité moins discrète. Claudette Colbert incarne Poppée dans *Le Signe de la croix* de De Mille (1932), puis Cléopâtre en 1934 : le passage du sado-masochisme chrétien au sensualisme des orgies ou des bains de lait d'ânesse se fait tout naturellement. Le peplum en déshabillé est à la mode après la Seconde Guerre mondiale. Dans les années 50, le « label suédois » apporte une autre image de la nudité filmée : une vision plus proche de la nature, faite de paysages grandioses, de bains dans les lacs et de sirènes aux cheveux d'or. A partir de 1956, l'érotisme ose se montrer sans prétexte historique ou naturiste : il s'incarne immédiatement dans le « phénomène » Brigitte Bardot, qui tourne alors *En effeuillant la marguerite* et surtout *Et Dieu créa la femme.*

Les scandales et les censures témoignent des difficultés que rencontre cette nouvelle liberté : le prétexte artistique — puisque c'est celui qu'impose toujours la législation — n'est pas toujours sensible aux yeux de la loi ou des ligues de vertu. Pour épurer le cinéma qui explore un domaine inconnu, il faudra, comme ce fut le cas dans la littérature ou les arts plastiques au XVIe siècle, que la pornographie conquière son terrain bien à elle, comme un abcès de fixation qui draine les aspects malsains de la nudité au cinéma. Les Danois feront œuvre de pionniers en supprimant toute censure cinématographique le 1er juillet 1969. La France suivra vaille que vaille en 1975. Les films classés « X » auront permis de définir un érotisme distinct de la pornographie : deux notions qui, avec le recul, apparaissent artificielles et usées. Elles sont aujourd'hui de plus en plus contestées et deviennent inopérantes. Il est indéniable, cependant, que l'isolation de la pornographie a contribué à éduquer — au moins le public, sinon les édiles...

1896 : naissance officielle du cinéma. 1896 : première censure cinématographique. A l'exposition de Chicago, la danse du ventre de Fatima, jugée indécente, est corrigée par un « effet de haie » : des bandes blanches ajoutées sur la pellicule et qui masquent le mouvement de hanches de la danseuse[138].

Il n'y a donc pas eu d'âge d'or du cinéma — pas plus qu'il n'y eut d'âge d'or des arts plastiques ni de paradis terrestre de l'innocence. De quelque côté que l'on se tourne, nudité et pudeur, audace et censure sont nées ensemble. Dès que le cinéma eut quitté ses langes, il se tourna vers l'érotisme ; les descentes de police dans les salles de projection et les confiscations de bobines ont immédiatement suivi[139].

Un inventaire de ce qui a scandalisé nos grands-parents paraîtrait aujourd'hui surréaliste. En 1912, par exemple, une loi de censure réglementait la durée du baiser et l'on vit longtemps les commissions siéger chronomètre à la main. Dans le cinéma américain de l'après-guerre, le nombril était le summum de l'indécence, et l'on vit des actrices exhiber sans gêne leur poitrine sur l'écran, mais voiler leur nombril d'un bijou. Le code Hays, en usage jusqu'en 1965 à Hollywood, était parti en guerre contre le poil, et les séducteurs des années 50 — à commencer par Tarzan, glabre homme-singe — durent se raser le torse pour ôter leur chemise. S'il fallait résumer en un mot ce qui dérangeait dans ces images trop vivantes, c'était la vie elle-même. « Les films ne doivent jamais laisser penser que les formes réalistes des relations amoureuses sont la loi commune », décrétait le code Hays. Domaine privilégié du réel, le cinéma se voyait interdire de le reproduire...

Encore devrait-on ajouter à cet inventaire des scandales d'ordre sexuel les pudeurs religieuses d'un autre âge. Le tollé qui accueillit *L'Age d'Or* de Bunuel en 1930 s'est déclenché à la scène de l'encensoir promené dans le ruisseau... Et ces dernières années ont été fertiles en scandales de ce genre (*Ave Maria, Je vous salue Marie...*).

Trois grands types de censure ont fourni aux autorités morales et civiles les moyens de contrôler la production cinématographique. Leur date d'apparition et les procédures d'application sont caractéristiques des états d'esprit qui les ont engendrés.

La censure légale fut la première en date. Elle est apparue pendant la Première Guerre mondiale, par un arrêté du 16 janvier 1916. En temps de guerre, une censure — essentiellement politique — est une arme indispensable. Celle-ci pourtant fut maintenue après l'armistice et confirmée par le décret du 25 juillet 1919. De politique, la censure — déguisée sous le nom de « contrôle des films cinématographiques » — devint morale. Le visa qu'elle délivre à tout film avant sa diffusion est toujours exigé. Le même processus se reproduisit lors de la Seconde Guerre mondiale : une loi du 20 décembre 1941, interdisant certains films aux mineurs de dix-huit ans, fut confirmée en 1945 à la Libération — l'âge légal était toutefois ramené à seize ans. Ainsi, les deux lois réglementant la production cinématographique — censure préalable et restriction en fonction de l'âge à la programmation — sont issues de textes votés en période d'exception.

Cette censure qui n'en est pas ouvertement une se révélait en définitive bien plus insidieuse qu'une véritable censure préalable. Une restriction à la programmation (quand le public enfantin apporte une bonne part des recettes), des coupures de pellicule (au prix où elle était dans ses débuts...), une interdiction totale (relativement rare), voire une interdiction à l'exportation (pour sauvegarder l'image de la France à l'étranger : *Les Liaisons dangereuses* de Vadim furent un exemple célèbre de cette mesure en 1959) sont des armes commerciales de taille. Pour éviter de gâcher de la pellicule, les producteurs durent recourir à une autocensure d'autant plus sévère qu'ils ne pouvaient présumer de la sensibilité de la commission.

La plus suivie de ces autocensures fut le code Hays, proposé en 1922, refondu en 1934 parce qu'il était estimé trop coulant, et en usage à Hollywood jusqu'en 1965. Il ne se contentait pas de réglementer les images (interdiction de montrer la nudité totale, les accouchements, les organes sexuels des enfants...), mais s'en prenait aussi au sujet des films (l'adultère, l'inceste ne pouvaient être évoqués, même décemment), voire aux mots, aux gestes, aux allusions, signes, plaisanteries ou suggestions malhonnêtes. Les producteurs s'y plièrent pour échapper aux ciseaux d'Anastasie. Les dangers de l'autocensure sont encore plus manifestes en Belgique, comme dans tous les pays où il n'existe aucune commission de contrôle préalable. Ce qui peut à première vue passer pour une louable tolérance oblige les propriétaires de salles à censurer eux-mêmes les films qu'ils reçoivent s'ils ne veulent être traduits en justice. Le résultat souvent est plus sévère que l'avis d'une commission officielle.

L'Office catholique international du cinéma (OCIC) est né en 1928 pour répondre à ce qui était considéré comme un laxisme excessif de la censure officielle. Il adopta son propre code de production en 1930 et devint opérationnel à partir de 1934 — à l'époque où apparurent les premiers films « érotiques » de qualité. 1934 : en France se constitue la Centrale catholique du cinéma et de la radio (CCR, devenue CCRT en 1955 en s'adjoignant la télévision) ; aux États-Unis naît la Ligue de décence catholique. En 1936, l'encyclique *Vigilanti Cura* en précise les objectifs : promouvoir le cinéma de qualité ; établir une classification morale de la production cinématographique. Pie XI rappelle en outre que les commandements de Dieu restent au nombre de dix et qu'il ne suffit pas, pour être déclaré « film de qualité », de respecter les sixième et neuvième : le cinéma ne doit pas plus tuer son prochain ou blasphémer le nom de Dieu que désirer la femme d'autrui. Ce qui lui laisse un champ d'action réduit. Censure toute symbolique qui n'a pas les moyens légaux de se faire respecter ? Voire... A l'époque de sa constitution, une cote « 5 » pouvait faire chuter de 25 % les recettes d'un film...

Comme ce fut le cas au concile de Trente quand il s'était agi de combattre l'humanisme volontiers huguenot, l'Église ne s'est pas trompée d'ennemi et ne s'est pas payé le ridicule de condamner la seule nudité du corps. Ce qui est en cause, c'est plus une conception de la vie véhiculée par le cinéma. L'OCIC appelait ainsi en 1949 les responsables à produire des films « qui correspondent aux préoccupations sociales et spirituelles des peuples menacés par la vague de matérialisme athée » et à combattre « l'idéal de vie limité à une conception purement matérialiste du bonheur[140] ».

A côté de ces trois grands types de censure, il faudrait ajouter celles des associations familiales, ou la censure économique qui interdit *de facto* une production de qualité au cinéma classé « X » par une charge fiscale écrasante. La pudeur au cinéma a connu des armes très diversifiées. L'une d'elles a fait beaucoup parler d'elle lors du « boom » érotique des années 70 : une vieille disposition autorisant les maires à prendre toute mesure qu'ils jugent nécessaire à l'encontre des manifestations susceptibles de troubler l'ordre dans leur commune.

Jean Royer, maire de Tours, estima en effet en 1971 qu'il devait « protéger la population de ce désordre moral, comme (il avait) le devoir de la protéger contre toutes les autres formes de pollution ». La politique antipornographie qu'il mit alors en œuvre s'inscrivait donc à la suite de la politique d'urbanisation et de remise en valeur des vieux quartiers... Les écuries d'Augias tourangelles étaient spirituelles autant que matérielles. Quelques publications — dont la revue *Tout* dirigée par Sartre — et quelques expositions de tableaux furent victimes du zèle de Jean Royer. Mais le principal ennemi à abattre fut le cinéma taxé d'immoralisme. C'est au nom de la « morale naturelle » — c'est-à-dire du « respect des règles de vie en accord avec la nature, le respect des personnes, le respect des biens produits et possédés par les hommes » ! — que le maire de Tours partit en campagne. « Ma conclusion est nette, disait-il : il y a collusion entre les profiteurs et les fanatiques (les "pornocrates") pour détruire notre société. »

L'ordre public était bien menacé : le maire pouvait intervenir. A court terme, il fonda un comité de surveillance composé d'élus municipaux, chargé de visionner les films qui leur seraient soumis par les directeurs des salles de cinéma de Tours. En cas d'avis défavorable, le film serait purement et simplement retiré de l'affiche. A long terme, Jean Royer prévoyait d'autres mesures applicables au niveau national : accélération de la procédure judiciaire pénale, renforcement de l'action de la censure, établissement d'un code de déontologie des cinéastes français, renouvellement périodique des membres de la commission afin d'éviter leur mithridatisation face à la pornographie... Syndicats des producteurs de films, associations d'auteurs et sociétés de réalisateurs s'unirent pour protester contre ces mesures, qui n'empêchèrent pas la vague pornographique de s'abattre sur Tours comme sur toute la France. Jean Royer se défendait d'ailleurs d'une pudibonderie excessive : « On peut lutter contre l'alcoolisme tout en aimant et tout en buvant le vin », professait-il[141]. Il fut décidé de laisser à chacun le libre choix de son vin.

La pornographie à l'écran n'avait pas besoin de ligues de vertu. Elle portait en elle son propre système de régulation. Elle a déferlé sur la France en 1974 avec une violence proportionnelle aux interdits dont elle avait souffert : 25 % de la fréquentation des salles, multiplication des films « X » (douze salles sur quatorze en proposaient à Grenoble en 1976)... Ses excès ont suffit à la condamner. Comme au Danemark après la loi de 1969, l'équilibre rompu s'est rétabli de lui-même après quelques années. Au cinéma comme dans les autres domaines, la pudeur n'est qu'une tension entre deux forces également nécessaires.

Chapitre X

LA PEUR DES MOTS

La peur du mot est de tous les lieux et de tous les temps ; simplement, elle a souvent changé de domaine, et par conséquent de nature. « Tu ne blasphémeras pas le nom de Dieu » : le premier commandement est déjà une censure linguistique. Et la peur du mot prend ici tout son sens. Dans une civilisation qui apprend à nommer les choses — matérielles et spirituelles — pour les posséder, pour les créer ; où le Verbe s'est fait chair et a conservé son pouvoir démiurge des origines, on garde la crainte magique de réveiller en les nommant des forces occultes ou malfaisantes. Si la civilisation gréco-romaine a surmonté le tabou de la parole, les civilisations celtique et germanique, qui influenceront profondément la culture gallo-romaine, ont conservé le caractère sacré de leur écriture (l'*ogham* irlandais, les *runes* germaniques).

Jusqu'au xixᵉ siècle, les grands domaines de la proscription linguistique ressortissent à la conjuration maléfique. On ne nomme pas Dieu, la mort, les maladies qui font peur, les forces diaboliques. En 1821, au procès de Béranger, la chanson qui scandalisa le plus l'avocat général mettait dans la bouche de Dieu un refrain jugé blasphématoire : « Si c'est par moi qu'ils règnent de la sorte, Je veux que le Diable m'emporte. » Dans l'édition du procès, le mot imprononçable est remplacé par le traditionnel D.....[142]. Jusqu'à nos jours aussi se sont maintenus les euphémismes du brutal « il est mort » (il a vécu, il est disparu...). S'ils ne servent plus qu'à atténuer une expression trop violente, ils avaient jadis un aspect véritablement conjuratoire.

La honte que nous éprouvons depuis le xviᵉ siècle à parler des choses du sexe ou, depuis le xixᵉ, à nommer les ordures, n'appartient pas aux cultures primitives. On n'hésitait pas à utiliser dans le langage courant ou dans le style relevé des mots que l'on ne prononce plus qu'entre guillemets. Là où nous disons aujourd'hui « au nez de quelqu'un », les anciens Égyptiens disaient   , expression qu'il est inutile de traduire littéralement, et qui s'employait surtout « à propos de personnages respectés, dieux et rois[143] ». Et l'on peut être surpris de trouver dans le langage précieux du xviie siècle une métaphore scatologique comme « nos libertés auront peine à sortir d'ici les braies nettes[144] ».

Le tabou a donc changé de domaine, et sa nature a changé : la peur est devenue honte. L'exemple le plus frappant appartient au domaine inconscient : celui du langage émotif. Les jurons ont toujours eu pour fonction de nous purger des mots refoulés : si jadis ils utilisaient de préférence les registres de la mort et du sacré (tue-Dieu, mort-Dieu, sang-Dieu...), ils marquent désormais une nette prédilection pour les « putains » et les « bordels ». Le pivot entre les deux registres est symboliquement célèbre : c'est le mot que Cambronne lança en 1815 aux Anglais qui le sommaient de se rendre...

C'est à partir du moment où la honte prend le pas sur la peur que l'on peut parler de pudeur de langage. La justification du tabou en est elle aussi inversée. On ne craint plus comme avant de susciter une réalité en la nommant — le Verbe désormais ne se fait plus chair qu'en poésie. Bien au contraire, on s'est rendu compte que dans le domaine du sexe, l'euphémisme ou la censure suggéraient bien plus que le mot cru que l'on bannit. Ainsi, lorsqu'on obligea Yvette Guilbert à retirer d'une chanson un mot trop osé, elle le remplaça par un « hum hum » si bien nuancé d'un refrain à l'autre que la chanson un peu leste en devint franchement obscène !

La peur du mot alors n'est plus qu'une question de mode. Les mots grossiers s'usent et se renouvellent. Quand en 1946 Sartre publia *La Putain respectueuse*, nombre de théâtres scrupuleux affichèrent prudemment *La P... respectueuse*. Et la mode s'empara du terme « respectueuse » pour désigner le métier que l'on ne pouvait citer qu'en abrégé. Ce qui devait arriver arriva : un théâtre tout aussi scrupuleux afficha un jour *La Putain r...*[145]. Faudra-t-il, dès lors, envoyer nos « putassiers sentiments » aux personnes que l'on respecte ?, se demande Étiemble...

La pudeur alors a eu recours à d'autres armes : puisqu'il ne s'agit plus de remplacer, puisque l'évocation passe d'un mot à un autre, il faut supprimer. Certains sujets de conversation, même sous forme allusive, ont été interdits. Qu'on se rappelle la gêne de César lorsqu'il doit interroger Marius sur sa maîtresse : un « sentiment bien drôle », la « pudeur paternelle », l'empêche de parler des femmes à son fils. « — Tu as des sentiments bien distingués », lui rétorque maître Panisse[146]. L'éducation sexuelle le plus souvent ne se satifaisait pas des fleurs et des oiseaux censés sauvegarder la pureté des adolescents : elle était tout simplement esquivée. Paul Reboux, en 1930, conseillait au père de l'enseigner à sa fille, tandis que la mère se chargerait du fils, comme si la différence des sexes suffisait à affranchir le langage[147].

Nous n'en sommes ici qu'au premier degré de la pudeur. Mais à partir du moment où le mot est craint tout autant que la réalité, il

sera banni de tout discours, même éloigné du sujet scabreux.
C'est ainsi que les précieuses du xviie siècle firent la chasse aux
syllabes qui leur rappelaient trop les mots proscrits de leur
vocabulaire. « Le plus beau projet » de l'Académie que veulent
fonder les Femmes savantes,

> *C'est le retranchement de ces syllabes sales,*
> *Qui, dans les plus beaux mots, produisent des scandales ;*
> *Ces jouets éternels des sots de tous les temps,*
> *Ces fades lieux communs de nos méchants plaisants,*
> *Ces sources d'un amas d'équivoques infames,*
> *Dont on vient faire insulte à la pudeur des femmes*[148].

Adieu jeux de mots et sourires complices... Qu'on ne s'imagine
pas qu'il s'agisse là d'une caricature littéraire. Au xvie siècle déjà,
Della Casa avait souligné le danger de certains mots, « veu que
quelques uns signifient chose honneste, et toutesfois en les
prononçant on sent résonner je ne sçay quelle turpitude : comme
ce mot italien *rinculare*, duquel toutesfois chacun se sert
ordinairement » (p. 404).

La *Galatée* connut dès sa publication un succès européen.
Comment les salons du xviie siècle, qui se donnaient pour mission
de purifier la langue française, auraient-ils admis d'être moins
circonspects à cet égard que le nonce italien ? Montaigne dut un
jour reprocher à la gouvernante de sa fille d'avoir glissé sur le
mot *fouteau* — le nom usuel du hêtre — en refusant de l'expliquer
à son élève (III, 5, p. 90). La pudeur, bien avant Molière, s'était
déjà nichée dans les syllabes... Les grammairiens du xviie siècle
tenteront de combattre cet usage dangereux. Vaugelas se moque
ainsi de ceux qui rejettent le mot *culte*, nouvellement apparu, « à
cause de sa rudesse et de sa mauvaise équivoque » : « J'ay vû
plusieurs personnes de la Cour, et hommes et femmes, qui encore
maintenant le condamnent et ne le peuvent souffrir[149]. » Le
commentateur du grand grammairien a noté en 1690 les mêmes
réticences devant le mot *inculquer* : « Il y a des délicats qui crient
fortement contre lui *Tolle, tolle*. Ils trouvent qu'il est composé
d'une façon qui donne de sales idées à ceux mêmes qui sçavent le
sens auquel ils l'employent ordinairement, et à plus forte raison
aux personnes qui en ignorent l'usage. Je ne veux pas réfuter cette
fausse délicatesse, de peur de m'expliquer trop sur le sens que ces
sortes de gens d'esprit ultramontain trouvent dans nôtre *inculquer* » (p. 334). Sous l'article *controuver*, il cite pour défendre ce
mot contesté une trentaine d'autres « composez de la même
particule et d'un mot qui peut causer une fâcheuse idée » — il
faut dire à la décharge des précieuses que l'argot avait alors
recours à ce genre de jeux de mots, et qu'il devenait difficile de
prononcer des verbes comme *comprendre* ou *compromettre*
(con-prendre ; con-promettre).

Sommes-nous d'ailleurs exempts de ce genre de pruderie ? Une
enquête effectuée en 1965 prouve le contraire... Des linguistes ont

organisé un référendum pour désigner les dix mots les plus laids de la langue française. Ce qu'ils proposaient ? Principalement des mots suggérant des idées désagréables : *grouillement, pourriture, crachat, pouillerie*... Une majorité cependant s'entendit pour condamner *putatif* et *concupiscence*, sur leur prononciation plutôt que sur leur sens[150]... Peut-être le poème consacré par Prévert à la *con-cu-pis-cence* influença-t-il ce jugement ? Le poète y mettait en scène un prédicateur qui, après avoir glosé sur la *conque, huppe, Ys, anse*, savourait avec gourmandise le mot correctement syllabé[151].

Troisième dégré à la peur du mot sale : la chasse aux lettres, qui éveillent des sons, qui éveillent des mots, qui éveillent des pensées... « Les Pretieuses, qui ne veulent pas que l'on connoisse rien à leurs K, l'on osté de leur alphabet », assure Somaize — le *cas*, alors, désignait le sexe de l'homme comme celui de la femme[152]. Dans les institutions catholiques du siècle dernier, on apprenait de même ce curieux alphabet : « m, n, o, p, lettre innommable, r, s, t... » — à moins qu'un « que long » ou un « c long » ne vienne au secours des institutrices[153]. On atteint là des abîmes qui raviraient le cacatoès de la cacaoyère évoqué par Ionesco. Car il ne suffit pas toujours de supprimer l'objet du délit : on essaie aussi de le masquer, de le farder, de le parfumer, dans de somptueuses périphrases qui ressemblent étrangement aux crottes enveloppées d'une faveur rose que distribuaient les garnements d'antan.

Les expédients

Que peut-on faire d'un livre, d'un passage ou d'un mot que l'on a jugés trop lestes pour figurer tel quel dans sa bibliothèque ? Le plus simple reste sans doute de supprimer sans autre forme de procès l'œuvre incriminée — et les esprits prudes ne manquèrent pas d'imagination à ce propos, des manuscrits païens consciencieusement grattés aux bûchers allumés par Savonarole, des taches d'encre opportunes aux « blancs » qui signalent les ciseaux du censeur. Il n'est pas rare de trouver des exemplaires des chansons de Béranger avec des pages entières laissées en blanc, correspondant aux chansons condamnées. Deux vers, dans le vaudeville *L'Enrhumé,* ont même été préventivement caviardés par l'éditeur, et n'ont paru que sous forme de deux lignes de points dès l'édition originale. La justice n'apprécia guère la précaution, et l'avocat général Marchangy souligna que ces points en suggéraient plus que les mots n'en auraient dit[154]. « Des points poursuivis en justice ! ironisent les éditeurs postérieurs. Il faut les conserver d'autant plus, que les deux vers supprimés ne seraient auprès qu'une bien froide épigramme[155]. »

Les mots peuvent être supprimés aussi bien que les livres ou les textes. Mme de Maintenon reprochait à ses filles de Saint-Cyr de ne jamais citer le mariage quand elles parlaient des sacrements.

Le mot leur eût brûlé les lèvres[156]... Pour remplacer et signaler les termes que l'on interdisait d'écrire on mit au point, au XVIIe siècle, le subtil système des points de suspension que nous utilisons encore de nos jours. Chaque point au départ correspondait à une lettre supprimée, à l'exclusion de l'initiale, presque toujours conservée — ce qui transformait la lecture d'un livre ainsi caviardé en jeu du pendu vicelard. Grand avantage du système : on repère d'emblée, en feuilletant le livre, les passages les plus intéressants. Inconvénient : quelques ambiguïtés, notamment entre c.. et c.. qui pouvaient facilement être confondus. Fâcheuse confusion, à une époque où l'on risquait le bûcher pour avoir pris un c.. pour un c.. ! Aussi vit-on apparaître les lettres finales, censées lever toute équivoque. Illusion ! Un érudit ayant ainsi voulu éviter une « couillonnerie » la transforma malencontreusement en « c.....onnerie[157] » ! La sensibilité s'affinant, on vit même des médecins parler de la g... de leurs patients, à une époque où la gale était une maladie honteuse.

Le système fut vite abandonné : les points multiples semblaient s'appesantir trop lourdement sur un mot sur lequel il eût fallu glisser. On les réduisit à trois, quelle que soit la longueur du mot caviardé. On y gagnait en discrétion, mais les textes — en prose notamment — en devinrent illisibles. Conséquence ? Des confusions qui laissèrent des traces dans notre vocabulaire. Le bon vieux « foutre », devenu « f... », fut lu « ficher » (« je m'en f... »), « flanquer » (je te f... mon poing dans la g... »), « faire » (« va te faire f... »), ou « Fichtre ! » Liste à laquelle il faudrait ajouter les farcir, fourbir, fourgonner, farfouiller, frétiller, fringuer, qui au XVIIIe siècle prirent le même sens et la même construction que foutre. La pudeur au moins y a-t-elle gagné ? Au contraire : un verbe comme flanquer est désormais devenu trivial, et il est difficile de l'employer au sens propre (« garnir sur les flancs ») dans un discours relevé.

Ce que l'on ne peut — ou ne veut — détruire, au moins l'enfermera-t-on. Tous les collèges jadis avaient leur enfer, ce coin de la bibliothèque fermé à double tour dans lequel on conservait les livres interdits aux jeunes élèves. On y gardait notamment les livres mis à l'Index par la hiérarchie catholique. Chaque pays eut son index au XVIe siècle. Le plus connu et le plus durable fut celui de la cour pontificale, institué en 1559 (*Index librorum prohibitorum*, liste des livres interdits) et complété en 1571 par un *Index expurgatorius librorum* (liste des livres à expurger). On est surpris d'y trouver, à côté des *Contes* de la Fontaine ou des *Lettres persanes* de Montesquieu, qui de leur temps passaient effectivement pour des œuvres plus que lestes, les *Essais* de Montaigne, les œuvres de Balzac, Dumas (père et fils), Flaubert, Sand, et même certaines œuvres d'Hugo et de Lamartine. Comble de l'ironie : depuis le 22 mars 1745, le Vatican a mis à l'Index... tout simplement la Bible.

Après tout, pourquoi pas ? L'Ancien Testament a pu être considéré comme l'ancêtre de la littérature érotique, et les chastes traducteurs du XVIIe siècle ne manquaient pas d'être affolés par la crudité du langage qu'il leur fallait rendre en français. Troisième expédient devant ces mots qui font peur : ce qu'ils ne pouvaient détruire ou cacher, ils se décidèrent à le farder. Les procédés étaient multiples. Le plus utilisé dans les genres nobles fut le terme vague ou approximatif. Dans la Bible du père Bounhours, Jacob n'engendre plus Joseph : il se contente d'être son père. Après tout, c'est le résultat qui compte. Le corps humain fut le plus touché par cette chasse au nom propre. Quand il fallait absolument le désigner, on s'embrouillait si bien dans les gorges, les estomacs et les ventres que l'on ne savait plus très bien ce qu'il y avait entre la luette et le pubis. On s'habitua donc à avoir la gorge pendante et du cœur au ventre. Le procédé fit tache d'huile. Tout ce qui désignait une réalité un peu trop matérielle fut remplacé par un terme générique ou approximatif ; le mouchoir redevint toile et la vache génisse. On rebaptisa à tour de bras.

Il s'agit donc d'inventer sans cesse de nouveaux mots. Parfois, une simple déformation suffira. Tous les jurons en -dieu passeront sans problème en -bleu (morbleu, palsambleu...) ; la rue du Poil-au-Con, à Paris, deviendra la rue du Pélican, et le pont Couille-Barbe, sur la Bièvre, sera appelé Coupe-Barbe ou Croule-Barbe[158]. L'inversion des mots simples eut aussi sa vogue et saint Luc devint patron de ceux qui n'appréciaient plus le noc. Ceux qui manquaient d'imagination enfin pouvaient créer eux-mêmes des termes suggestifs : les menstrues le cédèrent aux triqueniques et le noc lui-même au barbare cripsimen !

Les modifications les plus durables — et d'ailleurs les plus constantes dans l'histoire de la pudeur — furent celles infligées aux noms propres : patronymes, toponymes, noms de rues ou de châteaux étaient jadis bien plus évocateurs, et vers le XVe siècle, on commença à réglementer la bienséance des cartes de visite.

S'il faut en croire la tradition, le premier à s'inquiéter de la trivialité de son nom fut le pape Serge II, qui s'appelait *Os Porci* (Groin de Porc) et n'eut d'autre hâte, une fois sur le trône pontifical, que de se faire rebaptiser. « Et de ce est venue la coustume que les Papes de Rome changent leurs noms à leur élection : laquelle chose ne se faisoit point paravant[159]. » Explication savoureuse, mais fausse : Serge II s'appelait en réalité Pierre, et changea son nom par respect pour le saint dont il occupait le trône. L'Osporci de l'histoire fut Serge IV, qui régna cent cinquante ans plus tard, à une époque où il était admis que le pape changeât de nom.

La première réaction de pudeur devant un nom propre survint donc vers 1420, lorsque la rue Tire-Vit — redoutable nid de prostituées — devint la rue Tire-Boudin[160]. La date a son importance : la légende à nouveau s'empara de cette mutation folklorique. On prétendit que Marie Stuart, la jeune épouse de François II, avait demandé le nom de la rue lors de son entrée dans la capitale. Un adroit courtisan avait alors improvisé le nouveau nom[161]. Quand la reine arriva à Paris, la rue avait changé de nom depuis un siècle et demi. N'empêche : en 1809, la rue Tire-Boudin deviendra à son tour la rue Marie-Stuart ! Sauval a réuni une belle série de noms de rue que la pruderie parisienne aurait changés au xvie siècle : rue du Val d'Amour, rue Percée-où-il-y-a-un-bordeau (simplifiée en rue Percée...), rue Trousse-Nonnain, rue Trousse-Putain, rue Pavée-d'Andouilles... Il faut prendre avec précaution cette liste. Une partie de la rue Beaubourg s'appelait bien, jadis, Trousse-Nonnain, mais il s'agissait d'une corruption populaire de la rue Transnonnain, attestée antérieurement. De même pour la rue Séguier, jadis rue Pavée-d'Andouilles, mais qui fut tout simplement Pavée avant qu'on ne lui ajoute, au xvie siècle, le nom d'un prévôt Nantouillet[162]. A part la rue Tire-Vit, les victimes de ce mouvement puritain du xvie siècle auront été la rue du Petit-Musc (jadis rue Pute-y-Musse, la pute s'y cache), la rue Descartes (jadis rue Bordel), la rue Notre-Dame de la Recouvrance (jadis rue Merderet) et les rues aujourd'hui disparues du Pet ou du Pet-au-Diable.

Nous prendrons avec la même prudence la liste des villages et des châteaux indiquée par Sauval : le château de Génitoires, devenu Génitoy, et le village de Vineuf près de Montereau, rebaptisé Vineux. Ce qui est bien dommage pour les armes dudit village, représentant « trois priapes entrelacés », et que Sauval aurait vues au pied du crucifix de la paroisse[163] !

Quant aux noms de famille, les historiens ont également pris le parti de la prudence. Sauval et Saint-Simon[164] s'entendaient pourtant pour affirmer que la famille de Beauharnais avait obtenu de Louis XIV des lettres patentes « pour changer son sale et ridicule nom de Beauvit en celui de Beauharnais ». Ils ne pouvait pas prévoir qu'une impératrice allait rendre si célèbre ce nouveau patronyme... C'est vers le règne de Henri II, selon Sauval, que les Salecon devinrent Falconis, les Maquerelle Marcell et les Couillard Hauteclair... Nous avons effectivement conservé au xvie siècle l'histoire d'un Couillard, maître des requêtes de l'hôtel du roi. S'allant un jour présenter à une demoiselle, il déclina son nom à la servante qui, toute honteuse, n'osa le répéter à sa maîtresse : « Madamoiselle, il y a là-bas un homme qui vous demande, qui s'appelle des choses dequoy les hommes font des enfants, je ne l'oserois nommer[165]. » Cette mésaventure aurait décidé le maître des requêtes à prendre le nom d'une de ses seigneuries.

On attribuait volontiers des origines valorisantes à ces noms peu communs. Les Merdezac prétendaient ainsi que leur ancêtre avait choisi ce nom après une bataille où il se battit héroïquement, « quoiqu'il luy eust pris un devoyement[166] ». Mais la famille n'en préféra pas moins adopter le nom de sa terre d'Aché... Au xviie siècle, d'ailleurs, la sensibilité était extrême à ce sujet : on sait qu'il en fallait bien moins à une précieuse pour s'affubler de noms de bergères arcadiennes.

Certains eurent le bon goût d'être plus fiers de leur nom que de ce qu'il évoquait. Sauval connut ainsi des Vissec et des Combaveur qui ne faisaient sourire que les esprits mal tournés, et l'histoire retint le nom du Merda qui blessa Robespierre. C'est au début du xxᵉ siècle qu'eut apparemment lieu une seconde vague de conversion patronymique. Les officiers de l'état civil virent ainsi défiler une trentaine de Cocu, des Queulevée, Taillefesse ou Bordel. Ils en firent des Quelvé, des Taillefer et des Borde[167]. Dans la foulée, les villageois des Petites-Chiettes se firent domicilier à Bonlieu, ce qui ne manquait pas d'humour[168].

Ne forsan offendam pias aures...

Qui eut l'idée « pour ne pas risquer d'offenser les oreilles pieuses », de traduire en latin les passages les plus croustillants ?

> *Le Latin dans les mots brave l'Honnêteté :*
> *Mais le lecteur François veut être respecté :*
> *Du moindre sens impur la liberté l'outrage,*
> *Si la pudeur des mots n'en adoucit l'usage*[169].

On a le droit d'être d'un avis contraire. Brantôme, quant à lui, estime que « les mots de paillardise françois en la bouche sont plus paillards, mieux sonnans et esmouvans que les autres[170] ». Et la servante Marotte, dans les *Précieuses ridicules*, n'hésite pas à qualifier de « latin » le beau langage de ses maîtresses (sc. vii, t. I, p. 210). Impudique, le latin ? Non pas : mais il a l'avantage de ne pas être compris des femmes[171]. C'est donc la langue choisie pour s'expliquer sans offenser la sempiternelle pudeur féminine...

C'est probablement dans l'enthousiasme de la Renaissance pour les langues ressuscitées qu'il faut chercher l'origine de cette tendance. Jusqu'alors, on latinisait à qui mieux mieux le vocabulaire français, sans avoir conscience de la rupture de niveau de langage introduite par le latin : l'imprimerie, en permettant de varier les caractères typographiques à l'intérieur d'un texte, permit ce recul métalinguistique qui ôtait au mot cité toute agressivité intempestive. Brantôme lui-même, qui ne craint certes pas les mots crus, y a parfois recours. Quand il entreprend par exemple de citer les postures interdites de l'art amoureux, il entend en parler « briefvment en mots latins » (IX, p. 51). C'est ainsi qu'il explique ce que nous appelons toujours le *more canino*.

L'habitude s'installe — et c'est sans doute le sens qu'il faut donner aux vers de Boileau : à son époque, *statistiquement*, le latin est effectivement amené à braver l'honnêteté plus souvent que le français... Le langage juridique recourt au latin pour expliquer « la manière de poursuivre l'action en exécution de promesses de Mariage, suivies d'habitudes, *copulâ subsecutâ*[172] ». Les érudits du xixᵉ en feront un large usage, citant en latin ou traduisant carrément leur propre texte dans les passages les plus

scabreux[173]. Et lorsque certains prennent le parti de s'adresser en
français à un public plus large, ils éprouvent le besoin de se
justifier. Le docteur Doppet voulait que son traité sur la
flagellation, publié en 1789 et contenant des passages subversifs,
parvînt au plus grand nombre. Il ne pouvait — comme Boileau
l'avait fait pour son traité des flagellants — l'écrire en latin. « On
me reprochera sans doute, reconnaît-il, d'avoir écrit mes
réflexions en langue vulgaire... Y aurait-il, par hasard, des mots
qui deviennent obscènes dès qu'on les prononce en français ? Si
cela était, il faudrait renoncer à ce langage, qui sera bientôt celui
du monde entier, et même le défendre, puisqu'il ne peut dire le
nom de certaines choses sans alarmer la pudeur » (p. 10). La
méconnaissance croissante du latin fit malheureusement plus
pour éradiquer cette habitude absurde que le bon sens des
historiens.

Nous avons cependant gardé un héritage de cette époque où le
latin se permettait des privautés interdites au français : beaucoup de termes désignant les organes sexuels, nés au xvie ou au
xviie siècle, ont conservé leur forme latine pure : citons, entre
autres, pénis, phallus, utérus, hymen, sans oublier un quoniam
(con) mort au xviiie siècle ou un gaude-michi (réjouis-moi)
devenu godemichet...

Langue universellement comprise et qui — sauf célèbre
exception — n'était plus langue maternelle, le latin était tout
désigné pour sauver à la fois la clarté et la pudeur. Il ne faut pas y
voir une vertu particulière de cette langue : ce qui offense les
oreilles chastes, plus que les mots ou les sons, c'est l'association
inconsciente d'une langue apprise au berceau et de réalités jugées
outrageantes. On fait vis-à-vis d'une langue fort justement
appelée maternelle un véritable complexe d'Œdipe. Le mot
grossier prend l'allure de scène primale, comme s'il s'adressait à
notre mère à travers la langue qu'elle nous a apprise. C'est ainsi
qu'il faut interpréter la réflexion de Brantôme sur les mots
paillards qui sonnent mieux en français : un italien aurait fait la
même remarque sur sa langue. Lorsqu'il s'agit de citer ces mots
crus que le français condamne, n'importe quelle langue fait
l'affaire : nous avons vu comment un notaire agenois citait en
vieux provençal les passages qu'il ne voulait pas traduire ; le
xviiie utilise d'une manière semblable le vieux français (par
exemple dans l'expression *l'aze te foute*, qui congédiait rudement
un importun) ; Mme du Châtelet, quand elle engueulait Voltaire,
se mettait à parler anglais[174]... De la même façon que le mot
obscène se retrouve en fonction émotive (le juron) ou conative
(l'injure), nous le retrouvons ici en fonction métalinguistique.
Nous le retrouverons plus loin en fonction poétique, défendu par
la théorie de la liberté artistique. Le processus dans tous ces cas
est le même : il s'agit de lui interdire la fonction référentielle.

Mais puisqu'il arrive qu'on doive l'utiliser sans fard dans un
discours courant, la pudeur, depuis l'origine, a eu recours au
fabuleux trésor de la métaphore et des périphrases. On aimerait

fouiller à pleines mains dans cette caverne d'Ali Baba. Il faudra nous contenter d'en entrouvrir la porte pour en saisir quelques feux.

Petit dictionnaire des périphrases

Avitaillé : Un homme « bien avitaillé » (nous dirions aujourd'hui ravitaillé) ne se contentait pas au xviie siècle d'avoir fait le plein de « vitaille » (victuailles). Il avait aussi le vit bien taillé, de la même façon qu'une femme « connue » passait pour bien fournie... Le jeu de mots a toujours été le plus grand pourvoyeur d'euphémismes dans le domaine sexuel, à tous les niveaux de l'échelle sociale. Villon en quittant une amoureuse dédaigneuse s'en va « frapper en un autre coin » (le coin au sens propre est la matrice où l'on frappe les monnaies) ; les précieux du xviie siècle font la même chose en « chassant les connils » (lapins) ; le truand du xixe « enterve bigorne » lorsqu'il parle argot pour « baiser les gendarmes » (enterver, c'est comprendre... ou *con*-prendre, et le gendarme se reconnaît à son bicorne)... Cinquante ans avant le 4 juin 1958, « je vous ai compris » aurait été une façon un peu grossière de dire « je vous ai bien eus » — de Gaulle y pensa-t-il en signant quatre ans plus tard les accords d'Évian ?

Avoine : Voilà un mot qui connut un vif succès pendant plusieurs siècles. Au xiiie siècle déjà on « demandait de l'avoine pour Morel » en faisant l'amour[175] ; au xviie siècle, on « donnera de l'avoine au point du jour » ou « du foin à sa mule », tandis qu'une jeune fille qui se languit de sa première expérience « sent l'avoine » — comme la jument qui sent l'écurie... Une façon d'insister, plus que sur l'acte, sur le caractère impératif de son désir, comparé à la faim d'un animal têtu.

Bavière : « Aller en Bavière », c'est soigner une grosse vérole. Les remèdes mercuriels faisaient en effet « baver » le malade. Comme il est aussi conseillé de « suer » sa maladie, le vérolé pourra également « aller en Suède », quand on ne le surnommera pas « le pèlerin de Suerie » (Syrie)... Les jeux de mots toponymiques sont vieux comme le monde. L'argot des coquillards allait à Rueil au lieu d'assassiner (ruer quelqu'un, c'est le tuer), l'argot du xixe ira à Niort quand il refusera de se mettre à table devant les policiers...

Cabochon de rubis : Derrière cette élégante périphrase se cache le prépuce, qui occupe une place à part dans l'attirail érotique. Les chrétiens sont fiers de ce bout de chair qui les distingue des juifs ; les mauvais plaisants font semblant de le confondre avec le Saint-Esprit. Il a fallu attendre le xixe siècle pour que ce cabochon, avec son nom coquin, alarme à son tour la pudeur, et que l'on ne sache plus que faire de la douzaine de prépuces que nous a laissés le Christ.

Cardinal : Le prélat en robe pourpre, tous les vingt-huit jours, allait jadis « loger à la motte ». Les femmes alors avaient leurs lunes ou étaient indisposées. Les menstrues apparaissaient comme une infirmité dont on ne s'expliquait pas la raison. Est-ce pour la conjurer qu'on la revêtit de la pourpre cardinalice ? On aimait des explications avantageuses aux nécessités de la nature qui nous rappelaient brutalement à notre condition humaine. Le constipé avait alors « bon cœur » : il ne rendait rien. Mais s'il avait soudain un flux de ventre, c'est que ses affaires étaient claires... L'indisposition prend un petit air spirituel qui aide à la faire passer.

Catleya : Lorsque Swann obtint enfin les faveurs d'Odette de Crécy, ce fut sous le prétexte d'arranger le catleya qu'elle portait à son corsage. Depuis, les amants gardèrent l'expression pour ne pas désigner plus crûment leurs relations charnelles. Qu'une orchidée devienne, par le plus grand des hasards, un symbole érotique ouvre d'autres horizons à l'histoire de la périphrase. Aux centaines de mots recensés par les dictionnaires spécialisés, il faudrait ajouter ces millions d'expressions familiales, nées d'un clin d'œil, d'une pudeur individuelle, et qui ont disparu avec leurs utilisateurs. C'est la partie la plus fascinante de la sémantique, insondable et inaccessible, partie immergée de l'iceberg, d'où quelquefois émerge une expression plus heureuse digne d'être entérinée par les dictionnaires et par l'usage.

Chevet : Entre l'expression familiale et la périphrase homologuée par les linguistes, il y a ces expressions qui furent répandues dans une société donnée sans se départir de leur origine domestique. Le reine Anne d'Autriche dormait sans traversin. Lorsque le roi Louis XIII passait la nuit avec elle, on « mettait le chevet » : l'expression eut son heure de gloire auprès des courtisans, avant de sombrer dans l'oubli[176].

Colique cornue : Réaction inverse de celle qui fit loger le cardinal à la motte. Si l'on camoufle ses infirmités sous des habits dorés, on affuble de termes méprisants ce dont on est le plus fier. Cette maladie au nom barbare n'est autre que l'érection...

Contre-coups de l'amour permis : Lorsqu'une précieuse les ressentait, c'est qu'elle venait d'être mère. L'amour permis, à l'hôtel Rambouillet, était l'innommable mariage. Ses contrecoups venaient souvent neuf mois après la nuit de noces[177].

Danse du loup : Le loup danse avec la queue entre les jambes. Les hommes aussi, quand ils l'effectuent, mais la queue et les jambes n'appartiennent pas au même corps.

Doigt qui n'a pas d'ongle : Inutile d'expliquer quelle partie de leur anatomie les petits-maîtres du xviie siècle désignaient par cette périphrase. Sous le Directoire, on verra ainsi passer Cadet Rousselle et ses trois souliers : « Le troisièm' n'a pas de semelle, Il s'en sert pour chausser sa belle »... L'argot contemporain parle encore du gros chauve à col roulé intégré dans les litanies de Pierre Perret. Curieuse façon de désigner — on ne peut plus explicitement — un organe par ce qui lui manque. L'expression au début du xxe siècle quitta d'ailleurs le registre érotique : on se mit à dire « peau d'zébi » pour « rien du tout » sans plus penser à l'organe qui n'avait pas de peau...

Estrons : Les sodomites au xviie siècle les pêchaient à la ligne. En position normale, on se contentait de tremper son lardon dans la lèche-frite. Il n'y a pas que les précieux qui répugnaient au mot propre. L'esprit populaire a eu lui aussi recours à de somptueuses images pour désigner ce que peut-être il n'osait nommer ouvertement. La vulgarité est aussi un remède à la pudeur. Oudin a accueilli plusieurs expressions de ce genre dans ses *Curiositez françoises ;* rien ne vaut cependant un bon dictionnaire d'argot du siècle dernier pour apprécier la saveur des métaphores populaires.

Exploiter aux Pays-Bas : On se souvient de la brave Clarisse qui fabriquait des pantalons « pour les dames dont la manœuvre est de cacher leur pays bas ». Le xviie siècle allait volontiers faire l'amour en Hollande. L'avion désormais nous permet d'aller jusqu'à Cuba.

Heure du berger : Les pastorales à la mode depuis le xvie siècle devaient inspirer de telles métaphores. A force d'évoquer ces amoureux transis, on les fit passer à l'acte. L'étoile du berger fut Vénus — la première « étoile » à se lever, celle donc qui annonce la nuit et l'instant favorable pour aller retrouver les pastourelles. L'heure du berger est celle où l'on voit couronner ses assiduités. La première étoile qui se lève aujourd'hui sur nos têtes n'est plus, paraît-il, qu'un « telstar » et l'heure du berger n'a plus cours que dans les chansons de Brassens.

Janotisme : Sous le nom de Dorvigny, Louis-François Archambault, fils naturel de Louis XV, créa en 1779 *Les Battus paient l'amende,* pièce scatologique dans le goût du théâtre poissard. Le comédien Volange y triompha dans le rôle de Janot en recevant sur la tête le contenu d'un pot de chambre. « C'en est ! », s'exclamait-il en se flairant... Le mot fit fortune dans la société parisienne d'avant la Révolution. Le janotisme désigna pendant un moment le pot de chambre — avant de désigner, au xixe siècle, une amphibologie délibérée ! Le pot de chambre eut sa revanche sur les intellectuels : après l'affaire Dreyfus, il ne se fit plus appeler que Zola...

Naples : On sait quel fut son mal. « Aller à Naples sans passer les monts », c'était au xviie siècle attraper la grosse vérole. Il ne restait plus qu'à faire un pèlerinage en Bavière.

Oie : Qu'était cette « petite oie » que les Roxanes accordaient parfois à leurs galants ? Pour la ménagère, il s'agissait de la tête, des ailes, du cou, des pieds, de tous les bas morceaux que l'on n'osait offrir aux invités. Pour les précieuses de Somaize, la « petite oie de la tête », ce sont les cheveux (p. xlix) ! La mode en fit les jarretières, les aiguillettes, les gants, tous les à-côtés de la toilette. Les obtenir signifiait pour les petits marquis arriver aux prémisses de l'amour. Il ne leur restait plus qu'à attendre l'heure du berger... Quoi ? Comparer les premières faveurs d'une dame aux bas morceaux d'une volaille ? Tel est le paradoxe de la pudeur du langage. On multiplie les euphémismes pour éviter de prononcer certains mots... dont on use à qui mieux mieux lorsqu'ils ne désignent plus l'objet que l'on doit cacher. On nomme le cul « la face du grand Turc » ou « le rusé inférieur », mais on parle bien fort du cul d'une bouteille ou d'un artichaut. Le xviiᵉ siècle ainsi adorait fesser — tout, sauf les fesses. Les avares fessaient Mathieu, les abbés pressés fessaient leur bréviaire, les ivrognes fessaient les poules. On y chiait ailleurs que dans la correspondance de la Palatine : les pleureuses chiaient des yeux, les importuns chiaient dans votre malle — ils ne font plus que nous emmerder. A l'époque pourtant, on nommait de façon détournée l'action propre — on allait déjà où le roi va à pied, ou à la selle. Y aurait-il dans la pudeur du langage le même équilibre que nous avons pu observer dans les autres formes de pudeur ? L'équilibre au xviiᵉ siècle s'établissait entre domaine sexuel et domaine scatologique, entre sens propre et figuré. Mais c'est à cette époque qu'il commence à être rompu. Les aphorismes de salon et les moralités de La Fontaine remplacent petit à petit les truculents proverbes médiévaux. On perd en force ce que l'on gagne en poésie en substituant un « Qui sème le vent récolte la tempête » à un « A droit boit-il la merde qui en son puits la chie »...

Palissade : En août 1722, lorsque le jeune Louis XV commence à connaître les troubles de la puberté, on s'inquiète, dans son entourage, de la mauvaise influence que pourraient exercer sur sa personnalité naissante les homosexuels qui, depuis la régence du duc d'Orléans, florissaient librement à la cour. Pour les plus affichés, ce sera l'exil immédiat sur leurs terres. Le petit roi s'étonne bien de ne plus voir papillonner autour de lui le duc de Boufflers, le marquis de Rambure ou le marquis d'Alincourt : on lui répond qu'ils ont été punis pour avoir arraché les palissades des Tuileries. Le mot fit fortune — peut-être parce qu'il était possible désormais de planter un pieu en arrachant des palissades[178].

Plan de la ville : « Le Roy estant au siège de la Rochelle (1628), un de ses officiers, nouvellement marié, escrivoit à sa femme qui estoit à la Reyne. Un commis de la poste, nommé Colot, porta le paquet de la Reyne ; cette lettre estoit dedans. La Reyne ouvroit toutes les lettres qui s'adressoient à ses femmes ; elle ouvre donc celle-là. Cet homme mandoit à sa femme qu'il enrageoit de ne pas la tenir, et que, pour luy montrer en quel état il estoit toujours, il luy en envoyoit la figure. La Reyne lisoit à la chandelle ; Colot estoit de façon qu'il voyoit à travers le papier un gros *cazzo* en bon arroy. La Reyne, d'abord, ayant aperceû quelques traits de crayon, avoit dit : "Asseurement, c'est le plan de la ville... O le bon mary d'avoir tout ce soing-là pour sa femme !" Depuis, on appela cela le *plan de la ville*[179]. »

Pont de Gournay : Ce pont sur la Marne reliait jadis le couvent des religieuses de Chelles à celui des moines de Gournay.

Calomnie (ou médisance ?) aidant, les filles-mères de Brie furent réputées avoir passé le pont de Gournay[180].

Service trois pièces : Belle survivance d'une expression qui, en traversant les siècles, a traversé les registres de langage : cette façon de désigner l'attirail masculin au grand complet est passée du jargon des précieuses à l'argot des truands du xixe... La demoiselle « de petite vertu » subira le même sort. Croirait-on qu'elle a vu le jour dans les salons du xviie siècle[181] ?

Les domaines réservés

Les mots ne sont pas condamnables en soi, mais pour les « mauvaises pensées » qu'ils peuvent éveiller en nous. Si l'intention plus que le fait délimite le territoire de la pudeur, il doit y avoir des « domaines réservés », où les mots n'éveilleraient aucune pensée coupable. Nous avons déjà rencontré, en médecine, dans les beaux-arts, cette tolérance de la nudité facilement détournée par des esprits peu scrupuleux. Nous retrouverons les mêmes libertés dans ces domaines pour tout ce qui concerne la pudeur du langage.

L'érudition historique, au xixe siècle, a voulu s'arroger les mêmes droits que la recherche scientifique. Ne fallait-il pas parler en toute liberté des événements les plus scabreux, en les considérant d'un œil aussi froid que le médecin auscultant un patient ? Jusque-là, les historiens qui avaient abordé ces sujets, comme Sauval ou Dreux du Radier, avaient adopté ce ton de roman polisson qui assimilait leurs œuvres à la littérature galante. Les dignes érudits du xixe ne l'entendront pas de cette oreille. Au nom de la rigueur scientifique, ils écriront des traités bien plus choquants pour de chastes oreilles que ceux de leurs prédécesseurs. Ils en auront conscience.

Ainsi naît l'habitude de publier en appendice « les renseignements dont pourrait se froisser, non sans cause, notre pruderie moderne[182] ». Le comte Joseph de Laborde, en 1846, est apparemment l'initiateur de cette pratique : l'appendice de son *Palais Mazarin* est quatre fois plus volumineux que le texte même ! Il est tiré à part, à cent cinquante exemplaires, parce qu'il n'intéressera « qu'un petit nombre d'érudits, qui sauront prendre dans les anecdotes un peu scabreuses et des chansons par trop libres ce qu'il y a d'utile comme document historique, comme peinture des mœurs ». C'est, inexprimée, la théorie du « second degré » qui innocentera les recherches les plus osées. Il n'y a pas longtemps que l'on a pu renoncer à cette déculpabilisation parfaitement hypocrite — et tant soit peu condescendante vis-à-vis du *vulgum pecus* incapable de se hisser jusqu'au second degré rédempteur...

Mais dans d'autres domaines, la sincérité et le souci de précision ne vont pas sans poser problème. La justice par exemple ne peut se permettre aucune réserve. « Les juges de fond doivent spécifier les faits d'une façon précise et complète ; doit donc être cassé l'arrêt de condamnation qui se borne à énoncer que les prévenus se livraient au commerce d'objets et de photographies obscènes[183]. » Voici les juges condamnés à décrire avec minutie les objets délictueux, ou à relater dans ses moindres détails un outrage aux bonnes mœurs. Si le principe est ancien, l'obligation est relativement récente.

Jusqu'à l'ordonnance de Villers-Cotterêts (1539), la justice pouvait en effet se retrancher derrière le latin, habitué à braver l'honnêteté, et qui ne s'adressait qu'à ceux qui pouvaient le comprendre. Jusqu'à la Révolution même, la justice rendue en français pouvait à l'occasion recourir à quelques expressions consacrées qui sauvegardaient la modestie. Il était d'ailleurs mal vu de plaider trop chaudement en français. L'avocat Rochard, sous la Régence, fut ainsi pris à partie par l'accusé pour avoir requis « un peu trop vivement » contre lui. Il fut condamné sur les lieux à lui faire réparation. Il interjeta appel et fut déchargé d'excuses humiliantes, mais injonction lui fut faite d'être à l'avenir plus circonspect et de ne pas employer des mots « indécents et inutiles à la défense des parties ». « Cette injonction regarde l'honnêteté publique, à laquelle Rochard avait certainement contrevenu en se servant de termes très-inconvenants », commente Barbier en juriste habitué des tribunaux (I, p. 104).

La pudibonderie devint difficile au tribunal après la Révolution française, dans un siècle qui se voulait libéré de tout préjugé et qui se passionnait pour l'abolition de la censure. Une jolie passe d'armes eut lieu en 1821, au procès de Béranger, entre le procureur et l'avocat du chansonnier. Trois charges avaient été retenues contre ce dernier : outrage aux bonnes mœurs, offense envers la personne du roi et provocation au port public d'un signe extérieur de ralliement non autorisé par le roi. M. de Marchangy, avocat général, préféra dans son réquisitoire ne pas « livrer aux débats » les chansons qui, « par le révoltant cynisme de leurs expressions, se défendent elles-mêmes contre toute citation ». Ainsi, pour ne pas « blesser de leurs tours obscènes la décence de cet auditoire », passa-t-il rapidement sur le premier chef d'accusation. L'avocat Dupin sauta sur l'occasion et demanda, en toute logique, que les chansons non citées soient distraites de l'accusation. Le président pourtant donna raison au procureur[184].

Béranger fit mieux. Profitant de la tolérance juridique et du « second degré » que lui permettait la référence à son procès, il s'empressa d'en publier les minutes. Le procédé alors était courant : seul le réquisitoire était publié au *Moniteur*, et les accusés préféraient publier à leurs frais la plaidoirie de leur avocat pour en conserver la trace. Béranger, qui était au faîte de sa renommée et ne tirait jamais à moins de dix mille exemplaires, publia en un gros volume le réquisitoire, la plaidoirie et — ce qui ne s'était jamais fait — l'arrêt de renvoi, dans lequel figuraient toutes les pièces condamnées... On s'arracha le volume. Jamais sans doute les ennuyeux discours des avocats ne furent tirés à si grand nombre d'exemplaires... Et le chansonnier derechef se vit traduire devant le tribunal, accusé de récidive et menacé de la peine maximale pour avoir publié un document officiel ! La cour d'assises n'eut heureusement pas le ridicule de le faire condamner : le 15 mars 1822, Béranger pouvait en toute impunité publier sous couvert de procès les chansons condamnées...

A une époque corsetée de pudibonderie, les procès pour attentat à la pudeur étaient une aubaine, et l'affluence était à son comble. Bayard, au début de notre siècle, en raconte l'atmosphère. Le juge, au moment de lire l'acte d'accusation, prie « les quelques jeunes filles qui se trouvent dans la salle de vouloir bien sortir ». Un murmure approbateur monte de l'assistance, mais personne ne bouge. Le magistrat ne se démonte pas. Il désigne deux ou trois jeunes personnes et réitère sa demande. On rougit, mais on reste assise. Le juge alors prie l'audiencier de bien vouloir faire sortir les trop chastes oreilles. Certaines obtempèrent sans difficulté, tandis que d'autres — *proh pudor !* — jurent leurs grands dieux qu'elles ne sont plus demoiselles. L'anecdote en dit long sur les limites de la liberté judiciaire, tant dans l'esprit du juge que dans celui de son auditoire[185].

Du tribunal public au tribunal divin, il n'y a qu'un pas. Le confessionnal devait souvent juger des causes plus troublantes que les magistrats civils. Quelle était son attitude vis-à-vis des péchés de la chair qui, de tout temps, ont formé l'essentiel de la confession ? La position des prêtres a varié autant en fonction de l'époque qu'en fonction des lieux ou de la personnalité des confesseurs. Il semble qu'à l'origine, on demandait aux pécheurs d'entrer dans les moindres détails de leur faute. La rareté de la confession excusait peut-être ces abus. Mis à part les monastères, où depuis le viie siècle on battait sa coulpe publiquement ou devant le prieur, la confession auriculaire n'est devenue obligatoire — une fois l'an — qu'à partir du concile de Latran en 1215. C'est à cette époque que paraissent les premiers véritables manuels de confession.

Alain de Lille, professeur à l'université de Paris à la fin du xiie siècle, est le premier à exiger que « cesse cette inquisition trop subtile » : « Si quelqu'un avoue qu'il a couché avec une femme, je ne lui demanderai pas s'il l'a fait par-devant, par-derrière ou d'une autre façon », explique-t-il. Et il développe déjà cet argument qui sera répété de manuel en manuel : « On ne doit pas fouiller jusqu'au détail, parce que le Christ ordonne à celui qui descend jusque dans les détails du péché de s'en abstenir, afin que la recherche d'un péché inconnu ne donne l'occasion de pécher[186]. » En suggérant ce que l'on aurait pu commettre, on risque de donner des idées à celui qui ne pensait pas à mal. A force d'entendre chacun lui détailler ses exploits, le curé acquiert effectivement une large expérience en la matière, dont il doit se garder de faire profiter ses paroissiens.

Au xvᵉ siècle, les manuels de confession contiennent des listes de plus en plus longues de péchés possibles et les prêtres procéderont à un interrogatoire de plus en plus méticuleux sur les sujets les plus délicats. C'est le seul moyen, pour Gerson, de briser la honte du pécheur et de l'amener à l'aveu[187]. La « mise en discours » du sexe après le concile de Trente, chez Sanchez ou Tamburini, a été judicieusement mise en parallèle par Foucault avec la répression qui frappe la sexualité depuis lors[188].

Méthodiquement, Tamburini, professeur à l'université de Messine, étudie les péchés à détailler en confession. Reconnaître avoir péché « contre la chasteté » n'est plus suffisant : il faut distinguer la fornication du stupre, l'inceste du péché contre nature. Celui-ci doit à son tour être précisé : bestialité, sodomie et onanisme n'appellent pas les mêmes pénitences. Est-on bien sûr, d'ailleurs, de ne pas confondre onanisme (*mera pollutio*) et coït interrompu (*copula inchoata*) ? Il faudra donc se demander si la semence a été versée dans son « vase naturel » ou entre les cuisses, entre les mains, dans la bouche. Dans ce cas, il suffit de préciser « une autre partie du corps », sans devoir dire laquelle — sauf, bien sûr, s'il s'agit des parties postérieures, ce qui ferait glisser dans la sodomie[189]. Pour les amateurs, la confession devient un plaisir trouble. Même lorsqu'elle n'est pas poussée aussi loin. L'émoi du pénitent — qui joue peut-être le rôle de soupape de sécurité dans le phantasme érotique — devient un thème littéraire dans les *Contes* de la Fontaine, ou dans ce passage de *Madame Bovary* qui scandalise tellement le procureur impérial.

Les manuels, cependant, continuent à multiplier les conseils de prudence, mais c'est la pureté du prêtre cette fois qui semble plus en danger que celle du pénitent. Segneri recommande par exemple d'être « extrêmement circonspect dans les interrogations en matière d'impureté ; de crainte qu'il ne vous arrive comme à ce peintre, qui ayant fait le portrait de la fameuse Hélène avec trop d'art et d'application, en devint eperduëment amoureux. Vous devez au contraire estudier des termes modestes, pour vous en servir en ces rencontres. Il doit vous suffire de rechercher l'espece du péché, et nullement la manière en laquelle il a esté commis. Et si quelques-uns par ignorance ou par effronterie vouloient l'exprimer, il est de votre devoir de les avertir avec douceur, et avec charité qu'il n'est pas à propos de le faire » (p. 33). Entre ce texte et celui, qui semble si proche, d'Alain de Lille, il y a toutes les arguties du xvi ᵉ siècle sur les positions interdites ou sur le « péché ineffable », « si infâme qu'il ne doit pas seulement être nommé », si horrible que le diable, après avoir incité à le commettre, « se retire aussi-tost de crainte de le voir » — ce péché que les Italiens sont accusés d'avoir introduit en France...

Au lieu donc d'éviter d'aborder les sujets épineux, on mettra au point un interrogatoire détourné qui permettra, avec des mots couverts, de faire avouer les multiples modalités du péché de chair et d'ordonner sans se tromper la pénitence idoine. Le manuel secret du confesseur contient ainsi une série de questions destinées aux adolescents, et une autre série pour les impubères, destinées à suivre sans éveiller de pensées impures les progrès de la sexualité enfantine. La masturbation, ce « grand filet de l'enfer », a-t-elle été établie ? « Le confesseur doit s'abstenir prudemment de questions contraires à la pudeur lorsqu'il est discrètement arrivé à connaître les attouchements ou les mouvements voluptueux[190]. » La pudibonderie du xixe veut connaître le fond des choses, mais sans les nommer.

Entre la théorie des manuels et la pratique, il y a souvent de la marge, et l'on peut penser que si les mêmes conseils sont rappelés aux prêtres depuis huit siècles, c'est que beaucoup oubliaient de les mettre en pratique. Le secret de la confession empêche sans doute de se faire une idée exacte du respect de ces consignes. Une enquête effectuée il y a une quinzaine d'années dans les confessionnaux italiens[191] montre en tout cas que les prêtres aujourd'hui n'ont plus peur du mot propre et qu'ils sont plus prompts que les enquêteurs à appeler par leur nom les péchés qu'on leur suggère. Dans la « lumière grise » du confessionnal comme dans l'antre glacé de Thémis, le coupable devra se sentir nu jusqu'au fond de l'âme.

Les mots en question

Après tout ce que nous avons dit sur le Moyen Age, on pourrait penser qu'il fut l'âge d'or de la liberté linguistique — ou, dans la perspective classique, le ramassis de toutes les grossièretés. C'est en partie vrai. Quand le xviiie siècle découvrit les miracles de Gautier de Coincy, il n'eut pas de mots assez durs pour une époque qui permettait jusque dans la chaire les « platitudes les plus dégoûtantes » selon Le Grand d'Aussy ; des « peintures où l'indécence est prise pour de la naïveté », selon Louis Racine[192]. Et les seuls noms de Maillard ou de Menot, les vigoureux prédicateurs du xve siècle, restèrent plusieurs siècles après leur mort synonymes de la rusticité de la religion médiévale.

C'est un aspect indubitable de la littérature aussi bien sacrée que profane du Moyen Age. En même temps, le mot obscène avait déjà une valeur subversive qui se développa au xive siècle dans les « sermons joyeux », parodies de littérature religieuse où les saint Velu, saint Billouart ou saint Frappe-Cul constituaient un martyrologe parallèle bien fourni. Des saints historiques furent même audacieusement détournés du martyrologe officiel : saint Cunibert, abbé de Maroilles, posa pour le saint Connebert de Gautier le Leu ; saint Pothin, évêque de Lyon, devint saint Foutin et saint Guénolé, abbé de Landevénec, saint Guignolet... Loin de s'en offusquer, l'Église favorisa le culte de saint Foutin et de saint Guignolet...

A côté de cela, Gautier de Coincy hésite à nommer les « privés », « si ord lieu qu'on nel doit dire ». Et un long passage du *Roman de la Rose* confie les scrupules de l'amant à prononcer des mots que la Raison emploie le plus naturellement du monde. Il n'y a aucune agressivité chez celle-ci à parler de Saturne, « à qui son fils Jupiter coupa les couilles comme si ce fussent des andouilles » (v. 5537-38). Mais l'amant n'est pas encore libéré de ses préjugés, et après les quinze cents vers du discours de Raison, il n'a pas digéré le mot :

> *Je ne vous tiens pas pour courtoise,*
> *Qui ci m'avez couilles nommées,*
> *Qui ne sont pas bien renommées*
> *En bouche à courtoise pucelle.*
> *Vous, qui tant êtes sage et belle,*
> *Ne sais comment nommer l'osâtes,*
> *Au moins que le mot ne glôsâtes*
> *Par quelque courtoise parole*
> *Ainsi que prude-femme parle* (v. 6928-6936).

Les nourrices elles-mêmes, ajoute-t-il, qui sont sottes et vulgaires, les nomment autrement lorsqu'elles baignent les enfants. Raison se justifiera longuement. « Je puis bien nommer, sans avoir mauvais renom, et par son nom propre, une chose qui n'est que bonne. » Son argumentation vaut d'être détaillée :

> *Si, quand j'ai mis les noms aux choses*
> *Que tu oses reprendre et blâmer,*
> *J'avais appelé les couilles reliques*
> *Et nommé les reliques couilles,*
> *Toi, qui m'en fais reproche,*
> *Tu m'aurais dit que reliques*
> *Était un mot laid et vilain* (v. 7109 et suiv.).

Sept siècles avant Saussure, nous trouvons chez Jean de Meung la première théorie du signifiant et du signifié. Suit un couplet lyrique du plus haut comique :

> *Couille est un beau mot, et je l'aime,*
> *Ainsi, ma foi, que couillon et que vit.*
> *Personne n'en vit jamais de plus beau.*
> *J'ai fais les mots, et suis certaine*
> *De n'avoir fait chose vilaine ;*
> *Et si, pour les reliques, tu m'avais entendu*
> *Nommer les couilles, tu aurais trouvé ce mot*
> *Si beau, et tu l'aurais tant aimé,*
> *Que partout tu aurais adoré les couilles,*
> *A l'église tu les aurais baisées,*
> *Serties dans l'or ou dans l'argent* (v. 7120 et suiv.).

Et pour conclure, attaque en règle des périphrases dont usent les femmes : « Si elles les nommaient par leur nom, jamais elles ne pècheraient en rien. » Mais elles les appellent « bourses, harnais, choses, piches (piques ?), pines, comme si c'étaient des épines, mais quand elles les sentent tout près, elles ne les trouvent plus piquantes ». Raison a beau faire : l'amant n'est pas convaincu. Tous les longs discours qu'elle a tenus sont anéantis par l'effet d'un seul mot déplacé.

Il arrive même que l'on soit puni d'avoir prononcé un mot grossier. Une règle monastique du VIIIe siècle punit en effet le chanoine qui « au dortoir, perpètre quelque chose d'indécent ou de déshonnête en actes ou en paroles ». Une simple admonestation la première fois, puis une réprimande publique, et la troisième fois un jeûne[193]. La morale, nous l'avons plus d'une fois constaté, était plus sévère dans les ordres que dans les villages. Et encore une fois, si l'on punit, c'est qu'il y a anguille sous roche et que les religieux n'ont pas toujours la retenue qui s'impose.

C'est le Moyen Age enfin qui inventa le lointain ancêtre de la censure : une ordonnance de Philippe le Hardi, en 1275, plaçait les libraires sous le contrôle de l'Université de Paris. Ce sont surtout les propositions hérétiques... et les fautes de copistes qui sont visées, mais à une époque où les déviances sexuelles étaient des signes d'hérésie, les « mauvais livres » pouvaient avoir bon dos.

Le XVIe siècle — parallèlement aux abus de la confession auriculaire — développa véritablement la pudeur du langage, dans tous les domaines. Le franc-parler de Rabelais ou de Montaigne prouvent sans doute que la mise au pas de tout un pays fut lente — elle prit tout un siècle. Mais le processus engagé dès la première Renaissance est irréversible.

L'exemple vint de l'étranger, avec deux livres qui jouirent dans toute l'Europe d'un succès considérable. En 1530, Erasme publie sa *Civilité puérile*, premier manuel de civilité, qui allait être pillé par tous les moralistes pendant trois siècles. Le philosophe de Rotterdam prétend déjà imposer à l'enfant un langage châtié : « Les noms de choses qui souillent le regard souillent aussi la bouche. S'il est absolument besoin de désigner quelqu'une des parties honteuses, qu'il emploie une périphrase honnête » (p. 105). La *Galatée* de Giovanni Della Casa étend ces préceptes à tous les courtisans : « On se doit garder soigneusement de faire la proposition telle, que quelcun de la compagnie vinst à en rougir, où à en recevoir honte » (p. 154). Réaliste, il sait que les femmes plus que les hommes useront de périphrases pour éviter les mots « suspects de saletés » : « de ce pourquoy elles sont et se peuvent à bon droit nommer à avoir tistre de femmes » (p. 406-408). La modestie que signalait déjà Jean de Meung sied aux femmes : elle leur est désormais imposée.

L'éloquence religieuse abandonne à son tour les exagérations des grands prédicateurs gothiques. Ceux qui gardent le verbe dru de leurs prédécesseurs se font gentiment reprendre. Ainsi Guillaume Rose, évêque de Senlis, qui se faisait remarquer par la véhémence de ses sermons contre Henri III. Le roi l'en récompensa en lui donnant quatre cents écus « et lui demanda s'il pouvoit avec cette somme, acheter ce qu'il falloit de sucre pour adoucir l'aigreur de ses sermons[194] ».

Dans quelle mesure ces sages conseils étaient-ils suivis ? Parfois très largement, à en croire les protestations qui s'élèvent de toutes parts contre cette bigoterie nouvelle. En 1524, un fabuliste autrichien enferma la pudeur féminine dans cet astucieux dilemme : « Si elles sont vraiment vierges, celles qui entendent les mots érotiques n'y comprendront rien : ce sera comme si l'on parlait devant elles une langue étrangère qu'elles n'auraient jamais entendue. Et si elles ont perdu leur pudicité, il n'y a rien à craindre : ce qui est déjà détruit ne peut plus être blessé[195]. »

Montaigne se moque lui aussi de ceux qui craignent plus les mots que les actes : « Ils envoyent leur conscience au bordel et tiennent leur contenance en règle. » En écho au Roman de la Rose, il se demande ce « qu'a faict l'action genitale aux hommes, si naturelle, si nécessaire et si juste, pour n'en oser parler sans vergongne et pour l'exclure des propos serieux et reglez. Nous prononçons hardiment : tuer, desrober, trahir ; et cela, nous n'oserions qu'entre les dents[196] ? » En 1657, Cyrano de Bergerac développera l'argument : dans L'Autre Monde, les nobles, au lieu d'épée, portent au côté un bronze « figuré en parties honteuses ». « Malheureuse contrée », commente le guide du voyageur en parlant de la France, « où les marques de génération sont ignominieuses et où celles d'anéantissement sont honorables[197] ».

Montaigne, quant à lui, a opté pour la sincérité dans ces essais qui ne s'adressent en principe qu'à lui. « Je me suis ordonné d'oser dire tout ce que j'ose faire, et me desplais des pensées mesmes impubliables. La pire de mes actions et conditions ne me semble si laide comme je trouve laid et lâche de ne l'oser avouer. Chacun est discret en la confession, on le devoit estre en l'action : la hardiesse de faillir est aucunement compensée et bridée par la hardiesse de se confesser. Qui s'obligeroit à tout dire, s'obligeroit à ne rien faire de ce qu'on est contraint de taire » (p. 75). Ce raisonnement, qui devait être dans l'air du temps, explique peut-être la vogue de la confession auriculaire détaillée. Espérait-on en forçant l'intimité des pénitents prendre leur pudeur en otage, comme garant de leur conduite ? L'idée serait plaisante ; elle n'a probablement jamais été formulée explicitement...

C'est pourtant cette contradiction entre conduite et pudeur de langage qui est le plus souvent soulignée. Dans le domaine médical, Ambroise Paré semble s'excuser de devoir parler de ces monstres mi-humains, mi-animaux, « qui sont produits des Sodomites, et Athéistes, qui se joignent et desbordent contre nature avec les bestes ». Mais « la deshonnesteté gist en effect, et non en, paroles », ajoute-t-il, avant de condamner cette « chose fort malheureuse et abominable, et grande horreur à l'homme ou à la femme (de) se mesler et accoupler avec bestes brutes » (p. 1031). Même remarque chez Béroalde de Verville, lorsqu'une paysanne qui se chauffe le haut des cuisses ne rougit que lorsqu'on lui nomme ce qu'elle montre à toute la compagnie (I, p. 39-40). Du médecin au prêtre et de la cour au peuple, les discours un peu lestes sont combattus au xvie siècle.

Conséquence ? Les mots obscènes chassés d'un coup des conversations et de la littérature de bon ton se réuniront en bande dans des livres que l'on se passe sous le manteau. Le xvie siècle voit avec la pruderie naître la littérature obscène, et trouve d'emblée son maître en la personne de Pietro Bacci, dit l'Arétin, dont le nom seul causait alors le même frisson que celui de Sade au xixe siècle. Brantôme parle plus d'une fois de ces descriptions des positions amoureuses que l'on lisait en cachette ou en cercles restreints, et de cet exemplaire de l'Aretin où l'on avait représenté les grandes dames de la Cour dans les attitudes les plus osées. Les conditions de l'apparition en Europe de l'*Ars erotica* en expliquent la nature : né d'un apurement factice de la littérature et non d'une exaltation de l'amour physique, il n'a pas ce côté sacré et initiatique de l'art hindou ou chinois. Il gardera toujours cette odeur de soufre qui le fera glisser vers la pornographie. La veine rabelaisienne, qu'on le regrette ou non, est bien tarie. Le moindre mot de travers traîne désormais cet arrière-goût de scandale et de provocation.

Toute provocation exige une réponse. Les autorités civiles et religieuses ne la feront pas attendre. Le xvie siècle est celui de la censure, de l'Index, des autodafés de livre. Il s'ouvre en 1501 sur la bulle d'Alexandre VI Borgia qui oblige les imprimeurs à soumettre chaque livre à une autorisation de l'archevêque. Pas une année, depuis, qui n'ait son ordonnance royale, sa bulle pontificale, son index inquisitorial. La révolution de l'imprimerie exige que se constitue un nouvel attirail répressif. Nous retrouvons ici le même pivot que dans l'histoire des beaux-arts, aux alentours de 1540. Le premier Index apparaît à Venise en 1543 ; en 1544 à Paris ; en 1546 à Louvain ; en 1559 en Espagne et à Rome. En 1551, Henri II précise par l'édit de Chateaubriant les moyens de contrôle que l'on peut utiliser : l'université examine les manuscrits, la police visite les libraires, les censeurs surveillent les bibliothèques.

Toutes ces mesures sans doute visent plus les livres soupçonnés d'hérésie qu'un hypothétique « outrage aux bonnes mœurs. » Mais on sait que la Renaissance a une conception large de l'hérésie — héritée d'ailleurs du Moyen Age. « Hérétique » et « homosexuel » étaient parfaitement synonymes, les « athéistes » copulaient avec les bêtes, les « luthériens » s'adonnaient à tous les vices. Les dignitaires chargés d'interpréter et de faire respecter les décisions du concile de Trente ne s'y trompent pas. Pour Molanus, « les livres qui expliquent, racontent ou enseignent des choses notoirement lascives ou obscènes (et l'on doit entendre par là non seulement ce qui concerne la foi, mais aussi les mœurs, qui peuvent facilement être corrompues par la lecture de ce genre de livres) sont absolument interdits, et ceux qui les détiendraient seront sévèrement punis par les évêques » (p. 15 vᵒ). La censure morale ecclésiastique est en place. La censure royale se développe parallèlement, avec le système du « privilège », qui apparaît sous Louis XII, et qui oblige les imprimeurs à soumettre les manuscrits à des censeurs. Le xviiᵉ siècle n'aura plus qu'à roder un système déjà au point.

Le grand phénomène linguistique du xviiᵉ siècle fut la chasse à la vulgarité dans les salons précieux. N'en exagérons pas cependant la portée. La pruderie était loin d'être générale, et loin d'être unanimement louée. Devant Mme de Rambouillet, rapporte Tallemant des Réaux, on n'osait pas prononcer le mot « cul » : « Cela est dans l'excès, estime-t-il, surtout quand on est en liberté » (II, p. 284). Si la pudeur est de préférence féminine, les hommes avaient aussi leurs délicatesses, tel M. de Bellegarde, tellement « propre » qu'il ne pouvait entendre nommer un pet (*Ibid.* I, p. 42).

A l'inverse, certaines grandes dames n'acceptaient pas de se plier à la modestie de mise pour leur sexe. La plus célèbre fut la reine Christine qui conviait à sa cour de Suède tous les beaux esprits de France, et dont l'apparition à la cour de Louis XIV, en 1658, fut cause de nombreux scandales. En tant que femme de lettres et correspondante de Mlle de Scudéry, la reine avait pourtant ses entrées dans les salons précieux où elle portait le nom de Clorinde, reine de Scythie... Mais comment admettre qu'une femme, fût-elle reine, soit à ce point « libertine en paroles et gaillarde au delà de ce que la bienséance et la pudeur permettent à une femme » ? Christine avoue froidement à la reine mère qu'elle se ferait volontiers foutre tous les jours et « parle de la sodomie avec plus d'effronterie que si elle en avait fait la leçon dans le Colisée à Rome ».

Avec ses gens, la reine fait preuve du même souci du mot juste. Elle ne souffre pas « cet assaisonnement ou ce grain de sel que la modestie inspire à ceux qui en font profession et aux âmes bien nées[198] ». Sa favorite, « la belle Sparre », en fit l'expérience lorsque sa maîtresse découvrit *Le Moyen de parvenir*, de Béroalde de Verville. La reine voulut absolument qu'on lui en fît lecture. « La belle Demoiselle n'eut pas lu trois lignes qu'arrêtée par les gros mots, elle se tut en rougissant ; mais la Reine, qui se tenoit les côtes de rire, lui ayant ordonné de continuer, il n'y eut pudeur qui tînt, il fallut que la pauvre fille lût tout[199]. » L'embarras de la dame d'honneur était sans doute plus distrayant pour la reine que les « contes un peu libres » de Béroalde de Verville : il devait y avoir de sa part un clin d'œil à cette société trop prude qui se faisait jour, un clin d'œil aussi au gentilhomme qui, à l'arrivée de la reine, avait cru poli de cacher le livre interdit.

Les femmes comme Christine se font, hélas !, de plus en plus rares. Celles qui arrivent au pouvoir sont plutôt de la trempe de cette Philaminte, qui fit renvoyer sa servante pour avoir « offensé la grammaire ». « Elle a, d'une insolence à nulle autre pareille, — Après trente leçons, insulté mon oreille — Par l'impropriété d'un mot sauvage et bas — Qu'en termes décisifs condamne Vaugelas[200]. » Passe encore lorsqu'elles ne règnent que sur un foyer et sur un mari débonnaire. Mais l'une de ces prudes allait monter sur le trône de France. Mme Scarron, jeune, imprimait déjà tant de respect « qu'aucun n'osa jamais prononcer devant elle une parole à double entente », ce qui devait bien gêner le grand poète burlesque qu'elle avait épousé. Un de ses familiers prétendait même : « S'il falloit prendre des libertés avec la Reine ou avec madame Scarron, je ne balancerois pas, j'en prendrois plutôt avec la Reine[201]. » Lorsque Mme Scarron fut reine, bien sûr, on ne se permit pas plus de familiarité avec elle qu'auparavant et la cour, sur laquelle se réglait le bon usage de la langue, dut faire la prude oreille.

Pourtant, les nouveaux instruments que le xvie siècle avait mis entre les mains des censeurs ont été utilisés avec parcimonie sous l'Ancien Régime. La condamnation d'un ouvrage dépend surtout des caprices du roi, et un Louis XIV, jeune, ne se montre pas trop pointilleux sur ce chapitre. Du moins tant qu'il ne se sent pas directement visé. L'histoire de Bussy-Rabutin le montre bien. Lorsqu'en 1663 l'*Histoire amoureuse des Gaules* circule manuscrite, toute la cour s'en délecte, et le monarque le premier. Louis XIV appuiera d'ailleurs la candidature de Bussy-Rabutin à l'Académie, qui ne fit pas la fine bouche pour l'accueillir. Tout se compliqua lorsque Mme de la Baume, maîtresse humiliée du comte, fit publier le manuscrit à Liège : devant le scandale, le roi dut faire embastiller le nouvel académicien. Ses ennemis en profitèrent pour faire paraître sous son nom *La France galante*, un pamphlet des amours royales qui valut à son pseudo-auteur, cette fois, un exil définitif en 1666[202]. La pudeur du roi était plus politique que morale.

Les mêmes remarques peuvent être faites sur les ennuis que valut à La Fontaine la publication de ses *Contes*. Lorsque, le 5 avril 1675, le lieutenant général de police La Reynie interdit d'avoir, de vendre et de débiter cet ouvrage, il y a dix ans qu'a commencé de paraître ce livre « rempli de termes indiscrets et malhonnêtes et dont la lecture ne peut avoir d'autre effet que celui de corrompre les bonnes mœurs et d'inspirer le libertinage[203] ». Pourquoi ce retard dans la sanction d'un ouvrage qui, dès les premiers volumes parus, témoignait de la même verve érotique ? C'est que, l'audace venant avec le temps, le troisième tome joint la satire religieuse à la peinture de mœurs, et que La Fontaine a désormais contre lui tous les dévots de la cour. Encore un exemple qui nuance la pudibonderie des censeurs royaux.

Il y avait bien sûr d'autres moyens, tacites, de sanctionner un écrivain trop libre. Tous convoitaient déjà un fauteuil à l'Académie. Lorsque La Fontaine fut candidat en 1683, « quelques-uns jugeoient qu'ayant fait et publié des Poësies où il avoit franchi les bornes de la pudeur, il ne devoit pas être admis dans une Compagnie, qui met la vertu bien au dessus des talens et qui compte parmi ses membres beaucoup de Prélats[204] ». Le soutien du roi permit au fabuliste de s'asseoir dans le fauteuil de Colbert, ce qui fit dire aux mauvaises langues que le Lazare avait succédé au mauvais riche...

Tous n'eurent pas la chance d'être recommandés par le roi. En 1753, Alexis Piron vient d'être élu à l'Académie française. Nivelle de La Chaussée, grand pourfendeur des libertins, fit alors la dernière mauvaise action de sa vie en exhumant la savoureuse « Ode à Priape » que le nouvel académicien avait composée dans sa jeunesse. Louis XV, moins large de vues que son arrière-grand-père, interdit à Piron de siéger sous la coupole.

Tel est le paradoxe dans lequel se débat le XVIIIe siècle. La pudibonderie triomphe, mais elle n'est qu'une façade d'autant mieux entretenue qu'elle cache une décrépitude irréversible. La société qui s'indigne d'une ode à Priape s'est enthousiasmée pour le genre poissard et les gros mots que l'on va cueillir tout frais chez les poissonnières des Halles. Le duc d'Orléans était aussi célèbre pour son goût des gros mots que pour ses fêtes d'Adam. Lorsqu'à la majorité de Louis XV il ne fut plus que premier ministre, il se servait, dans ses affaires étrangères, comme chiffres secrets destinés à décourager les fuites, « des mots les plus infâmes et les plus débauchés qui soient dans la langue[205] ». On imagine la tête de M. de Morville, ministre des affaires étrangères, lorsqu'il recevait d'un pays ami des lettres d'injures auxquelles le duc répondait dans les mêmes termes...

Louis XVI n'était pas plus sage. Mme Campan trouvait bien ridicules les surnoms triviaux qu'il avait donnés à ses filles : Coche, Loque, Graille, Chiffe, les petites princesses n'étaient guère gâtées[206]. Il aurait été mal vu pour une femme de s'indigner, comme les précieuses d'hier, des mots grossiers qui fleurissaient dans leurs salons. Mercier s'en offusque pour elles : « Nous sommes si éloignés de la galanterie ingénieuse de nos pères que notre conversation avec les femmes que nous estimons le plus est rarement délicate. Elle abonde en mauvaises plaisanteries, en équivoques, en narrations scandaleuses. Il serait temps de corriger ce mauvais ton : c'est aux femmes qu'il appartient d'établir la réforme, en ne permettant plus ces propos qu'elles sont obligées de souffrir, sous peine de passer pour bégueules[207]. »

Liberté dans les salons, langage fleuri et insipide dans les livres. La seule solution pour faire imprimer des œuvres un peu libres — tant du point de vue politique que moral — est de les éditer à l'étranger, en Hollande ou en Suisse. Quitte à les imprimer en France avec la mention fictive d'un éditeur étranger : la police française ferme les yeux pour ne pas ruiner

irrémédiablement l'industrie française du livre ! Bien avant que
la Révolution ne lui coupe la tête, la pudeur classique s'est laissé
manger de l'intérieur. Il n'est que temps d'inventer un autre
système.

La suppression de la censure est un des premiers soucis de la
Révolution. Derrière l'enthousiasme d'une liberté d'expression
retrouvée, on lit en filigrane les bases d'un nouveau système de
contrôle, fondé sur la répression et non sur la prévention. « Tout
citoyen peut parler, écrire, imprimer librement, sauf à répondre
de l'abus de cette liberté dans les cas prévus par la loi », décrète
l'Assemblée constituante en 1789[208]. Restriction plus sévère
peut-être que la censure royale : la menace de poursuite rend les
imprimeurs plus vigilants que ne l'étaient les fonctionnaires du
roi. Encore une fois, cette mesure prise avant tout dans un but
politique a ses retombées dans le domaine moral : la vertu
n'est-elle pas la première qualité révolutionnaire ?
Le Code Napoléon précise la pensée de la Constitution de 1789,
en punissant d'un an de prison et d'une amende « toute
exposition ou distribution de chansons, pamphlets, figures ou
images contraires aux bonnes mœurs[209] ». Tout le système
répressif du xixe siècle trouve sa base dans cet article. La
Restauration tentera de rétablir la censure préalable, si bien que
le xixe vivra sur cette double tentation de rétablissement ou
d'abolition de l'ancien système. Et paradoxalement, c'est dans
une des lois les plus libérales de l'époque, celle du 17 mai 1819,
que tous les procès d'œuvres littéraires trouveront leur justification. « Tout outrage à la morale publique et religieuse, ou aux
bonnes mœurs [...] sera puni d'un emprisonnement d'un mois à
un an, et d'une amende de 16 francs à 500 francs », décide le
ministre de Serre qui a laissé son nom à la loi[210].
Les multiples formes de gouvernement qui se sont succédé ont
appliqué à leur manière ce texte qui visait surtout à supprimer la
censure. On n'en retient que la partie répressive, en oubliant que
le texte avait initialement pour but de mettre l'écrivain à l'abri
de la censure préalable.
La belle époque des procès intentés aux écrivains commence
sous le Second Empire, dans les années 1850. Les frères Goncourt
furent les premiers touchés, pour avoir publié dans la revue *Paris*
un « Voyage » badin de leur domicile à celui de leur éditeur.
« Elle portait à la main son corset enveloppé dans la *Presse*. Bon
augure, dis-je » : cette seule phrase leur valut une convocation au
tribunal, qui les acquitta[211].
Le procès de *Madame Bovary*, en 1857, fut plus retentissant.
Pour avoir « glorifié l'adultère », Flaubert fut inculpé d'offense à
la morale publique et à la religion. Les envolées du procureur et
de l'avocat sont désormais les compléments indispensables aux
éditions du roman : « Je vous demande encore une fois si ces
pages lascives ne sont pas d'une immoralité profonde ! ! ! »,
suggérait l'avocat impérial — un tel jugement figurerait aujour-

d'hui en quatrième de couverture... Derrière l'impudeur d'un roman, c'est celle de toute une école littéraire que condamnait la « morale » de maître Pinard. « Cette morale stigmatise la littérature réaliste, non parce qu'elle peint les passions [...] mais quand elle les peint sans frein, sans mesure. L'art sans règle n'est plus l'art ; c'est comme une femme qui quitterait tout vêtement. Imposer à l'art l'unique règle de la décence publique, ce n'est pas l'asservir, mais l'honorer. On ne grandit qu'avec une règle[212]. »

« Une femme qui quitterait ses vêtements » : la nudité reste la référence du réalisme, même lorsqu'elle est pratiquement absente d'un roman. Après un siècle et demi de « déshabillé » où l'érotisme lui-même répugnait à la nudité, celle-ci devient synonyme d'excès, d'absence de mesure. Et l'absence de mesure appelle la nudité. Le juge, qui relaxera Flaubert, n'en prend pas moins le parti de l'avocat Pinard : « Il y a des limites que la littérature, même la plus légère, ne doit pas dépasser, et dont Gustave Flaubert et co-inculpés paraissent ne s'être pas suffisamment rendu compte » (p. 262).

Six mois plus tard, le même Ernest Pinard requérait contre *Les Fleurs du Mal*. L'expérience de *Madame Bovary* lui a été profitable : il sait que l'avocat plaidera l'excitation à la vertu par l'horreur du vice. Il réfute préventivement l'argument. Et Baudelaire sera condamné, le 20 août 1857, à 300 francs d'amende et à la suppression de six pièces. Il faudra attendre le 31 mai 1949 pour que ce jugement soit cassé et que *Les Fleurs du Mal* puissent paraître intégralement en toute légalité[213]. Encore le poète s'en sort-il avec une simple amende : Catulle Mendès, en 1861, sera enfermé à Sainte-Pélagie pour avoir écrit le *Roman d'une nuit*...

La pudibonderie impériale fera comme au siècle précédent la fortune des éditeurs belges. C'est à Bruxelles que paraîtront la plupart des livres interdits en France — à commencer par les *Épaves* de Baudelaire, contenant les poèmes condamnés en 1857. En avril 1868, la douane de Tourcoing saisit une demi-douzaine de colis venant de la Belgique : ils contenaient quelques pamphlets contre l'Église catholique, quelques bordées d'insultes à la famille impériale, quelques gravures obscènes... et les *Épaves* de Baudelaire. Je ne sais ce qu'aurait dit le poète — mort l'année précédente — de se retrouver en cette compagnie ; mais il aurait peut-être regardé d'un autre œil un pays qui lui offrait l'imprimatur refusé par la France.

La Troisième République ne fut pas plus libérale. Elle fut marquée en 1874 — en pleine période monarchiste — par le procès de Barbey d'Aurevilly. Certes, le romancier avait été imprudent de rééditer *Un prêtre marié*, qui scandalisait l'autorité religieuse, à l'époque où sortaient *Les Diaboliques*, cet « enfer vu par un soupirail » que ne pouvait accepter l'ordre moral. Les réactions furent simultanées. L'archevêché fit saisir et pilonner les exemplaires du *Prêtre marié* qui n'avaient pas eu le temps d'être vendus, tandis que le parquet de la Seine assignait l'auteur des *Diaboliques*. Des « clés » qui circulent parallèlement aux nouvelles portent l'idignation de la bonne société à son comble. Les journaux, pourtant — même ceux qui ont accueilli froidement le recueil —, prennent le parti de Barbey d'Aurevilly ; ainsi que des hommes politiques, à la tête desquels l'extrême-gauche de Gambetta. Cette levée de boucliers contre la pudibonderie de la justice — qui conclura prudemment au non-lieu le 28 janvier 1875 — marque cependant un progrès dans la sensibilité globale de la société. La « pudibonderie officielle » se retrouve seule face à une opinion « éclairée » qui tente de fléchir la justice. Lorsqu'en 1880 Maupassant comparaît devant le tribunal d'Étampes à cause de son poème « Une fille », Flaubert intervient en sa faveur : « Ce qui est beau est moral ; voilà tout, selon moi », lui écrit-il[214]. La justice ne se pose plus en défenseur de l'ordre moral, mais en zoïle puritain incapable de reconnaître la valeur d'une œuvre littéraire. A la limite, une condamnation est garante de la valeur d'un livre.

« Je mis un bonnet rouge au vieux dictionnaire » : la célèbre réplique lancée par Hugo en *Réponse à un acte d'accusation* définit bien ce nouveau rapport d'une société avec la langue qui s'instaure à partir du XIXᵉ siècle. État de la société et état de la langue sont longuement mis en parallèle par le poète :

> *...Un mot*
> *Était un duc et pair, ou n'était qu'un grimaud ;*
> *Les syllabes pas plus que Paris et que Londre*
> *Ne se mêlaient ; ainsi marchent sans se confondre*
> *Piétons et cavaliers traversant le pont Neuf ;*
> *La langue était l'état avant quatrevingt-neuf*[215].

Dans l'imagerie de Victor Hugo, la révolution qu'il opéra dans le vocabulaire s'intègre bien à la révolution de la pudeur que nous avons rencontrée : « Je violai du vers le cadavre fumant »... « Les neuf muses, seins nus, chantaient la Carmagnole »... Nudité et contestation sont associées dans la poésie comme dans les autres arts.

On sent le même mouvement chez la comtesse de Bradi, qui en 1838 a voulu adapter à la société nouvelle les vieilles règles du savoir-vivre. En lisant entre les lignes, on découvre une bonne société qui — héritière du goût poissard du XVIIIᵉ siècle — cultive élégamment le terme vulgaire. Il est de bon ton d'appeler « crachats » les décorations que l'on exhibe sur sa redingote. A l'inverse, le langage fleuri des siècles passés n'est plus de mise à Paris : « C'est cette recherche, cette prétention, qui rend quelques provinciaux si insupportables[216]. » Le mot grossier fait peur depuis qu'il est venu au pouvoir. Pour le manuel secret du confesseur, il est devenu péché mortel. Il est à l'inverse permis « de tenir des discours légèrement obscènes et équivoques sous le frivole prétexte du besoin de parler[217] » : l'excès, ici encore, est craint plus que le vice, car il porte le terme impudique au delà de la simple évocation d'un plaisir défendu.

Il appartiendra à notre époque d'exploiter ce caractère agressif de l'obscénité. Le mot interdit devient celui de la révolte. Le mot grossier devient le symbole d'une culture prétendument populaire. Il fleurit dans les graffiti post-soixante-huitards, et la contre-cul-ture retrouve a contrario l'obsession précieuse de la « syllabe sale ». Les romans de Pierre Guyotat, écrits « avec les seuls mots qu'(il) juge dignes maintenant de figurer dans le vocabulaire matérialiste », sont caractéristiques de cet usage du sexe pour ses capacités révolutionnaires. Il s'en explique abondamment dans *Littérature interdite*. « Du plus loin que je me souvienne, la pulsion sexuelle a toujours recouvert la pulsion vers le prolétariat », reconnaît-il. Est-ce cela qu'ont ressenti les autorités judiciaires qui ont condamné en 1970 *Eden Eden Eden* ? L'interdiction anachronique d'un livre déclaré « pornographique », alors que bien des livres en vente libre contenaient des passages autrement évocateurs, cache une crainte plus profonde devant la provocation sociale d'une littérature agressive qui s'en prend à l'ordre établi (armée, religion...). C'est ce qu'ont également ressenti les personnalités littéraires — Barthes, Sollers, Foucault... — qui ont pris la défense du livre censuré.

Officielle ou privée, la pudeur de langage se heurte désormais à cette nouvelle ambiguïté : à côté d'une littérature ouvertement pornographique s'est installée une littérature qui, avec les mêmes mots, véhicule un message bien plus subversif. Les critères manquent pour tracer entre elles une frontière mythique. Devant l'incapacité de juger, la peur du ridicule, on admet. La littérature actuelle peut donc tout se permettre. Est-ce pour cela que les descriptions de plus en plus précises de scènes amoureuses ont conquis droit de cité ? On sait que le grand public ne suit pas toujours le mouvement, et que, par réaction, il s'enferme dans une pudeur parfois plus excessive que celle de nos grands-pères. La pudeur semble de plus en plus quitter le domaine judiciaire pour réinvestir la sensibilité populaire : une situation qui évoque assez bien celle du xvie siècle, dont notre époque est parfois si proche.

« La description d'une caresse me paraît toujours plus audacieuse que la caresse elle-même, estime Michel Polac[218]. C'est ainsi qu'un acte anodin transcrit dans un rapport de police devient monstrueux. Je suis devant la vie comme ce monsieur qui sur une plage où toutes les femmes sont nues, contemple une photo de nu. » Après avoir banalisé la nudité — ou cru le faire — entrons-nous dans une époque où le discours sur la nudité se charge d'intentions confuses ? Le mot obscène, du fait même qu'on lui refuse son caractère d'obscénité, que l'on prétend lui faire réintégrer notre vocabulaire quotidien, n'est plus gratuit. Déguisé en mot courant, il perd sa véritable raison d'être : celle d'être ob-scène, subversif, d'ouvrir sur un monde inaccessible aux autres mots.

Chapitre XI

LE DIEU NU

« Moi-même je relèverai ta robe, Jérusalem, et cette fois jusqu'à ton visage ; on verra ton ignominie. » Ainsi tonnait Yaveh contre sa ville sainte abandonnée aux vices (Jer., XIII, 26). « Dénoue ton voile, relève ta robe, montre tes cuisses pour traverser les fleuves. On te verra nue et honteuse. » Ainsi châtie-t-il Babylone (Is., XLVII, 2-3). A Adam et Ève, il confectionne lui-même des vêtements de peau ; à ses prêtres, il interdit de monter à son autel, de peur qu'ils ne se montrent nus (Ex., XX, 26)...

Le Dieu juif est avant tout un dieu pudique. Il punit la nudité. Il punit par la nudité. Il punit le regard posé sur la nudité, maudit Cham et sa descendance pour avoir vu la nudité de Noé. Nous sommes loin des dieux païens, dont la chronique scandaleuse nourrit la mythologie et dont les représentations, à l'échelle humaine, semblent braver toute pudeur divine. Il ne manque pourtant pas de majesté, le Zeus d'Histéa, qui n'était vêtu que de sa foudre. Mais à partir du moment où la chair symbolise la faiblesse, elle devient incompatible avec la toute-puissance divine.

L'édulcoration de la mythologie éternelle dans la religion juive est flagrante dans le thème de la castration. Les cosmogonies occidentales s'entendaient en effet pour donner à l'espace la priorité sur le temps. La naissance du temps — et avec lui, de la mort — correspondait à la castration du maître originel : Osiris châtré devient le roi de la Mort ; Cronos, après avoir châtré Ouranos, devient le maître du Temps. Comment ne pas voir l'écho de ce thème dans la chute de nos premiers parents ? Chassés du paradis terrestre, Adam et Ève connaîtront la mort et le temps ; la honte de la nudité transpose l'émasculation primitive. Mais c'est Dieu ici qui mutile son peuple. Celui-ci ne s'en remettra jamais.

La transcendance du Dieu chrétien devait écarter toute discussion sur la nudité divine. Encore le dogme de la présence réelle réintroduit-il un Dieu matérialisé qui ne manque pas de poser certains problèmes à la pudeur. Que devient l'hostie après l'absorption ? Elle est digérée avec les autres aliments, soutenaient les stercoranistes au Moyen Age. Après plusieurs siècles de discussions, les théologiens, répugnant à mêler la chair de Dieu aux excréments de l'homme, décidèrent que l'hostie était anéantie, ou se changeait en la substance de la chair qui devrait ressusciter au jour du Jugement[219]. Ce qui ne les empêche pas de se poser d'autres questions, et de « disputer en règle pour savoir si Dieu est habillé ou nu dans l'hostie[220] ».

Ces discussions, symbolisées par les querelles sur le sexe des anges, furent jugées indécentes à partir du xviie siècle. Les problèmes posés par la matérialisation d'un Dieu spirituel furent mis entre parenthèses, ce qui permit l'élaboration d'une religion plus abstraite — « Épaississez-moi un peu la religion qui s'évapore toute à force d'être subtilisée », disait Mme de Sévigné, qui ne comprenait rien aux querelles du quiétisme[221]. Le mouvement est irréversible. Le vieillard à barbe blanche de la tradition populaire fait place à une image épurée, aussi bien dans une vision transcendante (le grand horloger de Voltaire) que dans une conception immanente (Dieu traverse le monde comme la lumière traverse le verre). La nudité de Dieu n'a vraiment plus de raison d'être.

Il en va de même pour le Christ, soumis dans son corps à toutes les servitudes de la chair. La nudité, voire la virilité de Jésus posaient peu de problèmes au Moyen Age. L'Église romane les ignore carrément. « Comment le christianisme de l'an mil, prosterné devant les reliquaires, aurait-il osé s'attacher à ce que le Christ avait d'humain ? », souligne Georges Duby[222]. Le Christ roman est celui de l'Apocalypse, non celui des Évangiles. Transcendant et immatériel, et non incarné. Anselme de Canterbury sera le premier à poser la question : *Cur Deus homo ?* Pourquoi Dieu s'est-il fait homme ? Nous sommes à la fin du xie siècle. Les Croisades vont rapporter de Constantinople les reliques de la Passion : devant les clous, les croix, les couronnes d'épine, le sang, la tunique, on retrouve l'image du Christ souffrant, du Christ terrestre. Sur les crucifix, Jésus devient un être de chair et d'os ; dans les écoles cathédrales s'ébauche la théologie de l'incarnation[223].

Dans la personne du Christ plus qu'ailleurs, les querelles religieuses du xvie siècle furent déterminantes. Devant les railleries des protestants et les outrances des artistes, le Christ devra lui aussi redevenir immatériel. Ce sera plus difficile et plus lent que pour Son Père. Un exemple révélateur : le malaise qu'engendrent à partir du xvie siècle la douzaine de saints prépuces répartis à travers l'Europe[224]. Lorsqu'en 1559, on découvre au Latran un prépuce perdu, Calvin ne ménage pas ses sarcasmes.

Ils seront entendus. A l'abbaye de Charroux, en Poitou, disparaît à cette époque un antique Saint-Prépuce — cadeau de fiançailles de l'impératrice Irène à Charlemagne, prétendait-on.

On le retrouvera en 1856, scellé dans un mur de l'abbaye. Les religieux poitevins, embarrassés d'un tel cadeau, feront semblant de confondre « *praeputium* » et « *praesepium* » (la crèche), tandis que les pèlerins viendront implorer la « sainte Vertu » ou le « saint Vœu ». Aujourd'hui, Charroux ne se prévaut plus que de posséder « la chair et le sang du Christ ». Le prépuce n'a plus droit de cité.

Occultation pudibonde ? Ne nous hâtons pas de conclure. Si les prépuces disparaissent au xvie siècle, la circoncision du Christ reste un thème iconographique abondamment traité et minutieusement détaillé. Le scrupule est plus dogmatique que moral. Le père Sanchez (1550-1610) se demande par exemple si le Christ est ressuscité avec ou sans prépuce. Il faut ménager la chèvre et le chou, l'orthodoxie et la religion populaire. Le jésuite espagnol, familier des problèmes délicats, conclut — reliques obligent — que le Seigneur est monté circoncis au Ciel, mais que son corps spirituel — dont l'intégrité ne peut être mise en doute — a conservé « quelque fragment de matière qui faisait autrefois partie de son corps et s'était développé par une continuelle nutrition[225] ». Il nous restait à apprendre que les prépuces repoussent...

Le même scrupule amena les Châlonnais, en 1707, à ouvrir le reliquaire de leur Saint-Nombril. Déception : ils n'y trouvèrent que trois cailloux enveloppés dans du taffetas rouge — ils ne dégagèrent même pas la « suave odeur » qui avait authentifié jadis le prépuce du Latran. On consigna le tout sur un procès-verbal et on occulta l'affaire. Le corps charnel du Christ perdait une nouvelle relique.

L'invention des reliques, les débats qu'elles suscitent, puis leur disparition, témoignent d'une lente évolution des mentalités. Au xvie siècle, le prépuce de Jésus dérange dogmatiquement. Au xviiie, c'est au nom de la Raison qu'on ouvre les reliquaires. Au xixe, la nature même de la relique scandalise. La pudeur interdit de regarder le sexe du Christ. C'est ainsi que ressurgit le vieux tabou de l'Incarnation. L'abbé Florens, curé de Conques, avait accueilli dans son musée religieux un christ grandeur nature, en peau bourrée, empaillé. L'œuvre scandalisa, surtout lorsqu'une paysanne, en 1906, s'exclama en la voyant : « Ah ! mon Dieu ! On a écorché Notre Seigneur et en voici la peau[226] ! » On comprend qu'une matérialisation trop poussée du corps terrestre du Christ ait choqué les âmes dévotes...

La passion

Les artistes ont toujours répugné à représenter le Christ nu sur une croix. A tel point que la question a fini par se poser : Jésus est-il mort nu ou ceint du pagne traditionnel ? Le problème a traversé les siècles. Il est abordé avec autant de sérieux par Pierre Barbet en 1950 que par Molanus en 1570. Il est vrai que la réponse des savants est capitale pour les artistes chargés de tailler les crucifix.

Curieusement, ce ne sont pas les théologiens qui mettent en doute la nudité du supplicié, mais les anatomistes et les historiens. Que nous disent les textes ? Les Évangiles restent discrets sur cette épineuse question : ils se contentent de signaler le partage des vêtements du Christ. Il appartient aux textes apocryphes, aux visions, aux exégèses, de combler ces lacunes. Pas de doute pour saint Jean Chrysostome : Jésus a été mené nu à la mort. « Oint comme les athlètes qui vont entrer dans le stade », précise-t-il[227]. Il est vrai que ce sont des raisons symboliques plus qu'historiques qui motivent la conviction des théologiens : si Adam était nu pour pécher, Jésus doit être nu pour le racheter. Le monde médiéval a besoin de ces correspondances pour affiner sa foi. Jésus dépouille le vieil homme aussi facilement que ses vêtements, conclut saint Jean Chrysostome.

Qu'en est-il historiquement ? Il semble bien que Jésus, condamné en Judée par les Romains, ait été pris entre deux traditions. Les Romains crucifiaient nu ; les Juifs couvraient le condamné par devant, si c'était un homme ; par devant et par derrière, si c'était une femme[228]. Quelle coutume a été adoptée ? Molanus, lorsque le concile de Trente a interdit les nudités religieuses, préfère prudemment concilier les deux traditions, qui ont chacune leur iconographie. « Le Christ a été crucifié nu : je pense pourtant qu'il est pieux de croire que ses organes honteux étaient voilés par quelque chose d'honnête. D'abord parce que la nature même serait horrifiée d'un tel forfait, ensuite parce que le Christ lui-même, qui voulait souffrir cela, n'a certainement pas voulu apparaître sans voile devant sa très chaste mère et les autres saintes femmes ; enfin parce que sur la croix, il était à la fois le prêtre suprême et la victime sacrificatoire » (f° 137, r°). C'est désormais la version officielle. Gretser maintient ce pieux doute au xviie siècle : « Le Christ a peut-être été crucifié tout nu, mais il vaut mieux le représenter avec le *linteus* conservé à Aix-la-Chapelle[229]. » Encore une fois, reliques obligent...

Il paraît indécent, en effet, d'ajouter à l'infamie de la croix celle de la nudité. Un dieu nu est plus humilié qu'un dieu puni comme un esclave. Bien glosées, les Écritures viennent au secours de la pudeur. N'est-il pas dit que « dès la sixième heure, les ténèbres s'étendirent sur la terre jusqu'à la neuvième heure » ? Et pourquoi la lumière des astres fut-elle obscurcie, sinon « parce qu'était vraiment mis à nu celui qui vêt toutes choses[230] » ? Les ténèbres furent le premier voile de Jésus sur la croix.

Il en fallait d'autres. Après quelques hésitations, les crucifix ont adopté le pagne noué aux hanches, le *perizonium* ou *linteum* de lin. Erreur historique ? Saint Anselme, au xie siècle, saint Bonaventure, au xiiie, auront fort à propos des visions justificatives. Anselme de Canterbury, au cours de ses conversations avec la Vierge Marie, en vint à lui demander comment avait été crucifié son fils et les deux larrons. La réponse est sans équivoque : « Nus, Anselme ! Bien lamentable, ce que je rapporte et qu'aucun évangéliste n'a consigné. Lorsqu'ils arrivèrent au lieu ignoble du Calvaire, où l'on avait jeté des chiens morts et d'autres charognes, ils dépouillèrent totalement de ses vêtements Jésus, mon fils unique, et moi, je m'évanouis. Mais ôtant le voile de ma tête, je recouvris ses hanches[231]. »

Le *velamen capitis*, voile de la Vierge qui dérobe la nudité du Christ, devait faire fortune. Symbolisme et décence étaient saufs. Rares sont les illustrations iconographiques de ce thème. La bible de Holkham nous en fournit un superbe exemple : crucifié nu — entre les larrons habillés ! — au recto du feuillet 32, le Christ est rhabillé, au verso, des mains de sa mère. Le plus souvent pourtant, les deux scènes sont fondues en une seule.

Les christs nus

Si les intailles et les cornalines syriennes rassemblées par Paul Thoby[232] remontent bien au iie siècle, les premières représentations de la Crucifixion ont opté pour un supplicié entièrement nu. Respect de la vérité historique ou simple convention iconographique ? Sur l'une d'elles, les apôtres eux aussi sont nus... Retenons en tout cas que pour les premiers chrétiens d'Orient, le Dieu nu n'est nullement inconvenant.

A son arrivée à Rome, aux ve et vie siècles, le crucifix commence à « se rhabiller ». Sur la porte de Sainte-Sabine, sur un coffret d'ivoire, il porte le *subliculum* (ce qu'on appellerait aujourd'hui un *string*) qui sert de cache-sexe aux Romains. Bien piètre vêtement, pourtant, pour partir à la conquête du monde. Voilà notre Christ quasi nu en Gaule. A Narbonne, il est exposé au peuple vêtu de ce simple caleçon — *quasi praecinctum linteo*, explique Grégoire de Tours[233]. Personne ne s'en offusque, apparemment.

Mais la nuit suivante, le Christ nu apparaît en rêve au prêtre Basile et lui adresse de véhéments reproches : « Vous tous êtes recouverts d'étoffes bigarrées, et moi, vous me regardez sans cesse tout nu ! Va vite me couvrir d'un vêtement. » Que fait le bon prêtre ? Il se retourne sur sa couche et oublie cette vision qui eût enchanté Freud. Le lendemain, même scène — même oubli. Ce n'est qu'au troisième songe que Basile va prévenir l'évêque, qui fait recouvrir le crucifix. « Et depuis, conclut Grégoire de Tours, s'il lui arrive d'être dénudé pour être regardé, il se recouvre aussitôt du voile ôté pour ne pas être vu nu. » L'indifférence du peuple, les oublis successifs du prêtre Basile et les indiscrétions des visiteurs — geste combien humain ! — prouvent que l'indignation du saint évêque de Tours devant un christ trop peu vêtu n'était pas unanime au vie siècle.

Et pourtant, pendant deux siècles on ne verra plus apparaître dans l'art occidental que des crucifix sévèrement sanglés dans un *colobium*, cette tunique syrienne qui tombe jusqu'aux pieds et comporte souvent des manches. Ce n'est qu'à l'époque carolingienne, à partir du VIIIe siècle, qu'apparaît le *perizonium*, le linge noué sur les reins et qui ne voile plus que les cuisses. A partir du XVe siècle, il se raccourcira de plus en plus, deviendra transparent, mais ne tombera qu'exceptionnellement.

Le scandale eût été grand, en effet, de voir réapparaître des christs dans le plus simple appareil. Rappelons-nous ce prêtre nu qui, au XIIIe siècle, tente en vain de se faire passer pour un crucifix : « Madame, s'indigne le sculpteur qui l'a taillé, je vous jure que je n'ai jamais vu un crucifix qui eût couilles ni vit, et personne n'en vit de semblable ! » Et pourtant, à la même époque, le thème du *velamen capitis* donnait un prétexte au miniaturiste de la bible d'Holkham pour dénuder entièrement son christ. Une nudité décente : les licences artistiques lui permettaient d'effectuer sur le Seigneur la même opération que dut subir le prêtre du fabliau, et le christ de Holkham ne montre rien de plus — sinon sa pilosité, qui ne choque personne — que ses confrères réglementairement pourvus du *linteum*. Un pas pourtant est franchi.

Le XVe siècle multiplie ces audaces. Les *Heures* de Rohan nous montrent elles aussi un christ nu, mais, en accord avec les sermons pathétiques de l'époque, le supplicié est tellement sanguinolent que ses chairs intimes sont invisibles[234]. Bruneleschi sculpte alors un christ nu, exposé vêtu d'un *perizonium* de tissu à l'église Santa Maria Novella de Florence — fut-il jamais présenté nu au public[235] ? Un autre christ anonyme du XVe siècle dévoile de discrets attributs virils[236]. Mais c'est au XVIe siècle qu'apparaissent les crucifix qui parurent les plus scandaleux. Michel-Ange en dessina plusieurs sans le moindre voile, et en fondit un en bronze, conservé aujourd'hui au Metropolitan Museum. Cellini, surtout, sculpta en 1562 un célèbre christ nu, à la suite d'une vision qu'il avait eue dans sa prison. *Il mio bel Christo*, l'appelait-il, et il rêvait d'être enterré sous sa croix... Le duc de Florence, hélas, l'offrit en 1576 à Philippe II, le puritain roi d'Espagne. Celui-ci, dit-on, fut si indigné de ce cadeau qu'il voila de son propre mouchoir la nudité du Seigneur et le relégua dans un corridor obscur de San Lorenzo — malgré les pressions réitérées de l'ambassadeur toscan. Ce chef-d'œuvre de Cellini est encore exposé à l'Escurial, vêtu d'un pagne de tissu[237]. Ce fut la dernière tentative pour représenter la Passion telle qu'elle dut se dérouler.

Dernière ? Un curieux exemple, en 1985, nous rappelle que les mêmes indignations et les mêmes audaces ont traversé les siècles. A Chalençon, petit village de Haute-Loire, un sculpteur vient de réaliser un monumental christ de bois, haut de trois mètres, lourd de trois cents kilos... et entièrement nu. Le responsable des monuments historiques et l'évêque du Puy ont chaleureusement accueilli son œuvre dans la chapelle du XIe siècle attenant au château. « Dans les jours qui suivirent son installation, sous le plafond aux peintures du XVe de la chapelle, une main pudibonde vint placer un voile autour de la taille de la sculpture, à la surprise de son auteur qui comprenait mal cette réaction[238]. » Il n'y aura pas d'« affaire de Chalençon ». Le christ reste habillé, sous la bonne garde de l'intrépide nonagénaire qui détient les clés de la chapelle...

Si la nudité du Christ sur sa croix a été rarement représentée, on peut juger de la perplexité des peintres à la façon dont ils ont contourné le tabou. Il est interdit de dénuder le Fils de l'Homme ? Qu'à cela ne tienne. On dénudera autour. Au xvᵉ siècle, lorsque l'on commence à découvrir l'anatomie humaine, les sujets religieux restent un prétexte nécessaire à la représentation du nu. On étudie le jeu des muscles, les tensions, les efforts à partir des exemples classiques. La crucifixion, par la position inhabituelle qu'elle impose au corps, soulève des problèmes spécifiques qui ne peuvent manquer de tenter les artistes. Un anatomiste, devant le christ de Cellini, remarquera que la tension du bras gauche contrebalance l'effort fourni par la jambe droite, plus courbée que la gauche. Devant l'équilibre des forces et la minutie de l'exécution, l'indécence du sujet s'efface. En même temps, sans doute, s'estompe la gravité religieuse de la scène, au profit d'un effet purement physique. C'est ce qui fut surtout reproché au sculpteur.

L'étude anatomique a besoin du nu. Villard de Honnecourt s'entraîne au nu pour habiller correctement ses personnages, retrouvant probablement une habitude antique, inaugurant en tout cas une longue tradition d'académies. Le Christ n'échappe pas à la règle : Signorelli dessinera le Christ nu dans les ébauches de sa *Descente de Croix*[239], et le revêtira d'un *perizonium* sur la toile définitive. Le vêtement ici fait partie des instruments de la Passion, au même titre que la croix ou la couronne d'épines. C'est en comparant les deux états du tableau que l'on sent la différence de regard du peintre : dans l'ébauche, regard précis et impitoyable du professionnel étudiant des formes humaines impersonnelles ; dans le tableau, regard respectueux du peintre qui a saisi l'intensité dramatique et religieuse du sujet.

Le même Signorelli, dans la *Flagellation*[240], esquisse un christ — vêtu — aux muscles peu apparents, battu par deux soldats entièrement nus, et tellement détaillés qu'ils ressemblent plus à des écorchés anatomiques qu'à des modèles vivants. Ils n'ont d'ailleurs pas dû être exécutés d'après nature, à en juger par la mauvaise extension des muscles dans l'épaule du soldat de gauche. Dans cette étude tout à fait abstraite, où le peintre reporte sur les comparses la curiosité anatomique qu'il ne peut satisfaire sur la personne du Christ, la logique la plus élémentaire semble bafouée : le Christ dépouillé se retrouve plus vêtu que ceux qui le battent !

Signorelli, encore. A présent, dans une crucifixion peinte d'après un modèle abondamment exploité. Puisque Jésus, crucifié nu, ne peut être montré tel, on le représentera vêtu du

perizonium... mais entre les deux larrons complètement nus !
Signorelli, les *Très Belles Heures du duc de Berry*, Altdorfer
(1480-1538), Floris (1516-1670), le retable de la Passion à l'église
de Lampal-Guimiliau, une plaque d'ivoire du ixe siècle... Les
exemples ne manquent pas de ces crucifixions où la variété des
supplices, des types de croix, des positions, permet de multiplier
les études d'expression[241]. Les larrons nus fonctionnent comme
de pures anatomies ; en même temps, l'affirmation de leur nudité
renforce l'impact du voile dont seul est ceint le Christ.

Le symbolisme joue ici sur l'opposition. Le même procédé est
utilisé dans l'évangéliaire illustré par Rabula en 586[242] : un
Christ en tunique (*colobium*) est entouré de deux larrons en pagne
(*perizonium*). La hiérarchie est respectée ! L'opposition dépasse
d'ailleurs la nudité. Si l'on peut montrer le Christ souffrant, on ne
peut le peindre tordu par la douleur. L'étude d'expressivité sera
dès lors détournée sur les larrons, le plus souvent appendus à une
croix en tau qui accentue la torsion des épaules.

D'autres dérivatifs sont également possibles au Christ vêtu au
Golgotha. Une tradition ininterrompue jusqu'au xviie siècle veut
en effet qu'on représente intégralement nu le Christ baptisé dans
les eaux du Jourdain. Les eaux suffisent ici à estomper plus ou
moins les formes impudiques — mais nul ne songe à s'offenser de
la nudité du Seigneur, même lorsqu'un artiste trop hardi
souligne sans vergogne les organes sexuels du jeune homme. A
partir de la période romane seulement, le Christ se cachera
pudiquement l'entrejambe de la main — d'un geste plus
coutumier aux Vénus antiques qu'aux Adam des cathédrales... Ce
n'est qu'après le concile de Trente, au xviie siècle, lorsque les
nudités seront interdites dans les sujets religieux, que le baptême
du Christ s'effectuera dans une débauche d'étoffes volantes plus
ridicules que respectueuses. Hasard ? C'est à la même époque que
les bains nus se raréfient dans les rivières et que l'on n'est plus
habitué à rencontrer dans la vie des sujets qui désormais
choquent sur les tableaux.

Le thème du Dieu nu peut encore être élargi. L'intrusion du nu
dans l'art sacré a posé les mêmes questions lorsqu'il a fallu
illustrer le martyre des saints. Les mêmes répugnances se sont
fait sentir et les mêmes solutions sont apparues. Nudité et
supplice restent associés, tant historiquement que symboliquement. Durant tout le Moyen Age, la chair découverte est
vulnérable, donc souffrante. Les artistes contournent le problème
de la nudité impudique en omettant de figurer les organes de la
génération[243] ou, plus généralement, en recourant au *perizonium*
salvateur.

Mêmes solutions, donc, que pour le Christ en croix. De la même
façon que l'imagination des artistes s'est évadée sur les larrons,
un saint a focalisé la nudité dans le martyrologe : Sébastien,
l'éphèbe favori d'Hadrien, livré aux flèches des soldats. Pourquoi
lui plutôt qu'un autre ? Peut-être la nature de son supplice, qui

n'altère pas la beauté des formes, laissait-elle libre cours aux fantasmes de l'artiste — et du spectateur ? Un Barthélemy écorché, un Laurent grillé, un Erasme éviscéré laissaient peu de place à l'exaltation de la chair. Sébastien fut aussi victime de sa popularité, qui multiplia son image. Jusqu'à l'apparition (tardive) de saint Roch, c'était lui qui envoyait et guérissait la peste : les flèches de son supplice symbolisaient la maladie foudroyante. Comme tel, il avait pris la succession d'Apollon, dont l'arc vengeur frappait de la même maladie. Apollon, le jeune athlète dont la beauté devait obséder la Renaissance... La succession a été complète !

Malgré les excès du xvie siècle et la pruderie de la Contre-Réforme, Sébastien continuera de focaliser les fantasmes. Le xxe siècle fera de son supplice un thème plus proche de la pornographie que de l'exaltation religieuse. Il est vrai que le mignon d'Hadrien est devenu le patron officieux des sado-masochistes. Les femmes n'ont pas pour autant été oubliées dans l'imaginaire sacré. Les nombreuses représentations de sainte Agathe, lacérée par des ongles de fer, les seins arrachés à la tenaille, ont dû servir plus d'une fois à l'expression de fantasmes refoulés.

Indécence ou impudeur ?

Nous avons jusqu'ici constaté des faits bruts, des contradictions, des évolutions lentes. Il reste à les expliquer. Pourquoi fallait-il vêtir le Christ sur la croix et non dans les eaux du Jourdain ? Pourquoi l'indignation de Grégoire de Tours, de Philippe II ? Pourquoi la prise de conscience, au xvie siècle, de l'indécence d'un thème qui n'avait guère scandalisé jusque-là ?

Le Christ nu s'intègre dans un système complexe dont chaque élément est significatif. Au couple *Adam nu — Adam voilant sa nudité*, que nous avons relevé en plusieurs endroits, répond le couple *Baptême — Crucifixion*. Le Christ dans les eaux du Jourdain est comme Adam avant le péché : il n'a pas conscience de sa nudité. La suggestion des organes sexuels, comme dans les représentations d'Adam, symbolise l'innocence primitive. Lorsque l'« Agneau de Dieu » se charge des péchés du monde pour mourir sur la croix, il perd l'innocence de la nudité. Comme le premier père cueillant la feuille au figuier pour couvrir son sexe, le Sauveur est revêtu du *perizonium* qui, selon la perception globale du Moyen Age, n'ôte rien à la conscience d'une nudité humiliante. La crucifixion s'inscrit donc dans une double opposition : entre Adam et son rédempteur, d'une part ; entre l'innocence du baptême et l'acceptation du péché, d'autre part.

Ce système est en partie conservé au xvie siècle. Lorsque Gilio da Fabriano s'en prend, en 1564, à la nudité dans l'art sacré, il invoque, non les lois de la pudeur, mais celles de l'appropriation du sujet à la vérité dogmatique. L'homme nu convient au baptême, l'homme meurtri à la crucifixion (p. 87). Les mêmes remarques s'imposent pour les saints, dont il convient de montrer les supplices et non les effets musculaires invraisemblables. En lisant ces dialogues, il faut avoir à l'esprit, non pas Michel-Ange ou Cellini, mais leurs imitateurs, qui se livraient à la même anatomie maniaque sans avoir le génie qui transcende la chair. Gilio da Fabriano, souvent considéré comme un des pères de la pruderie, ne représente peut-être qu'une des premières — et saines, quoique excessives — réactions contre le maniérisme.

Nous touchons en tout cas, avec son témoignage, au fond du problème du christ nu à la Renaissance. Il ne s'agit pas d'impudeur, mais d'indécence, au sens propre : l'éxécution ne convient pas au sujet traité. Paul Thoby, dans son analyse du christ de Cellini, souligne bien la différence. C'est un nu antique, un homme de chair et de muscles, que le Florentin a crucifié ; nulle trace des blessures, des coups de la flagellation, des souffrances de l'agonie, de tout ce qui constitue les marques de la divinité. Revêtu par Philippe II, le Christ redevient pudique ; il n'en est pas moins indécent.

Pourquoi cette adéquation entre thème et exécution n'a-t-elle posé problème qu'à partir du xvie siècle ? D'abord parce que la précision de plus en plus grande apportée au modelé de la chair change la perception du nu. Dans la crucifixion de Holkham, où les contours du corps sont plus ou moins adroitement esquissés, il est possible de supprimer les *pudenda* sans détruire la vraisemblance d'une scène plus symbolique que réaliste. Ce ne sera plus possible dans des études anatomiques aussi poussées que celles de Michel-Ange ou de Cellini.

Le redécouverte des statues antiques, d'autre part, révolutionne moins les techniques de la sculpture que l'approche de la nudité. Celle-ci cesse de symboliser, comme au Moyen Age, la faiblesse, ce que Kenneth Clarke appelle le pathos ; elle devient synonyme de puissance, de force musculaire, d'énergie — une valeur nouvelle qui détruit le système structuré de la Passion. La réaction d'un Gilio Da Fabriano n'est alors qu'un ultime sursaut d'une conception médiévale et chrétienne de la nudité — ce qui ne l'empêche pas par ailleurs de se montrer précurseur dans son refus du maniérisme. Ajoutons à cela la perception de moins en moins globale de la nudité : on ne pourra plus désormais qualifier de « nu » un Christ couvert d'un pagne. Le rapprochement symbolique avec la nudité d'Adam ne sera plus qu'une vue de l'esprit.

Après le concile de Trente, la situation est de plus en plus confuse. L'Inquisition continue à raisonner en termes de décence quand artistes et public réagissent de plus en plus en termes de pudeur. D'où la stupéfaction de Véronèse, que nous avons découverte dans un chapitre précédent, quand on lui reproche l'indécence d'une Cène où n'apparaît aucune nudité incongrue. L'artiste et ses accusateurs sont désormais dans deux mondes incompatibles.

Un nouveau système doit se constituer, qui tienne compte de l'évolution des valeurs. Lorsque le crucifix de Cellini arrive en Espagne, il se heurte à une nouvelle conception : la pudeur. Philippe II se satisfera du voile qui dérobe les attributs virils sans se soucier autrement de l'indécence de cet Apollon en croix. Comparons plutôt sa réaction à celle de Grégoire de Tours, dix siècles auparavant. Le Christ de Narbonne, lorsqu'il refuse sa nudité, ne pense pas au dévoilement de ses organes sexuels : il porte en effet un *subligaculum* qui cache le strict minimum. En revanche, il reproche aux clercs gaulois leurs riches vêtements (*omnes vos obtecti estis variis indumentis*) qui insultent sa nudité (*et me jugiter nudum aspicitis*). Dans une structuration verticale de la pudeur, l'homme doit avoir la nudité de sa faiblesse face au Dieu vêtu en signe de puissance. L'homme habillé devant son Seigneur nu, c'est un bouleversement de l'ordre cosmique !

Le système ainsi dégagé garde sans doute un caractère abstrait. Le parallèle cependant est frappant entre deux réactions à première vue semblables, mais obéissant à des raisons différentes. A la fin du xvie siècle, on commence à raisonner exclusivement en termes de pudeur et l'on aura les yeux fixés sur l'organe de la génération, seul lieu du péché et de la honte.

Aussi, dès le xviie siècle, on commence à rhabiller les christs baptisés, qui bénéficiaient jusqu'alors d'une plus grande tolérance. Mieux : l'enfant Jésus, qui n'avait jamais offusqué les dévots, devient un objet de scandale ! « Que peut-il y avoir d'édifiant dans cette nudité ? », se demande Jean Molanus (fo 69, ro). Sans doute. Mais qu'y a-t-il d'édifiant à repeindre un bout de draperie sur les minuscules organes de Jésus ? La *Sainte Famille* de Van Orley dut subir cet outrage : le repeint de pudeur ajouté au xviie siècle ne fut ôté qu'en 1980[244].

Ce qui est visé, désormais, ce n'est plus la nudité en soi, admise dans les œuvres inspirées de l'Antiquité, c'est son lien avec l'iconographie sacrée. La pudeur connaît une structuration horizontale : admise dans certains domaines, la nudité est interdite dans d'autres. Même réaction dans la vie courante : une chambre n'a plus la même valeur selon qu'elle se situe dans un palais... ou dans l'appartement d'un pape. Paul IV (1555-1559), le « reculotteur » de Michel-Ange, fera ainsi rebénir une chambre du Vatican où « des personnes profanes ne s'étoient pas bien gouvernées[245] ». Les appartements pontificaux, comme les églises ou, jadis, les temples grecs, deviennent à leur tour le lieu d'asile de la pudeur.

Nous entrons donc dans une époque où la nudité, réduite au sexe, désacralise ceux à qui l'on doit le respect. Autour du Christ et de ses saints, le même principe réduit à leur humanité souffrante les personnages sacrés. Dans un roman d'Alexis Curvers, le cérémonieux cortège des évêques lors de l'ouverture de la porte sainte est tout à coup troublé par une allusion aux varices dont sont affligés ces vénérables vieillards[246]. Et l'on se rappelle le scandale provoqué par la Vierge nue et enceinte qui

apparaît dans un film de Godard... A-t-on oublié qu'au Moyen
Age, la glorification de la maternité de Notre Dame entraînait des
représentations autrement agressives ? Marie donne son sein à
téter à un moine malade sans plus de manière que s'il était son
fils[247]. L'Église enceinte, sur le tympan de Saint-Gilles-du-Gard,
triomphe de la Synagogue stérile chassée par l'Ange[248]. Gautier
de Coincy évoque une Vierge tellement pulpeuse qu'un moine
saoul désire l'accueillir dans sa couche[249]... Notre-Dame suivra
en l'occurrence la même évolution que son Fils : à partir du
XVIe siècle, il sera admis qu'elle a accouché sans douleur et sans
sage-femme, puisqu'elle ne pouvait comme toutes les femmes
être soumise à la malédiction du péché originel[250].

Contre-exemple humoristique : puisque le nu désacralise,
rhabillons pour réhabiliter ! Le diable a longtemps été le
mal-aimé des arts, avant que la Renaissance n'en fasse le prétexte
d'études anatomiques, puis le romantisme, le patron des poètes
maudits... Sa nudité dès lors ne devient-elle pas outrageante ?
« Je préférerais habiller le diable plutôt que ceux de là-haut, dit
un héros de D. H. Lawrence. Il en a davantage besoin. Pourquoi
n'a-t-il jamais rien sur le dos ? Pas même un caleçon de bain,
encore moins un manteau immortel. Bizarre[251]. » Bizarre ? Le
XXe siècle restera peut-être comme l'époque où l'on a déshabillé
la Vierge pour mieux vêtir le diable...

Chapitre XII

QUAND LA PUDEUR S'AFFICHE

L'hypertrophie de la publicité et son recours à l'incitation érotique sont des phénomènes modernes. Il y a trente ans à peine que le législateur a senti la nécessité de se pencher sur la question, et les indignations, les plaintes, les condamnations qui précèdent restent rares et isolées. Jusqu'à la révolution des techniques de reprographie au XIXe siècle, la publicité se réduit pratiquement à l'enseigne, dont le rôle est sensiblement différent de celui de l'affiche moderne. L'enseigne identifie un lieu, l'affiche vante un produit. Tant que les rues ne sont pas numérotées, l'enseigne reste le seul moyen de désigner une maison. Quant au service ou au produit vendus, ils sont suffisamment évidents pour qu'il ne soit pas besoin de les y figurer. Tout cela favorise les enseignes abstraites, autour des jeux de mots (le fameux « Au lion d'or ») ou d'association inattendus (« L'âne qui vièle »...), qui s'adressent à l'intelligence plus qu'à la sensibilité ou à la libido. Il s'agit de faire retenir un nom, et non de susciter une association inconsciente entre un produit et un plaisir des sens.

Les seules enseignes susceptibles de choquer la pudeur sont celles évoquant des métiers suscitant eux-mêmes le scandale. Tel fut le cas de la prostitution. Tant que le lupanar ne fut pas considéré comme un lieu ignoble, il pouvait, comme dans la Rome antique, se signaler par un phallus éloquent ou une pancarte décrivant les spécialités des filles qui y officiaient. Au Moyen Age, les « bordeaux » parqués dans des rues au nom significatif ne devaient guère nécessiter de publicité. Lorsque les états généraux d'Orléans auront officiellement interdit la prostitution en 1560, leurs maisons, désormais « closes », se signaleront discrètement à l'attention du client potentiel.

A cette époque apparaît la première réaction de pudeur face à une publicité scandaleuse. Rue Vieille-du-Temple, à Paris, une de ces maisons était signalée par un crucifix que l'on ne surnommait plus, parmi la clientèle, que le « crucifix maquereau ». Était-ce, comme le suggère Sauval, parce qu'il avait servi à signaler la

hauteur d'un débordement de la Seine ? Ce « marque-eau »
adossé au logis d'une maquerelle ne pouvait en tout cas que
susciter le jeu de mot. Le 10 mars 1580, l'évêque de Paris fit
enlever ce christ qui « servoit de marque et d'enseingne à ceus
qui alloient chercher ces bordeliers repaires[252] ».

L'année 1580 fut décidément propice à la pudeur des passants.
C'est en effet la même année qu'un règlement relatif au métier de
sage-femme s'inquiète de la publicité donnée à une profession
aussi délicate. Les accoucheuses sont autorisées « à mettre et
apposer au-devant de leurs maisons, enseignes de sages-femmes
comme en ont les autres : qui sont une femme portant un petit
enfant et un petit garçon portant un cierge, ou un berceau avec
une fleur de lys, si bon leur semble[253] ». Ce qui est désormais
interdit : la représentation d'une femme enceinte, telle qu'on la
voit, par exemple, sur une enseigne de sage-femme de cette
époque, conservée au château de Gué-Péan (Loir-et-Cher). Des
enseignes trop parlantes peuvent compromettre toute une rue :
des « demoiselles bien nées, estime Louis-Sébastien Mercier (t. V,
p. 57), n'oseront jamais s'établir à proximité. Ce voisinage
paroîtroit trop commode aux yeux de la malignité ». La
sage-femme, en effet, ne se contente pas de délivrer ses clientes : à
l'occasion, elle héberge les filles-mères tout le temps de leur
grossesse scandaleuse... L'imagerie populaire viendra au secours
des matrones. Une enseigne du siècle dernier montre ainsi une
cliente sévèrement corsetée dans sa guêpière cueillant dans un
chou le bébé qu'elle ne peut porter dans son ventre. Peut-être
cette vision idyllique les rassurait-elle sur le doigté de la
praticienne...

De nouveaux problèmes

C'est par l'intermédiaire de l'érotisme que la nudité entre tout
naturellement dans la publicité. Le XIXe siècle donne en effet de
nouvelles armes aux marchands de nudité. La première est
légale : le caractère *public* de l'outrage à la pudeur défini par le
nouveau Code pénal lui ouvre petit à petit les scènes privées.
Nous avons vu comment le théâtre avait profité de cette
tolérance. Mais une fois le nu monté sur scène, il lui faut se faire
connaître. Entre la salle et la rue, l'affiche fait la jonction entre le
privé et le public. Il lui faut suggérer, sans tomber sous le coup de
la loi, ce qui n'est permis que derrière les murs. Et les
Père-la-Pudeur frustrés de ne pouvoir dénoncer des spectacles
désormais tolérés dans les salles se consoleront en incriminant
les affiches qui les annoncent. Marcel Berny, directeur d'une
boîte montmartroise, sera traduit en correctionnelle en 1908
pour avoir apposé une affiche sur laquelle une fille nue ne porte
pour tout voile que le masque classique en sautoir. Le tribunal
l'acquittera[254].

La seconde arme des organisateurs de spectacles est bien sûr le cinéma. Très tôt, ceux-ci ont compris ce qui pouvait y attirer le spectateur, et l'affiche eut pour fonction la « mise en évidence des appâts possibles du film-spectacle[255] ». Celle qui signalait, à la Belle Époque, le Cinematograph-Théâtre du boulevard Poissonnière montrait une accorte personne aux rondeurs généreusement prodiguées par un décolleté profond et une robe retroussée jusqu'au haut des cuisses. Les « golden sixties » n'ont rien inventé...

Si la femme-objet servait tout naturellement d'amorce aux spectacles qui la dévoilaient, on comprit vite quel impact elle pouvait avoir dans la promotion de n'importe quel produit. Lorsque la vogue du nu l'imposa comme argument publicitaire de premier plan, on le vit fleurir en dehors même des domaines où il se justifiait. Les féministes s'en émurent, et contribuèrent plus sans doute que les esprits chagrins à enrayer cette exploitation systématique du corps féminin. « C'est à croire qu'il est devenu impossible de lancer sur le marché un poêle à mazout ou une marque de moutarde sans le concours d'une pin-up plus ou moins dévêtue », s'indignait alors Claude Laplatte[256]. Si les exemples qu'il retient ne manquent pas d'un humour involontaire (le classique jeu de mot sur « j'ai un poêle à mazout » et les non moins classiques vertus aphrodisiaques de la moutarde justifieraient la présence du modèle), il faut avouer que les publicitaires ont bien souvent manqué d'à-propos en la matière. Laplatte s'interroge à bon droit sur la nécessité d'une fillette nue armée d'un chaton pour vanter les produits d'une maison de confection !

La nudité ici a franchi une étape. Elle ne s'adresse plus, au premier degré, à l'intelligence du spectateur invité à prolonger son plaisir en assistant à un spectacle, mais, au second degré, elle agit comme la clochette de Pavlov que le chien associe inconsciemment à la nourriture. Le lien métaphoriquement créé entre la volupté sexuelle et la possession d'un objet d'un tout autre ordre constitue le seul argument publicitaire, à l'exclusion parfois de toute information sur les qualités intrinsèques du produit.

Notre époque a-t-elle pour autant l'exclusivité d'une telle démarche ? La publicité s'est sans doute largement servi d'une libération de la nudité qui s'est accomplie sans elle. Mais le mythe de la femme-objet et son utilisation promotionnelle ne sont pas si récents. S'est-on demandé pourquoi, sur les affiches de Mucha, ces produits de consommation masculine que sont le champagne, le cognac, la bénédictine, sont présentés par de pulpeuses jeunes filles ? Quel besoin y avait-il d'associer une marque de bicyclette (Waverley Cycles), une revue littéraire (*West End Review*) ou le pavillon autrichien à l'Exposition universelle de 1900 à des femmes largement dépoitraillées, lâchant parfois ce sein que d'aucuns alors répugnent à voir ? La femme est entrée dans le domaine de la publicité par le biais de l'allégorie — qui depuis le Moyen Age est essentiellement

féminine. Il fallait tout l'art de Mucha pour traduire en un regard
ou en une pose l'éclat différent de l'émeraude ou du rubis. Quand
le regard n'a plus suffi, quand la qualité croissante de la
reproduction photographique a rendu désuet le trait du gra-
phiste, la nudité est venue au secours de l'imagination défail-
lante. Mais la publicité d'hier contenait bien en germe toutes les
tendances et tous les excès de celle d'aujourd'hui.

Il ne suffisait pas de souligner l'absurdité de certaines
campagnes. Plus efficace était la dénonciation des dangers
qu'elles faisaient courir à la sécurité publique. Une femme un peu
trop décolletée met-elle en péril la moralité d'une population ?
Sans doute, mais il y a plus grave. Sans rire, on a soutenu que
certaines affiches étaient responsables des accidents de voiture
qui se produisaient à proximité des lieux où elles étaient
exposées. On a cherché à recenser les distractions fatales des
automobilistes surpris par telle pin-up vantant sa moutarde[257].
Les statistiques n'ont, hélas ! pas cherché à savoir si les
conducteurs étaient plus exposés que les conductrices à ces
mésaventures. Les mœurs évoluant, on a dernièrement incriminé
les affiches d'Europe I montrant un auditeur dans sa douche pour
expliquer la fréquence des accidents sur certaines autoroutes...
Les femmes n'ont plus désormais le monopole du cœur.

Solutions juridiques et censure populaire

Les publicités indécentes, qui ne pouvaient être prévues par le
Code Napoléon, sont longtemps tombées sous le coup de l'outrage
à la pudeur, réprimé par l'article 283 du Code pénal. Un article
essentiellement réservé aux délits de presse, entraînant des
poursuites en correctionnelle et des peines en l'occurrence
disproportionnées au délit. Certains parquets avaient des réticences à l'appliquer et d'aucuns estimèrent qu'il y avait un peu
trop d'acquittements. La pudeur judiciaire a parfois des détours
ironiques. Pour condamner les patrons de boîtes de strip-tease
affichant des photos trop osées, on fut contraint d'adoucir la
répression. La loi du 6 août 1955 permet désormais de les
poursuivre devant un tribunal de simple police et de prononcer
des peines moins sévères. Cette loi, devenu l'article R 38.9 du
Code pénal, punit d'une amende de soixante francs à quatre cents
francs et d'un emprisonnement qui ne pourra excéder huit jours
« ceux qui auront exposé ou fait exposer sur la voie publique ou dans
des lieux publics des affiches ou images contraires à la décence. Le
jugement ordonnera, nonobstant toutes voies de recours, la suppression du ou des objets incriminés, laquelle, si elle n'est pas volontaire,
sera réalisée d'office et sans délai aux frais du condamné ».

La loi à peine promulguée fut aussitôt appliquée. En 1956, la
tenancière d'une boîte de nuit fut condamnée pour avoir exposé
deux photos de filles nues, surchargées d'une croix au bout des
seins. Cette précaution ne fut pas jugée suffisante. La loi faisait

encore une différence entre les seins maquillés sur scène et une photo retouchée.

La loi en fait posait autant de problèmes qu'elle en résolvait. La suppression des affiches condamnées, étant donné la lenteur de l'appareil judiciaire, intervenait souvent bien après la fin du spectacle ou le retrait du film et se révélait illusoire. Dans le cas de films érotiques, en outre, elle entrait en conflit avec une autre instance officielle : la commission de contrôle. Celle-ci délivre en effet un visa pour l'affiche et les photos des films interdits aux mineurs de treize ou de dix-huit ans, en même temps qu'elle accorde le visa au film. Et l'on put voir un propriétaire de cinéma poursuivi pour avoir affiché des images de Brigitte Bardot qui avaient reçu le satisfecit de la commission. Il fut condamné. L'autorisation administrative de la commission de contrôle n'efface pas le caractère délictueux d'un acte prohibé par le Code, a estimé le tribunal[258]. Une décision juridiquement logique, mais qui n'en est pas moins paradoxale.

En punissant les « images » contraires à la décence, enfin, la loi suggérait de nouveaux délits. Le terme, vague, s'applique aussi bien aux objets qu'aux images imprimées... ou dessinées. Les graffiti obscènes ou simplement grossiers tombent ainsi sous le coup de la loi. Ne parlons pas des objets que pourraient exposer les sex-shops, évidemment interdits : la notion d'images indécentes est parfois plus subtile. On se rappelle la vogue des « zizis » qui avait suivi la chanson de Pierre Perret. Parmi les innombrables gadgets qui encombrèrent un moment le marché, les plus appréciés furent peut-être les petits pains phalliques. Un boulanger de Bourges, après plainte, dut pourtant retirer les siens de sa vitrine. A l'intérieur du magasin (pourtant considéré lui aussi comme un lieu public), les zizis redevinrent innocents. Les nus de Modigliani, jadis, ont connu le même sort : exposés à une fenêtre ou dans une galerie publique, ils sont tour à tour condamnés ou absous. Ce qui est condamné, dans le délit d'affichage, n'est plus seulement la publicité, ni l'outrage à la pudeur, mais sa possibilité. La ménagère entrant dans une boulangerie, l'amateur visitant une exposition, doivent s'attendre à y trouver zizis de pâte ou tableaux indécents. On sanctionne donc moins l'outrage que son caractère inopiné, ce qui introduit curieusement le hasard dans la loi...

On a même vu, dans cette pudibonderie des objets, un déplacement significatif de la pudeur. Elle ne s'attache plus seulement à la nudité humaine, mais à tout ce qui peut la suggérer, notamment l'habillage et le déshabillage... des mannequins. Exposer des mannequins « nus » en vitrine n'a rien d'indécent. Mais l'étalagiste qui les habille est prié de les dérober par un rideau au regard des passants[259]. C'est le mouvement, ici, qui (sous l'influence du strip-tease ?) est devenu indécent.

Les affiches, enfin, connaissent elles aussi la différence entre impudeur et indécence. Sinon juridiquement, du moins chez certains magistrats. Indécent, estime Claude Laplatte[260], la publication du *Baiser* de Rodin en couverture d'un journal catholique exposé dans les kiosques. La même couverture n'aurait rien d'impudique sur une revue artistique... On a vu ainsi il y a deux ans les affiches de l'*Ave Maria* de Jacques Richard retirées de la circulation. Non pour les seins d'Anna Karina, mais parce que l'actrice crucifiée devenait indécente là où elle n'aurait pu être qu'impudique. « Le jugement ordonne la suppression du ou des objets incriminés », précise la loi. L'objet indécent fut effacé des affiches retirées. Ce n'était pas la poitrine d'Anna Karina, mais la croix.

A l'inverse de ce qui se passe dans les autres moyens d'expression visuels, théâtre, cinéma ou arts plastiques, la publicité offre au public la possibilité de réagir directement... et parfois anonymement. Excellente occasion de prendre la mesure de la pudeur populaire à une époque où elle ne se traduit plus, comme du temps de Michel-Ange, par la lapidation des œuvres qui créent scandale...

Constatons tout d'abord que certaines campagnes sont très bien accueillies. Avenir Publicité fit mouche lorsqu'elle demanda à Myriam d'« enlever le bas » devant toute la France. L'expression, devenue proverbiale, témoigne de la réaction de sympathie vis-à-vis d'une affiche qui se tire avec humour d'une situation jugée épineuse quant à la juridiction de la pudeur et qui confirme la constatation de Claude Laplatte : « Il n'y a pas de jurisprudence pour les fesses. » La campagne était d'autant plus osée que la conclusion en était ambiguë : la publicité « qui tient ses promesses » n'en respecte en effet que la lettre (j'ôte le bas) en trahissant l'esprit (je me montre de face)... Curieuse façon de mettre le client en confiance.

Cela dit, il faut bien reconnaître que la pudeur populaire se vérifie plus d'une fois dans les réactions à certaines affiches jugées trop osées. Les couloirs du métro offrent à l'amateur une documentation inépuisable et sans cesse renouvelée. C'est là qu'une nudité exagérée est impitoyablement sanctionnée et que l'on teste le mieux la portée d'une campagne. Quand ce n'est pas une anonyme ligue pour la pudeur qui colle des papillons sur les aréoles des seins et les culottes blanches, ce sont des bouts d'affiches arrachés, des graffiti ironiques ou outrageusement agressifs. Le discobole réincarné qui offrait un moment des *tickets chocs* se vit gratifié à République d'un monstrueux phallus soulignant sa posture artificielle. Ailleurs, de petits cœurs coquins censurent avec un clin d'œil les endroits malséants...

Une publicité intelligente a exploité naguère cette ambiguïté des réactions du grand public. Le strip-tease de Brigitte Bardot, sur l'affiche de *Miss Spogliarello* (version italienne d'*En effeuillant la marguerite*) avait été lacéré par des mains anonymes. La production française exploita habilement le scandale en montrant sur les affiches destinées à l'Hexagone un homme déchirant l'affiche italienne[261] ! L'humour doit encore, le plus souvent, servir de caution à la nudité ; s'il n'est pas présent, il se trouve toujours quelqu'un pour l'ajouter.

La grande vogue du nu publicitaire est à présent retombée. De ne pas l'avoir compris peut coûter cher à un annonceur. Le dernier scandale en date a secoué en avril 1986 la région de Vitré, où la société Maisons de l'Avenir a lancé une campagne sur le thème « L'avenir, ça se construit ». Un couple enlacé, nu ; une femme enceinte, nue ; un homme et son bébé, nus : le rapport n'a pas toujours semblé évident avec l'entreprise de construction qui patronnait ces trois affiches. Plus que la nudité en soi, c'est le tabou le plus vivace de l'histoire universelle, celui de la femme enceinte, qui est bravé ici. Deux messages antinomiques s'affrontent : la nudité renvoie à la liberté ; l'enfant à une cellule familiale, donc à la dépendance. L'union des deux thèmes aurait pu évoquer une image idéale : la famille sans entraves, l'union rêvée des parents et des amants. La dissociation des membres de la cellule familiale appelle cependant d'autres images : la femme enceinte, seule, suggère la mère célibataire ; l'homme et l'enfant, le mari divorcé ; quant au couple enlacé, sans la référence aux deux autres affiches, il évoque plus le plaisir immédiat que la construction de l'avenir.

Une campagne cependant est réussie si elle fait parler d'elle. Celle-ci en l'occurrence aura atteint son but. Commencée — inconscience ou provocation ? — le samedi saint, elle s'est aussitôt attiré les foudres des associations catholiques auxquelles les féministes ont emboîté le pas. Barbouillages, lettres anonymes, appels téléphoniques injurieux, pétitions, toute la région s'est retrouvée sur le pied de guerre. A Carquefou, l'Association familiale catholique dépose plainte contre ces « images choquantes, dangereuses pour les consciences pas très formées, en particulier celles des jeunes[262] ». Le paradoxe est ici complet : une campagne lancée au nom des jeunes est contestée au nom des jeunes. Argument également symptomatique de la société moderne : la vieille pudeur féminine, depuis une centaine d'années, fait peu à peu place à une pudeur adolescente. Là où l'Ancien Régime craignait de ternir la modestie de la femme, la République redoute de corrompre sa jeunesse, porteuse d'avenir, qui illustrera le nom que l'on n'a pas hérité de ses ancêtres. Quel plus beau thème choisir pour une campagne publicitaire ? Sans doute avons-nous ici un bel exemple de cet équilibre sans cesse rompu et sans cesse restauré que nous avons constaté dans l'histoire de la pudeur. Après avoir galvaudé le corps féminin surprotégé pendant des siècles, la pudeur moderne a trouvé un nouveau terrain dans le corps et le regard de l'enfant.

CONCLUSION

LE CHAMP HISTORIQUE DE LA PUDEUR

Les exemples et les analyses qui ont constitué le corps de cet ouvrage ont montré qu'il n'existait pas une pudeur unique, mais un ensemble de comportements qui, pour des raisons variées et dans des contextes multiples, peuvent relever de la pudeur. Nous avons pu opposer pudeur sacrée et pudeur religieuse, individuelle ou sociale, conventionnelle ou morale... L'histoire de la pudeur serait simple à écrire si chacun de ces comportements correspondait à une époque et que la société passait globalement, d'un siècle à l'autre, d'une pudeur à une autre.

Ce n'est, hélas, pas le cas. Le champ de la pudeur, avec toutes les nuances et toutes les contradictions qu'il comporte, est présent à toutes les époques. Chaque individu, à l'intérieur d'une même culture, porte en lui le système tout entier, mais il peut, selon son caractère, en privilégier tel ou tel aspect. Chaque civilisation, à son tour, accomplit la synthèse de ces pudeurs, insistant sur telle partie du champ et négligeant telle autre. La pudeur sacrée, par exemple, est prédominante dans l'antiquité grecque ; elle ressurgit par moments dans l'histoire de la chrétienté occidentale, surtout au xviie siècle, et continuera à inspirer des réactions sporadiques malgré sa mort officielle en 1830. A l'inverse, la pudeur individuelle qui triomphe au xixe siècle a connu des définitions isolées depuis les premiers chrétiens.

En arpentant méthodiquement le champ de la pudeur, nous pourrons donc respecter plus scrupuleusement la chronologie ; la logique nous invitera exceptionnellement à en sortir pour signaler quelques comportements archaïques ou précurseurs.

L'héritage antique : la pudeur sacrée

Penser à la nudité dans la Grèce antique, c'est penser au discobole. Un nu magnifié, des muscles en travail. En même temps, une civilisation qui se glorifie d'avoir ôté à ses athlètes le pagne qu'on les oblige à porter en Asie. Selon la tradition, la pudeur aurait ravi sa victoire à l'athlète Orsippe, dont le *sodma* (cache-sexe) se serait dénoué au moment où il allait remporter une course. Il fut décidé que les athlètes désormais courraient nus, et les femmes furent bannies des stades sous peine de mort.

La nudité n'apparaît donc pas comme un état primitif, en Grèce, mais comme une victoire sur un préjugé naturel, à l'inverse de la pudeur chrétienne, liée à la conscience du péché originel. Le mythe des « époques nues » chères à Baudelaire résulte donc d'une lecture christianisée de l'antiquité païenne. Pour Platon, pour Hérodote, pour Thucydide, la honte de son corps est une preuve de barbarie ; les Grecs eux-mêmes la connaissait jadis. « Il n'y a pas bien longtemps que les Grecs trouvaient honteux et ridicule, comme encore aujourd'hui la plupart des barbares, que des hommes se fissent voir tout nus, et que, lorsque les Crétois d'abord, les Lacédémoniens ensuite, se mirent à la gymnastique, les plaisants de ce temps avaient quelque droit de traduire en ridicule toutes ces nouveautés[1]. »

Du stade, cette « apudeur » envahit timidement la vie quotidienne. Hérodote se moque ainsi des Égyptiens qui font tout à l'envers : « Ils satisfont leurs besoins naturels dans leurs maisons, mais ils mangent dans la rue[2] », sous prétexte que « les nécessités honteuses du corps doivent être dérobées à la vue ». A nous, aujourd'hui, de nous étonner de l'étonnement d'Hérodote... Les vêtements souvent ne se préoccupent pas autrement de décence : simples capes ou *chitons* courts dévoilent ce que l'honnêteté depuis interdit de montrer.

L'art enfin traduit cette fierté du corps : la chair y exprime la force, la puissance, l'harmonie. La vie quotidienne aussi bien que la mythologie fournissent l'occasion d'évoquer la nudité.

Tout ceci n'empêche pas d'autres types de pudeur de se manifester chez les Grecs. Une pudeur sacrée, d'abord : on ne peut pénétrer dans un temple sans s'être purifié si l'on a eu un commerce charnel avec une femme. Pudeur, selon Hérodote, qui distingue Grecs et Égyptiens des autres peuples de son temps. Violée par Poséidon dans le temple de Pallas, Méduse vit ses cheveux changés en serpents. La pudeur ici s'attache non pas à la nudité, mais à l'acte sexuel. Elle naît de la souillure, non de la honte ; on enfreint un tabou religieux, non une règle morale[3]. L'acte sexuel, qui n'est jamais décrit, s'effectue la nuit, dans le noir, à la dérobée. La structuration de la pudeur sacrée est horizontale : elle interdit dans certains lieux (le temple) ce qui est permis ailleurs. Les chrétiens hériteront de cette pudeur sacrée, qui demande qu'une église soit reconsacrée après tout acte jugé sacrilège. En son nom, les prédicateurs du XVIIᵉ siècle s'indigneront des décolletés de leurs ouailles quand elles approchent de l'autel. Lorsque le Code Napoléon légalise la notion de pudeur, son caractère sacré disparaît. Une loi dite « du sacrilège » tente de la rétablir en 1825, en majorant l'outrage public à la pudeur perpétré dans une église[4] : elle sera abrogée cinq ans après sa

promulgation. Certaines attitudes continuent cependant à s'inspirer de cette forme archaïque de pudeur, en interdisant par
exemple l'entrée des églises aux touristes en short ou en bras de
chemise.

L'autre grand axe de la pudeur, dans l'antiquité grecque, en
structure verticalement le champ : une pudeur sociale, qui
connaît sa plus parfaite expression dans la France du xviiᵉ siècle.
L'homme libre n'a pas la même pudeur que l'esclave, le villageois
que l'Athénien. Théophraste se moque du « rustique [qui]
retrousse son manteau au-dessus de ses genoux, sans souci de
laisser apercevoir sa nudité ». L'exemple montre bien la différence entre la pudeur sociale et la pudeur morale que nous
connaissons depuis le xixᵉ siècle : on n'est pas choqué que
l'esclave ou le paysan montre ses cuisses, mais l'homme libre, ce
faisant, déroge à sa condition. C'est aussi grave pour lui que de
chanter au bain ou d'acheter lui-même sa viande salée... La
pudeur — ou plus exactement la décence — ne concerne
qu'incidemment la nudité : Socrate se moquera à son tour du
rustre « qui ne sait pas relever son manteau sur l'épaule à la
façon des hommes libres[5] ». Pour être décent, il faut draper son
manteau sur la droite (*epi dexia*) et non sur la gauche.

Pudeur sexuée, enfin, qui constituera la part la plus constante
de l'héritage hellénistique. L'homme nu ne choque pas, la femme
nue sera scandaleuse. Rares sont les statues de déesses nues. Elles
apparaissent tardivement, et se voilent pudiquement sexe et sein
d'un gracieux mouvement de bras. La *Vénus Médicis* (Offices de
Florence), l'*Aphrodite* de Sidon (Louvre) répondent à ce type de
« Vénus pudiques » que l'on redécouvrira au xviᵉ siècle.

Dans les stades également, la nudité est réservée aux hommes.
Les femmes seraient ridicules de s'y exercer, estime Platon, qui
ne va pourtant pas jusqu'à les leur interdire[6]. Les Athéniens se
moquent des femmes de Sparte aux robes trop courtes, ces
« phaïnomérides » qui montrent leurs cuisses comme des
hommes... Quant aux imprudents qui surprennent une déesse
dans le plus simple appareil, ils sont changés en cerf, comme
Actéon par Artémis ; aveuglés, comme Tiresias par Pallas ; tués,
comme Candaule, qui avait montré sa femme Nyssia à son favori
Gygès...

Les hommes n'ont pas de ces pudeurs. Il faut le scrupule
excessif d'un Ulysse pour se couvrir de feuillage devant Nau-
sicaa : la princesse s'étonne à bon droit de la pudeur du naufragé,
qui refuse de se laisser laver par des « filles bouclées ». Est-ce
d'ailleurs la conscience de sa nudité ou « l'horreur de ce corps
tout gâté par la mer » qui humilie Ulysse ? Couvert d'embruns et
d'écume, il se sent « vulgaire » — peut-être comme le « rustique »
de Théophraste dans sa robe trop courte (*Odyssée*, vi, 127 et suiv.,
210 et suiv.).

Il serait donc vain de vouloir chercher dans la Grèce antique les
origines de notre pudeur moderne. L'héritage grec, occulté au
Moyen Age, sera ressuscité assez artificiellement à la Renais-

sance ; l'époque classique s'en rapprochera davantage. Le Moyen Age, de son côté, vit sur l'héritage romain et judéochrétien.

La pudeur biblique, au départ, a cette dimension sacrée de la pudeur grecque. « Tu ne monteras pas à mon autel par des marches, de peur de te montrer nu », dit le Seigneur (Ex., xx, 26). Pudeur liée à un lieu, donc, mais qui concerne la nudité et non l'acte charnel, le regard du peuple (à qui l'on se montre nu en montant les marches) et non celui de Dieu. La pudeur est liée au respect également dans l'épisode de l'ivresse de Noé (Gen., ix, 21-27) : la nudité du père n'est pas n'importe quelle nudité ; elle a des relents incestueux.

Mais la principale caractéristique de la pudeur juive — que l'on croit empruntée aux civilisations mésopotamiennes — est le lien établi entre chair et péché, que la civilisation occidentale ne parviendra jamais à oublier. La conscience de la nudité, liée au péché originel, introduit la notion de « péché de chair » qui sera à la base de la pudeur morale. La nudité devient vulnérabilité, punition (Is., xlvii, 2-3 ; Jér., xiii, 26), preuve de culpabilité (II Cor., v, 2-3). Il ne faut pas plus l'évoquer en paroles que la montrer (Éph., v, 12)... Les grandes directions de la pudeur occidentale sont en germe dans la Bible.

La République romaine, malgré son admiration pour la Grèce, reste fidèle à la *Pudicitia* à qui elle a élevé deux temples. Les exemples de la vertu républicaine traverseront les siècles et seront invoqués jusqu'à nous pour définir la pudeur moderne. César ramenant sa toge en mourant pour ne pas que l'on voie son corps nu... Sulpicius Gallus répudiant sa femme parce qu'elle était sortie sans voile... Les explications de Pline sur les cadavres des noyées flottant sur le ventre pour cacher leur sexe... La première bible de la pudeur est rédigée par Cicéron, au chapitre 35 de son livre *Des Devoirs*. « La nature elle-même peut paraître avoir tenu grand compte de notre corps : elle a mis en évidence notre forme humaine et tout ce qui, dans notre constitution, pouvait avoir belle apparence ; quant aux parties de notre corps destinées aux besoins de la nature, qui devaient avoir un aspect et une forme hideux, elle les a recouvertes et cachées. La pudeur des hommes a imité cet art si attentif de la nature. Ce que la nature en effet a dissimulé, c'est cela même que tous ceux qui sont sains d'esprit éloignent des regards, et ils s'efforcent, aux besoins mêmes de la nature, d'obéir le plus secrètement possible. Quant à ces parties du corps dont l'usage est indispensable, ils n'appellent par leur nom ni ces parties ni leur usage, et il est indécent de dire ce qu'il n'est pas honteux de faire, du moins en secret » (p. 125-126).

Telle est du moins l'opinion d'un vertueux patricien... La Rome antique sera aussi la ville des lupercales et des saturnales, des danses obscènes et des mystères aux cérémonies moins scrupuleuses. Les philosophes stoïciens se moqueront déjà de ceux qui osent nommer les actes honteux, comme « voler » ou « tromper », et non ceux de la génération. Les débauchés des satires d'Horace retroussent leur tunique jusqu'au ventre (i, 2) et les orgies de l'Empire ne connaîtront plus de mesure...

Le Moyen Age chrétien vivra sur ce double héritage. Aux Romains, il empruntera la honte morale de la nudité et la pudeur naturelle. Aux Juifs, la souillure de la chair. Crime et châtiment, morale et religion : une nouvelle synthèse explore une autre parcelle du champ de la pudeur.

La pudeur religieuse

Les premiers chrétiens ont connu les excès d'un empire en décadence plutôt que la noble vertu d'un Cicéron. Les descriptions qu'ils en laissent, outrées encore par les nécessités polémiques, semblent caricaturales, comme semble caricaturale la conception extrême de la pudeur qu'ils tentent d'imposer à une civilisation mal disposée à les écouter.

S'élever contre la nudité païenne s'inscrit pour eux dans le cadre plus large de la lutte contre le paganisme. Une Vénus nue, pour Arnobe, c'est aussi grave qu'un dieu cornu. Se priver de bain, c'est moins renoncer à la nudité commune qu'à un plaisir du corps. Et les chants « obscènes » contre lesquels s'élève saint Augustin sont des hymnes à des divinités païennes plutôt que des chants d'étudiants... La critique des modes vestimentaires, qui se fait elle aussi au nom de la décence, vise surtout les habits trop luxueux, les fards et les bijoux. La longueur des robes ou le port de sous-vêtements ne font pas encore partie de la décence.

C'est ainsi que saint Augustin est amené à définir la pudeur, qui nous fait rougir de notre nudité, en réponse aux raisonnements spécieux des hérétiques pélagiens et des philosophes païens. Les premières sectes à prôner le nudisme estimaient que Dieu, ayant créé la nudité, ne pouvait s'indigner qu'elle fût montrée. Augustin retourne le raisonnement. « Ce genre de pudeur qui nous oblige à rougir naît à coup sûr avec chaque homme et lui est en quelque sorte imposée par les lois de la nature. De sorte qu'en ce domaine, même les époux pudiques peuvent éprouver de la honte. Personne n'est à ce point plongé dans le vice et l'infamie qu'il ne rougisse de s'accoupler à sa femme devant quelqu'un, même s'il sait que Dieu lui-même a créé ce processus naturel et instauré le mariage. Il se cachera non seulement des étrangers, mais aussi de tous les siens. C'est pourquoi, tombant par sa faute dans le mal, la nature humaine doit en avoir conscience. Elle ne doit pourtant pas rougir de l'œuvre de son créateur — ce qui serait le comble de l'ingratitude — mais bien de ses actes — le contraire serait le comble de l'impudeur. Les époux pudiques font bon usage de ce mal, car c'est un bien d'engendrer des fils. Consentir à la volupté uniquement pour la satisfaction de la chair, c'est pécher, quoi que ce soit permis aux époux par une dispense charitable »

(*P.L.* 44, col. 565). La honte d'être surpris nu débouche sur une morale sexuelle (centrée sur l'acte et non plus le regard) : une sensibilité que nous avons trouvée plus d'une fois au Moyen Age. La crainte de la sexualité conditionne constamment le sentiment de pudeur.

Il en va de même dans les monastères, qui craignent les relations charnelles aussi bien dans les cloîtres d'hommes que dans ceux de femmes. Avec leurs lits séparés, les lampes allumées en permanence, les vêtements de nuit et les contorsions qu'ils s'imposent pour changer de vêtements sans montrer leur chair nue, les moines découvrent dès le vɪᵉ siècle un mode de vie qui mettra douze siècles à s'imposer à l'ensemble de la société — si du moins ils respectent ces règles strictes, qui sont les seuls témoins que nous ayons gardés de leur vie commune au haut Moyen Age...

Réponse au paganisme ou réponse à la sexualité, la pudeur des premiers siècles n'est pas encore un système constitué. Il faut attendre que cesse véritablement le danger d'un sursaut païen pour que le système chrétien se mette en place. Le baptême de Clovis en 496 est sans doute une date clé en ce domaine, mais l'éradication des cultes prendra des siècles — en 1110, le culte de Priape, ou « Beelphegor impudicus », viendra encore menacer notre « chaste mère l'Église[7] »...

Au centre du nouveau système qui se constitue dans l'Europe romane : le Christ — au cœur de l'histoire de la pudeur comme il est le cœur du monde. La nudité, c'est l'image du Christ en croix. C'est aussi le martyre des saints, Adam chassé de l'Éden, Daniel dans la fosse aux lions... Une chair souffrante, torturée, livrée. Être nu, c'est être vulnérable. En art, pour reprendre la terminologie de Kenneth Clark, le nu n'incarne plus l'énergie ou l'extase, mais le pathos.

A l'inverse, le vêtement, plus qu'un signe de pudeur, est une protection du corps contre le regard de l'autre, le regard de Dieu. « Rien ne peut lui être caché. Tout est nu et découvert par le regard de Celui à qui nous devons rendre compte », dit la Bible (Heb, ɪv, 13) ; « Nous gémissons dans le désir ardent d'être trouvés vêtus et non pas nus, mais de revêtir, par dessus l'autre, notre demeure céleste », ajoute Paul (II Cor, v, 2-3). La vie sociale est vie vêtue. L'habit, le respect de la norme, est signe d'orthodoxie, dans une société qui n'accepte qu'une seule religion. L'ôter est assimilé à une hérésie. Certaines sectes fraticelles au xɪɪɪᵉ siècle, les beghards du xɪvᵉ, les turlupins à la fin du xɪvᵉ renouèrent avec le nudisme déjà prôné par les premières hérésies. Transgresser la norme sexuelle n'est pas seulement un péché mortel, mais une preuve d'hérésie. « Hérétique prouvé » est l'appellation ordinaire de l'homosexuel ; l'accusation sera portée contre les templiers au même titre que l'idolâtrie ou le blasphème.

Contrepoint à ce refus conscient de l'ordre social symbolisé par le vêtement et la morale sexuelle, le thème de l'homme sauvage, qui transgresse malgré lui la norme vestimentaire. Il n'est pas fou au sens où l'entendra le XIXe siècle. S'il perd la conscience de sa dignité et retrouve des instincts animaux, il peut garder la mémoire et agir selon une certaine logique. Le « bisclavret » de Marie de France ne tourne son agressivité que contre la femme qui lui a caché ses vêtements. Sans habits, l'homme sauvage n'est pas nu. Les poils lui servent de protection, à la fois contre les intempéries et contre le regard : au moment de redevenir un homme, il fait comprendre qu'il a besoin d'être seul ; il s'agit véritablement de changer de vêtements quand il faut abandonner sa toison pour revêtir un habit.

La nudité, symbole de vulnérabilité, n'a pas besoin d'être complète pour être significative. Plus qu'une exhibition, il s'agit d'une *idée* de nudité, d'une prise de conscience qui dépasse les apparences. Les bourgeois de Calais, dans leurs chemises qui les couvrent des chevilles aux poignets, sont plus nus qu'une starlette en monokini sur la Croisette. Cette nudité globale, qui se traduit par des expressions comme « nu en sa chemise », « nu comme à sa naissance, avec ses braies », explique l'indifférence des arts plastiques pour le sexe ou pour la chair. Indifférence au sexe masculin, qui peut être représenté ou omis, indifférence aux seins féminins, tantôt fermes, tantôt flasques et pendants, indifférence à la chair, dont le modelé reste imprécis : l'art roman, jusqu'au XIIIe siècle, exprime plus cette idée de nudité que la nudité elle-même. Ce que l'on pourrait donc prendre pour une pudeur artistique est surtout une convention symbolique. On ne représente pas le sexe des saints ou du Christ, ou celui des élus, mais les hommes emportés par le Déluge ont des organes génitaux bien dessinés pour symboliser leur péché. Leur rôle est d'indiquer le degré de conscience que l'on a de sa nudité. Le système de la pudeur médiévale est en effet construit sur trois niveaux de conscience différents de la nudité, correspondant aux trois valeurs de la chair.

La chair est avant tout symbole de *vulnérabilité*. Opposée à l'esprit, c'est la partie basse, honteuse de l'homme, siège de la tentation, de la souffrance et de la mort. La *nudité montrée* est donc une punition basée sur l'*humiliation*. Promener un coupable nu, l'attacher au pilori, c'est le réduire à sa partie souffrante. Les damnés sont nus face aux élus habillés ; les hommes emportés par le Déluge le sont sous les yeux de Noé vêtu, au mépris s'il le faut de toute vraisemblance : ont-ils été surpris dans leur sommeil qu'ils n'aient pas eu le temps de passer une chemise ?

La vulnérabilité de la chair est liée à son *impureté* : impure parce que vulnérable (incapable de résister à la tentation) ; vulnérable parce qu'impure (le péché originel a introduit la mort dans le monde). La *nudité dévoilée* témoigne donc de la luxure et de la souillure de l'âme. Volontaire et consciente, elle est *impudeur* et non humiliation. C'est la chair de la femme, le sein contre lequel prêcheront les moralistes à partir du XIVe siècle, la chair du diable et des hérétiques.

A ces deux nudités conscientes s'oppose la chair dans son

innocence. Dans la vie quotidienne, la *nudité vécue* n'a rien de scandaleux. Elle est acceptée au bain, au lit, dans les « privés », pourvu qu'elle ne soit pas désignée à la moquerie ni qu'elle se désigne elle-même à la tentation. Une certaine *apudeur* est encore possible, du moins en théorie. C'est l'innocence d'Adam avant la faute, symbolisée par la nudité dans le baptême primitif, par immersion. Dans l'art, elle s'exprime aussi par oppositions : apudeur d'Adam avant la faute (il montre son sexe), pudeur après la chute (il le cache) ; apudeur des ressuscités à la cathédrale d'Orvieto (le mouvement cache leur sexe), humiliation des damnés et impudeur des diables (au sexe apparent)... De telles comparaisons montrent bien la différence entre le système médiéval et le système de la pudeur moderne. Les mêmes procédés sont employés dans l'art néoclassique pour dissimuler les organes sexuels — par exemple, dans *Les Sabines* de David. Mais il s'agit alors d'une convention creuse qui n'est plus significative d'une opposition.

Trois valeurs distinctes de la chair, trois attitudes opposées face à la nudité. Tout cela peut paraître paradoxal à l'œil moderne. Il est réconfortant sans doute de les attribuer à des mentalités ou des groupes sociaux différents ; de séparer littérature courtoise et fabliaux bourgeois ; de présumer l'existence d'une religion populaire plus ou moins secrète, parallèle à la religion officielle, et qui expliquerait l'art obscène des églises ; de parler de résurgences païennes et de survivances inexplicables de cultes antiques. Littératures courtoises et bourgeoises ont cependant les mêmes publics, parfois les mêmes auteurs, et sont conservées dans les mêmes manuscrits. De volumineux phallus, des femmes aux vagins proéminents, des couples enlacés envahissent les chapiteaux des églises, les miséricordes des stalles, les miniatures des livres d'heure, suffisamment évidents pour qu'on ne puisse les attribuer à des pratiques occultes. Nous sommes en fait dans un système de pudeur peut-être plus complexe, mais plus cohérent que le nôtre. C'est cette pudeur qu'il faut à présent analyser, après les valeurs de la chair et de la nudité.

La pudeur médiévale est avant tout dynamique. Liée à une prise de conscience de la nudité, elle dépend du regard — regard de l'autre et parfois de soi-même. Le nu en soi n'est pas impudique. Il le devient lorsqu'il est montré ou dévoilé. Le mouvement prend ici toute son importance. Mouvement réel, lorsqu'un loup-garou refuse de se rhabiller sous le regard des hommes. Mouvement figé lorsqu'une femme est condamnée à porter la pierre en sa chemise, dans un geste de retroussement permanent. Mouvement conceptuel lorsqu'on fait semblant, au théâtre, de déshabiller le Christ en insistant sur la nudité extrême qui ne sera jamais représentée. La crucifixion s'oppose ici au baptême : nudité statique du Christ dans le Jourdain ; nudité dynamique sur la croix, où le voile noué autour de ses reins rappelle l'intervention de la Vierge et souligne la nudité antérieure du supplicié. L'opposition entre Christ vêtu et larrons nus introduit le même mouvement qui souligne l'indécence de la nudité imposée au Christ.

La pudeur a ensuite une dimension religieuse, qui s'oppose par sa structuration verticale à la pudeur sacrée de l'Antiquité. L'homme est nu, Dieu est habillé. Montrer les hommmes nus dans une église, c'est les montrer à leur place d'hommes. Dans les processions, l'homme déchaussé et en chemise (donc nu) marquera la distance qui le sépare de la majesté divine. Et l'indignation du Christ de Narbonne, au vie siècle, se fait par référence aux riches habits des hommes qui le regardent nu. Lorsque les prédicateurs du xive siècle s'élèveront contre les seins découverts des femmes, ils ne ressortissent pas à cette pudeur sacrée qui interdit aux prêtres antiques et aux abbés du Grand Siècle les nudités dans leur temple. Religieuse encore, la pudeur qui interdira aux hommes en robe courte de faire la lecture à l'église, et qui recommandera aux prêtres et aux magistrats de conserver la robe longue lorsque la mode aura raccourci les tuniques.

Si une pudeur morale, enfin, apparaît déjà à cette époque, elle est alors liée à un acte et non à un regard. La pudeur morale est essentiellement statique ; elle s'attache à la nudité en soi, et non à la chair dévoilée ou désignée. La notion d'acte virtuel rétablit donc l'aspect dynamique de la pudeur médiévale. Un sein nu, par exemple, n'est pas choquant *en soi* : mais au yeux des prédicateurs, il suppose l'adultère. Les deux sexes mêlés dans des étuves communes éveillent la luxure ; des hommes en habits féminins ne peuvent être qu'efféminés. La hantise de l'acte deviendra au xvie siècle la hantise du regard de l'autre. La pudeur morale s'en prendra alors à la nudité publique. Au xviie siècle, la nudité privée sera condamnée par référence au regard de Dieu, abstraction suprême de l'autre. Au xixe siècle, la pudeur se désacralise et l'on craint son propre regard. C'est ainsi qu'est née la pudeur morale actuelle, fondée sur la nudité statique, sans distinction de lieu, de condition sociale ou d'élévation spirituelle.

Une évolution dans la perception du nu s'ébauche au xiiie siècle dans le sillage de la renaissance aristotélicienne. Une évolution interne, qui ne met pas en péril le système de la pudeur religieuse, mais qui l'infléchit. L'impureté de la chair, le dégoût de la sexualité, la hantise de la femme tendent à s'estomper. La courtoisie fait de la femme tentatrice une maîtresse désirée. L'art abandonne l'idéalisme platonicien et se soucie davantage de réalisme, sans pour autant renier le symbolisme roman.

Le corps est à nouveau envisagé, tant dans l'art que dans la vie. Dans la sculpture, les poitrines féminines se raffermissent. Les dessins de Villard de Honnecourt, les reliefs de la cathédrale de Bourges supposent le recours à des modèles nus et trahissent le souci d'une observation directe de la chair et des muscles au travail. Les canons antiques ne suffisent plus. La médecine, à la même époque, retrouve les dissections de cadavres, et la connaissance du corps humain ne dépend plus des hasards d'une autopsie. Dans la vie quotidienne, la mode prend en compte les nouveaux canons esthétiques, que ce soit pour dévoiler les seins ou pour les modeler par des bandes pectorales. Au nom de la Nature, les discours de Raison, dans le *Roman de la Rose*, réhabilitent les mots considérés comme grossiers.

La pudeur doit s'adapter à cette nouvelle conception de la nudité. La chair dévoilée reste tentation, mais la tentation, édulcorée en désir, n'est plus péché, mais vertu. Jean de Meung apprend à la femme à découvrir sa gorge pour séduire son mari, à retrouver son amant aux étuves. Fait unique dans l'histoire de la civilisation française : la femme et son corps sont au centre des discours. On se préoccupe de sa poitrine, mais aussi de son plaisir, que l'on croit nécessaire à la conception. Celle qui naguère était l'alliée du diable — le démon prend l'apparence d'une femme parce que les similitudes s'attirent, disait Bède — devient l'image terrestre de la Vierge — qui, de son côté, peut éveiller le désir d'un moine trop zélé. L'œuvre de chair, la conception, ne sont plus obstacles à la sainteté. Pour Jean de Meung, la seule sainteté réside dans la procréation : il souhaiterait que le paradis ne fût accessible qu'aux hommes qui ont une descendance.

Malgré les contradictions que cette nouvelle conception introduit dans le système de la pudeur romane, la structure en reste intacte. D'abord parce que la redécouverte du corps est progressive et limitée. Si la poitrine de la femme est exaltée, le bas du corps reste le domaine des « ordures » à cacher sous les robes à longues traînes. Ensuite parce que l'observation réaliste du corps dans les arts plastiques ne concerne que le modelé anatomique et n'affecte pas la signification symbolique. Le *Jugement Dernier* de Bourges a beau sembler révolutionnaire par la précision du rendu musculaire, il maintient l'opposition entre damnés nus et élus vêtus. Les christs ont beau servir de prétexte à des études anatomiques de plus en plus complètes, ils incarnent toujours la souffrance de la chair nue.

On aurait pu, dans l'élan de cette évolution interne, voir naître un nouveau système de pudeur, moins soumis à l'imagerie religieuse. Il sera malheureusement étouffé dans l'œuf dès les XIVe-XVe siècles. D'une part, les épidémies de peste et la guerre de Cent Ans sembleront condamner la libéralisation des mœurs. Les prédicateurs ne manquent pas d'invoquer la colère divine pour expliquer les défaites françaises et les amoncellements de cadavres orienteront la découverte de la chair vers l'exploration morbide du corps putréfié et du « transi ». D'autre part, la Renaissance importée d'Italie apporte une nouvelle conception de la nudité, une vision de la chair qui heurte de front la symbolique médiévale et entraîne une réaction radicale des autorités religieuses. Dans le heurt de deux civilisations se définit une nouvelle pudeur.

La pudeur conventionnelle

La nudité, à la Renaissance, a son porte-drapeau : le *David* de Michel-Ange, incarnation d'un homme nouveau, qui servira de référence aux artistes de toute une génération. Sa signification est double. La chair ici cesse d'être souffrance, et devient énergie, force paisible, assurance de la victoire. En même temps, cette glorification nouvelle de la nudité s'effectue par référence à un mythe antique — chrétien, dans le cas de David, païen pour les Neptune, Persée, Diane ou Vénus. On ne peut donc parler de Renaissance, mais plutôt de résurrection. Le nu peint ou statufié ne renvoie pas à une réalité quotidienne, comme c'était le cas dans la statuaire grecque, mais à un modèle antique ressuscité. Les contemporains qui se feront représenter nus auront eux aussi recours à ce prétexte mythologique. Les planches des livres de médecine même représenteront l'homme statufié, marmorisé. L'indécence est désamorcée par la référence à un art vieux de vingt siècles.

Le peuple d'ailleurs reste réticent devant cet art qu'il comprend mal. Le second degré lui échappe : la nudité sans le prétexte de l'imitation antique le scandalise. Le *David* est ceinturé de feuilles en 1504. La distorsion entre l'art et la vie quotidienne revêtira un moment cet aspect social : la pudeur populaire naît en réaction à la nudité représentée ; la pudeur aristocratique, en réaction à la nudité vécue. C'est à partir de la divergence des deux types de nudité, dont on prend pour la première fois conscience, que la notion de pudeur — et le mot — peut se définir.

Dans la vie donc, la nudité n'est plus à l'honneur... du moins en ce qui concerne les femmes, premières concernées par cette restauration de la pudeur. Si l'on a pu prétendre le Moyen Age misogyne — du moins dans un premier stade —, la Renaissance est fondamentalement phallocrate. Elle invente simultanément la braguette proéminente, qui met en valeur le sexe masculin, et le caleçon, qui cache celui de la femme. La valorisation de la chair dans l'art ne concerne que l'homme ; la femme désormais est asexuée dans sa représentation.

Une comparaison éloquente à ce propos : celle de Montaigne et de Jean de Meung. Tous deux s'entendent pour dénoncer l'hypocrisie d'un langage trop imagé, et pour placer la conception en tête de leurs réflexions sur l'amour. Mais alors que Jean de Meung, au XIIIe siècle, voit dans la nudité féminine une incitation à l'amour, Montaigne croit qu'elle « refroidit l'ardeur sexuelle ». Dans sa conception très moderne d'une femme qui séduit plus par ce qu'elle cache que par ce qu'elle montre, il témoigne de l'évolution des mentalités à une époque où la nudité sort peu à peu du décor quotidien.

Le même retournement affecte le plaisir féminin, jadis vanté et jugé nécessaire à la conception, et qui désormais effraie ou dégoûte. Pour Montaigne, il empêche la fécondation. Pour

Brantôme, chez une jeune mariée, il témoigne d'une expérience sexuelle inadmissible[8]. La supériorité masculine se traduit jusque dans la matière séminale : la semence « fade, dégoûtante et un peu austère » de la femme s'oppose à l'« écume de notre meilleur sang », à l'« abrégé de notre âme et de notre corps » qu'est le sperme masculin[9]. Il faudra attendre la fin du xviie siècle pour que l'on reconnaisse à la femme, jusqu'alors considérée comme un simple réceptacle de la semence, un rôle actif dans la génération.

C'est dans ce contexte que naît au xvie siècle une pudeur féminine dont le Moyen Age n'a eu que sporadiquement conscience[10]. Ce retournement de l'image de la femme ne va pas sans certains flottements. Ambroise Paré, par exemple, hésite encore entre l'image de la femme tentatrice, qui désire le mâle « pour la délectation et non seulement pour l'espèce » (ch. III) et celle de la femme soumise au désir masculin (ch. IV). Petit à petit va se former l'image de la femme « chaude », au désir rentré, comme les organes sexuels, qui ne sont pas constamment « éventés » comme ceux des hommes[11]. Sur cette base sexuelle de la pudeur féminine s'établira au xixe siècle la théorie de l'hystérie.

Cette impossibilité de se débarrasser du désir féminin, même en le cachant, donne son originalité à la Renaissance. Il y a fusion de deux cadres de pensée, l'un calqué de l'Antiquité, l'autre hérité du Moyen Age. La valorisation de la chair est d'origine hellénistique ; le désir qui y reste attaché est judéo-chrétien. Ce n'est pas l'énergie physique, l'effort musculaire, qui est exalté par l'art du xvie siècle, mais le désir sexuel. Désir à l'état pur, sculpté par Cellini ou Michel-Ange, qui avouent leurs rappports avec leurs modèles, féminins ou masculins. Désir que le spectateur admet ressentir devant la toile peinte — on ignore encore les théories de la nudité artistique.

La pudeur correspondant à cette nouvelle conception de la nudité est conventionnelle : elle ne s'appuie plus sur la nudité ou la sexualité en soi, mais demande qu'elles soient transposées, transcendées par une convention artistique. Si les cadres de pensée se transforment, les mentalités mettent plus de temps à s'adapter. La nudité, pour l'homme du xvie siècle, reste confusément liée à la vulnérabilité de la chair. Mais il n'accepte plus sa faiblesse essentielle : il ne montre son corps que magnifié, purifié par l'art. Dans la vie quotidienne, il commence à le cacher.

On voit combien ces attitudes, différentes sinon contradictoires, ne parviennent plus à former un système cohérent. Une technique venue d'un autre temps, un mode de vie (« l'amour italien ») venu d'un autre pays, entrent en conflit avec une mentalité tenace. Plusieurs conceptions du nu cohabitent. A celle de la cour (le nu antique), à celle de l'artiste (le nu désir), il faudrait ajouter celles du peuple, des protestants, des dévots de la Contre-Réforme, également hostiles à la licence nouvelle. Le bouillonnement de la jeune Renaissance ne durera qu'une génération. Après 1540, une réaction brutale imposera une pudeur stricte dans tous les domaines.

Nous l'avons croisée à tous les chapitres, cette pudibonderie subite du xvie siècle, sur laquelle on n'insiste pas souvent. Premiers édits sur la décence dans les bains de rivière (1541). Interdiction de la prostitution (1560). Fermeture des étuves. Suppression des entrées royales. Interdiction de la confrérie de la Passion (1548). Querelles autour du *Jugement dernier* de Michel-Ange (1543). La pudeur se donne de nouvelles armes. 1543 : premier Index des livres condamnés. 1542 : rétablissement de l'Inquisition. 1540 : fondation de la compagnie de Jésus. 1545 : ouverture du concile de Trente... La médecine elle-même rhabille ses planches anatomiques après 1550...

De ces courants contradictoires et de la réaction brutale qu'ils suscitent naît une réflexion théorique sur la nudité et sur l'art. On distingue désormais art profane et art sacré. La nudité, raisonnée, traquée, perd nécessairement son caractère global. A partir du moment où il faut définir les parties indécentes du corps humain, la nudité cesse d'être une idée et se résume au sexe. Il suffit de « reculotter » les peintures, de châtrer les statues pour être en règle avec la pudeur. Cette loi de la concession, qui concentre au maximum l'objet du délit parce qu'il n'est plus possible de tout condamner en bloc, va devenir la seule règle de la pudeur, parce que c'est la seule qui puisse entrer dans un code pénal. Elle influence inconsciemment jusqu'à la façon de peindre (de dos plutôt que de face) ou le choix de modèles anatomiques (féminins plutôt que masculins). Surtout, elle porte en elle sa propre condamnation. La pudeur concrétisée voit son domaine s'étrécir comme une peau de chagrin, jusqu'à l'étoile posée au bout des aréoles ou le célèbre minimum de Saint-Tropez. Elle n'est plus qu'une limite toute symbolique qui tôt ou tard sera franchie.

Les conséquences de ces interdits sont prévisibles. Dès que l'on a voilé la nudité des tableaux ; dès qu'on a expurgé la langue de ses mots grossiers, l'érotisme naît dans l'art comme dans la littérature. L'interdit engendre la transgression. L'Arétin illustré circule sous le manteau à la cour d'Henri III. Les mots obscènes bannis des sermons d'un Maillard ou d'un Menot se rassemblent dans les folâtries de Ronsard. On tolère plus ou moins ces abcès de fixation qui permettent d'assainir les arts. D'autres soupapes de sécurité apparaissent, comme la confession auriculaire, de plus en plus détaillée, qui oblige à cette mise en discours du sexe analysée par Foucault.

Dans ce bouillon de sorcière d'où émerge la pudeur moderne, le retour à l'Antiquité est un élément essentiel, mais non unique. Il faut aussi faire la part de la découverte de l'Amérique, qui entraîne une remise en cause beaucoup plus profonde des mentalités. Son influence cependant sera plus lente. L'existence de « sauvages » qui ne connaissent pas une pudeur prétendument naturelle n'est révélée que lentement et dans des cercles restreints. Ce n'est qu'au xvIII\ siècle que les philosophes la prendront en considération et accepteront de redéfinir les principes de base de la pudeur. Montaigne fait figure d'exception quand il perçoit à la lumière des grandes découvertes la relativité de la pensée occidentale.

La pudeur sociale du xvII\ siècle

Le xvII\ siècle porte en lui toutes les contradictions du xvI\, mais rationalisées — ce qui est un moyen de les surmonter. Ce sera le rôle de l'étiquette, qui réglemente la pudeur à la cour ; de l'académisme, qui désamorce la nudité artistique ; de la préciosité et du baroque, qui se partagent les mots nobles ou vulgaires. C'est ainsi que va naître un nouveau système de pudeur, artificiel dans la mesure où il ne s'applique véritablement qu'à la cour et dans les salons parisiens, mais stable et cohérent. Pour l'imposer, manuels de savoir-vivre et lois de la galanterie se multiplient, tandis que Desgranges, maître des cérémonies de Louis XIV, fournit avec son registre une jurisprudence des bons usages.

La première moitié du siècle, jusqu'à l'émancipation de Louis XIV, sera une période de construction. Elle est dominée par la personnalité de Louis XIII, surnommé Louis le Chaste (1610-1643), par l'influence de l'Hôtel de Rambouillet (1620-1655) et par la naissance du jansénisme (1640), à la morale plus intransigeante.

L'extrême pudeur que l'on a pu reprocher à Louis XIII tient essentiellement à son éducation, dont le journal d'Héroard nous fournit un compte rendu quotidien. Autant que le laxisme gascon de la cour d'Henri IV, il faut incriminer les contradictions qui ne pouvaient manquer de désorienter un dauphin timide de nature. Comment pourrait-il comprendre qu'on l'encourage, dans sa prime enfance, à montrer sa « guillery » à tout venant et qu'on lui reproche, quand il a six ans, de continuer ces pratiques exhibitionnistes, en le menaçant de couper ce qu'il expose complaisamment ? A sept ans, le dauphin prononce déjà un sermon (non conservé) sur « les hommes qui couchent avec les femmes ». Quand il sera roi, à neuf ans, il règlera à sa manière ces contradictions. L'année même où il monte sur le trône, il se fâche parce qu'il y a trop de monde à son coucher, interdit les chansons gaillardes de la cour de son père, et boude ceux qui osent dire devant lui « des saletés et des vilainies ». M. d'Aiguillon, le marquis d'Ancre, M. de Longueville, le prince de Condé, parmi les plus grands gentilshommes de la cour, s'en feront reprendre publiquement[12].

Celui que l'on commence à surnommer tout bas, d'après un vers d'Horace, *Venator tenerae conjugis immemor* (le chasseur oublieux de sa tendre épouse), impose à sa cour une vertu à laquelle elle n'était plus habituée. Plus par timidité que par véritable dévotion, apparemment : ce roi qui n'approche qu'à contrecœur de sa propre femme tient à assister à la nuit de noces de sa sœur, Mlle de Vendôme, avec le duc d'Elbeuf[13]. Peu importe l'origine de ces scrupules maladifs du roi : à chaque chapitre, nous les avons rencontrés, et nous avons vu la cour surveiller peu à peu son langage, sa toilette ou sa vessie. La reine Anne d'Autriche regrettait, elle aussi, l'éducation déséquilibrée du roi : elle assurait que « si jamais Dieu lui faisoit la grâce d'avoir des enfants, elle les feroit bien élever d'une autre manière qu'il ne l'avoit été[14] ». Ce qui fut dit fut fait : c'est à la seconde génération que la pudeur devient naturelle à la cour.

Les salons parisiens et les précieuses qui les fréquentent soutiennent l'effort du roi. Toutes bien sûr n'ont pas le ridicule des Cathos et Madelon de Molière, et l'on sait qu'il n'est pas possible de distinguer aussi nettement que l'ont fait les historiens de la littérature préciosité et baroque. Les grands auteurs baroques, Cyrano de Bergerac ou Charles Sorel, fréquentaient les salons précieux, ce qui ne les empêchait pas d'employer dans leurs romans les mots que l'on condamnait dans la bonne société parisienne. Les femmes elles-mêmes n'endossaient pas toujours la pudeur censée leur être naturelle. Mme de Rohan recevait chez elle « sept ou huict godelureaux tout desbraillez ; car ces hommes estoient presque en chemise, de la manière qu'ils estoient vestuz », et leur laissait prendre « toutes les libertez imaginables[15] ». Christine de Suède, correspondante des précieuses sous le nom de Clorinde, avait le langage cru et les manières franches qu'on lui connaît. Mme de Sévigné, dont les bons mots étaient parfois lestes — « je sauvois son burlesque sous le nom de gaieté », disait son cousin[16] — devenait elle aussi précieuse sous le nom de Sophronie...

Il n'est pas douteux cependant que les salons, et surtout celui de Mme de Rambouillet, ont contribué à long terme à purifier les mœurs de l'aristocratie parisienne. C'est là que Sorel conçoit ses *Lois de galanterie*, que l'on discute de la bienséance au théâtre, que l'on s'offusque des bains nus dans la Seine — ou, dans les cas extrêmes, que l'on s'interroge sur la décence du mariage.

Sous l'effort conjugué des salons et de la cour va se constituer un nouveau système de la pudeur, qui trouvera sa plus parfaite expression dans le traité de civilité de Courtin (1671), et qui restera valable jusqu'à la Révolution. On retrouve dans la pudeur sociale du XVIIᵉ siècle la même structuration verticale que dans la pudeur religieuse du Moyen Age, ou dans la composante sociale de la pudeur antique. Mais alors que la pudeur, précédemment, augmentait à mesure que l'on gravissait l'échelle sociale ou spirituelle, c'est l'inverse qui se passe au XVIIᵉ siècle. Tout en haut, il y a le roi, dispensé des règles de pudeur. Il peut se montrer nu, recevoir sur sa chaise percée ou changer de chemise dans une chambre remplie de gentilshommes sans offenser qui que ce soit. Grandes dames et grands seigneurs peuvent eux aussi recevoir leurs inférieurs dans leur bain ou sur leur chaise. Mais c'est pour eux un honneur que de voir le roi dans son intimité, un honneur qu'ils achètent avec leur charge ou qui leur est octroyé par un « brevet d'affaires ».

Le gentilhomme de petite noblesse, et plus encore le bourgeois, sont en revanche soumis à une extrême pudeur, en tout cas vis-à-vis de leurs supérieurs. Interdiction de laisser apparaître un bout de peau sous un pourpoint mal boutonné. Interdiction, si l'on partage la chambre d'un grand, de se déshabiller devant lui. La nudité, alors, devient une arme pour imposer un respect auquel on n'a pas droit. L'abbé de Vermond, d'origine bourgeoise, reçoit ministres et évêques dans son bain ; le marquis de Watteville reçoit sur sa selle d'aisance le maréchal de Force, et M. de Guise tente de se faire donner la chemise par l'abbé de Retz... La règle générale, clairement formulée par Courtin, énonce que « la bienséance ne souffre pas qu'une personne que nous devons respecter nous voie nus et en déshabillé ».

Tout en dessous de l'échelle sociale, enfin, il y a les valets, qui ne comptent pas plus que des objets. L'aventure de Longchamp, laquais de Mme du Châtelet, est significative à cet égard. Elle l'est plus encore si on la compare à ce qui se passait auparavant et ce qui se passera au xixe siècle. Au xvie siècle, Brantôme raconte la réaction d'une dame qui, se faisant chausser par son valet, lui demande s'il n'entre pas « en ruth, tentation et concupiscence » de voir sa jambe nue : le valet crut bon de répondre non, par respect pour la pudeur de sa maîtresse, qui le prit mal, le souffleta et le chassa[17]. On compte bien, alors, que les serviteurs soient un peu plus que des meubles animés, ou des « nécessaires », pour reprendre le terme des Précieuses de Molière. Au xixe siècle, par contre, il faudra tenir compte de la pudeur de ses domestiques. Mme Celnart conseille de porter une chemise fermée dans le haut par un cordon, « car autrement vous ne pourriez guère vous faire lacer sans indécence[18] ». La comtesse de Bradi est plus explicite : « N'exigez de lui [votre domestique] aucun service qui répugne à ses sens, à moins qu'il ne soit convaincu lui-même qu'une maladie vous oblige à l'employer ainsi contre votre gré. Ne vous faites pas déchausser, et soyez d'une décence scrupuleuse devant lui[19]. » Entre ces deux pôles, on comprend mieux la dimension sociale de la pudeur aux xviie et xviiie siècles.

A noter que dans les circonstances où l'on n'est pas astreint à la pudeur sociale, on peut — ou non — s'abriter derrière une pudeur personnelle. Philippe d'Orléans, devant ses courtisans, Mme du Châtelet, devant son serviteur Longchamp, étaient entièrement nus. Louis XIV, apparemment, prenait soin de passer son haut-de-chausse avant d'ôter sa chemise. Mais que l'on prenne ou non ses précautions, ce n'est jamais la situation qui est jugée impudique. Une dame recevant dans sa baignoire pourra rendre l'eau opaque en y versant des essences, elle ne songera pas à l'inconvenance de sa nudité publique : la pudeur est uniquement liée au regard. L'époque classique s'oppose en cela aussi bien au Moyen Age, où la nudité était perçue de façon globale, qu'au xixe siècle, où l'imagination joue bien plus que la vue dans l'offense à la pudeur. Un geste, le bruit d'une chasse d'eau, la présence d'une baignoire, même couverte, suffiront alors à suggérer la nudité interdite.

Le même principe vaut pour la pudeur artistique. Dans le sillage du xvie siècle, le xviie s'offusque de la vision d'un sein ou d'un sexe plus que de l'indécence d'une situation. Un christ qui oublie de souffrir sur la croix ne scandalise plus. Mais on repeint des draperies sur le sexe des enfants jésus, on mutile les statues, on brûle les tableaux. La pudeur du xviie siècle est surtout iconoclaste. Au théâtre, on invente le maillot, mais l'on ne songe pas à interdire les scènes mythologiques qui donnent l'occasion de représenter la nudité. Même réaction dans la peinture classique : les allégories déshabillées sont plus que jamais à la mode. Mais les contorsions des personnages ou les draperies maintenues par un vent opportun sauvent *in extremis* ce qui doit être sauvé. L'académisme s'inscrira dans cette dialectique hypocrite. Une chair figée dans une scrupuleuse étude anatomique reste décente. Mais la chair trop vivante d'un enfant du peuple, chez le Caravage, les pieds sales d'un saint, chez Rosa, et plus tard les chairs nacrées d'une courtisane, chez Boucher, évoqueront trop crûment une nudité réelle et feront scandale.

La conception sociale de la pudeur, enfin, donne une autre coloration à la pudeur féminine. Sans doute, la « modestie », comme on l'appelle alors, reste l'apanage des femmes. Jusqu'au xixe siècle, les hommes seuls se permettront de nager nus dans les rivières ou de déféquer dans les rues. Mais la pudeur féminine, qui ne s'est pas imposée sans heurts à certaines femmes au caractère bien trempé, est devenue naturelle au siècle de Louis XIV. Puisque les femmes, par essence, ne peuvent être soupçonnées d'indécence — sauf à perdre leur nature de femme, comme les prostituées —, il n'est plus bon de vouloir leur en remontrer sur ce sujet. Caractéristiques à cet égard les campagnes contre les décolletés trop profonds : la virulence des prédicateurs de la première moitié du xviie retombe subitement après 1670. L'abbé Boileau prendra soin de s'attaquer aux Flamandes dans son traité de 1675, tout en suggérant que certaines Parisiennes pourraient en prendre de la graine. Peintures et gravures nous apprennent cependant que les décolletés ne se sont pas assagis. Il ne le seront pas plus au xviiie siècle, et plus personne ne songera à s'en offenser. La première conséquence de la pudeur « naturellement féminine » aura été de mettre un terme à la phobie du sein.

En revanche, les hommes qui se veulent galants auront intérêt à surveiller leur tenue. La femme est — toujours par nature — socialement supérieure à l'homme (à rang égal dans la hiérarchie aristocratique, bien sûr). Se montrer nu devant elle (ou mal boutonné) est aussi grave que d'être débraillé en présence d'un grand. C'est ainsi qu'est née une pudeur masculine jusqu'alors inconnue ou exceptionnelle. On se moquait au xvie siècle de la pudicité de l'empereur Maximilien. Au XVIIᵉ, elle sera donnée en exemple. Les abus du « congrès » puis de la preuve de l'érection, qui épargnent la pudeur féminine au détriment de l'homme, contribuent largement à révéler l'existence d'une réticence masculine à se montrer nu. Cette pudeur masculine se développera petit à petit au cours du XVIIIᵉ siècle. Elle reste cependant rare... et invraisemblable.

Ainsi la pudeur de M. de La Mart, capitaine de vaisseau qui préféra se laisser couler avec son navire naufragé plutôt que de se déshabiller pour se sauver à la nage. Il prétendait qu'il ne convenait pas à la décence de son état d'arriver à terre tout nu. L'anecdote plut à Bernardin de Saint-Pierre, qui l'intégra en 1787 à *Paul et Virginie*. « Le vrai peut quelquefois n'être pas vraisemblable », disait Boileau. Qui aurait cru qu'un homme ferait preuve d'une telle pudeur ? Dans le roman de Bernardin de Saint-Pierre, c'est Virginie qui meurt ainsi de n'avoir pas voulu se sauver nue. Et le marin « tout nu et nerveux comme Hercule » qui cherche vainement à la déshabiller de force ne fait qu'exacerber sa pudeur : « Le repoussant avec dignité, [elle] détourna de lui sa vue[20]. »

La fin du règne de Louis XIV connut une nouvelle vague de pudibonderie. Son mariage secret avec Mme de Maintenon, « prude dangereuse s'il en fut jamais », y fut sans doute pour beaucoup. Mais la personnalité de ses lieutenants de police, La Reynie et d'Argenson, contribua aussi largement à imposer les règles élémentaires de décence aux Parisiens. Les édits interdisant (vainement) les bains nus dans la Seine, la naissance de la censure théâtrale, la chasse aux libertins viennent autant de la cour que de la police ou des conseils discrets des confesseurs jésuites. La vertu est dans l'air. Chacun la respire. C'est à cette époque que les maladies sexuelles deviennent honteuses et que l'on commence à remplacer par des points de suspension les mots que l'on ne peut même plus épeler. Cette sclérose d'un système équilibré de la pudeur, due à un règne trop long, n'est qu'une parenthèse dans l'histoire des mentalités. Après la réaction de la Régence, un nouvel équilibre se rétablira. Quelques habitudes pourtant sont prises dont on ne pourra plus se débarrasser.

Le bon sauvage

Le XVIIIᵉ siècle s'ouvre sur la réaction de la Régence à la pruderie excessive de la cour du vieux Roi Soleil. Réaction tout aussi excessive, tissu d'orgies et de débauches, de fêtes d'Adam et de dîners des déesses, où l'on se donne à soi-même le spectacle de sa nudité. Triste pays, disait le Régent lui-même, gouverné par un ivrogne (lui), une putain (sa maîtresse, Mlle de Parabère), un maquereau (l'abbé Dubois) et un voleur (Law). Ces débauches ne concernent pas directement l'histoire de la pudeur. Elles restent circonscrites dans les hautes sphères de la société et n'auront guère d'influence sur l'évolution des mœurs. « Le vice, protégé en quelque sorte par son excès même, estime Chamfort, trouvait dans l'incrédulité publique un asile contre le mépris et l'horreur qu'il aurait inspiré[21]. »

Peut-être est-ce accorder trop de crédit à la naïveté « populaire »... On commence en effet à opposer les débauches aristocratiques à la vertu populaire — c'est-à-dire bourgeoise. L'art moralisateur et domestique (Chardin, Greuze...) incarne l'idéal bourgeois et ravit un Diderot, tandis que l'art de cour (Boucher, Fragonard...) s'égare dans des scènes galantes qui scandalisent le vertueux encyclopédiste... Au théâtre, tandis que les parades poissardes ravissent les salons huppés, le tiers-état court aux comédies larmoyantes et aux drames bourgeois qui exaltent la vertu, le famille, la noblesse de l'âme. Disposition naturelle ou nécessité sociale ? « Il faut beaucoup de courage et de vertu dans une petite bourgeoise, pour qu'elle n'envie pas secrètement l'opulence et l'éclat de telle courtisane, qu'elle voit parée et dans l'abondance. Il n'y a pas de vertu sans combat. La petite bourgeoise qui combat et triomphe mérite l'estime publique. Aussi en sont-elles réellement plus jalouses dans ce rang que dans tout autre[22]. » Analyse symptomatique, à la veille de la Révolution française... La vertu a changé de camp. Comme dans l'*Escurial* de Ghelderode, le roi et son bouffon ont échangé leurs couronnes ; comme dans la pièce, le meurtre du roi est contenu dans l'abdication préalable de ses attributs royaux.

La tendance générale du xviiie siècle est donc à une pudeur de plus en plus scrupuleuse. Dans les arts, c'est l'époque des feuilles de vigne que Marie Leszczynska fait rajouter aux statues des Tuileries, des caleçons imposés aux danseuses ; dans la vie quotidienne, c'est l'époque des chemises conjugales et des pantalons. En même temps, au nom de la raison, d'autres domaines de la pudibonderie sont abandonnés : les accoucheurs supplantent progressivement les sages-femmes, les costumes de théâtre ne sacrifient plus la vraisemblance à la pudeur, et pour ne pas être accusé de pruderie, Voltaire accepte d'être statufié nu. On retrouve ici cette loi d'équilibre qui se vérifie à chaque époque : ce que la pudeur semble perdre d'un côté est regagné de l'autre ; l'étrécissement des robes de scène ne pouvait se faire sans imposer le caleçon aux danseuses, vêtement qui à son tour engendrera d'autres abus de pudibonderie...

Dans la vague de vertu bourgeoise qui déferle sur Paris, les abcès de fixation, refuges clos d'une débauche qui n'a plus bonne presse, prennent une nouvelle importance. La littérature érotique, les gravures obscènes, les maisons closes prennent une extension inattendue. Depuis les attaques de l'abbé Boileau contre la discipline monastique, le fouet a rejoint les pratiques secrètes de l'*Ars erotica*. Sade est le fruit symbolique de cette passion d'un siècle pour la vertu.

Rationalisés à leur tour, ces abcès de fixation engendreront des œuvres comme le *Pornographe*, où Rétif de la Bretonne tente de préserver la vertu en cristallisant le vice dans un lieu écarté où il ne risque pas de contaminer les âmes pures. La notion de privé et de public, qui sera codifiée par la Révolution, apparaît à cette époque. Gruer, le directeur de l'Opéra, limogé pour avoir organisé une représentation trop intime, n'aurait encouru aucune sanction si un rideau malencontreusement écarté n'avait rendu publique la danse indécente de ses pensionnaires. Nous voyons s'ébaucher ici une des phases capitales de l'évolution de la pudeur, sur laquelle il faudra revenir plus longuement au XIXᵉ siècle. Les mémoralistes du temps en ont eu conscience en faisant remonter à la Régence l'apparition de « l'opinion publique ». Selon Barbier, l'origine en aurait été le testament de Louis XIV, qui ne donnait à Philippe d'Orléans que la présidence d'un Conseil de régence sans lequel il n'aurait rien pu décider. Le testament cassé, le Régent n'en fut pas moins responsable de ses actes devant le Parlement, qui obtient le droit de remontrance. « Quels discours n'essuie-t-on pas quand on doit répondre de ses actions à tout un peuple », soupire Barbier. Les conséquences, capitales pour la politique du XVIIIᵉ siècle, concernent aussi l'évolution des mentalités.

Parallèlement à cette double dialectique vice-vertu, public-privé, une autre réflexion va se développer sur la pudeur et le mythe de la nudité. Les voyages planétaires n'avaient pas affecté outre mesure, jusque-là, les théories de la pudeur naturelle. Au XVIIᵉ siècle, on se contentait d'invoquer les sempiternels témoignages de Pline et de Cicéron, quitte à les expliquer par des raisonnements qui semblent aujourd'hui bien spécieux. A la puberté, explique Venette (p. 16), « la Nature met un voile sur les parties naturelles de l'un et l'autre sexe, pour leur marquer que l'honnesteté et la Pudeur y doivent établir leur principal domicile ».

Lorsque la multiplication des voyages et la vulgarisation des récits d'exploration auront familiarisé la civilisation occidentale avec les sauvages heureux et nus, on ne pourra négliger longtemps cette contradiction flagrante avec la pudeur naturelle. Montesquieu aura beau suggérer que, dans ce cas, le législateur devra rétablir une loi naturelle contrariée par l'influence néfaste du climat, Diderot, Voltaire ou Rousseau en arriveront vite à définir la pudeur comme une convention sociale. Un Voltaire poussera la logique jusqu'au bout en acceptant de s'en affranchir. On sent Rousseau plus mal à l'aise. Il récuse l'opinion des philosophes pour qui la pudeur n'est qu'« une invention des lois sociales pour mettre à couvert les pères et les époux, et maintenir quelque ordre dans la famille[23] » ; mais il ne peut nier les sauvages nus. Il parle alors d'une pudeur naturelle à l'espèce, mais apprise aux enfants. Dans ces contradictions naît le mythe du « bon sauvage », qui donnera à la nudité un nouveau souffle. « La pudeur ne naît qu'avec la connaissance du mal : et comment les enfants, qui n'ont ni ne doivent avoir cette connaissance, auraient-ils le sentiment qui en est l'effet ? Leur donner des leçons de pudeur et d'honnêteté, c'est leur apprendre qu'il y a des choses honteuses et déshonorantes, c'est leur donner un désir secret de connaître ces choses-là[24]. »

Puisque la nudité est naturelle et que la vertu doit être préservée, il faut dissocier la chair du péché, retrouver l'apudeur primitive. Un discours bien théorique et, à court terme, impossible à mettre en pratique ; l'apudeur n'est-elle pas liée à l'inconscience de sa nudité ? On ne perd pas la conscience, sauf à devenir fou. L'ange au glaive de feu veille à la porte du paradis perdu.

La tentation pourtant en a effleuré Rousseau. Il rêve du gymnaste antique, dont le nom est lié à la nudité : « L'homme de bien est un Athlète qui se plaît à combattre nu : Il méprise tous ces vils ornements qui gêneroient l'usage de ses forces, et dont la plus part n'ont été inventés que pour cacher quelque difformité[25]. »

La boucle est bouclée. L'apudeur utopique est historiquement celle de la Grèce antique, géographiquement celle des « bons sauvages » : les deux mythes fascineront le xviiie siècle déclinant. C'est en même temps la leçon de la Bible et le pari des vieilles hérésies adamites. L'union de ces trois références, la personnalité de Jean-Jacques et l'idéologie antiquisante de la Révolution française vont imposer durablement l'« apudeur » jusque-là limitée à des groupuscules sans audience. Musset soupirera lui aussi, dans un alexandrin hautement poétique, qu'« on est si bien tout nu dans une large chaise ». En 1836, un poète américain, Walt Whitman, ose le premier mettre en pratique la théorie et va vivre nu dans les forêts du Dakota... Le nudisme est né. Il ne s'étendra que lentement et restera jusqu'à ces dernières années circonscrit lui aussi dans des groupes restreints. A ce titre, il ne concerne plus l'histoire de la pudeur. Le vieux tabou chrétien de la chair pécheresse a résisté à ses attaques. Pourtant, quelque part au fond de nous, le bon sauvage du xviiie siècle continue à nous faire rêver d'innocence.

Dans le domaine de la pudeur comme en politique, la Révolution de 1789 n'a fait qu'entériner une évolution sensible depuis le début du siècle. La République doit être basée sur la vertu, avait montré Montesquieu. Et la vertu, le peuple (c'est-à-dire la bourgeoisie) la connaît ! Il ne reste plus qu'à la mettre en pratique. Un rapport du bureau central l'explique clairement : « Mœurs : il n'y en a plus ; il faut en créer de nouvelles. Faut-il un Dieu pour cela ? Non, il faut seulement des institutions sages et républicaines [...]. Les principes sur lesquels étaient basées les mœurs de nos pères sont détruits, ce qui ne serait pas un mal, si sur-le-champ on donnait une nouvelle base à nos mœurs nationales[26]. » Las, il faut bien constater que « les mœurs sont bien loin encore de la perfection nécessaire dans l'État républicain[27]. » Une phrase qui sent son Montesquieu à plein nez.

Caricaturée par Robespierre, la vertu monte au pouvoir. Elle n'a pas de mots assez forts pour stigmatiser l'Autrichienne, cette

Marie-Antoinette à laquelle on prête les mœurs les plus dissolues et une foule d'amants — que n'a-t-on des maîtresses à reprocher à Louis XVI, qui vit « presque bourgeoisement » et a osé dire à son intendant des Menus Plaisirs que les siens étaient à se promener dans le parc[28] !

La vertu entend se donner des armes. La Révolution commence par légaliser la pudeur. Dans l'élan du XVIIIe siècle, elle ne songe cependant qu'à celle des femmes ! « Ceux qui seraient prévenus d'avoir atteint publiquement aux mœurs, décrète-t-elle, par outrage à la pudeur des femmes, par actions déshonnêtes, par exposition ou vente d'images obscènes, d'avoir favorisé la débauche ou corrompu des jeunes gens de l'un et l'autre sexe, pourront être saisis sur-le-champ et conduits devant le juge de paix, lequel est autorisé à les faire retenir jusqu'à la prochaine audience de la police correctionnelle. » Ils risquent une amende de 50 à 500 livres et un emprisonnement qui ne peut excéder six mois s'il s'agit d'exposition d'images obscènes[29].

Texte capital, à la base de toute la législation actuelle sur l'attentat à la pudeur. La commission de police administrative, qui donne à la loi les moyens de se faire respecter, contient, parmi ses huit divisions, un service consacré aux « mœurs et opinions ». Les rapports mensuels qu'elle adresse au ministre de l'Intérieur permettent un repérage des déviances et un quadrillage des milieux marginaux. En 1796, elle sera remplacée par un bureau central qui assurera les mêmes services. La chasse au vice prend parfois des aspects inattendus. A côté des viols, des assassinats et de la prostitution qui prouvent le « débordement des mœurs », on comptabilise les suicides (douze suicides pour deux assassinats en fructidor de l'an VI, le rapport est significatif) toujours considérés comme des péchés mortels, ou les « ci-devant étrennes » que les « charretiers du nettoiement » (les éboueurs) continuent à demander !

L'évolution de cette pudeur officielle suivra celle de la Révolution. La période la plus sévère sera la Terreur de 1793, qui s'en prendra aux théâtres et aux revues jugés indécents. Par contrecoup, le Directoire commencera par être plus laxiste : robes transparentes et pantalons moulants, spectacles lestes et exhibitions rétabliront le parallèle entre libération du corps et libération politique. Les modes nouvelles trouvent dans leurs excès leur propre condamnation. La réprobation publique ramènera une plus juste mesure dans la mode et dans les spectacles. Sous l'Empire, la pudeur du XIXe siècle commence à fourbir ses armes.

La pudeur individuelle

S'il est une date pivot dans l'histoire des mentalités, c'est bien 1789. La France pourtant n'a pas tout d'un coup viré sa cuti en prenant la Bastille. Malgré le génocide aristocratique de la guillotine, il n'y a pas de déséquilibre brutal entre les classes sociales, et le rapport numérique entre aristocratie, bourgeoisie et petit peuple n'a pas été irrémédiablement réduit. La Révolution est plutôt de l'ordre de la prise de conscience : la légitimité a changé de mains. Le bourgeois n'a plus tenté de mimer la noblesse et s'est rendu compte que ses propres valeurs pouvaient constituer un nouveau système de référence. Ne nous attendons donc pas à voir apparaître d'autres idées au xixe siècle, mais à y voir triompher des façons de penser minoritaires un siècle plus tôt.

La pudeur, liée à l'intimité et à la vie privée, a ainsi pu prendre ses aises dans un cadre de vie conçu pour elle. L'espace privé est désormais nettement circonscrit. Dans le château ou l'hôtel aristocratique, il suffisait d'ouvrir une porte — rarement fermée à clé : Voltaire surprenait Mme du Châtelet dans les bras de son amant, Gombauld trouvait Marie de Médicis troussée sur son lit. L'appartement bourgeois distingue mieux les pièces privées des pièces publiques. Les femmes ont des salons ou des boudoirs : elles ne reçoivent plus dans leur lit. La salle de bains devient fixe : plus de réceptions dans sa baignoire ou sur sa chaise percée. La spécialisation des pièces est née dans une classe qui, depuis six siècles, a plus l'habitude de rendre visite que de recevoir.

Ainsi s'officialise cette mise entre parenthèses de la nudité que nous avions vue s'ébaucher dans les cercles libertins du xviiie siècle. Les noyaux de plaisir, qui ne pouvaient être donnés en exemple par la morale, deviennent des noyaux de vertu. Les notions de vie privée et de vie publique apparaissent à partir du moment où chacune a son territoire distinct. La fenêtre, point de tangence entre elles, prend toute son importance. « Ne vous montrez point aux fenêtres, recommande la comtesse de Bradi, en robe de chambre, en pantoufles, ni le col de votre chemise ouvert. Bien moins encore si vous étiez à côté d'une femme, fût-ce votre sœur. On doit même au public des rues une sorte de respect qui attire le sien[30]. »

La morale — et la pudeur — doivent tenir compte de cette nouvelle répartition de l'espace. L'idée s'impose que l'on peut pratiquement tout faire en privé. La morale sexuelle, qui jusqu'alors tentait de gouverner la vie privée, en est profondément bouleversée. « Si, à l'origine, les limites qui séparent le péché du délit ne furent pas nettement marquées, la loi punissant la seule luxure avec une extrême sévérité, une réaction contre cet envahissement de la loi dans le domaine de la morale individuelle, amorcée dans la seconde moitié du xviiie siècle et notamment en Allemagne et en France, aboutit au xixe siècle à séparer de plus en plus nettement les deux domaines, et les codes modernes ne s'intéressent plus aux actes constituant des vices selon la loi morale ou des péchés selon loi religieuse, lesquels ne relèvent que de la conscience. Il ne les répriment que si, par quelque autre circonstance, ils se révèlent socialement dangereux, par exemple s'ils sont commis publiquement, offensant la pudeur d'autrui, s'ils le sont avec violence, ou s'ils intéressent un mineur[31]. » La loi punissait jadis — et sévèrement — la luxure, l'inceste, la sodomie, l'homosexualité, la bestialité... Le confesseur entendait régenter la vie intime du couple, quand bien même elle respecterait les prescriptions de la morale sexuelle. Suivant le principe de saint Jérôme, *Adultor est, in suam uxorem amator ardentior* (adultère, celui qui aime trop sa femme), le directeur de conscience peut condamner des rapports trop fréquents ou trop voluptueux. A en croire Montaigne, on aurait même un exemple unique d'un mari condamné à ménager davantage sa femme légitime[32].

Rien de tel n'est plus possible avec le nouveau Code pénal. Il nous faut donc distinguer pour commencer une pudeur légale, qui punit essentiellement ce qui se voit, et une pudeur médicale, qui juge ce qui se fait.

L'instauration d'une pudeur légale moins stricte que sous l'Ancien Régime n'a pas été sans grincements de dents. Legouvé, en 1849, déplore toujours que la séduction et la corruption aient été pratiquement amnistiées par le législateur : séduire et abandonner une jeune fille consentante ne constitue en effet ni un outrage public à la pudeur, ni un viol[33].

Depuis le Code Napoléon de 1810, qui s'inspire fortement en la matière de la loi du 18 juillet 1791, le crime sexuel n'est puni que s'il est commis publiquement. Évolution significative, l'allusion à la pudeur des femmes dans la loi de 1791 est supprimée dans le code de 1810... Pour le reste, seul l'adultère reste punissable (jusqu'en 1975), même commis en privé. Dans le cas du viol, c'est la violence plus que le délit sexuel qui est condamné.

Seule exception de taille à ce respect de la vie privée : l'atteinte à la pudeur d'un enfant. Mise à part une vague allusion dans la loi de 1791 à la corruption des « jeunes gens de l'un et l'autre sexe », il s'agit d'une invention du xixe siècle. La loi, en ce domaine, s'est montrée de plus en plus stricte : elle protège les enfants de moins de onze ans en 1832, de moins de treize ans en 1863, de moins de quinze ans en 1945, de moins de vingt et un ans en cas de rapport homosexuels, avec aggravation des peines, jusqu'en 1982. Cette attention particulière à la sexualité de l'enfant est caractéristique de la république bourgeoise. Au culte des ancêtres de la noblesse, la bourgeoisie oppose celui de sa descendance. L'enfant n'est plus celui à qui l'on transmet son nom, mais l'héritier de sa fortune, de ses rêves et de ses ambitions, celui qui fera un beau mariage et qui sera pharmacien parce que papa ne l'était pas. Sous l'Ancien Régime, il voit sa mère le matin et le soir avant de disparaître avec son précepteur ou sa nourrice. La mère bourgeoise s'en occupe elle-même — et l'on reprochera même à l'impératrice Eugénie de s'occuper elle-même de son petit, « comme une mère du commun[34] ». Le xixe siècle se préoccupe d'éducation et d'instruction publique obligatoire. Il se penche aussi sur la sexualité enfantine, qu'il trouve de plus en plus précoce et qu'il entend sauvegarder jalousement[35]. Nous vivons encore largement sur cette conception, et les lettres d'indignation que l'on trouve tous les jours dans les journaux contre telle campagne d'affichage ou tel programme télévisé invoquent encore prioritairement les « jeunes cerveaux plus ou moins vulnérables à certains genres d'émission » ou les « consciences pas très formées, en particulier celles des jeunes ».

Lorsque la pudeur se constitue légalement, au début du xixe siècle, elle est encore fort théorique : il lui manque une jurisprudence qui dégrossisse et précise le Code pénal. Il faudra donc la détailler davantage au terme de son évolution, quand nous analyserons la pudeur au xxe siècle.

A côté du juge, le xixe siècle aura mis en place une autre autorité morale, dont les condamnations peuvent être plus sévères que celles des magistrats : le médecin, qui a pris la place du directeur de conscience pour tout ce qui concerne la vie privée. Son influence est allée croissant à partir de la seconde moitié du xviiie siècle, au fur et à mesure que la vague d'anticléricalisme a miné le crédit de l'Église. Caractéristique, à cet égard, la transformation des déviances sexuelles en maladies. Ce qui jadis était puni comme péché est désormais soigné. Le xixe siècle sera un grand créateur de termes scientifiques censés apprivoiser des comportements qui effrayent toujours autant les autorités civiles ou religieuses : zoophiles, zooérastes, mixoscopophiles, presbyophiles sont compartimentés dans des livres médicaux qui rassurent parce qu'ils déculpabilisent la perversion et donnent un espoir de guérison.

Tout aussi caractéristique, la prise en charge par le médecin du discours sur l'onanisme, qui faisait jadis partie des mystères du confessionnal. Les arguments ont changé, mais le ton est resté le même. Il ne s'agit plus de faire pleurer la Vierge ou de risquer la mort subite d'Onan, mais de devenir impuissant, sourd ou hystérique. Simon Tissot, un médecin lausannois, lancera le débat en 1760 avec sa *Dissertation sur les maladies produites par la masturbation*. Quant aux femmes souffrant de troubles sexuels, elles ne seront plus brûlées comme sorcières, mais enfermées comme hystériques. La nudité publique ne sera plus une preuve d'hérésie, mais de folie... L'hygiène est promue vertu cardinale, les décolletés trop profonds sont accusés de provoquer des bronchites et le pantalon féminin est censé prévenir les rhumatismes. Couronnement de cette pudeur médicale : le professeur Lasègue, en 1877, « découvre » l'exhibitionnisme pathologique.

Telles sont les nouvelles armes de la pudeur imposée. Mais la plus efficace reste encore l'autocensure. Le génie du xixe siècle aura été de susciter une pudeur individuelle, libérée du regard de l'autre, de la crainte du châtiment ou de la réprobation publique. On est nu à son propre regard. C'est soi-même que l'on offense en attentant à sa pudeur, même seul, même inconsciemment. Changer de chemise, prendre un bain, s'essuyer, se lever deviennent des opérations terribles. On a vu le luxe de précautions dont il faut s'entourer pour les mener à bien.

Cette pudeur individuelle n'est pas née à la Révolution par génération spontanée. On la trouve déjà formulée dans une lettre de saint Jérôme : « Une vierge adulte doit rougir d'elle-même et ne peut pas se voir nue », décrète-t-il, avant de reconnaître que tout le monde ne pense pas comme lui[36]. Erasme recommande lui aussi une « réserve décente » lorsque l'on est contraint de découvrir « les parties du corps que la pudeur naturelle fait cacher », même lorsqu'il n'y a aucun témoin : « Il n'y a pas d'endroit où ne soient les anges », explique-t-il[37]. Et Mathurin Cordier estime lui aussi qu'« il est fort honneste à un petit enfant de ne manier point ses parties honteuses, mesme quand la nécessité le requerra et qu'il sera seul, qu'avec honte et vergogne : car cela dénote grande pudicité et honnesteté[38] ». Recommandations de prêtres, souvent répétées, rarement respectées. Le chanoine Polman, l'abbé Boileau, le missionnaire jésuite de la *Civilité honneste* y souscrivent eux aussi. Ils ne sont pas plus convaincants.

Le ton change au xixe siècle. Il n'est plus besoin de prôner cette pudeur individuelle : il faut au contraire la réfréner pour empêcher qu'elle ne devienne nuisible ! Mme Celnart devra recommander aux femmes de s'essuyer les organes sexuels en sortant de leur bain, quitte à fermer les yeux ! L'hygiène devra livrer un rude combat contre ce malaise nouveau que l'on éprouve devant son propre corps. Une éducation religieuse pas plus stricte qu'une autre peut amener un homme comme Julien Green à ne se voir nu pour la première fois qu'à l'âge de dix-sept ans[39].

De toutes les pudeurs que nous avons rencontrées jusqu'ici, la pudeur individuelle est la plus absolue. Il n'est plus question de s'en affranchir en certaines circonstances, en certains endroits, dans une certaine condition sociale. Le nu est impudique, où qu'il soit. Une mère allaitant peut le devenir : « Ces femmes doivent avoir la prudence de se cacher, de peur d'être un sujet de scandale pour les autres, et surtout pour les jeunes gens[40]. » Tout au plus ne commet-on qu'un péché véniel en les regardant, et elles-mêmes ne pêchent-elles pas en voyant leur poitrine... Pudeur essentiellement statique, qui ne tient compte ni de la prise de conscience qui rend une nudité scandaleuse, ni du regard qui la sexualise. Ce n'est pas hasard si le naturisme, lié à une conception statique de l'apudeur, s'est développé parallèlement. Dans une conception relative et dynamique de la pudeur, pudeur et apudeur étaient complémentaires. En tâchant d'éliminer totalement cette dernière, la pudeur lui a donné l'occasion de s'affirmer indépendamment d'elle.

Si l'on se rappelle la conception classique de la pudeur sociale, on se rend compte que la pudeur individuelle est caractéristiquement bourgeoise. Le bourgeois n'a pas de titres de noblesse. Il porte sa dignité dans ses vêtements, signe extérieur de richesse (ô le symbolisme du *My tailor is rich* !). Voir le roi nu ne lui ôte pas ses quartiers de noblesse. Voir le bourgeois nu l'humilie. Le

ridicule commence à tuer. A la Révolution, le bourgeois a eu
besoin de sa pudeur pour s'affirmer devant la débauche
aristocratique ou la vulgarité populaire. Pudeur et revendication
sociale forment un très vieux couple : dans les premiers siècles,
les ordres monastiques se sont affirmés par une pudeur excessive ; au xii⁰ siècle, l'aristocratie s'est formée autour de la
pudeur courtoise ; au xix⁰ siècle, c'est au tour de la bourgeoisie,
en attendant que les classes populaires (actuellement les plus
pudiques) n'affirment elles aussi leur existence par ce biais.

A partir du moment où la pudeur, légalisée, médicalisée,
s'imposait de bas en haut de l'échelle sociale, elle a véhiculé une
condamnation morale plus que sociale. Elle a servi à distinguer
l'artiste, la demi-mondaine, les marginaux qui prétendaient s'en
affranchir et qui sont devenus les parias de la société bourgeoise.
La preuve ? Une réflexion précise sur la législation issue du Code
Napoléon l'apporte. Qui outrage-t-on en se montrant nu en
public ? Le spectateur, répondrait-on spontanément. Une telle
réponse sous-entendrait que les poursuites sont impossibles si
tous les spectateurs sont consentants (et notamment au cours
d'un spectacle érotique) — ce que toute la jurisprudence dément.
Il faut donc admettre que l'exhibitionniste ne commet pas un
crime contre le spectateur, mais contre lui-même : « Le siège de
la pudeur outragée est la personne de l'exhibitionniste, mais à
travers lui, c'est toute l'humanité dont il est le témoin qui est
atteinte, de même qu'une faute d'un chacun contre son honneur
est une faute contre l'Honneur, patrimoine commun de
l'Humanité[41]. » Attenter à sa propre pudeur, c'est renoncer à sa
qualité d'homme, comme jadis la prostituée en abdiquant sa
pudeur n'était plus digne d'être une femme.

Il y a une exception pourtant — de taille, parce qu'elle permet
toutes les hypocrisies — à cette pudeur absolue du xix⁰ siècle.
L'art est censé ne pas obéir à ses lois. L'équilibre que nous avons
trouvé à toutes les époques se rétablit par ce biais au xix⁰ siècle.
Et en même temps, cette pudeur dynamique qui permet, quelque
part, de rêver à l'innocence. L'innocence d'un tableau est avant
tout question de regard. Le manuel secret du confesseur
reconnaît que ce n'est péché de regarder un nu peint ou sculpté
que si l'on y met de la complaisance (p. 80). Et, techniquement, il
devient facile de transformer une œuvre scandaleuse en académie
anodine. Renoir en a fait l'expérience : « Comme on avait trouvé
mon tableau peu convenable, je mis un arc dans les mains du
modèle, et, à ses pieds, une biche. J'ajoutai une peau de bête,
pour cacher la nudité des chairs, et mon étude devint une
nymphe chasseresse[42]. » A l'inverse, il est très facile de transformer une scène mythologique en tableau érotique — revues
spécialisées et catalogues d'exposition l'on fait avant l'essor de la
photographie.

Cette apudeur artistique, aussi absolue, aussi excessive que la
pudibonderie de la vie quotidienne, ouvre une porte à la
sensibilité trop sanglée du xix⁰ siècle. Elle présente cependant

d'autres risques. Un esthète délicat comme Catulle Mendès, spécialiste du conte polisson inoffensif, en vient à mépriser une nudité qui ne soit pas rehaussée par l'art rédempteur. « Crains la nudité des corps, écrit-il, si tu ne sais pas la parer de ton rêve, ou la voir à travers la splendeur idéalisante du bandeau. Ô laideur des plus belles ! ombre des plus rayonnantes ! souillure des plus chastes ! macule des plus impollues ! Que tu es imparfaite, ô beauté humaine, même en ta perfection ! Et toujours une tare que tu caches en vain désespère l'adoration de tes dévots. Oui, la tare originelle toujours te déshonore. [...] Parenté abominable de la Vierge et de la Bête, hymen hypocrite, dans la vivante chair, de l'idéal avec l'ignoble. [...] Ose nier la réalité jamais égale à ta chimère, sache n'y pas croire, et la transfigurer, par ta foi dans ton propre idéal, par la volonté de ton désir[43]. »

A un an près, ce texte est contemporain des *Onze mille verges* d'Apollinaire. On comprend, en voyant à quels raffinements, mais aussi à quelles contradictions était arrivé l'érotisme du XIXe siècle, la réaction brutale d'une sexualité plus saine au début du XXe siècle.

« L'austère monarchie du sexe » (Foucault)

Replaçons-nous un moment dans l'atmosphère froufroutante de la Belle Époque. Une cheville bottée peut provoquer un infarctus — mais ces messieurs ont de petits miroirs au bout de leur canne au cas où ladite cheville tarde à se montrer[44]. Les yeux se contentent des formes généreuses mises en valeur par les corsets — mais l'abondance de fanfreluches et de lingeries intimes engendre le strip-tease, dont le succès est lié à la durée du déshabillage. Depuis 1789, la censure est supprimée, malgré quelques retours éphémères — mais les livres, qui ne sont plus soumis à un contrôle préalable, peuvent être attaqués en justice ; entre 1889 et 1897, on assiste à une vague de pudibonderie judiciaire ; des dessins sont lacérés par des agents dans les revues ensuite rendues aux marchands[45] ! Les nudités académiques s'étalent en toute innocence sur les toiles des peintres pompiers — mais lorsque Gustave Caillebotte, en 1894, lègue en mourant sa collection impressionniste à l'État, un scandale oblige à refuser vingt-sept tableaux : la presse réactionnaire s'indignait que l'on pût mettre l'*Olympia* de Manet, peinte trente ans plus tôt, « sous les yeux des familles » ! Pour gérer cet imposant patrimoine d'hypocrisie, la Ligue pour la décence des rues peut compter sur son président, le sénateur Béranger, « échenilleur béni par l'hypocrisie bourgeoise dont il sauvegarde l'esprit étroit, les convenances ridicules, tous les préjugés des temps anciens amoncelés en croûte vénérable[46] ».

De part et d'autre, on ne mâche pas ses mots. La situation, déjà critique, est aggravée par l'apparition de nouveaux moyens techniques qui font courir des risques plus graves à la pudeur. La photographie et le cinéma se sont dès leurs premières pellicules ouverts au marché pornographique. La concurrence est rude pour le théâtre et la peinture, qui en avaient le monopole...

Telles sont les deux facettes de la grande guerre de 1907. D'un côté, l'hypocrisie bourgeoise contre laquelle s'élèvent les jeunes artistes (Jarry en sera le plus bel exemple). De l'autre, la nécessaire reconversion du nu artistique. En 1907, Matisse et Picasso apporteront la réponse du fauvisme et du cubisme au défi de la photographie. En 1907, les cabarets « lâchent le sein » en réponse au défi du cinéma. En 1907, Apollinaire fustige de onze mille verges les romans gentiment badins de l'*Ars erotica* raffinée. Le front de la pudeur est enfoncé de tous côtés.

Jarry est parmi les porte-drapeaux de la Révolution. Dans la lignée de Rabelais, il se bat au nom de la scatologie. Jarry-Faustroll envoie Bosse-de-Nage « lécher la sciure des crachoirs au bas du cadre de l'*Olympia* » et achète onze voitures pleines de tableaux pompiers avec de l'or « de tout point semblable à celui dont les petits enfants se conchient ». Jarry-Ubu enterre sa conscience (qui commet l'imprudence de paraître sur scène en chemise et non nue, « par respect pour l'auguste assistance ») dans les Grands Serpents d'airain avaleurs de l'Immonde[47]. Les futuristes italiens et les dadaïstes français lui emboîtent le pas. Contre les valeurs de la bourgeoisie, un seul remède : le sexe-dada. « Connaissance de tous les moyens rejetés jusqu'à présent par le sexe pudique du compromis commode et de la politesse : DADA. » La morale ? « Blennorragie d'un soleil putride sorti des usines de la pensée philosophique. » La famille ? « Appelez votre famille au téléphone et pissez dans le trou réservé aux bêtises musicales gastronomiques et sucrées[48]. »

Mais le mouvement dépasse de loin la littérature. L'anticléricalisme passe aussi par la révolution sexuelle. André Lorulot, fondateur de *La Calotte*, prononce des conférences sur le néomalthusianisme et « la véritable éducation sexuelle » — ce qui lui vaut des accusations de pornographie et une amende pour « campagne anticonceptionnelle ». Têtu, il riposte en accusant les prêtres de pornographie par les interrogations malsaines que se permettent ces célibataires au confessionnal[49].

Les mouvements anarchistes rejoignent la troupe. « Nous avons toujours envisagé le nudisme comme une revendication d'ordre révolutionnaire » et non comme « un exercice hygiénique relevant de la culture physique », proclame le sociologue E. Armand. « L'émancipation des restrictions et des constrictions sexuelles est un danger pour l'Église et l'État et ces deux jumeaux le savent bien. Le jour où l'unité humaine aura conquis le droit de disposer à son gré de son corps, elle ne tardera pas longtemps à se refuser autant à être chair à prostitution (mariage ou maison close) que chair à résignation, à canon ou à exploitation[50]. » Avec d'autres groupes d'anarchistes slaves, il crée une « coopérative de production et de consommation amoureuse » censée « détourner l'individu de l'arrivisme, du je m'en fichisme, de l'accumulation monétaire » en les remplaçant par les plaisirs de l'échangisme.

Nous sommes en 1930, en pleine crise économique. D'autres soucis vont éclipser la contestation par le nu pendant quelques décennies. Mais c'est le même principe qui inspirera la « contre-culture » des années 60. Hippies et marginaux, artistes et nudistes tropéziens feront du sexe et de la nudité une arme contre la guerre (*love not war*) aussi bien que contre la culture officielle et la respectabilité bourgeoise. Le nu, depuis une cinquantaine d'années, a acquis une autre valeur, agressive, revendicatrice, qui se veut affranchie de toute pudeur, mais qui confond en fait impudeur et apudeur.

Cette nouvelle valeur du nu a été possible, d'une part, grâce à la libération des vieux tabous sexuels et, d'autre part, paradoxale-ment parce que cette libération s'est opérée en milieu clos et n'a pas atteint avec la même vigueur toutes les sphères de la société.

Au premier rang de cette libération, il faut placer la psycha-nalyse de Freud, dont l'essai sur la sexualité paraît en 1905, à la veille de la grande guerre du nu en France. Cette coïncidence explique peut-être le succès qu'ont connu ses théories. Freud est arrivé au moment opportun pour exprimer un mouvement de « pansexualisation » ébauché depuis longtemps, reconnaît Foucault[51]. Le premier, Freud ose mettre en doute la valeur de la continence sur laquelle est fondée toute la morale chrétienne. « En général, écrit-il, je n'ai pas acquis l'impression que l'abstinence sexuelle contribue à la formation d'hommes énergi-ques, déterminés, d'êtres d'action ou originaux, ou encore de penseurs, de réformateurs et libérateurs hardis, mais bien plutôt d'honnêtes débiles, immergés plus tard dans la masse et qui suivent les chemins que leur tracent les fortes individualités[52]. »

Mais l'influence de Freud, qui reste longtemps confinée dans des cercles restreints, concerne plus, pour le grand public, la libération du langage que celle des mœurs. Le psychanalyste, confesseur laïc, habitue à la « mise en discours » du sexe et aux mots jadis jugés grossiers. Une « libération » qui n'a pas été sans un certain terrorisme intellectuel que Foucault souligne mali-cieusement. Le « grand prêche sexuel » jouit aujourd'hui du « bénéfice du locuteur » : la transgression délibérée du tabou sexuel est censée témoigner d'une ouverture d'esprit qu'il serait de mauvais goût de critiquer. D'où ce « lyrisme », cette « religio-sité » qui accompagne le projet révolutionnaire et donne au discours sexuel le ton inspiré de la prophétie[53].

Quels que soient les excès de cette mise en discours du sexe, elle a été globalement bénéfique en épurant la littérature d'un moralisme pudibond. En 1920, Gide reconnaissait déjà sa dette à Freud : « Il me semble que ce dont je lui doive être le plus reconnaissant, c'est d'avoir habitué les lecteurs à entendre traiter certains sujets sans avoir à se récrier ni à rougir. Ce qu'il nous apporte surtout c'est de l'audace ; ou plus exactement, il écarte de nous certaine fausse et gênante pudeur[54]. » C'est effectivement après la Grande Guerre, qui a « délié les langues[55] », que l'influence de Freud s'est fait sentir. Autour de dada se polarise une remise en question agressive et systématique de la société bourgeoise et capitaliste qui a envoyé le pays au massacre. Sexualité, marxisme, psychanalyse et avant-garde artistique se trouvent alors étroitement mêlés.

Parallèle à cette réaction des milieux d'avant-garde, mais totalement indépendante, voire hostile : l'idéologie naturiste qui s'installe en France en 1920 sous l'impulsion de Kienné de Mongeot. Bien que des circonstances personnelles aient amené ce dernier à la pratique du nudisme, on ne manque pas de faire le rapport avec les mouvements de naturistes allemands, fondés en 1905 par Richard Ungewitter. Il n'en faut pas plus pour polariser la haine française sur Kienné de Mongeot, qui a le malheur d'être alsacien par les Kienné et lorrain (apparenté à Jeanne d'Arc !) par les Mongeot. Sa nouvelle morale « plus que boche » aurait pour but de démoraliser la France pour le compte de l'ennemi vaincu[56]. Des arguments que l'on entend depuis le xvᵉ siècle et qui n'ont fait que changer de référence au cours des siècles : que l'ennemi soit anglais, allemand ou russe, le laxisme moral est toujours censé faire son jeu.

Pour le nudisme d'avant-garde prôné par la « Camaraderie amoureuse », les groupes naturistes fleurent un peu trop le mythe du « bon sauvage » et ôtent à la nudité son aspect provocateur. Ils sentent en outre un peu trop le fascisme naissant. Car celui-ci a lui aussi repris à son compte l'exaltation naturiste. En philosophie, la « pudeur germanique » mise en évidence par Scheler s'oppose à la pudibonderie judéo-chrétienne qu'il faut combattre. Dans les arts, la sculpture monumentale d'Arno Beker et les premiers films naturistes traduisent ce retour à la nudité naturelle que les mouvements de jeunes mettent en pratique. Ici encore, le nudisme nordique, pur et vertueux, mâle, mais asexué, s'oppose au nudisme juif, commercial, féminin, érotique et immoral, symbolisé par une danseuse noire, Joséphine Baker ! La revue *Revivre*, sous l'Occupation, faisait explicitement la différence entre l'érotisme juif du music-hall et « le grand mouvement sain qui, avec le sport de plein air et le naturisme, ramenait la jeunesse vers la vie propre et, du même coup, vers une considération plus sereine et presque indifférente de la nudité[57] ». Quant aux correspondants anonymes de Kienné de Mongeot, aussi hostiles au nu « boche » qu'à la « négrofolie, négromanie, négrocratie », ils concluaient : « Après tout, la France aux Français ! »

Ainsi, dans les années 30, trois ou quatre nudismes distincts et qui se vouent une haine mortelle s'opposent en France : le nudisme « bourgeois », spectacles de music-hall commerciaux rassurants parce qu'ils canalisent une sexualité encore mal assumée ; le nudisme idéaliste, issu d'une réaction à la société industrielle et des mythes du « bon sauvage » du siècle des Lumières, inoffensif parce que soigneusement enfermé dans des clubs privés ; le nudisme fasciste, métastase maligne de cette idéalisation de la nudité ; le nudisme d'avant-garde, à coloration anarchiste, qui récupère aussi bien la psychanalyse que l'anti-conformisme des jeunes artistes. Chacun a sa conception du nu (érotique, asexué ou revendicatif ; masculin, féminin ou mixte...). La Seconde Guerre mondiale remêlera les cartes : les valeurs du nu restent aujourd'hui complexes, mais la tendance générale est à la désexualisation du corps et à la recherche d'une « apudeur » qui ne remettrait pas pour autant en cause les acquis de la libération sexuelle.

A tout cela, il a bien fallu que la loi s'adapte. Un code trop ancien, une jurisprudence trop étalée dans le temps ne pouvaient plus répondre de l'évolution des mœurs. La pudeur légale a été prise à son propre piège. En voulant fonder la pudeur sur des critères précis et indiscutables, elle établit des frontières artificielles facilement contournables. Une pudeur liée à un organe ? C'est accepter le principe que la pudeur est analysable, qu'elle dépend, non d'une perception globale de la nudité, mais d'un point précis qu'il suffit de localiser. On a commencé par constater qu'il n'y avait pas de législation sur les fesses... On s'en est pris, faute de pouvoir incriminer la chair, au poil, et l'on a vu les acteurs de cinéma se raser consciencieusement la poitrine pour pouvoir la montrer... On s'en est pris au sexe, masculin puisque le sexe féminin est nié depuis le XVIe siècle, puis à des morceaux de sexe, à des états du sexe... A force de couper les poils en quatre, la pudeur légale est devenue pratiquement inopérante et semble frapper au hasard dans une production d'images qui échappent totalement à son pouvoir.

La loi distingue actuellement quatre délits contre la pudeur. Le viol, supposant l'accomplissement de l'acte sexuel, est punis-sable, qu'il soit public ou privé, en vertu de l'article 332 du Code pénal. L'attentat à la pudeur qualifie une agression d'ordre sexuel qui ne va pas jusqu'à la consommation : attouchements indécents, ou même gestes provocants. Un homme portant la main à sa braguette en criant à son interlocutrice : « Tiens, voilà pour toi » entre dans cette catégorie. L'outrage à la pudeur suppose l'exhibition d'organes sexuels dans un lieu public. Le caractère public est l'élément fondamental de l'article 330 du Code pénal : un spectacle donné lors d'une soirée privée n'est pas condamnable, il le devient dans un lieu (théâtre, bar...) considéré comme public — ce qui explique le foisonnement des clubs dits privés ou l'on entre aussi facilement que dans n'importe quel établissement public. La nudité est aussi un élément indispen-sable : un homme en chemise accusé d'outrage à la pudeur a dû être relaxé en 1922 — un autre soulageant en public un besoin naturel devra être condamné... Dans une période de grande sensibilité à la pudeur sexuelle, on a même pu condamner des couples sur la seule foi de gémissements non équivoques — une jurisprudence qui serait désastreuse si on s'avisait de l'invoquer dans les HLM aux murs de papier... L'outrage aux bonnes mœurs, enfin, puni par l'article 283 du Code pénal, s'en prend aux représentations de la nudité et à toute communication intellectuelle touchant à la sexualité : revues, cinéma, littérature, chansons... Les nus artistiques et scientifiques ne sont pas concernés pas l'outrage aux bonnes mœurs, pas plus que par l'outrage à la pudeur : livres médicaux, tableaux et photos d'art ne sont pas plus condamnables que les spectacles déclarés artistiques. La distinction entre érotisme et pornographie, de plus en plus contestée, est devenue pratiquement impossible à faire. En faisant intervenir la notion artistique dans la définition du délit, la loi s'est interdit une définition stricte et univoque. Cette incapacité essentielle à cerner l'objet incriminé a contribué à discréditer la pudeur légale et à la rendre inefficace.

La pudeur artistique, au terme de son évolution, est devenue plus masculine que féminine. Si, dans la vie quotidienne, la femme reste en général plus pudique que l'homme, la photographie, le théâtre, le cinéma déshabillent nettement moins souvent l'homme que la femme. Emprise commerciale du phallocratisme culturel, expliqueront les féministes. Sans doute. L'érotisation de la chair féminine, commencée au xvie siècle, a identifié petit à petit nudité féminine et désir. Il était exceptionnel et scandaleux, jusqu'au xxe siècle, de lier nudité masculine et désir. La femme — pudique — était censée être outragée par la vue du phallus, et on ne peut que constater l'influence d'artistes homosexuels sur l'ouverture de l'art au nu masculin (Michel-Ange au xvie siècle, Nijinski et Diaghilev au xxe).

Mais il y a plus que la sublimation ou l'exploitation mercantile d'un désir dans cette percée inattendue du nu féminin. La concentration de la pudeur sur la région génitale et la désexualisation de la femme à partir du xvie siècle devaient petit à petit contribuer à bannir l'homme de la représentation du nu. Les organes extérieurs étaient moins facilement dissimulables — et nous avons vu des médecins préférer les planches anatomiques féminines au xviiie siècle, quand il fallait voiler les cadavres d'hommes.

En réaction contre cet impérialisme de la nudité féminine, certains artistes modernes ont privilégié le nu masculin. Inconsciemment, comme Maurice Béjart[58], ou, comme Hans van Manen, « pour renverser la situation traditionnelle où c'est la femme qui est nue et l'homme qui est vêtu, situation que tout un chacun s'accorde à trouver normale, voire naturelle[59] ». Même idée chez le photographe Jean-François Bauret, le premier à associer la plastique du nu artistique à la fidélité moins valorisante du portrait photographique. La préférence accordée aux modèles masculins essaye « de rétablir un équilibre » avec la nudité féminine ; « Ce choix résulte d'une volonté de contredire cette image de la femme "normalisée", son utilisation sociale permanente (dans le domaine de la photographie publicitaire)[60]. » Situation « normale », image « normalisée »... Aujourd'hui, sans doute : mais c'est le résultat d'un long processus historique entrepris au xvie siècle. C'est dans cette réaction que s'inscrit le « play mec » qui fait le succès des émissions de Christophe de Chavannes sur Antenne 2. Ces strip-teases masculins n'ont cependant plus le caractère agressif ou révolutionnaire qu'on leur donnait il y a quinze ans. La note d'humour dont ils s'accompagnent et l'heure de programmation, qui rompt avec l'habitude de passer en fin de soirée les émissions jugées « osées », contribuent largement à désamorcer une nudité naguère scandaleuse. La télévision peut en cela réussir ce que l'art moderne, parfois trop agressif, souvent trop élitiste, n'a pu accomplir : la banalisation de la nudité auprès d'un large public. Mais ce mouvement n'a été possible que grâce à l'épuisement de la « révolution sexuelle » qui rend petit à petit à la chair une part de son innocence primitive.

L'histoire de la pudeur, on l'a vu, est à la fois circulaire et linéaire. S'il est difficile d'oublier certains changements de mentalité et certaines prises de conscience, on voit alterner, selon des cycles différents d'un domaine à l'autre, des périodes prudes et des périodes plus laxistes. Dans les années 80, un nouveau cycle s'est mis en route, auquel les sociologues actuels n'ont pas été insensibles. « La tempête sexuelle des quinze dernières années devait un jour se calmer. Certains signes laissent supposer que ce moment est proche. Après le temps de la chair, voici venir (ou revenir) celui de la chasteté. » Déçus du sexe, solitaires en mal de partenaires, néo-romantiques refusant de confondre l'amour minuscule et l'Amour majuscule commencent à mettre la pédale douce à la révolution sexuelle, en espérant stabiliser le balancier des mœurs « quelque part entre la chair faible et la chair triste[61] ».

Redéfinir la pudeur

Au terme de cette analyse historique, est-il possible de nuancer la définition de la pudeur que nous avons prise comme hypothèse de base ? On peut pour commencer constater que, si toutes les époques ont cru en l'existence d'un mythique âge d'or de l'apudeur, si même les Grecs ont pu affirmer bien haut l'avoir vécu, toutes les époques ont eu conscience d'un sentiment de pudeur, qui s'affirmait de façons diverses et parfois contradictoires.

La première caractéristique de la pudeur est donc d'être *naturelle*, du moins dans sa conception la plus large : une honte anticipée, la prise de conscience d'une faiblesse ou d'un interdit qui nous retient d'accomplir une action. Ce qui par contre est relatif, c'est la faiblesse ou l'interdit qui sert de référence à la pudeur. Selon les époques et les lieux, on a craint de montrer certaines vertus, certains sentiments (surtout les larmes), certaines parties du corps. La pudeur de sa nudité, liée essentielle-ment (mais pas exclusivement) à la sexualité, varie à son tour en fonction des lieux (pudeur sacrée), des conditions sociales, du sexe (pudeur féminine), ou des sensibilités à telle partie du corps (notamment les seins féminins).

Seconde caractéristique : sa *publicité*. La pudeur n'a de sens que dans la vie sociale. On a peur de montrer sa faiblesse, pas de sa faiblesse en soi. Selon l'implication de chacun dans la vie sociale, selon la conscience que chacun a de ses propres faiblesses, elle peut varier d'individu à individu. Mais la pudeur individuelle qui triomphe au xixe siècle est une hypertrophie pathologique de la pudeur naturelle. Elle est d'ailleurs née du remplacement progressif du regard de l'autre par celui de Dieu dans la conscience de sa nudité, ce qui rétablit la publicité inhérente au sentiment de pudeur.

Troisième caractéristique : il s'agit d'un processus *dynamique*. Liée à une prise de conscience, à un regard, la pudeur se recompose de façon permanente. Dans la perspective psychosystématique définie en linguistique par Gustave Guillaume, on peut l'envisager comme le résultat d'une « visée », différente pour chacune de nos actions ; une interception plus ou moins précoce de cette visée donne naissance à des pudeurs plus ou moins mûries. Cet aspect dynamique est essentiel pour laisser la place à une apudeur aussi nécessaire à l'homme que sa pudeur. Pudeur et apudeur se font et se défont en un perpétuel ballet intérieur. Lorsqu'au xixe siècle la pudeur est devenue statique, il n'y a plus eu de place pour l'apudeur. Celle-ci à son tour est devenue statique : elle a investi le domaine artistique et, dans la vie quotidienne, a donné naissance au mythe nudiste. Pudibonderie, nudisme et théories artistiques sont les trois impostures du xixe siècle. Imposant un jugement (positif ou négatif) préalable sur la nudité, ils déresponsabilisent l'acte, le tranforment en un geste insignifiant. Les conflits continuels et les hypocrisies qu'ils ont suscités témoignent de la fragilité de tout système statique.

Quatrième caractéristique de la pudeur ; sa *nécessité*. Toutes les époques, tous les pays ont ressenti le besoin d'un équilibre entre pudeur et apudeur, et le terrain que l'une perdait d'un côté était immédiatement repris d'un autre. Notre époque ne fait pas exception. La pudeur du sentiment s'est développée au fur et à mesure que s'affaiblissait la pudeur sexuelle ; nous avons perdu l'apudeur scatologique en retrouvant une certaine apudeur de la nudité ; l'impudeur artistique s'accompagne d'une chasse plus sévère de l'impudeur dans la vie courante... Cet équilibre — seul moyen de maintenir une stabilité dans un système dynamique — n'est bien sûr pas particulier au système de la pudeur. De la même façon que les nuages sont nécessaires pour apprécier le retour du soleil, les règles de vie sociale sont indispensables pour pouvoir être transgressées. Sans pudeur, a-t-on souvent dit, il n'y aurait pas de plaisir sexuel. On a craint que l'éducation sexuelle à l'école, en blasant trop tôt les adolescents, ne les détourne des relations sexuelles. L'expérience a prouvé qu'il n'en était rien. Chacun recompose selon son tempérament son cadre moral : la suppression de règles collectives favorise la création de systèmes individuels. Les manifestes dada de Tristan Tzara, destructeurs par essence, en ont eux-mêmes conscience : dada lui-même est un système, et Tzara retrouve pour l'exprimer[62] une métaphore empruntée au domaine de la pudeur. « Le manque de jarretières qui le fait se baisser systématiquement nous rappelle le fameux manque de système qui au fond n'a jamais existé. » Le trio indissociable pudeur-apudeur-impudeur ne fait que se disputer indéfiniment la jarretière perdue de Tristan Tzara.

APPENDICES

Appendice I

LA PUDEUR DANS LA MORALE DE L'ACTION

Pourquoi la pudeur n'est-elle pas la honte, ni la timidité ? Pourquoi l'impudeur n'est-elle pas l'impudence, malgré leur racine commune ? Il est toujours risqué de définir un champ lexical et de trancher entre des synonymes dont les multiples sens se chevauchent sans se recouvrir. Il faut cependant s'y résoudre pour tâcher de comprendre les rapports qu'entretient le sentiment de pudeur (uniquement compris ici dans le sens de pudeur corporelle) avec les sentiments voisins ou opposés. Le tableau présenté page suivante tente de cerner les jugements de valeur portés sur une action en les structurant selon trois axes :
- action réprouvée par la morale - action neutre - action recommandée par la morale ;
- action dont on est le sujet (que l'on accomplit) ou l'objet (que l'on subit) ;
- action que l'on projette (avant son accomplissement), - que l'on accomplit (en cours d'accomplissement), - que l'on juge (après l'accomplissement).

Pudeur et décence, telles que je les ai définies par hypothèse pour cet ouvrage*, apparaissent au croisement des axes « action réprouvée par la morale » - « action dont on est le sujet » - « action que l'on projette ».

N.B. - Ce tableau n'a pas la prétention de rendre compte de tous les synonymes définissant un même concept, ni d'intégrer tous les sens d'un même terme.

---

* Pour la distinction entre *pudeur* et *décence*, voir l'introduction p. 14 et suiv.

			action réprouvée	action neutre	action recommandée
AVANT	Suj.	J'ai l'intention... d'accomplir,	aplomb, culot...	esprit de décision, assurance...	zèle, courage...
	Obj.	de laisser accomplir	licence, fatalisme, indifférence...	permission...	exhortation...
	Suj.	Je n'ai pas l'intention d'accomplir,	pudeur, décence, peur	timidité	faiblesse, indignité...
	Obj.	de laisser accomplir	censure	interdiction, despotisme...	dissuasion...
PENDANT	Suj.	J'accomplis	impudeur, indécence...	A C T I O N	vertu, héroïsme...
	Obj.	Je subis	humiliation (ou plaisir trouble !)		hommage, honneur...
APRÈS	Suj.	Je juge positivement mon action,	impudence, cynisme	ostentation	orgueil
	Obj.	l'action d'autrui	complaisance, indulgence, flagornerie...	flatterie	respect
	Suj.	Je juge négativement mon action,	honte	humilité	modestie
	Obj.	l'action d'autrui	dégoût, gêne, confusion, réprobation...	critique	dénigrement

Appendice II

NUDISME ET HÉRÉSIES

Fuir la société et abandonner ses vêtements sont de tout temps allés de pair. Les anciens Grecs connaissaient déjà les « gymnosophistes » hindous, dont la recherche de la sagesse s'accompagnait de pratiques naturistes. Mais lorsque la religion chrétienne a fait de la pudeur le devoir de l'homme déchu, le nudisme fut assimilé à une hérésie — ou devint une revendication des sectes hérétiques. On ne connaît les hérésies qu'à travers le témoignage d'historiens orthodoxes, prompts à l'amalgame et à la condamnation. Il est donc difficile de savoir si le nudisme des premières sectes chrétiennes était plus proche de l'amour libre ou du naturisme.

Saint Augustin eut à combattre de nombreuses sectes accusées de vivre nues. Elles seraient nées dans le nord de l'Afrique aux IIe-IIIe siècles de notre ère. Abélites, adamites, agapètes, nicolaïtes, borborites, anitactes... Elles ont porté de nombreux noms parmi lesquels on a retenu celui des adamites de Prodicus (qui désigneront durant tout le Moyen Age les partisans du retour à l'état originel) et des nicolaïtes de Nicolas, disciple de Simon le Magicien (qui désigneront plus spécifiquement les prêtres vivant en concubinage).

Au XIIIe siècle, de nouvelles sectes adamites invoquent Joachim de Flore et sa doctrine radicale de la pauvreté évangélique. La nudité aurait été pour eux l'essence de la pauvreté, signe de la perfection que l'on atteindra à l'Age de l'Esprit. Les béghards du XIVe siècle, les turlupins de la fin du XIVe, excommuniés en 1370 par le pape Grégoire IX, prêchent les mêmes idées. Gerson résume ainsi leur doctrine : « L'homme, lorsqu'il est arrivé à la paix et à la tranquillité de l'esprit, est dispensé de l'observation des lois divines ; il ne faut rougir de rien de ce qui nous est donné par la nature. C'est par la nudité que nous remontons à l'état d'innocence et que nous atteignons ici-bas le suprême degré de félicité (*De examinatione doctrine*, 1423). » Il devait être difficile aux chrétiens orthodoxes de faire la différence entre ces mystiques jugés hérétiques et les flagellants, qui apparaissent à la même époque, ou les prédicateurs évangélistes approuvés par l'Église. Pas plus Lambert le Bègue, dont se réclament les béghards, que Joachim de Flore n'ont été au départ jugés hérétiques.

A côté de ces sectes mystiques, il y a un autre nudisme au Moyen Age : celui des goliards, clercs vagants qui n'ont pas reçu de bénéfices et vivent d'expédients en proposant leurs services d'intellectuels marginaux à de grands seigneurs. Le concile de Salzbourg, en 1291 (*Mans.*, XXIV, 1077-78), les accuse de se promener nus en public. Dans leurs chansons, ils évoquent cette passion du dé auquel ils sacrifient jusqu'à leurs vêtements — thème littéraire auquel Rutebeuf fait lui aussi écho. Nudisme hérétique ? Provocation ? Dette de jeu ? Ou tout simplement accusations d'un clergé soucieux d'anathémiser ses dissidences ?

Les sectes adamistes — lucianistes, famillistes du xvie siècle — réapparaissent à toutes les époques. On continue à les condamner, à les excommunier, à les brûler. Mais petit à petit, on glisse de l'accusation d'hérésie à celle d'abus de confiance. Un pamphlet anonyme paru en 1684, *L'Adamite ou le Jésuite insensible*, dénonce ainsi un prêtre qui aurait fondé une cellule adamite dans un monastère de Reims. Se prétendant insensible aux charmes féminins — il ne lui avait pas fallu moins que la pierre philosophale pour y parvenir ! — ce confesseur de soixante ans avait convaincu quelques pensionnaires et novices (de seize à dix-neuf ans...), ainsi que six religieuses, que la perfection était révélée par l'absence de honte que l'on éprouvait à se montrer nu devant lui. Il y avait bien sûr divers degrés de perfection, depuis les Présomptives (qui osaient montrer leurs bras) jusqu'aux Ascendantes, aux Favorites, aux Faciles ou aux Libres (qui montraient leurs cuisses). Venaient ensuite les Prédestinées (qui ne se voilent plus que de leurs mains) et les Adamites (qui pouvaient « soutenir un regard actif et passif sans honte et sans émotion »). Le regard actif consistait à regarder sans rougir le père Roche tout nu... Fiction libertine ou scandale étouffé ? Les nudistes hérétiques en tout cas ne font plus guère recette au xviie siècle.

La nouvelle conception du nudisme est l'héritière des mythes du bon sauvage du xviiie siècle, et s'est développée au xixe siècle, dans une perspective hygiéniste et médicale, en réaction à la société industrielle naissante. Si l'on excepte Walt Whitman, le poète américain parti vivre nu en 1836 dans les forêts du Dakota, c'est dans les pays germaniques qu'est né le mouvement. En 1855, l'Autrichien Arnold Rickli (1810-1907) établit à Viddes des cures atmosphériques : l'exposition à l'air des forêts suppose la nudité des curistes. La thérapie de l'air n'est pour lui qu'un élément au sein d'un traitement « naturiste » reposant également sur un régime végétarien équilibré. Cette conception médicale restera longtemps associée au développement du nudisme. En Allemagne, Heinrich Puder l'associera en 1893 à ses bains d'air et de soleil. En France, Kienné de Mongeot viendra au nudisme en

1920 après avoir vu son père mourir de tuberculose. Et l'on pourra soutenir que le rhabillement pudique des habitants du tiers monde par les missionnaires catholiques a contribué à leur sous-développement : « La disparition des calories solaires absorbées directement par la peau contribua à l'organisation de la faim dans le monde » (Descamps, p. 247).

Cette union étroite, à l'origine, du nudisme et du naturisme a favorisé la confusion entre les deux notions. Elle n'a cependant pas été générale. Le docteur Paul Carton, un des promoteurs du naturisme en France, était un adversaire farouche de la nudité : « Le nudisme intégral est une immondice d'origine allemande, écrivait-il. Et quel idéal offrent ces forbans ? Transformer l'humanité en un vaste troupeau de bêtes vivant intégralement nues, sexes mélangés, en une ignoble promiscuité » (Poucel, p. 34). Pour éviter ces confusions, on préfère aujourd'hui employer le terme « gymnité », qui présente l'avantage de ne pas être marqué affectivement.

Le nudisme d'ailleurs a vite quitté le terrain purement médical. En 1901, en Allemagne, il fait partie du programme des Wandervögel, mouvements de jeunesse qui organisent des randonnées en forêts assorties de nuits à la belle étoile et de bains nus dans les lacs et les rivières. Fortement teinté de romantisme germanique, le mouvement épousera les idées nationalistes et antisémites du prénazisme. Il connut en tout cas un succès impressionnant : en 1914, vingt-cinq mille Wandervögel sillonneront l'Allemagne. Des mouvements nudistes les ont rejoints aux alentours de 1905, sous l'impulsion de Paul Zimmerman, qui fonde le Freilichtpark, et de Richard Ungewitter, qui crée le premier véritable camp de nudisme, Anna, en 1906.

La Première Guerre mondiale devait répandre ces camps en Europe et aux États-Unis. Ils furent souvent mal accueillis : l'antigermanisme était général après la guerre, et le nudisme en paya les pots cassés. L'oncle de Kienné de Mongeot, professeur à la faculté de Bordeaux, fut le premier à réagir en fondant une Ligue pour la moralité publique qui intenta le premier procès à son neveu... La loi pourtant était impuissante devant ces clubs privés qui ne troublaient pas l'ordre public, et selon le témoignage de Kienné de Mongeot lui-même, les commissaires se montraient les plus compréhensifs devant les publications du groupe, qui n'ont jamais été poursuivies en justice.

Les développements des mouvements nudistes ont ensuite été réguliers. En 1944, le club du Soleil, d'Albert Lecoq, ouvre le nudisme, jusque-là plutôt aristocratique, à des adhérents de toutes conditions. L'acquisition du domaine d'Héliopolis, à l'île du Levant, et la tolérance du conseil municipal d'Hyères, en 1933, permettent la création du premier village naturiste. En 1953, les mouvements s'internationalisent avec la création de la FNI (Fédération naturiste internationale) constituée à Montalivet. Après 1968, des arrêtés municipaux ponctuels permettent au nudisme de s'établir sur certaines plages sans avoir à se protéger de palissades : en passant des clubs fermés aux pratiques publiques, le nudisme rejoint l'histoire de la pudeur. Il a certainement eu son mot à dire dans l'histoire des mœurs qui s'est précipitée depuis cette époque.

NOTES

INTRODUCTION

1. Girard d'Amiens, *Le Roman d'Escanor*, Éd. H.Michelant ; Tübingen, 1886, pp. 648-651 (vv. 24579 ss et 24711 ss).

2. La Bruyère, *Des ouvrages de l'Esprit*, 1, pp. 110-111.

3. Rétif de la Bretonne, *Vie de mon père*, Garnier, pp. 17 et 44.

4. *Premiers pas vers la prière*, Paris, Nouvelle Cité, 1986, p. 28

5. *Hors de soi*, Paris, Barrault, 1986, p. 32.

6. Le Moyne, p. 342.

7. Cité par Bayard, p. 18.

8. *Nuits de Paris*, II, p. 472.

9. *République*, 452.

10. Pline l'Ancien, *Histoire naturelle*, VII, 17, coll. Budé, p. 66 : « *Virorum cadauera supina fluitare, feminarum prona, uelut pudori defunctarum parcente natura.* »

11. Bailly, pp. 101 et 448.

12. « De la génération », ch. III, *Œuvres*, p. 914.

13. Montaigne, III, 5, p. 95.

14. Gratien du Pont, *Les controverses des sexes masculin et féminin*, cité par Ménage, IV, p. 197.

15. *La Clef d'amors*, vv. 3345-3353.

16. Montaigne, III, 5 pp. 81 et 95.

17. Cité d'après l'article de l'*Encyclopédie*. Texte dans la *Lettre à d'Alembert*, Garnier, 1975, p. 190.

18. *Origine de la pudeur :* mince plaquette présentée comme le condensé d'un gros ouvrage que Merejkovsky aurait dû abandonner en Russie... Le ton péremptoire, malgré l'ingéniosité de l'hypothèse, ne convainc pas lorsqu'il n'est plus étayé par un raisonnement méthodique.

19. Scheler, *La Pudeur*, 1913, pp. 12-13 et 49.

20. « Pudique » (1501, F. Le Roy) : cf. Huguet s.v. — « Pudeur » (1542, Pasquier) : cf. Wartburg s.v.

21. *Guillaume d'Angleterre*, éd. M. Wilmotte, Champion, 1962 (*CFMA* 55) v. 1072.

22. Le Moyne, p. 33.

23. Olga Dobiache-Rojdesvensky, *Les Poésies des goliards*, Paris Rieder, 1931, p. 21.

24. Somaize, p. 201. Il est amusant d'opposer la pudeur définie comme une « bonne honte » par Richelet à celle définie comme une « sotte honte » par Casanova (II, p. 513). De toutes les théories sur la pudeur dont regorge le xviiie siècle, celle de Casanova est la plus brève et la plus expéditive. Il ne lui faut que vingt-quatre lignes pour nous expliquer qu'il convient de « sauter à pieds joints » dessus. Un dernier avatar de la « pudeur » désignant les organes sexuels est signalé par Laplatte en 1966 : le maillot de bain minimum fut alors surnommé « cache-pudeur » (p. 61, n. 4)...

25. Brantôme, VIII, p. 154.

26. *Revue rétrospective*, I, II, p.142.

27. Lathuillère, *La Préciosité*, Genève, Droz, 1966, I, p. 149.

28. *L'Esprit des Lois*, XVI, 12, p. 628.

29. *La Bible enfin expliquée*, dans *Œuvres complètes*, Garnier, 1880, XXX, p. 9.

30. *Supplément au Voyage de Bougainville*, dans *Œuvres*, Club français du livre, 1971, X, p. 242.

31. *La Nouvelle Héloïse*, I, 46.

32. *Émile*, Garnier, IV, p. 253.

33. Balzac, *Physiologie du mariage*, Méditation XXVI, III (*Comédie humaine*, La Pléiade, t. IX). — Stendhal, *De l'amour*, ch. XVI, Paris, Le Divan, 1927, I, pp. 115 ss.

PREMIÈRE PARTIE

LA PUDEUR DANS LA VIE QUOTIDIENNE

1. Weyll, p. 105.

2. Grégoire de Tours, *Hist. Franc.*, X, 16.

3. Weyll, p. 105.

4. *A l'ombre de Claire*, p. 41.

5. Cf. Vigarello, 1re partie, « De l'eau festive à l'eau inquiétante ».

6. Eginhard, pp. 74-75.

7. *Traité historique...* 1749, pp. 282 et 285.

8. *Gaufrey*, publié par François Guessard, Paris, Vieweg, 1859, p. 275.

9. Mansius, II, p. 989.

10. Beroul, vv. 3308-3310, p. 106.

11. Loomis, fig. 68-70.

12. Gautier Le Leu, pp. 255 ss.

13. Beroul, vv. 3835-3836, p. 122.

14. Cabanes, *Bains...*, p. 240.

15. Jean de Roye, I, pp. 179 et 182-183.

16. Weyll, pp. 112 ss. — Franklin, *Civilité*, I, pp. 5 ss.

17. Guillaume de la Villeneuve, *Crieries de Paris* (fin du XIIIe siècle, éd. Barbazan) et Méon, *Fabliaux et contes des poètes français*, Paris, Warée, 1808, t. II, p. 227, v. 13. — E. Boileau, p. 154.

18. Stalles à Saint-Gervais-Saint-Protais (Paris), à Notre-Dame de Bâle, poutre de l'hôtel de ville de Damme... (cf. Gaignebet, p. 51).

19. Weyll, p. 118.

20. Godefroy, III, p. 664 s.v. « estuver ».

21. E. Boileau, cité par Cabanes, p. 183.

22. *Histoire générale de Paris, les métiers de Paris*, Imprimerie nationale, 1897, III p. 644.

23. « *Considerans quod stuphae pontis tronati* (le pont des arches...) *praesentis civitatis sint prostibulosae* », Du Cange, s. v. « Stupha ».

24. Weyll, p. 111.

25. Brantôme, IX, p. 299.

26. Weyll, p. 116.

27. Bailly, p. 44.

28. Weyll, p. 114 (à Brünn en 1577 ; la syphilis fut un temps dénommée « mal de Brünn »).

29. André Miquel, *Ousâma, un prince syrien face aux croisés*, Fayard, 1986, p. 95. — Pierre d'Eboli, *Les bains des Pouzzoles*, manuscrit du XIVe siècle, miniature reproduite dans *La Médecine au Moyen Age*, éditions de la Porte Verte, 1983, pp. 170-172.

30. Weyll, pp. 111-112.

31. Godefroy, IX, p. 569.

32. Enrart, p. 108.

33. Cf. p. 38n. (bains publics), p. 40 ss. (bains privés), p. 42 (costumes), p. 46-50 (visites et galerie).

34. Reproduite par Huyghes, *Forces et formes*, Flammarion, 1971, p. 13.

35. Signorelli, par Hussler, pp. 76 et 52.

36. Henry Martin, *La Vie de Saint-Denis* (1317), Champion, 1908, planche LI.

37. Weyll, pp. 118-119.

38. Coulanges, p. 43. — Se chante sur l'air de Lully « Quel spectacle charmant », composé pour *Le Bourgeois gentilhomme*.

39. La Bruyère, *De la Ville*, 2, t. I, p. 255.

40. Cabanes, *Bains*, p. 329.

41. Tallemant des Réaux, IV, p. 380.

42. Heroard, I, p. 400 (22 août 1609) et II, 214 (26 août 1617) ; *Journal*, p. 91 (1665). La Porte, p. 51.

43. Heroard, I, p. 400.

44. *Journal*, p. 101.

45. Saint-Simon, I, pp. 248 et 455.

46. Sauval, *Antiquités*, II, p. 245.

47. Lejeune de Franqueville, p. 198.

48. Franklin, *Soins de toilette*, p. 114.

49. Polain (M.L.), *Recueil des Ordonnances de la Principauté de Liège*, 3e série, 1684-1794, Bruxelles, Devraye, 1855, vol. I, pp. 122-123.

50. *Ibid.*, vol. II, 1860, p. 413.

51. Cabanès, *Bains*, p. 327, note 1.

52. Freminville, p. 29.

53. Aulard, V, p. 177.

54. Cabanès, *Bains*, p. 330, note 2.

55. Rétif de la Bretonne, *Nuits de Paris*, 186e nuit, p. 1811.

56. Genlis, III, p. 31.

57. Campan, I, p. 44.

58. Genlis, I, p. 285.

59. Campan, I, p. 104.

60. Longchamp, p. 120.

61. Mme du Deffand, *Correspondance*, éd. par M. de Lescure, Plon, 1865, t. II, p. 762.

62. La Porte, p. 47.

63. Héroard, 11 et 12 juillet 1611.

64. *Ibid.*, 2 juillet 1617.

65. *Menagiana*, IV, p. 198.

66. Sévigné, I, pp. 205-206.

67. Grazietta Butazzi, *La Mode*, Hachette, 1983, p. 169.

68. Dr Dubois, cité par Claude Seignolle, *En Sologne*, Maisonneuve et Larose, 1977, p. 119.

69. Descamps, p. 54.

70. Vollard, pp. 112-113.

71. Doublier, p. 38. Nous avons même un exemple unique de plage nudiste autorisée en France au début du xixe siècle. La municipalité des Sables d'Olonne, devant l'« indécence » des baignades collectives où se mêlent hommes nus et vêtus, décide le 16 juillet 1816 de réléguer sur une portion délimitée de la plage les bains sans maillot. Le texte, chef-d'œuvre de tolérance et d'indignation, est reproduit par Laplatte, p. 113.

72. *Carmen*, ch. II.

73. *Fantasio*, 3, 1908, 1, p. 186.

74. Bricard, p. 75.

75. *Ibid.*, p. 147.

76. Doublier, p. 39.

77. Alec Guiness, *Mémoires*, Plon, 1986, p. 170.

78. Bernard Clavel, *Qui êtes-vous*, propos recueillis par Adeline Rivard, J'ai Lu, 1985, p. 8.

79. Pierre Desproges, *Des femmes qui tombent*, Seuil, 1985, p. 10.

80. *La chasteté éclairée par les trois États qui composent le Côrs de l'Église. Celuy des Vierges, celuy des Veuves et celuy des Mariez*, par NN Prêtre, Liège, Henry Hoyoux, 1690.

81. Bayard, p. 52. — Montaigne, I, 23. — Stendhal, *De l'amour*, ch. 16...

82. Lacroix, p. 258.

83. Hansen, p. 118.

84. III, p. 283 (texte français) et III, p. 324 (texte latin). Année 1090, rédigée vers 1133-1134. L'auteur de la *Vie contemplative* (1118) se moque lui aussi des hommes en robe longue : « Par ces mouvements indécents, cadencés, et comme flottants, qu'ils se donnent, ils font voir dans leurs pas incertains et chancelants ce qu'on doit penser de l'assiette, ou plutôt du dérangement de leur esprit. » En 1091, l'évêque Radbode, à Tournai, convainc les hommes de couper sur-le-champ leurs robes longues... Ces deux témoignages sont cités par J. Boileau dans son introuvable *Historica disquitio de re vestiaria hominis sani vitam communem more civili traducensis*, Amsterdam, 1714. De larges extraits sont cités par Dreux du Radier, *Récréations historiques*, I, pp. 146 et 149.

85. Migne *P.L.*, t. 66, coll. 790-791.

86. Udalric, II, 13, col. 707 et II, 15, col. 708.

87. « *Gulam tam magnam quo ostendunt mammillas et videtur quod dictae mammillae velint exire de sinu earum* », Jean de Mussis, *Chronicon Placentinum*, Murator, XVI, pp. 579-580 (anno 1388).

88. H. Estienne, *Apologie*, I, p. 81 (ch. VI, 12).

89. Enrart, p. 109.

90. En français dans le texte latin...

91. Éd. Joseph Neve, p. 78.

92. Traduit par H. Estienne, *Apologie*, I, p. 45 (ch. VI, 2).

93. Ch. XLVII, pp. 98-99.

94. T. IX, pp. 248 ss. Jean de Mussis (*op. cit.* pp. 580-581) formule les mêmes critiques vis-à-vis des jeunes gens qui portent des vêtements si courts « *quod ostendunt medias nates, sive naticas, et membrum et genitalia* ».

95. Migne, *Encyclopédie théologique*, XIV, p. 862. — Concile de *Bâle*, XXI, 3, Mansius, XXIX, p. 105 (1435). — Le concile de Patentia, en 1388, demandait déjà aux prêtres de porter un habit « jusqu'au mollet ou plus bas » (cité par J. Boileau, *Historica disquitio...* dans Dreux du Radier, *Récréations historiques*, I, p. 161).

96. H. Estienne, *Apologie*, II, p. 156 — Menot, pp. 174 ss.

97. H. Estienne, *Apologie*, II, p. 162.

98. Sauval, *Chronique scand.*, p. 88.

99. L'Estoile, I, p. 189.

100. L'Estoile, III, p. 248.

101. *Civilité*, II, p. 85.

102. Publié en 1552. Une aventure de Casanova évoque les mêmes désagréments. Avec un ami, Casanova s'était déguisé en femme — et avait omis de garder sa culotte sous sa robe. L'ami s'étant plaint d'avoir froid, une dame — vêtue en homme — comprit aussitôt qu'il n'avait pas conservé le précieux vêtement.

103. H. Estienne, *Dialogues*,pp. 223-225.

104. *Chronique scandaleuse*, p. 88.

105. *Diverses leçons*, Lyon, Cl. Morillon, 1603, II, 6, p. 233.

106. Franklin, *Civilité*, I, p. 120. — Chevalier, II, p. 184.

107. Tallemant des Réaux, III, p. 30.

108. *Misanthrope*, III, 5, t. IV, p. 91.

109. Tallemant des Réaux, II, p. 83, note. — Dreux du Radier (*Reines*, VI, p. 232) ne parle pas des pincettes : Louis XIII aurait renoncé à s'emparer du billet...

110. Moreau, p. 492.

111. Barry, p. 94.

112. *Courtisane déchiffrée*, p. 167.

113. Lettres du 24 février et 3 mars 1636, reproduites dans Bouvignes.

114. Boileau, *Nudités*, pp. 111-116.

115. Tallemant des Réaux, II, pp. 217-218.

116. *Œuvres*, Éd. Amédée Roux, Paris, Didot, 1863, p. 485.

117. Bussy-Rabutin, II, p. 194. L'explication de Bussy est quelque peu ambiguë : « Les dames ne s'étoient pas pourvues de caleçons, comme à l'ordinaire. » On peut comprendre qu'elles avaient l'habitude d'en porter ou que, ce jour-là comme les autres, elles n'en portaient pas... Le pluriel (les dames) incite à comprendre de cette façon : pourquoi toutes les dames de la cour auraient-elles le même jour « oublié » leur caleçon ? Il est plus plausible de voir dans la remarque de Bussy-Rabutin une généralisation de l'incident et un discret reproche sur l'habitude des dames de ne plus « brider leurs fesses ».

118. Somaize, p. (l).

119. Dreux du Radier, *Récréations historiques*, II, p. 120. — Duprez, cité par Witkowsky, *Théâtre*, p. 18.

120. Observées en Hollande par Casanova, II, p. 134.

121. *Intermédiaire*, t. 55, p. 477.

122. Ravannes, II, pp. 109-120.

123. Bachaumont, VI, p. 196 (25 juillet 1772).

124. *Intermédiaire*, t. 54, p. 707.

125. Ravannes, II, pp. 118-120.

126. *Intermédiaire*, t. 67, p. 211.

127. *Des habits...*, p. 188.

128. *Les Origines de la France contemporaine*, II, *La Révolution*, I, 3, 3, 8, p. 442.

129. Goncourt, p. 421.

130. Dufay, p. 8.

131. Pour les heurs et malheurs du pantalon aux XVIIIe et XIXe siècles, cf. les exemples rassemblés par Dufay.

132. Cudgel, p. 30.

133. Celnart, p. 173.

134. Witkowski, *Théâtre*, pp. 12-14.

135. *Fantasio*, II, 1907, 3, p. 754.

136. *Fantasio*, III, 1908, 2, p. 566.

137. Foucault, *Histoire de la folie*, et *infra* notre conclusion, p. 304.

138. *Revue Rétrospective*, I, 2, p. 53.

139. Cf. les numéros 128, 141, 149, 151.

140. Henri Baruk, *Traité de psychiatrie*, I, p. 263, cité par Descamps, p. 290.

141. Normandy, p. 188. — *Fantasio*, II, 1907, 3, p. 990.

142. *Fantasio*, II, 1907, 3, p. 798.

143. Cf. *Le Quotidien de Paris* du 29 avril 1986, *Libération* du 13 juin 1986.

144. *Carrefour*, 29 juillet 1964, p. 10.

145. *Acta sanctorum*, juillet, t. IV, p. 602.

146. Juvernay, p. 36

147. *Vie des saints et des bienheureux*, par les RR.PP. Baudot et Chaussin, Paris, Letouzey et Ane, 1949, VII, p. 446.

148. Moreau, p. 500.

149. Cité par Hecquet, pp. 37 ss.

150. Pastor, XVIII, p. 320. — Moreau, p. 483.

151. « Inter lavandum circumcinctus sit staminea, qua indutus antea erat, circa pudenda sui corporis partes », S. Lanfranc, col. 510, ch. XXIII.

152. Somaize, p. (LJ).

153. Franklin, *Civilité*, I, pp. 218-219.

154. Witkowski, *Accouchements à la cour*, p. 100.

155. Chevalier, II, p. 143.

156. Marais, II, p. 80.

157. Cabanès, *Cabinet secret*, pp. 1-53.

158. Cité par Thuillier, p. 4.

159. *Menagiana*, III, p. 315.

160. Oudin, p. 589.

161. Dangeau, 7 décembre 1686, p. 425.

162. Cité par Le Roi dans son édition du *Journal*, pp. 36, note 1, et p. 43, note 1.

163. Cf. Huard et Grmek, planches VIII, X, XIII, fig. 6,7...
164. *Ibid.*, p. 28.
165. *Ibid.*, figg. 16, 17... (mss. du xiie s.)
166. Tertullien, cité par Ménage, III, p. 157.
167. Cabanès, *Curiosités*, p. 48.
168. *Ibid.*
169. Jean de Roye, I, p. 275.
170. *Nuits de Paris*, 31e nuit, II, p. 278.
171. Dumaître, p. 83.
172. *Ibid.*, p. 129.
173. Reproduit dans Lyons-Petrucelli, p. 416. Le tableau exécuté d'après cette esquisse, où le rameau (de feuilles de pommier) n'est plus transparent, se trouve au Prado.
174. Reproduit par Dumaître, p. 135.
175. Voir reproductions dans Dumaître, pp. 103 (Laurens), 198 (Riolan), 222 (Casserius), 223 (Van der Spiegel), 220-221 (Remmelin), 338 (Bourgery).
176. Cité par Bayard, pp. 193-194.
177. Verdier, pp. 616-624.
178. Lyons-Petrucelli, pp. 565 ss.
179. *Histoire de la sexualité*, I, p. 75.
180. *Accouchement dans les Beaux-Arts*, p. 85.
181. On ne peut bien entendu accuser les médecins actuels de s'ingérer dans le domaine de la morale, même lorsqu'ils soulignent que les jupes courtes sont responsables de l'augmentation des mélanomes solaires sur les jambes des femmes, ou que les jeans moulants peuvent donner de la cellulite aux femmes et rendre les hommes stériles...
182. Néron (Pierre) et Girard (Étienne), *Recueil d'édits et d'ordonnances royaux*, Paris, Montalant, 1720, II, p. 783.
183. Wartburg, II, 2, p. 1050.
184. Je cite d'après l'édition d'E. Nicaise, Paris, Alcan, 1890, p. 546 : édition critique collationnée sur les manuscrits latins du xive siècle et français du xve, mo˙ns vigoureuse cependant que les multiples traductions qui se sont succédé aux xvie et xviie siècles. La traduction de Simon Mingelousaulx, en 1683, quelques années aprɘs l'abrogation du congrès, est de loin la plus piquante. Le passage cité y devient : « Elle les exhortera de se caresser mutuellement, de se baiser, de s'embrasser, de se chatoüiller, elle leur fera prendre quelques remedes ordonnez par le Médecin propres à exciter l'appétit vénérien, elle les échauffera, elle leur oindra les parties génitales de quelques onguans propres devant un feu de sarments... »
185. Darmon, p. 34.
186. Tallemant des Réaux, VI, p. 26.
187. Combes, p. 743.
188. Darmon, p. 194.
189. Combes, p. 693.
190. Darmon, p. 193.
191. Darmon, p. 204.
192. Quicherat, *Le Procès de Jeanne d'Arc*, Paris, Renouard, 1841-1849 (Société de l'histoire de France), t. III, p. 50. Venette, parfois obsédé par son sujet, interprète à sa façon la visite des deux médecins : « Elle estoit si étroite qu'à peine auroit-elle esté capable de la compagnie d'un homme » (p. 37). C'est projeter sur des médecins du xve siècle la curiosité des matrones du xviie.
193. Hecquet, p. 600.
194. Lepelletier (Edmond), *Paul Verlaine, sa vie, son œuvre*, Mercure de France, 1923 (1re édition 1907), p. 350.
195. Frydman, p. 37.
196. Lyons-Petrucelli, p. 456.
197. Opinion de l'auteur de *La France galante*. Cf. Bussy-Rabutin, II, pp. 62 ss.
198. Saint-Simon, Addition à Dangeau, 4 mai 1690.
199. Cabanès, *Curiosités*, p. 69, note 1.

200. Frydman, p. 64.

201. Vaylet, p. 28.

202. *Fioretti*, ch. II, p. 23.

203. Weyll, pp. 309-312. — A l'Hôtel-Dieu, on trouve de douze à quinze personnes par lit en 1525, jusqu'à six personnes en 1765... En 1781, une ordonnance de Louis XVI impose un lit par malade.

204. Lacroix, p. 462.

205. Bignon, f° 6, v°.

206. *Ibid.*, f° 7, v°. Cf. Baluze, cité par Travers, p. 30 note 1 : « *Cortinas, cum quibus claudantur eorum logiae quando dormient seu quiescent* », et Mayer, p. 46.

207. Concile de Tolède, 633, Mansius, X, p. 626, canon 22.

208. Migne, *P.L.* 66, col. 498. — Quand il sera hébergé dans un séminaire, Casanova connaîtra la même lampe qui brûle en permanence. Selon qu'elle s'éteignait d'elle-même ou que l'on écrasait la mèche, les fautes commises dans l'obscurité étaient plus ou moins graves (I, p. 125)...

209. Pour la même raison, les manuels éducatifs interdisaient la position dorsale, qui échauffe les reins. Cette conception éclaire la symbolique antique et médiévale de la ceinture. Cf. Doppet, p. 39.

210. Migne, *P.L.* 66, col. 498.

211. *Ibid.*

212. Lanfranc, II, 5, col. 705 ; II, 10, col. 706 ; II, 3, col. 707.

213. Le Roy Ladurie, p. 210.

214. Loomis, fig. 73. La même robe de nuit, trop courte par le haut et par le bas, est encore portée au XVIIIe siècle par le jeune Tonine, qui commet l'imprudence de se présenter ainsi devant Casanova (I, p. 916).

215. *Le Réveille-Matin des François, et de leurs voisins, composé par Eusèbe Philadelphe Cosmopolite en forme de Dialogues*, Edimbourg, J.James. 1574, p. 168.

216. Chevalier, II, p. 20.

217. L'Estoile, III, p. 224.

218, Tallemant des Réaux, V, p. 36.

219. Villandié « commit un crime de Leze Majesté pour avoir touché de la main les parties naturelles de Charles IX » (Venette, p. 3).

220. Tallemant des Réaux, II, p. 97.

221. Laporte, p. 10.

222. *Ibid.*, p. 22.

223. Tallemant des Réaux, IV, p. 65, note 2.

224. *Ibid.*, III, p. 165

225. *Ibid.*, II, p., 163.

226. Laporte, p. 49.

227. Tallemant des Réaux, V, p. 36.

228. Courtin, p. 159.

229. Tallemant des Réaux, III, p. 130.

230. Héroard, 4 août 1603-10 juin 1605.

231. Tallemant des Réaux (I, p. 424), qui rapporte l'anecdote, accuse le cardinal d'avoir voulu « débaucher » la princesse Marie. Preuve sans doute que la réception dans son lit était plus suspecte de la part d'un homme que de la part d'une femme.

232. Tallemant des Réaux, IV, p. 392.

233. *Ibid.*, IV, p. 314.

234. *Ibid.*, III, p. 51.

235. Dreux du Radier, *Mémoires historiques...*, IV, p. 232.

236. Tallemant des Réaux, IV, p. 347.

237. Mercier, VI, p. 149.

238. Saint-Simon, II, p. 134.

239. *Opinions de Jérôme Coignard*. ch. XVII, pp. 201 ss. Casanova, pour « ménager la pudeur expirante » de ses conquêtes, se déshabille dans le noir (II. p. 1061). Cette nouvelle conception de la pudeur, qui touche les rapports intimes des couples, pénètre donc les couples libertins en même temps que les couples légitimes...

240. Pour ce passage, cf. Vaylet, *La Chemise conjugale*, Rodez, Subervie, 1976.

241. Cerné, p. 153.

242. Campan, p. 313.

243. *Civilité honneste...*, p. 19.

244. Adèle Hugo, p. 121.

245. II, 5, 5, Imprimerie nationale, 1907, p. 240.

246. Cité par Foucault, *Histoire de la sexualité*, I, p. 39, note 1.

247. Bricard, p. 66.

248. *Fantasio.* III, 1908, 1, p. 358. Les ragots de ce journal sont parfois sujets à caution... mais la réaction compte plus pour nous que l'authenticité de l'anecdote. Elle prouve que la réception en chambre, courante au XVIIIᵉ, n'était plus possible au début du XXᵉ.

249. Et que dire des « pyjavestes » des années 50, qui étaient vendus sans culottes ? Etiemble (*Babélien*, I, p. 115) s'indigne autant du vêtement que du mot barbare qui le désigne...

250. « Nu comme tu es venu au monde, ne gardant que tes culottes », précise saint François, ce qui est une curieuse façon de venir au monde... L'humiliation était d'autant plus ressentie par Ruffin qu'il était, avant sa conversion, un des plus riches citoyens d'Assise. Ajoutons que saint François, pris de remords, alla retrouver son disciple dans la même tenue (*Fioretti*, ch. 11, p. 51). La nudité n'est pas le seul type d'humiliation publique qu'affectionne saint François. Il fit par exemple pirouetter frère Massée comme un enfant devant les séculiers qui passaient. Le même principe préside à cette folie simulée : l'adulte s'humilie en adoptant les jeux de l'enfant ou la tenue du bébé à sa naissance.

251. Gaignebet, p. 53.

252. Le cri de la femme est peu clair. Le notaire qui l'a transcrit au XVIᵉ siècle l'avait-il lui-même compris ? Je proposerais : « Elle va la première (là) où l'on dit qu'ira celui qui fera de même. » La formule « aital fara aital penra » (celui qui fera la même chose pendra de la même façon) sonne comme un proverbe. Peut-être le cri de la femme se résumait-il à cela ?

253. Avanie proverbiale à l'époque. Della Casa, en exposant les bonnes manières à table, se moque de ceux qui portent leur cure-dent au cou « comme une faute » (p. 574).

254. Nangis, I, p. 405.

255. Tallemant des Réaux, II, p. 128.

256. Weyll, p. 371. Montesquieu (*Esprit des Lois*, XII, 14) parle aussi des châtiments des Romains et des Chinois et s'élève contre une justice qui viole les règles de la pudeur.

257. Combes (Pierre de), *Recueil tiré des procédures criminelles faites par plusieurs officiaux et autres juges du royaume*, Paris, Montalent, 1726, II, p. 266.

258. Joinville, ch. 260, p. 277.

259. Dulaure, *Divinités génératrices*, p. 234.

260. Cudgel, p. 92. Cf. Sauval, *Chron. scand.*, p. 83. — Gaignebet, pp. 220-221.

261. *Acta sanctorum*, 7 mars, p. 637.

262. Du Cange, I, p. 720, s.v. « bombus ».

263. Jean de Roye, I, p. 272 : en 1472, le duc de Bourgogne arrive devant Roye ; les défenseurs laissent « tout habillement de guerre » et se rendent « tout nuds et en pourpoint ». Cf. aussi Godefroy, X, p. 213, s.v. « nu ».

264. Migne, *P.L.*, coll. 526 ss.

265. *Ibid.*, col. 528.

266. Migne, *Encyclopédie théologique*, XIII, p. 55.

267. Du Cange, VI, p. 830, s.v. « villania ».

268. Lacroix, p. 443.

269. Damhouder, p. 66.

270. Dufay, p. 52.

271. Institoris, t. I, p. 376 et p. 378.

272. Lacroix, p. 446. Dans l'« autodafé » peint par Berruguete (Prado), les suppliciés sont représentés en caleçon.

273. « Une exécution en 1625 », *Revue rétrospective*, I, II, p. 81.

274. Sauval, *Antiquités*, II, p. 587.

275. *Ibid.* III, p. 337.

276. Brantôme, VII, pp. 435-438.

277. Albert Meyrac, *Traditions, coutumes et légendes, contes des Ardennes*, Charleville, 1890, p. 27. La coutume est restée vivace à Beaumont jusqu'en 1815.

278. Boileau, *Flagellants*, p. 70.

279. Brantôme, IX, p. 209.

280. L'Estoile, IV, p. 246.

281. Weyll, p. 136.

282. L'Estoile, I, p. 113.

283. « Sorte de caleçon », estime Du Cange, s.v., qui ne cite que cet exemple. Il s'agit sans doute d'un jeu de mots de Bernardin de Bustis sur l'antienne (chant à deux voix) et le caleçon (vêtement à deux jambes), jeu de mots qui annonce le « livre des fesses » sur lequel le moine lira sa propre antienne.

284. « *Quia ille magister contra sanctum dei tabernaculum locutus fuerat : cepit eum palmis percutere super quadrata tabernacula sua quae erant nuda. non enim habebat femoralia vel antiphonam. Et quia ipse infamare voluerat beata virginem allegando forsitan Aris. in libro priorum. iste predicator confutavit eius argumenta legendo in libro suorum posteriorum.* » *Mariale eximii viri Bernardini de Busti Ordinis Seraphici francisci*, Hagenaw, Henrici Bran, 1506, Pars I, De Conceptione Marie, sermo VIII, Pars III, quintum miraculum.

285. *Les femmes de la Révolution*, II, p. 13.

286. Franklin, *Soins de toilette*, p. 15.

287. Bouvignes, p. 135.

288. Boileau, *Nudités de gorge*, p. 37.

289. Par exemple au tympan des cathédrales de Conques, Amiens, Bourges... Le système est particulièrement complet à la cathédrale d'Orvieto (1340) : en ressuscitant, les morts sont nus, mais le mouvement cache leurs organes sexuels ; au paradis, ils sont habillés ; en enfer, ils restent nus et leurs organes sont apparents.

290. Benoît de Sainte-Maure, *Chronique des ducs de Normandie*, II, p. 338, v. 33831. Éd. Carin Fahlin, Uppsala, 1954. Le passage se situe à la naissance de Guillaume (vers 1027).

291. *Chroniques de Saint-Denis*, VII, p. 11.

292. *Ly Myreur des Histors, chronique de Jean des Preis dit d'Outremeuse*, publiée par Ad. Borgnet, Bruxelles, M. Hayez, 1867, t. IV, pp. 269-271.

293. « *Etiam nudis pedibus, quinimo, exceptis mulieribus, totis nudis corporibus* », Nangis, I, p. 442.

294. L'Estoile, III, p. 247, février 1589. Cf. Dulaure, *Singularités*, pp. 60. ss.

295. Mercier, XII, pp. 96-97.

296. Boileau, *Flagellants*, p. 171.

297. *Ibid.*, p. 172.

298. *Ibid.*, p. 202.

299. *Monachi Patavini chronicon*, Murator, VIII, pp. 711-712, traduit par Boileau, *Flagellants*, pp. 253 ss.

300. « *Nudis a renibus et supra* », J. de Fayt, p. 16.

301. « *Denudati in femoralibus* », II, 217.

302. *Chronique*, I, p. 224. Éd. Jules Viard et Eugène Deprez, Renouard, 1904 (Société de l'Histoire de France).

303. « *Habentes in modum braccae camisias in femore ad talos praetensas* », cité par Boileau, *Flagellants*, pp. 264-265.

304. Cité par Cudgel, p. 167, qui ne donne pas de source. Cudgel interprète parfois de façon contestable les témoignages qu'il indique. Il est probable que le frère Juniperis portait des caleçons sous ses chausses, et qu'il les avait gardés.

305. Albert de Strasbourg, cité par Boileau, pp. 265 ss.

306 J. de Fayt, pp. 13, 17, 18, 20...

307. Cf. Ursmer Berlière, *Trois traités inédits sur les flagellants de 1349* (extrait de la *Revue bénédictine*, juillet 1906, pp. 334-358).

308. Jean le Bel, I, p. 224

309. *Chroniques de Saint-Denis*, IX, p. 324.
310. Doppet, p. 57.
311. *Instit. orat.*, I, 3, 17, traduction de Jean Cousin, Belles Lettres, 1975, coll. Budé, p. 77.
312. Tallemant des Réaux, III, pp. 77 et 82.
313. Cf. Du Cange, s.v. « disciplina », et Ménage, p. 106, qui cite un savoureux conte en vers inspiré de l'aventure.
314. Lettre de Charles VII en 1445, citée par Du Cange, III, p. 961, s.v. « kalendae ».
315. Davin, p. 20.
316. *Ibid.*, p. 41.
317. Du Cange, III, p. 962, s.v. « kalendae ».
318. *Ibid.*, p. 961.
319. Grégoire de Tours, *Historia Francorum*, II, 23.
320. Rabelais, *Gargantua*, ch. 23, p. 69.
321. Franklin, *Hygiène*, p. 28, note 2.
322. Hérodote, II, 35.
323. Picard, *La vie privée dans la Grèce antique*, Rieder, 1928, p. 28.
324. Weyll, p. 47.
325. *Ibid.*, p. 78.
326. Udalric, II, 5 ; III, 8 ; III, 9 (coll. 742 ss.).
327. Du Cange, IV, p. 615.
328. Della Casa, p. 110.
329. *Correspondance complète de la duchesse d'Orléans*, traduite par G. Brunet, Paris, Charpentier, 1857, II, p. 386, lettre du 9 octobre 1694.
330. Guerrand, p. 24.
331. *Panoptique*, Paris, Belfond, 1977, p. 103.
332. Tallemant des Réaux, I, p. 395, note.
333. *Fantasio*, III, 1908, 1, p. 98.
334. Hérodote, II, 35.
335. Leber, p. 94.
336. Chevallier, p. 23.
337. La Porte, p. 19.
338. Tallemant des Réaux, I, p.285.
339. Cité par Guerrand, p. 71. Cf. Mercier, VII, pp. 225 ss : depuis qu'on a déraciné les ifs des Tuileries, qui servaient de retraits d'urgence, les Parisiens ne sont mis a déféquer un peu partout, au risque « d'offenser la morale publique ».
340. Chevallier, p. 14.
341. Cité par Guerrand, p. 93.
342. Pratique évoquée par B.M. Koltes dans *La Fuite à cheval très loin dans la ville*, Minuit, 1984 — Verlaine a écrit pour l'*Album zutique* un pastiche de la « Mort des Amants » de Baudelaire qui propose : « Nous reniflerons dans les pissotières »...
343. *Heptameron*, 7e nouvelle.
344. Héroard, II, p. 45.
345. L'Estoile, III p. 304. Le *Règlement* édicté par Henri III en 1585 avait tâché de réglementer les entrées : « Nul ne demeurera au lieu où sa Majesté ira à ses affaires, que ceux qui ont cest honneur d'en estre, suyvant le roolle [rôle, liste] faict par sadite Majesté, et signé de sa main (p. 20). » Il faudra un Louis XIV pour imposer cette révolution de cabinet.
346. IX, p. 66. Mais quand il s'indigne des coutumes des Tahuglanks (Nouveau Mexique), chez qui les rois tiennent également chaise publique, Mercier ne fait aucune allusion à une pratique similaire en France (VI, p. 101 ss). La coutume avait dû s'édulcorer sous Louis XV et Louis XVI.
347. Héroard, II, p. 45 — La Porte, p. 46.
348. Franklin, *Civilité*, appendice, p. 36.
349. I, 3, 15.
350. Moreau, p. 490.
351. Guerrand, p. 39.
352. Tallemand des Réaux, I, p. 293.

353. Héroard, I, p. 215.

354. Chevallier, p. 250.

355. Henri Gelin, *Au temps passé, A travers Poitou et Charente*, Niort, Imprimerie Poitevine, 1925, IIe série, p. 99.

356. Cf. Saint-Simon, II, p. 1287, note 2.

357. I *Mir* 18, « De une noble fame de Rome », II, p. 146, v. 443.

358. Traduction de 1572 (citée par Franklin, *Civilité*, II, app. p. 10).

359. *Op. cit.*, p. 98. Nombreux autres exemples.

360. Della Casa, p. 28.

361. *Éthique galante, traité de savoir-vivre*, cité par Frédéric Pagès, *Au vrai chic anatomique*, Seuil, 1983, p. 51.

362. Guerrand, p. 103.

363. *Ibid.*, p. 116.

364. D.H. Lawrence, *Mister Noon*, Calmann-Lévy, 1985, p. 227.

365. *La Belle Vie*, 1979.

366. Marais, II, p. 174.

367. Marais, II, p. 80. — Dangeau, I, pp. 244 et 276. — Saint-Simon, I, p. 109.

368. « *A summis capillis ad infimos usque pedes peruncti* » ; Leber, p. 21.

369. « Il est oint comme l'athlète prêt à descendre dans le stade... Il reçoit l'onction : non pas seulement à la tête, comme le prêtre d'autrefois, mais avec plus d'abondance... lui, il est oint tout entier. » Saint Jean Chrysostome, *Œuvres complètes*, traduites par l'abbé J. Bareille, Paris, L. Vivès, 1872, t. 19, p. 93. 6e Homélie sur l'épitre aux Colossiens.

370. Leber, p. 322.

371. L. XXI, par. 446, t. IX, p. 224.

372. Duby, *Le Chevalier, la femme et le prêtre*, Hachette, 1981.

373. Crespin, cahier m, f° 6, r[o].

374. Mayer, pp. 242 ss.

375. Crespin, *ibid.*

376. Héroard, I, pp. 38, 118, 120, 123...

377. Héroard, II, p. 186.

378. « Détail singulier de ce qui se passa le jour de la consommation du mariage de Louis XIII », *Revue rétrospective*, I, II, p. 250. Cf. Baschet, *Le roi chez la reine ou histoire secrète du mariage de Louis XIII et d'Anne d'Autriche*, Paris, Plon, 1866, p. 200. Il ne nous importe pas ici de savoir si les nourrices ont ou non menti, si la consommation a bien eu lieu ou si le « *primo congresso* » « non seulement était demeuré sans effet, mais même ne lui (à Louis XIII) avait laissé qu'une impression désagréable », comme le prétend le nonce apostolique apparemment mieux informé (*Ibid.*, p. 370).

379. Lettre de l'abbé Beauveau, primat de Lorraine, Cabanès, *Cabinet secret*, I, p. 228.

380. Franklin, *Civilité*, II, p. 107.

381. Saint-Simon, I, p. 445.

382. Bourgeois, II, p. 148.

383. Le Roi, *Curiosités anecdotiques sur Louis XIII, Louis XIV, Louis XV, Madame de Maintenon, Madame de Pompadour, Madame du Barry*, Paris, Plon, 1864, pp. 38-44.

384. Dangeau, I, p. 276.

385. Bourgeois, II, p. 178.

386. Campan, I, pp. 201-202.

387. *Revue rétrospective*, I, t. V, pp. 117 ss.

388. *Ibid.*, p. 124 (naissance de Louis XVII).

389. Tallemant des Réaux, II, p. 111, note 2.

390. Eginhard, ch. XXIV, p. 81.

391. *Mémoires sur Henri II*, p. 8. Selon le témoignage de Catherine de Médicis, la même coutume existait déjà sous François 1er : « Chose accoustumée de tous temps aux Rois voz père et grand-père », écrit-elle à Charles IX le 8 septembre 1563 (Éd. H. de la Ferrière, Imprimerie nationale, 1885, t. II, p. 91).

392. Franklin, *Civilité*, II, p. 162.

393. Franklin, *Soins de toilette*, p. 9.

394. Tallemant des Réaux, IV, p. 400.

395. *Recueil de quelques pièces...*, 1667, p. 4.

396. Franklin, *Civilité*, p. 147.

397. *Ibid.*, p. 149.

398. L'Estoile, III, p. 304.

399. Lettre du 8 septembre 1563, *loc. cit.*, pp. 90 ss.

400. Henri III, *Reglemens faicts par le Roy, le premier jour de janvier 1585 — L'ordre que le Roy veut estre tenu en sa Cour...*

401. *Mémoires sur Henri II*, p. 31.

402. *Mémoires* de Louis-Henri de Loménie, comte de Brienne, publiés par Paul Bonnefon, Paris, Société de l'histoire de France, 1919, III, p. 42.

403. Franklin, *Hygiène*, p. 26.

404. Dangeau, III, p. 140.

405. Saint-Simon, I, p. 916.

406. Tallemant des Réaux, IV, p. 277.

DEUXIÈME PARTIE

La pudeur dans la représentation

1. Dulaure, *Divinités génératrices*, p. 178.

2. Gaignebet, pp. 198-199. Autour d'une documentation très complète sur l'art profane dans les églises françaises, Gaignebet développe une ingénieuse théorie qui, en séparant l'art « obscène » de la religion officielle, rend à celle-ci une spiritualité purifiée de ces références incongrues. Il s'agit, *mutatis mutandis*, du même réflexe que la séparation de l'art religieux et de l'art profane au XVIe siècle.

3. Sauval, *Chronique scandaleuse*, pp. 74-75.

4. P. 191. La représentation des îles Orille et Argite, dans les voyages de Mandeville, aboutit à une évocation du paradis terrestre, où Adam et Eve, en hommes sauvages, jouent sous le regard des anges.

5. *De la Vraye et fausse religion*, 1560, pp. 502 ss.

6. Voir, par exemple, la tapisserie de Bayeux, les miniatures médicales reproduites dans Huard, fig. 7 et fig. 15 ; le Paradis des Très Riches Heures du duc de Berry (Chantilly) ; le ms. 606 du f. fr. de la Bibliothèque nationale, f° 11, v°...

7. Loomis, fig. 135. Le thème des organes féminins est tout aussi courant dans l'iconographie médiévale. Il figure sur des vitraux du château de Chantilly, sur une gravure sur bois représentant un peintre et son modèle nu, sur les illustrations citées des châtiments de l'adultère, sans parler des Shelah-na-Gig irlandaises dont le sexe occupe presque tout le corps...

8. Richer, t. III, p. 96.

9. Reproduite dans Lagarde, Michard, Lemaître, t. I, p. 154.

10. Vasari, cité par Rolland, p. 109.

11. Cellini, *Mémoires*, trad. L. Leclanche, 1846, livre VI, t. II, pp. 35-38-41-94...

12. Michel-Ange, p. 216, note 1. — Lettre de Pietro Aretino de 1545 et documents des Ouvriers du palais (31 octobre 1504).

13. Pastor, t. XVII, p. 90, note 2.

14. Vasari, I, p. 75 et III, p. 1297. La réplique de Paul III, rapportée par L. Domenichi en 1564, et citée ici d'après l'original, a été par la suite intégrée au texte de Vasari sous des formes diverses.

15. « *Come battezzato, mi vergogno de la licentia, si illecita a lo spirito, che avete preso ne lo isprimere i concetti u' si risolve il fine al quale aspira ogni senso de la veracissima credenza nostra.* » Michel-Ange, p. 215.

16. Rolland, p. 133.

17. Rolland, pp. 132 ss. ; Mâle, *Art religieux après le concile de Trente*, pp. 2 ss. ; Gimpel, pp. 64 ss. ; Muntz, pp. 10 ss. et 126 ss...

18. Gaye, II, p. 500.

19. Ronsard, sonnet sur la société de Jésus, *Revue rétrospective*, première série, I, p. 280.

20. « *Omnis porro superstitio in sanctorum invocatione, reliquiarum veneratione, et imaginum sacro usu tollatur ; omnis turpis quaestus eliminetur, omnis denique lascivia vitetur, ita ut procaci venustate imagines non pingantur, nec ornentur* », concile de Trente, XXVe session, 1563, Mansius, t. 33, col. 172 B.

21. Giglio Da Fabriano, *Dialogo degli errori dei Pittori*, 1564. — Jean Molanus, *De picturis imaginibus sacris*, 1570. — G. Paleotti, *Discorso intorno alle imagini sacre e profane*, 1582...

22. Mâle, p. 28.

23. Gimpel, p. 65.

24. Armand Baschet, *Paul Véronèse devant le Saint Office*, Orléans, 1880.

25. Gaye, II, p. 500.

26. *Recueil de quelques pièces*, p. 1667, pp. 48 et 69.

27. Mâle, pp. 2-3.

28. Brantôme, IX, p. 47.

29. Molière, *Misanthrope*, III, 5, t. IV, p. 91.

30. Héroard, 29 mai 1603 et 23 décembre 1604.

31. Sauval, *Galanteries*, II, p. 235.

32. Moreau, p. 500.

33. Tallemant des Réaux, II, p. 17, note 1.

34. Sauval, *Galanteries*, II, p. 234.

35. S. Rocheblave, *Pigalle*, Paris, Lévy, 1919, p. 280.

36. Tallemant des Réaux, I, p. 78, note.

37. Larousse du XIXe, s.v.

38. *Ibid.*

39. Flaubert, *Voyages*, Belles Lettres, 1948, I, p. 203.

40. Bayard, p. 51.

41. Diderot, *Salons*, Herman, 1984. Salon de 1761, p. 120 ; Salon de 1765, pp. 54 et 59.

42. Aimé Leroy et Arthur Dinaux, *Les Hommes et les Choses du nord de la France et du midi de la Belgique*, Valenciennes, 1891, p. 191.

43. S. Rocheblave, *Pigalle*, pp. 277 et 288.

44. Bachaumont, VI, p. 373.

45. Bachaumont, VI, p. 75.

46. S. Rocheblave, *Pigalle*, p. 286.

47. *Ibid.*

48. Ph. Bordes, *Le Serment du Jeu de Paume*, 1983, planches 137 et 194.

49. F. de Saint-Simon, *La Place des Victoires*, Albatros, 1984, pp. 88-93.

50. S. Rocheblave, *Pigalle*, p. 287.

51. Allaert, 1877, p. 14.

52. *Ibid.*, p. 10.

53. *Mystère du Confessionnal*, p. 80.

54. Bayard, p. 196.

55. V. par exemple « le modèle » de Catulle Mendès, dans *Fantasio*, 3, 1908, 1, pp. 265-266.

56. J. Renoir, *Renoir, mon père*, Hachette, 1962, p. 355.

57. Vollard, p. 199.

58. Carco, p. II.

59. Courbet, *Catalogue de l'exposition du Grand-Palais* (1977-1978) par Hélène Toussaint, pp. 117-118.

60. Allaert, p. 18.

61. Carco, p. 2 et p. 141.

62. Veronee-Verhaegen, *Les Primitifs flamands. L'hôtel-Dieu de Beaune*, Bruxelles, Centre national de recherches « Les primitifs flamands », 1973, pp. 78-79.

63. Signalé en 1909 par Normandy, p. 84.

64. Gaignebet, p. 31.

65. Labonne, « Superstition berrichonne », *Revue des traditions populaires*, V, 1890, pp. 175-176.

66. Autre grand scandale du Second Empire... La fille de Carpeaux a rassemblé un dossier dans lequel Louis Réau a puisé pour écrire « le vandalisme pudibond ». Carpeaux fut surtout victime des circonstances historiques : en 1869, quand *La Danse* est installée à l'Opéra, le groupe focalise l'opposition à un régime de plus en plus impopulaire. « C'est une ignoble bravade du Bas-Empire », disent les journaux. Napoléon III est plus visé que « l'Offenbach de la sculpture » comme fut alors surnommé Carpeaux... La guerre de 1870 enterra fort à propos le scandale.

67. Carco, p. 88.

68. Cf. Wolbert, *Die Nackten und die Toten des Dritten Reiches*, Giessen, Anabas, 1982. Bois (Y.-A.), *Sculpture italienne à Rome au temps du fascisme*, Paris, Damase, 1978.

69. M. Rapaille, *Le Chancelier d'un été*, Barré Dayez, 1986, p. 116.

70. Colette, *Les Vrilles de la vigne*, « Music-halls », Paris, éditions de la Vie parisienne, 1908, p. 204.

71. Cohen, *Histoire de la mise en scène* (1re édition 1906), p. 232.

72. Jean Michel, *Mystère de la Passion*, vv. 27152-27179 (édition Omer Jodogne, Gembloux, 1959, p. 398). Orthographe modernisée.

73. Les didascalies pour le *Mystère de la Passion* ont été publiées par G. Cohen, *Livre du régisseur* (notamment pp. 326-327, 353, 364-365... pour les passages cités).

74. Parny, *Guerre des Dieux*, Paris, Debray, 1808, pp. 43-45.

75. Reproduction célèbre. — Voir notamment le *Livre du régisseur*, pl. V.

76. Witkowski, *Théâtre*, p. 312.

77. Cohen, *Histoire de la mise en scène*, p. 231 : B.N. ms. fr. 12538 (1476) foll. 118 r°, et 120 v°.

78. Cohen, *Livre du régisseur*, p. 11.

79. Cohen, *Histoire de la mise en scène*, p. 231.

80. Witkowski, p. 309. — Sujet abordé plus complètement dans son *Accouchements dans les Beaux-Arts, dans la littérature et au théâtre* (1894).

81. Cohen, *Histoire de la mise en scène*, p. 232.

82. Cohen, *Anthologie du drame liturgique en France au Moyen Age*, Paris, éd. du Cerf, 1956 (coll. Lex orandi, n° 19), p. 234.

83. Cohen, *Mise en scène*, p. 232.

84. Jean de Roye, t. I, p. 27, 31 août 1561.

85. Pontus Heuterus, *Rerum Burgundicarum*, V, 4. — *Opera omnia*, Louvain, Coppenius, 1643, f° 128 v°.

86. Jehan de Bourdigne, *Chronique d'Anjou et du Maine* (1529), Angers, Cosnier-Lachèse, 1842, p. 321. Le dernier vers, pudiquement sauté par l'éditeur du xixe siècle, est cité d'après Dreux du Radier, *Récréations historiques*, I, p. 271. On peut se demander, à la lecture de la description originale, s'il s'agissait d'un tableau peint ou mimé. La mention « très joyeulx spectacle » et la présence de faunes et de satyres bien vivants pour donner à boire aux passants semblent prouver que le Noé « en état de nature » était lui aussi en chair et en os.

87. *Revue rétrospective*, I, iv, p. 355, note 1.

88. Normandy, pp. 128-129.

89. Witkowski, *Théâtre*, p. 46.

90. *Revue rétrospective, ibid.*, p. 341.

91. *Ibid.*, pp. 343-344.

92. L'Estoile, I, pp. 192 et 202.

93. Tallemant des Réaux, IV, p. 79.

94. Molière, *La Jalousie du Barbouillé*, sc. ii, Hachette, 1873, t. I, pp. 25-26.

95. Héroard, 15 février 1605, t. I, p. 117.

96. Witkowski, *Théâtre*, p. 52.

97. On peut admirer des actrices décolletées jusqu'au nombril sur une gravure de *Sabinus* publiée dans *Le dix-septième siècle* (1958, p. 216) : elles s'intègrent dans une vision idéale de la pièce, où les acteurs morts ont réellement la tête tranchée et où les spectateurs portent des casques romains !

98. Sc.xi, t. IV, p. 266.
99. Sixième intermède, t. VI, p. 155.
100. Witkowski, *Théâtre*, p. 53.
101. Saint-Simon, I, p. 392.
102. Larousse du xixᵉ, III, 2, p. 713.
103. Cf. Normandy, pp. 146-162, et Witkowski, *Théâtre*, pp. 73-77.
104. Casanova, III, p. 776. Ailleurs, Casanova suggère que la Carmago vieillissante n'a plus besoin de caleçon, car sa chair, qui n'est « ni de lis, ni de rose », imite bien mieux l'étoffe (I, p. 650).
105. Normandy, p. 161.
106. Doublier, p. 60.
107. Duprez, *Récréations de mon grand âge*, cité par Witkowski, *Théâtre*, pp. 90-91.
108. Carlson, p. 124.
109. Duverger, VI, p. 71.
110. Cité par Carlson, p. 229.
111. *Intermédiaire*, 1907, p. 211.
112. Witkowski, *Théâtre*, pp. 166 ss.
113. *Fantasio*, 2, 1907, 1, pp. 82 ss.
114. *Le Monsieur qui a brûlé une dame.*
115. Witkowski, *Théâtre*, p. 152.
116. *Intermédiaire*, 1906, t. 54, p. 486.
117. *Intermédiaire, Ibid.*
118. Albert du Moulin, dans *Paris Lumière*, 5 décembre 1906, cité par Geneviève Dormann, *Amoureuse Colette*, Herscher, 1984, p. 125.
119. Maarek, p. 10.
120. *Fantasio*, II, 1907, 3, p. 809.
121. Witkowski, *Théâtre*, p. 204.
122. *Ibid.* pp. 282-283.
123. *Fantasio*, II, 1907, 3, p. 1080.
124. *Fantasio*, III, 1908, 1, p. 98.
125. *Ibid.*, p. 360.
126. Witkowski, *Théâtre*, p. 281.
127. *Fantasio*, II, 1907, 3, p. 895.
128. Witkowski, *Théâtre*, p. 280.
129. *Ibid.*, p. 281.
130. Souvenir de sa femme Romola, rapporté par Pastori, p. 15.
131. *Ibid.*, pp. 22, 46 et 48.
132. *Ibid.*, pp. 20, 90 et 17.
133. Cité par Lo Duca, I, p. 20.
134. Cf. Cicéron, *De Officiis*, xxxv, 129 : « Personne ne se produit sur scène sans dessous (*subligaculo*) ; ils craignent en effet, s'il arrivait en quelque occasion que certaines parties du corps soient découvertes, qu'on ne les regarde au mépris de la convenance. »
135. Léo Sauvage, *L'Affaire Lumière*, Lherminier, 1985, p. 33.
136. *Ibid.*, pp. 36-37.
137. Lo Duca, I, p. 19.
138. *Ibid.*, I, p. 28.
139. Premier exemple en 1906, cf. *Intermédiaire*, 54, p. 237.
140. Schlosberg, p. 38. — Cf. aussi, pour ce chapitre, Ph. J. Maarek, J. Zimmer et Lo Duca.
141. *Nouvelle République du Centre-Ouest*, Tours, 17 mai, 18 mai, 20 mai, 18 septembre, 5 octobre, 9-10 octobre 1971, 21 mai, 28 juin, 12 mai 1972.
142. *Procès fait aux chansons de P.-J. de Béranger*, Paris, Baudouin, 1828, p. 112.
143. G. Lefebvre, *Grammaire de l'égyptien classique*, Le Caire, 1955, § 513, p. 257.
144. Molière, *Les Précieuses ridicules*, sc. xii. t. I. p. 230.
145. Étiemble, *Le Babélien*, I, p. 21.
146. Pagnol, *Marius*, II, 2 (Monte-Carlo, Pastorelly. 1973, p. 156).
147. Reboux, p. 112.

148. Molière, *Les Femmes savantes*, III, 2, t. VII, p. 234.

149. Vaugelas, *Nouvelles remarques sur la langue française*, Paris, G. Deprez, 1690, p. 494.

150. *Vie et Langage*, n° 154, janvier 1965, p. 494.

151. Prévert, *La Pluie et Beau temps*, « Que faites-vous, Rosette, le dimanche matin ».

152. Somaize, I, p. (l).

153. Vaylet, p. 27. Les écoles religieuses n'avaient pas le monopole de ces pruderies et les instituteurs de communale, avant-guerre, usaient déjà du « que long ». On se souvient de la vieille plaisanterie : l'inspecteur, interrogeant un élève qui omet dans son alphabet la lettre innommable, le reprend : « Vous ne parlez pas du Q ? » — « Je parle déjà du nez », lui répond l'élève...

154. *Procès*, p. 27.

155. Éd. Perrotin, 1867, t. I, p. 337.

156. Maintenon, *Lettres et entretiens sur l'éducation des filles*, éd. Th. Lavallée, Paris, Charpentier, 1861, II, pp. 94-95.

157. *Sic* dans la *Revue rétrospective*, I, 3, p. 40.

158. Franklin, *Plans*, II, p. 223 et II p. 105.

159. Crespin, cahier m, f° iiij v°. Tous les traités de l'époque rapportent la même explication.

160. Hillairet, II, p. 105.

161. Sauval, *Chron. Scand.*, p. 73. — Saintefoix, *Histoire de Paris*, 1755, II, p. 44... Histoire très connue à l'époque, quoique fausse.

162. Sauval, *Chron. scand.*, pp. 72 ss. Hilairet, II, p. 508.

163. Sauval, *Chron. scand.*, p. 75.

164. Sauval, *Chron. scand.*, p. 73. — Saint-Simon, I, p. 286.

165. Tabourot, II, f° 18 v° .

166. Tallemant des Réaux, I, p. 55.

167. *Fantasio*, II, 1907, l, p. 101.

168. *Fantasio*, III, 1908, l, p. 429.

169. Boileau, *Art poétique*, II, vv. 175-178, éd. par M. de Saint-Marc, Amsterdam, Changuion, 1775.

170. IX, p. 192.

171. Cf. Corneille, préface de *Pompée*, lorsqu'il cite ses sources : « Je les laisse en latin, de peur que ma traduction n'ôte trop de leur grâce et de leur force. Les dames se les feront expliquer. » Mme d'Urfé, malgré ses connaissances alchimiques, est incapable de comprendre un traité en latin qu'elle possède ; Casanova devra le lui traduire (Casanova, II, p. 116).

172. P. de Combes, 1705, table...

173. Cf. Cabanès, *Flagellation*, p. 8.

174. Longchamp, p. 179.

175. Raynaud-Montaiglon, XXIX. Les exemples du xviiᵉ siècle sont en général empruntés à Oudin ou à Somaize.

176. Tallemant des Réaux, II, p. 85.

177. Somaize, p. *(xliv)*.

178. Marais, II, p. 321.

179. Tallemant des Réaux, II, p. 81, note 2.

180. Witkowski, *Accouchements dans les Beaux-Arts*, p. 537.

181. Somaize, p. *(xlix)*.

182. Franklin, *Civilité*, II, appendice p. 7.

183. Blin, p. 177.

184. *Procès*, pp. 33 et 48.

185. Bayard, p. 44.

186. *Liber poenitentialis*, Migne *P.L.*, 210, col. 286.

187. Cf. Pierre Michaud-Quantin, *Sommes de casuistique et manuels de confession au Moyen Age*, Louvain, Nauwelaerts, 1962 (Annalecta mediaevalia namurcensia, 13), p. 81.

188. *Histoire de la sexualité*, pp. 21 ss à 27 ss.

189. Tamburini (Thoma), *Opuscula tria de confessione, communione et sacrificio Missae*, Venetiis, apud B. Milochum, 1679, pp. 46-47.

190. *Mystères du confessionnal*, p. 62.

191. Norberto Valentini et Clara di Meglio, *Le sexe au confessionnal*, Flammarion, 1973.

192. Le Grand d'Aussy, *Contes dévots, fables et romans anciens*, 1781, IV, p. 39. — Louis Racine, dans *Histoire de l'Académie royale des Inscriptions*, 28 janvier 1744, t. XVIII, p. 363.

193. *Chrodogangi Metensis episcopi Regula canonicorum*, ch. LII. — D. Lucae d'Achery, *Spicilegium sive veterum aliquot scriptorum qui in Galliae bibliothecis delituerant*, Paris, Montalant, 1723, t. I, p. 575.

194. Sauval, *Galanteries*, I, p. 303.

195. Ottomar Nachtgall, dit Luscinus, *Joci ac sales mire festivi*, Augsbourg, 1524, CXLV. Développement facétieux d'une idée de saint Jérôme (*Ad Laetam*, 4, Budé, V, p. 147), pour qui une jeune fille doit ignorer les mots grossiers.

196. III, 5, t. II, pp. 77 et 78.

197. Éd. Maurice Laugaa, Garnier-Flammarion, 1970 p. 108.

198. *Recueil de quelques pièces...*, 1667, pp. 36, 41, 70.

199. *Menagiana*, IV, p. 315.

200. Molière, *Les Femmes savantes*, acte II, sc. 6, t. VII, p. 209.

201. Caylus, p. 476.

202. Cf. Mongrédien, préface aux *Œuvres* de Bussy-Rabutin, Garnier, 1930.

203. Cf. Georges Couton, préface aux *Contes*, Garnier, 1961, p. xxv.

204. D'Olivet, *Histoire de l'Académie française*, 1729, p. 22.

205. Marais, III p. 55. — Cf. Barbier, I, p. 57.

206. Campan, I, p. 16.

207. *Tableau de Paris*.

208. *Déclaration des droits de l'homme et du citoyen*, article 11.

209. *Code Napoléon*, cité par Larousse, s.v. « censure. »

210. Loi du 17 mai 1819, article II, 8, Duverger, XXII, pp. 149 ss.

211. Pommier, pp. 21 ss.

212. *Madame Bovary*, éd. R. Dumesnil, Société les Belles Lettres, 1945, II, pp. 218 et 225.

213. Pommier, pp. 58 ss.

214. Lettre du 19 février 1880, publiée en préface à *Des Vers*, de Maupassant.

215. *Œuvre poétique*, La Pléiade, 1978, II, p. 495.

216. Bradi, pp. 111 et 118.

217. *Mystères du confessionnal*, p. 84.

218. *Hors de soi*, Barrault, 1986, p. 58.

219. Cf Migne, *Encyclopédie théologique*, XII, coll. 134-136.

220. Helvetius, *De l'esprit*, 1758, Paris, Mercure de France, 1909, p. 64.

221. Saint-Simon, I, p. 377.

222. *Le Temps des cathédrales*, pp. 101 ss.

223. *Ibid.*, pp. 107-108 et 190 ss.

224. Au Latran, à Charroux, à Coulombs, au Puy, à Compiègne, à Clermont, à Fécamp, à Avit, à Metz, à Conques, à Hildesheim, à Saint-Jacques de Compostelle... Cf. Saintyves, *Les Reliques et les images légendaires*, Mercure de France, 1912, pp. 169 ss. Dès le XVIe siècle, les jésuites ont été mal à l'aise avec les prépuces du Christ. Barlette, prédicateur du XVe siècle au verbe aussi célèbre que Maillart et Menot, avait prétendu que la Samaritaine avait reconnu que Jésus était juif parce qu'il était circoncis. Théophile Raynaud l'en blâmera (cf. Dreux du Radier, *Récréations*, I, p. 208).

225. Cité par Saintyves, *loc. cit.*

226. *Intermédiaire*, t. 54, p. 7.

227. Cf. Barbet, pp. 82-83.

228. *Ibid.*, p. 80.

229. *De Santa Cruce*, col. 75-76, cité par Mâle, p. 273.

230. Saint Ephrem, sermon VI sur la semaine sainte, cité par Barbet, p. 82.

231. *Dialogues Beatae Mariae et Anselmi de Passio Domini*, Ch. x, Migne, *P.L.* 159, col. 282.

232. Thoby (Dr Paul), *Le Crucifix des origines au concile de Trente*, Nantes, Bellanger, 1959, pl. I, fig. 3 (intaille trouvée à Gaza) et fig. 4 (cornaline trouvée à Constantza), fig. 5 (intaille du IIIe siècle). Cf. p. 19.

233. *De gloria Martyrum*, I, ch. XXIII, Migne, *P.L.* 71, col. 724c.

234. (Début XVe.) Thoby, pl. CLI n° 320 et p. 191. Un filet de sang voile aussi le Christ de Bellechose dans le retable de Saint-Denis (Louvre, première moitié du XVe siècle) et celui de la *Grande Pietà* attribuée à Malouel (vers 1400, Louvre). Tous deux ont en outre un voile transparent autour des reins.

235. Thoby, p. 191, n. 14 et pl. CLXXII n° 359.

236. Reproduit dans Walters, p. 23.

237. Ettore Camesasca, *Tutta l'opera del Cellini*, Rizzoli, 1955, p. 46 b.

238. *Centre France magazine*, 1er septembre 1985, p. 3.

239. Cf. Hussler, pl. XLVII et p. 141.

240. Offices de Florence, Hussler, p. 129.

241. Signorelli, Pietà du musée diocésain de Cortona (Hussler, p. 124) ; *Belles heures du duc de Berry*, f° 145, v° ; Altdorfer, *Die Gemälde*, Hirmer et Piper, 1975, p. 303 ; Floris : Carel van de Velde, *Frans Floris, Leven en Werken*, Bruxelles, 1975, fig. 135 ; *Lampaul-Guimiliau*, éd. Jos le Doaré, Chateaulin, 1976, p. 6.

242. Thoby, pl. V, fig. 11 (cf. p. 24).

243. Supression systématique, par exemple, dans la bible de Pampelune, illustrée au début du XIIIe siècle, commandée par le roi de Navarre Sancho el Fuerte (1194-1234) — publiée en fac-similé par François Bucher, New Haven et Londres, Yale University Press, 1970.

244. Cf. Duchesne (A.) et Leguay (Th.), *Petite fabrique de littérature*, Magnard, 1985, pp. 42-43.

245. Moreau, p. 484.

246. *Tempo di Roma*, p. 257 (Éd. Laffont, 1973).

247. *Miracles de Notre-Dame de Jean Méliot*, Éd. B.N., I, p. 48.

248. Thoby, p. 116 et pl. LXXX, fig. 184.

249. I *Mir.* 16 (D.18), t. II, p. 117, vv. 76 ss.

250. Molanus, pp. 45-47.

251. *Mr Noon*, Calmann-Lévy, 1985, pp. 32-33.

252. L'Estoile, I, p. 355. Sauval, *Chronique scandaleuse*, p. 113.

253. Jean Cuisenier, *L'Art populaire en France*, Office du Livre, 1975, p. 142, note 231 (et fig. 231).

254. Witkowski, *Théâtre*, p. 273.

255. Lo Duca, I, p. 20.

256. *L'Outrage public à la pudeur*, éditions de la Renaissance, 1967, pp. 155 ss.

257. *Ibid.*, p. 155 note 1.

258. *Ibid.*, p. 179.

259. Signalé par Michel Tournier, *La Goutte d'or*, Gallimard, 1986, p. 203.

260. *Op. cit.*, p. 167.

261. Catherine Rihoit, *Brigitte Bardot, un mythe français*, Olivier Orban, 1986, p. 139.

262. *Ouest France*, 12 avril 1986, p. 7 et *La Montagne*, 12 avril 1986, p. 22.

CONCLUSION

1. Platon, *République*, 452c. Cf. Hérodote, I, 10 et Thucydide, I, 6.

2. Hérodote, II, 35.

3. Cf. Claude Vial, *Lexique de l'antiquité grecque*, A. Colin, p. 216. Foucault, *Histoire de la sexualité*, II, pp. 48-64.

4. Trois à cinq ans de prison au lieu de trois mois à un an ; 500 à 10 000 francs d'amende au lieu de 16 à 200 francs. Cf. Laplatte, p. 21.

5. Platon, *Théétete*, 175 c.

6. *République*, 452.

7. Aldegot von Veltheim, évêque de Magdebourg — Martene, I, 625.

8. IX, p. 98 : Un mari dont la femme « ne se put engarder de faire un petit mobile tordion de remuement, non accoustumé de faire aux nouvelles mariées », en conclut qu'il n'est pas le premier.

9. Venette, p. 286.

10. La pudeur apparaît dans des situations extrêmes, lorsqu'un empereur veut examiner nues les jeunes filles parmi lesquelles il compte se choisir une épouse (*Roman du comte de Poitiers*) ou lors d'un accouchement : « Toutes femelles ont grand honte, Si main mâle les doit toucher En tel besoin ou approcher » (Marie de France, « Le loup et la truie », fable XXI).

11. Venette, p. 156.

12. Héroard, I, pp. 219, 76, 371 ; II, pp. 18, 28, 58, 107, 239.

13. Dépêche de l'ambassadeur de Venise, 27 janvier 1619, publiée par Baschet, p. 374.

14. La Porte, p. 45.

15. Tallemant des Réaux, III, p. 102.

16. Bussy-Rabutin, I, p. 140.

17. Brantôme, IX, p. 308. Chamfort (*Œuvres principales*, Pauvert, 1961 p. 104) raconte une aventure similaire à propos de Mme de Montpensier : le page qui la chaussait ayant avoué son trouble, elle lui donna quelques louis « pour le mettre en état d'aller chez quelque fille perdre la tentation dont elle était cause ». L'indifférence de Mme du Châtelet vis-à-vis de ses laquais n'était pas universellement partagée...

18. *Manuel des Dames*, p. 188.

19. *Savoir-vivre*, p. 180.

20. *Paul et Virginie*, Garnier, 1964, p. 202 (et note 1).

21. *Op. cit.*, p. 452.

22. *Mercier*, I, pp. 83-84.

23. *Lettre à d'Alembert*, Garnier, 1975, p. 189.

24. *Émile*, chap. IV, Garnier p. 253.

25. *Discours sur les sciences et sur les arts*, in *Œuvres*, La Pléiade, 1970, III, p. 8.

26. Aulard, V, p. 99.

27. *Ibid.*, p. 327.

28. Baudeau, pp. 46 et 66.

29. Duverger, III, p. 121, 19 juillet 1791, et II, p. 8 et 9.

30. *Manuel des Dames*, p. 193.

31. M.L. Rassat, *Juris Classeur pénal*, art. 330, « attentat aux mœurs », p. 4.

32. III, 5, p. 88. Exemple célèbre d'un gentilhomme catalan condamné par la reine d'Aragon à ne pas connaître sa femme plus de six fois par nuit...

33. *Histoire morale des femmes*, p. 72. Cette critique fait partie d'une analyse plus vaste, non dénuée de pertinence, du Code pénal, accusé de protéger l'argent plus que la moralité.

34. Cf. l'étude d'E. Bricard, *Saintes ou pouliches*.

35. Cf. Foucault, *Histoire de la sexualité*, I, pp. 53 ss et 150 ss.

36. *Lettre à Laeta*, 11, (coll. Budé, V, p. 156).

37. *Civilité puérile*, p. 35.

38. *Ibid*. Introduction, p. XXX.

39. Green, *Mille chemins ouverts*, in *Œuvres*, La Pléiade, V, p. 915.

40. *Mystères du confessionnal*, p. 79.

41. Laplatte, p. 65. Réflexion de 1967... mais le principe est contenu en germe dans le Code de 1810.

42. Vollard, p. 35.

43. « Le fin du fin », *Fantasio*, 1908, II, p. 437.

44. Voir la reproduction dans *Minute* du 9 juin 1966, p. 23. La canne était programmée dans une émission de l'ORTF le 10 juin, mais il fut jugé plus prudent de supprimer l'émission.

45. Normandy, p. 208.

46. Bayard, p. 297.

47. *Gestes et opinions du docteur Faustroll* (1898), Gallimard (poésie) pp. 85-96. *Minutes de sable mémorial* (1894), Fasquelle, pp. 30, 40, 43.

48. Tzara, *Sept manifestes dadas*, dans *Œuvres complètes*, Flammarion, 1975, I, pp. 367 et 374.

49. A. Lorulot, *Ma Pornographie et la vôtre, réponse à l'abbé Bethléem*, Herbey, Idée Libre, 1930.

50. *La Camaraderie amoureuse*, Paris, l'En-dehors, 1930, pp. 15 et 22.

51. *Histoire de la sexualité*, I, p. 210.
52. *Sexual Erziehung* (Éducation sexuelle), cité par *La Camaraderie amoureuse*, p. 31.
53. *Histoire de la sexualité*, I, pp. 13 ss.
54. *Journal*, 19 juin 1924, La Pléiade, 1951, t. II, p. 785.
55. Cf. Paul Johnson, *Une histoire du monde*, Laffont, 1985, I, p. 19.
56. Kienné de Mongeot, pp. 29 et 42.
57. Cité par Laplatte, p. 116.
58. Pastori, p. 29.
59. *Ibid.*, p. 64.
60. Gabriel Bauret, « Le portrait du corps », dans *Digraphe*, 4, 1974, p. 134.
61. Gérard Mermet, *Francoscopie*, Larousse, 1985, p. 93.
62. *Op. cit.*, I, p. 384.

BIBLIOGRAPHIE

Acta sanctorum [...] collegit, Ioannes Bollandus, Anvers, Bruxelles, 1643-1970.

Allaert, P., *Quelques réflexions sur les nudités artistiques considérées au point de vue de la moralité*, Gand, Todt, 1877.

Anselme de Canterbury, *Dialogus Beatas Mariae et Anselmi de Passio Domini*, Migne, *Patrologie latine*, t. 159.

Archives historiques, 1889-1890.

Aulard, François-Alphonse, *Paris pendant la réaction thermidorienne et sous le Directoire*, Paris, L. Cerf, 1898-1899.

Aymon de Varennes, *Florimont*, Milka, Göttingen, 1933.

Bachaumont, *Mémoires secrets pour servir à l'histoire de la République des lettres en France depuis 1762 jusqu'à nos jours*, Londres, John Adamsohn, 1770.

Bailly Pierre, *Questions naturelles et curieuses, contenans diverses opinions problématiques, recueillies de la médécine touchant le régime de la santé*, Paris, P. Bilaine, 1628.

Barbet, Dr Pierre, *La Passion de Notre-Seigneur Jésus-Christ selon le chirurgien*, Paris, librairie du Carmel, 1950.

Barbier, Edmond Jean-François, *Journal historique et anecdotique du règne de Louis XV*, édité par A. de la Villegille, Paris, Renouard, 1847-1856 (S.H.F.).

Barry, Père Paul de, *La mort de Paulin et d'Alexis, illustres amants de la Mère de Dieu*, Lyon, Ph. Borde, 1658.

Baschet, Armand, *Le Roi chez la Reine ou histoire secrète du mariage de Louis XIII et d'Anne d'Autriche*, Paris, Plon, 1866.

Baudeau, abbé, *Chronique secrète de Paris sous le règne de Louis XVI en 1774*, dans *Revue rétrospective*, 1re série, t. III.

Baudelaire, Charles, *Œuvres complètes*, Seuil, 1968.

Bayard, Émile, *La Pudeur dans l'art et dans la vie*, Paris, A. Méricant, 1904.

Benoît, saint, *Regula commentata*, Migne, *Patrologie latine*, t. 66.

Béroalde de Verville, *Le Moyen de parvenir*, édité par Charles Royer, Paris, 1896.

Béroul et Thomas, *Tristan et Yseut*, édité par J.-Ch. Payen, Paris, Garnier, 1975.

Bible, la, présentée par Pierre de Beaumont, Paris, Bayard, 1981.

Bible de Holkham (XIVe siècle), publiée en fac-similé par W.O. Hassal, Londres, Dropmore Press, 1954.

Bignon, Jérôme, *Traité de l'élection du pape* (1605), Paris, Jouby, et Roger, 1874.

Billy, André, *Pudeur*, Paris, Gallimard, 1951.

Blin, « Outrage aux bonnes mœurs », dans *Juris Classeur Pénal*, art. 283-290.

Boileau, Étienne, *Le Livre des métiers*, publié par René de Lespinasse et Francis Bonnardot, Paris, Imprimerie nationale, 1879.

Boileau, abbé Jacques, *De l'abus des nuditez de gorge*, 2e édition, Paris, J. de Laize-de-Bresche, 1677.

— *Histoire des flagellans*, Amesterdam, 1701.

Bourgeois Louise, dite Boursier, *Observations diverses sur la stérilité, perte de fruict, foecondité, accouchements et Maladies des femmes et enfants nouveaux naiz*, Paris, Mondière, 1626.

Bourgery et Jacob, *Anatomie élémentaire en vingt planches*, Paris, Crochard et Cie, 1836-1839.

Bouvignes, Père Louis de, *Miroir de la vanité des femmes mondaines*, Namur, Adrien de la Fabrique, 1675.

Bradi, comtesse de, *Du savoir-vivre en France aux dix-neuvième siècle*, Paris, Levrault, 1838.

Brantôme, Pierre de Bourdeilles de, *Œuvres complètes*, éditées par Ludovic Lalanne, Paris, Renouard, 1864-1882 (S.H.F.).

Bricard, Élisabeth, *Saintes ou pouliches, L'éducation des jeunes filles au XIXe siècle*, Paris, Albin Michel, 1985.

Bussy-Rabutin, *Histoire amoureuse des Gaules, La France galante*, édités par A. Poitevin, Paris, Delahaye, 1857.

Buttazi, Grazietta, *La Mode*, Paris, Hachette, 1983.

Cabanès, Dr, *Le Cabinet secret de l'histoire*, Paris, Albin Michel, 1912.

— *Les Curiosités de la médecine*, Paris, Maloine, 1900.

— *La Vie aux bains*, Paris, Albin Michel, 1921 (Mœurs intimes du passé, 2e série).

— *Les Processions licencieuses*, Paris, Albin Michel, 1932 (Mœurs intimes du passé, 3e série).

— *La Flagellation dans l'histoire et la littérature*, Clermont, Daix, 1909.

Caleçon des coquettes du jour (Le), La Haye, 1763.

Camesasca, Ettore, *Tutta l'opera del Cellini*, Rizzoli, 1955.

Campan, Mme, *Mémoires sur la vie privée de Marie-Antoinette*, Paris, Baudouin, 1822.

Carco, Francis, *Le Nu dans la peinture moderne*, Paris, J. Crès, 1924.

Carlson, Marvin, *Le théâtre de la Révolution française*, Paris, Gallimard, 1970.

Casanova de Seingalt, Giovanni Giacomo, *Mémoires*, édité par Robert Abirached, Paris, Gallimard (La Pléiade), 1958-1960.

Caylus, marquise de, *Souvenirs*, Paris, 1839.

Cellini, Benvenuto, *Mémoires*, traduit de l'italien par Léopold Leclanche, Paris, Garnier, 1846.

Celnart, *Manuel des dames ou l'art de l'élégance*, Paris, Roret, 1833.

Cerné, *Du mariage, des femmes-grosses et des sages-femmes*, (1662), Paris, De Laize-de-Bresche, 1684.

Chevalier, Pierre, *Henri III*, Paris, Fayard, 1985.

Chevallier, Gabriel, *Clochemerle*, Paris, P.U.F., 1960.

Chrétien de Troyes, *Le Chevalier au lion*, publié par Mario Roques, Paris, Champion, 1971 (C.F.M.A. 89).

— *Lancelot ou le Chevalier à la charrette*, publié par Mario Roques, Paris, Champion, 1972 (C.F.M.A. 86).

Chroniques de Saint-Denis — Les Grandes Chroniques de France, publiées par Jules Viard, Paris, Champion (S.H.F.).

Cicéron, *Les Devoirs (De officiis)*, texte établi et traduit par Maurice Testard, Paris, Les Belles Lettres, 1970.

Civilité honneste pour l'instruction des Enfans, en laquelle est mise au commencement la manière d'apprendre à bien lire, prononcer et écrire : à nouveau corrigée et augmentée à la fin d'un très-beau traité pour bien apprendre l'orthographe, dressée par un Missionnaire (1648), Amiens, Caron, s.d. (1714).

Clark, Kenneth, *Le Nu*, Paris, Livre de poche, 1969.

Clef d'amors, La, publiée par Auguste Doutrepont, Halle, 1890.

Cohen, Gustave, *Histoire de la mise en scène dans le théâtre religieux français du moyen âge* (1906), Paris, Champion, 1951.

— *Le Livre de conduite du régisseur et le Livre des dépenses pour le Mystère de la Passion joué à Mons en 1501*, Paris-Strasbourg, Istra, 1925.

— *Études d'histoire du théâtre en France au Moyen Age et à la Renaissance*, Paris, Gallimard, 1956.

Combes, Pierre de, *Recueil tiré des procédures civiles faictes en l'officialité de Paris et autres officialitez du Royaume*, Paris, N. Le Gras-L. Josse, 1705.

Coulanges, Philippe de, *Recueil de chansons choisies*, Paris, Simon Bernard, 1694.

Courtin, Antoine de, *Nouveau traité de la civilité qui se pratique en France parmi les honnestes gens*, 2e édition, Paris, H. Josset, 1672.

La Courtisane déchiffrée, dédiée aux dames vertueuses de ce temps, Paris, J. Villery, 1617.

Les Coustumes et stablissements du chasteau de Clermont-Souverain, Agen, Antoine Pomaret, 1596.

Crespin, Jean, *L'Estat de l'Église avec le discours des temps depuis les apostres sous Néron, jusques à présent sous Charles V*, 1556.

Cudgel, Th, *La Flagellation dans l'histoire et les tortures au Moyen Age*, Librairie artistique, Paris, s.d. (1909).

Cuisenier, Jean, *L'Art populaire en France*, Office du livre, 1975.

Damhoudere, Josse, *La Practique et Enchiridion des causes criminelles*, Louvain, E. Wauters et J. Bathen, 1555.

Dangeau, Philippe de, *Journal*, publié par MM. Soulié, Dussieux, de Chennevières, Mantz, et Montaiglon, Paris, Didot, 1854-1860.

Darmon, Pierre, *Le Mythe de la procréation à l'âge baroque*, Paris, Seuil, 1981.

— *Le Tribunal de l'impuissance, virilité et défaillances conjugales dans l'Ancienne France*, Paris, Seuil, 1979.

Davin, *La Fête des fous en Provence*, Toulon, 1937.

Della Casa, Giovanni, *Le Galatee, premièrement composé en Italien par I. de la Case, et depuis mis en François, Latin, Allemand et Espagnol* (1558), Genève, Jean de Tournes, 1609.

Descamps, Marc-Alain, *Le Nu et le Vêtement*, Paris, Éditions universitaires, 1972.

Deschamps, Eustache, *Œuvres*, publiées par le marquis de Queux de Saint-Hilaire, Paris, Didot, 1878-1906.

Diderot, Denis, *Salons*, Paris, Hermann, 1984.

Diderot et d'Alembert, *Encyclopédie ou dictionnaire raisonné des sciences, des arts et des métiers (1751-1780)*, Stuttgart, F. Frommann, 1966.

Dionis, Pierre, *Cours d'opérations de chirurgie démontrées au jardin royal*, Paris, Laurent d'Houry, 1707.

Doppet, Dr, *Aphrodisiaque externe ou traité du fouet et de ses effets sur le physique de l'amour. Ouvrage médico-philosophique, suivi d'une dissertation sur tous les moyens capables d'exciter aux plaisirs de l'amour* (1788), Paris, Ducros, 1970.

Dormann, Geneviève, *Amoureuse Colette*, Paris, Herscher, 1984.

Dreux du Radier, J.F., *Mémoires historiques, critiques et anecdotes des reines et régentes de France*, Amsterdam, M. Rey, 1776.

— *Récréations historiques, critiques, morales et d'érudition*, Paris, Robustel, 1767.

— *Tablettes anecdotes et historiques*, Paris, Clément, 1759.

Duby, G. et Aries, Ph., *Histoire de la vie privée* (sous la direction de), Paris, Seuil, 1985-1986.

Duby, Georges, *Le Temps des cathédrales. L'art et la société (980-1420)*, Paris, N.R.F., 1967.

Du Cange, *Glossarium mediae et infimae latinitatis*, Paris, Didot, 1840-1856.

Dufay, Pierre, *Le Pantalon féminin*, Paris, Carrington, 1906.

Dulaure, Jacques, *Des divinités génératrices ou du culte du Phallus chez les anciens et les modernes* (1805), Paris, Mercure de France, 1905.

— *Singularités historiques*, Londres, Lejay, 1788.

Dumaître, Paule, *Histoire de la médecine et du livre médical*, Paris, Pygmalion, 1978.

Dussler, Luitpold, *Luca Signorelli, Des Meisters Gemälde*, Berlin-Leipzig, Deutsche Verlags, 1927.

Duvergier, J.B., *Collection complète des lois, décrets, ordonnances, avis des conseils d'État*, Paris, 1834.

Eginhard, *Vita Karoli, Œuvres complètes*, éditées par A. Teulet, Paris, Renouard, 1840, t. I (S.H.F.).

Enrart, Camille, *Manuel d'archéologie française*, t. III, *Le Costume*, Paris, Picard, 1916.

Érasme, Didier, *La Civilité puérile* (1530), traduite par Alcide Bonneau, Paris, Liseux, 1877.

Estienne, Henri, *Apologie pour Hérodote* (1566), édité par Le Duchat, La Haye, H. Scheurbeer, 1735.

— *Deux dialogues du nouveau langage françois italianizé et autrement desguizé, principalement entre les courtisans de ce temps* (1578), Paris, A. Lemerre, 1885.

Estienne de Fougères, *Le Livre des manières* (XIIᵉ s.) édité par R. Anthony Lodge, Genève, Droz, 1979 (T.L.F.).

Étiemble, *Le Babélien*, Centre de documentation universitaire, 1959.

Fantasio, magasine gai, 1906 sq.

Fayt — v. Jean de Fayt.

Fellini, Federico, *Quattro film*, Turin, Einaudi, 1974.

Fioretti, traduites par Omer Englebert, Paris, Denoël, 1982.

Foucault, Michel, *Histoire de la sexualité*, Paris, Gallimard, 1976.

France, Anatole, *Les Opinions de M. Jérôme Coignard*, Paris, Calmann-Lévy, 1923.

Franklin, Alfred, *Les Anciens Plans de Paris*, Paris, L. Willem, 1878.

— *La Civilité, l'Étiquette, la Mode, le Bon Ton, du XIIIᵉ au XIXᵉ siècle*, Paris, E. Paul, 1908.

— *La Vie privée d'autrefois, L'hygiène*, t. 7, Paris, Plon, 1890. *Les Soins de toilette*, t. 2, Paris, Plon, 1887.

Fréminville, Edme de la Poix de, *Dictionnaire ou Traité de la police générale des villes, bourgs, paroisses et seigneuries de campagne*, Paris, Gissey, 1758.

Froissart, Jean, *Chroniques*, publiées par Gaston Raynaud, Paris, Renouard, 1869-1875 (S.H.F.).

Frydmann, René, *L'Irrésistible Désir de naître*, Paris, P.U.F., 1986.

Gaignebet, Claude, et Lajoux, J. Dominique, *Art profane et religion populaire au Moyen Age*, Paris, P.U.F., 1985.

Gautier de Coincy, *Miracles de Notre-Dame*, édité par V.F. Koenig, Genève, Droz, 1970.

Gautier le Leu, *Fabliaux*, édité par Charles H. Livingston, Cambridge Mass., Harvard University Press, 1951.

Gaye, Giovanni, *Carteggio inedito d'artisti dei secoli XIV-XV-XVI*, Florence, Molini, 1839-1840.

Gelin, Henri, « La mousse hygiénique », dans *Au temps passé, à travers Poitou et Charente*, Niort, Imprimerie poitevine, 1925.

Genga, Bernardino, *Anatomia per uso et intelligenza del disegno*, Rome, 1691.

Genlis, comtesse de, *Mémoires sur le dix-huitième siècle et la Révolution française depuis 1756 jusqu'à nos jours*, Paris, Baudouin, 1825.

Gerbert de Montreuil, *Le Roman de la Violette*, publié par Douglas Labarée Buffum, Paris, Champion, 1928.

Gilio da Fabriano, *Due Dialogi — Degli errori de pittori circa l'historie*, In Camerino, per Antonio Gioioso, 1564.

Gimpel, Jean, *Contre l'art et les artistes*, Paris, Seuil, 1968.

Godefroy, Frédéric, *Dictionnaire de l'ancienne langue française*, Paris, 1880-1902.

Goncourt, J. et Ed., *Histoire de la société française pendant le Directoire*, Paris, Dentu, 1855.

Grégoire de Tours, *De Gloria martyrum — Historia Francorum*, Migne, *Patrologie latine*, t. 71.

Grimod de la Reynière, *Le Censeur dramatique, ou Journal des principaux théâtres de Paris et des départements*, Paris, 1797-1798.

Guerrand, Roger-Henri, *Les Lieux, histoire des commodités*, Paris, La Découverte, 1985.

Guillaume de Nangis, *Chronique de 1113 à 1300 avec les continuations de 1300 à 1368*, éditée par H. Géraud, Paris, Renouard, 1848 (S.H.F.).

Des habits, mœurs, cérémonies, façons de faire anciennes et modernes du Monde.

traicté non moins utile que delectable, plein de bonnes et sainctes instructions, Liège, Jean de Glen, 1601.

Hecquet, Philippe, *De l'indécence aux hommes d'accoucher les femmes : et de l'obligation aux mères de nourrir leurs enfants — suivi de deux questions de médecine* (1708), Trevoux, imprimerie de S.A.S., 1744.

Héliodore, père, *Deux discours sur les plaisirs permis et les plaisirs défendus de l'attouchement*, 1684.

Helvétius, Claude Adrien, *De l'esprit* (1758), Paris, Mercure de France, 1909.

Henri III, *Reglemens faicts par le Roy, le premier jour de janvier mil cinq cens quatre vingt cinq, lesquels il est tres-resolu de garder, et veut desormais estre observez de chascun pour son regard, deffendant tres-expressément à tous de n'y contrevenir en aucune sorte.*

— *L'ordre que le Roy veut estre tenu en sa Cour, tant au departement des heures, que de la facon qu'il veut estre honnoré, accompagné, et servi*, 1585.

Héroard, Jean, *Journal sur l'enfance et la jeunesse de Louis XIII (1601-1628) extrait des manuscrits originaux*, publié par Soulié, Paris, Firmin-Didot, 1868.

Hillairet, Jacques, *Dictionnaire historique des rues de Paris*, Paris, Éditions de Minuit, 1963.

Huard, Pierre, et Grmek, Mirko D., *Mille ans de chirurgie*, Paris, Dacosta, 1966.

Hugo, Adèle, *Victor Hugo raconté par A.H.*, Paris, Plon, 1985.

Huguet, Edmond, *Dictionnaire de la langue française du xvie*, Paris, Champion, 1925-1967.

Institoris, Henry, et Sprenger, Jacques, *Malleus maleficarum ex plurimis auctoribus coacervatus*, (1487), Lyon, P. Landry, 1595.

L'intermédiaire des chercheurs et des curieux, 1864 sq.

Jakemes, *Le Roman du Castelain de Couci et de la dame de Fayel*, édité par Maurice Delbouille, Paris, Champion, 1936 (S.A.T.F.).

Jean de Meung et Guillaume de Lorris, *Le Roman de la Rose*, édité par Daniel Poiron, Paris, Garnier-Flammarion, 1974.

Jean de Roye, *Journal ou chronique scandaleuse*, édité par Bernard de Mandrot, Paris, Renouard, 1894 (S.H.F.).

Jean du Fayt, *Deux Sermons inédits sur les Flagellants (5 octobre 1349) et sur le Grand Schisme d'Occident (1378)*, publié par Paul Fredericq, Bruxelles, Hayez, 1903.

Jean le Bel, *Chronique*, éditée par Jules Viard et Eugène Deprez, Paris, Renouard, 1904 (S.H.F.).

Joinville, Jean de, *Histoire de saint Louis*, Paris, 1836 (Nouvelle collection de mémoires pour servir à l'Histoire de France, I, 1).

Journal de la santé du roi Louis XIV de l'année 1647 à l'année 1711, tenu par Vallot (1652-1670), d'Aquin (1671-1693) et Fagon (1693-1711), édité par J.-A. Le Roi, Paris, A. Durand, 1862.

Juvernay, Pierre, *Discours particulier contre les femmes desbraillées de ce temps* (1635), Paris, Pierre-le-Mur, 1637.

Kienné de Mongeot, *La Nudité ou dix ans de lutte contre les préjugés qui tuent*, Paris, Vivre, 1936.

La Bruyère, *Les Caractères de Théophraste traduits du grec ancien ; Les Caractères ou les mœurs de ce siècle* (1688), Paris, Michalet, 1720.

Lacroix, Paul, *Mœurs, usages et costumes au Moyen Age et à l'époque de la Renaissance*, Paris, Didot, 1873.

Ladoucette, Éd., *Traité de l'hystérie*, Paris, 1903.

Laget, Mireille, *Naissances, l'accouchement avant l'âge de la clinique*, Paris, Seuil, 1982.

Lambert, Louis, *Traité de droit pénal spécial*. Éditions Police-Revue, 1968.

Lancre, Pierre de, *Tableau de l'inconstance et de l'instabilité de toutes choses, où il est montré qu'en Dieu seul gist la vraie constance à laquelle l'homme sage doit viser*, Paris, Abel l'Angelier, 1607.

Lanfranc, saint, *Decreta pro ordine s. Benedicti* (xie siècle), Migne, *Patrologie latine*, t. 150.

Laplatte, Claude, *L'outrage public à la pudeur et la contravention d'affiches indécentes*, Troyes, éditions de la Renaissance, 1967.

La Porte, Pierre de, *Mémoires contenant plusieurs particularités des règnes de Louis XIII et de Louis XIV*, Paris, 1839 (Nouvelle collection de Mémoires pour servir l'Histoire de France, III, 8).

La Tour Landry, Geoffroy, *Livre pour l'enseignement de ses filles* (1371-1372), publié par Anatole de Montaiglon, Paris, Jannet, 1854.

Leber, C., *Des cérémonies du sacre*, Paris, Baudouin, 1825.

Legouvé, Ernest, *Histoire morale des femmes*, Paris, G. Sandré, 1849.

Lejeune de Franqueville, Nicolas, *Le Miroir de l'art et de la nature*, Paris, Veuve l'Anglois, 1691.

Lemoyne, père Pierre, *Les Femmes, la modestie et la bienséance chrétienne* (1656), Paris, R. Ruffet, 1886.

Le Roi, J.-A., *Curiosités historiques sur Louis XIII, Louis XIV, Louis XV, Mme de Maintenon, Mme de Pompadour, Mme du Barry, etc.*, Paris, Plon, 1864.

Le Roy Ladurie, Emmanuel, *Montaillou, village occitan, de 1294 à 1324*, Paris, Gallimard, 1975.

L'Estoile, Pierre de, *Mémoires-Journaux*, publié par Brunet, Paris, Lemerre, 1888-1896.

Lo Duca et Bessy, *L'Érotisme au cinéma*, Paris, Filmédition, 1977.

Longchamp, S.G., et Wagnière, *Mémoires sur Voltaire et sur ses ouvrages*, publié par L.-P. Decroix et A.J.Q. Beuchot, Paris, A. André, 1826.

Loomis, Roger Sherman, *Arthurian Legends in medieval art*, Londres, Oxford University Press, 1938.

Lucie-Smith, Edward, *L'Érotisme dans l'art occidental*, Paris, Hachette, 1972.

Lyons, Albert S., et Petrucelli, R. Joseph, *Histoire illustrée de la médecine*, Paris, Presses de la Renaissance, 1979.

Maarek, Philippe J., *La Censure cinématographique*, Paris, Librairie technique, 1982.

Maillard, père Olivier, *Œuvres françaises, sermons et poésies*, publiés par Arthur de la Borderie, Nantes, Société des bibliophiles bretons, 1877.

Mâle, Émile, *L'Art religieux en France après le Concile de Trente*, Paris, A. Colin, 1932.

Malleus maleficarum — voir Institoris.

Mansius, G, *Sacrorum conciliorum nova et amplissima collectio*, Florence, 1759-1798.

Marais, Mathieu, *Journal et mémoires sur la Régence et le règne* de Louis XV (1715-1737), édités par M. de Lescure, Paris, Didot, 1863.

Martène et Durand, *Veterum scriptorum et monumentorum historicorum, dogmaticorum, moralium, amplissima collectio*, Paris, 1724.

Martin, Henry, *La Vie de saint Denis*, reproduction du manuscrit de 1317, Paris, Champion, 1908.

Mayer, Joh. Friedrich, *De Pontificis romani electione liber commentarius*, Holmiae et Hamburgi, 1690.

Mémoires sur la cour de Henri II (1547-1559), dans *Revue rétrospective*, 1re série, t. IV, 1834.

Ménage, Gilles, *Menagiana*, Paris, F. Delaulne, 1715.

Menot, Philippe, *Sermons choisis*, par Joseph Nève, Paris, Champion, 1924.

Mercier, Louis-Sebastien, *Le Tableau de Paris*, Amsterdam, 1782-1788.

Merejkovsky, C. de, *Origine de la pudeur*, Paris, Alcan, 1919.

Michaud-Quantin, Pierre, *Sommes de casuistique et manuels de confessions au Moyen Age*, Louvain, Nauwelaerts, 1962.

Michel, Jean, *Le mystère de la Passion* (Angers, 1486), édité par Omer Jodogne, Gembloux, Duculot, 1959.

Michel-Ange, *Carteggio*, édité par Giovanni Poggi, Florence, Sansoni, 1965-1979.

Migne, *Patrologie latine*, Paris, 1844-1855.

— *Encyclopédie théologique*, Paris, 1845-1848.

Molanus, Jean Vermeulen, *De picturis et imaginibus sacris*, Lovanii, apud Hieronymum Wellœum, 1570.

Molière, *Œuvres*, Paris, Veuve David, 1768.

Montaigne, M. de, *Essais*, édité par F. Strowski et F. Gebelin, Hildesheim, Georg Olms, 1981.

Montesquieu, *Œuvres complètes*, Paris, Seuil, 1964.

Moreau, Bertrand, *Recueil curieux d'un grand nombre d'actions fort édifiantes des saints et autres personnes distinguées qui ont vécu dans ces deux derniers siècles*, Liège, J.F. Broncart, 1696.

Moschus, Jean, *De vitis patrum liber decimus, sive pratum spirituale*, Migne, *Patrologie latine*, t. 74.

Muntz, *Histoire de l'art pendant la Renaissance*, t. III, Paris, Hachette, 1895.

Murator, Louis-Antoine, *Rerum italicarum scriptores*, Milan, 1725-1751.

Les Mystères du confessionnal, manuel secret des confesseurs, suivi de la Clé d'Or et du Traité de Chasteté, Paris, Filipacchi, 1974.

Nangis — voir Guillaume de Nangis.

Naucler, Jean, *Chronica... succinctim compraehendentia res memorabiles seculorum omnium ac gentium, ab initio Mundi usque ad annum MCCCCC* (1501), Cologne, G. Calenium, 1574.

Normandy, Georges, *Le Nu à l'église, au théâtre et dans la rue*, Paris, 1909.

Orderic Vital, *Ecclesiasticae historiae*, traduit par M. Guizot, *Histoire de Normandie*, Caen, Mancel, 1826.

Oudin, Antoine, *Curiositez françoises pour supplement aux dictionnaires*, Paris, A. de Sommavilee, 1640.

Paré, Ambroise, *Œuvres*, 5e édition, Paris, Buon, 1598.

Pastor, Ludwig, *Histoire des papes depuis la fin du Moyen Age*, Paris, Plon, 1925-1962.

Pastori, Jean-Pierre, *A corps perdu, la danse nue au xxe siècle*, Paris, P.M. Favre, 1983.

Picard, *La Vie privée des Grecs antiques*, Paris, Rieder, 1928.

Piton, Camille, *Le Costume civil en France du xiiie au xixe siècle*, Paris, Flammarion, 1926.

Poggio-Bracciolini, G, *Le Bain de Bade au xve siècle* (1415), traduit par Antony Meray, Paris, Liseux, 1876.

Polman, Jean, *Le Chancre ou couvre-sein féminin, ensemble, le Voile ou couvre-chef féminin*, Douai, Gerard Patté, 1635.

Pommier, Jean, *Autour de l'édition originale des Fleurs du Mal*, Genève, Slatkine, 1968.

Poucel, Dr J., *Trois études naturistes*, Paris, Éditions de la Vie au soleil, 1960.

Rabelais, François, *Œuvres complètes*, édité par Jacques Boulenger, Paris, Gallimard (La Pléiade), 1955.

Rassat, M., « Attentats aux mœurs, outrages public à la pudeur », *Juris Classeur Pénal*, art. 330.

Ravannes, Jacques de Varenne, *Mémoires*, Londres, 1781.

Raynaud et Montaiglon, *Recueil général et complet des fabliaux des xiiie et xive siècles*, 1872-1890, Genève, Slatkine, 1973.

Réau, Louis, « Le Vandalisme pudibond », *Revue des deux mondes*, 15 novembre 1952, p. 348-357.

Reboux, Paul, *Le Nouveau Savoir-vivre*, Paris, Flammarion, 1930.

Recueil de quelques pièces curieuses servant à l'Esclaircissement de l'Histoire de la Vie de la Reyne Christine, Cologne, P. du Marteau, 1667.

Regamey, R.P. Pie, O.P., *Nudisme et péché originel*, conférence dactylographiée, 1967.

Renoir, Jean, *Renoir, mon père*, Paris, Hachette, 1962.

Rétif de la Bretonne, *Les Nuits de Paris ou le Spectateur-Nocturne*, Londres, 1788.

Revue rétrospective, 1re série, 1833 ; 2e série, 1833 ; 3e série, 1838.

Richer, Paul, *Le Nu dans l'art*, t. III, *L'art chrétien*, Paris, Plon, 1929.

Ripa, Yannick, *La Ronde des folles-femmes, folie et enfermement au xixe siècle*, Paris, Aubier, 1986.

Robert de Blois, *Le Chastoiement des Dames, Sämmtliche Werke*, éditées par Jacob Ulrich, Berlin, Mayer et Müller, 1895, t. III.

Rolland, Romain, *Vie de Michel-Ange*, Paris, Hachette, s.d.

Roman de la Rose — voir Jean de Meung.

Rousseau, Marie, *A l'ombre de Claire*, Paris, Grasset, 1986.

Saint-Simon, *Mémoires*, édité par Gonzague Truc, Paris, Gallimard, (La Pléiade) 1953.

Sauval, Henri, *La Chronique scandaleuse de Paris, Chronique des mauvais lieux imprimée pour la première fois d'après le manuscrit original par le bibliophile Jean*, Paris, Daragon, 1909.

— *Galanteries des rois de France*, Paris, Ch. Moette, 1738.

— *Histoires et recherches des antiquités de la ville de Paris*, Paris, Moette et Chardon, 1724.

Scarron, Paul, *Le Roman comique* (1651), Paris, David, 1727.

Scheler, Max, *La Pudeur (Ueber Scham und Schamgefühl*, 1913), traduit par M. Dupuy, Paris, Aubier, 1952.

Schlosberg, Léopold, *La Censure cinématographique*, Paris, Publications de l'Union rationaliste, 1955.

Schreiber, Hermann, *Les Dix Commandements*, Paris, Stock, 1962.

Segneri, R.P. Paul, *L'Instruction du confesseur* (1679), traduite par dom. L. de la Grange, Paris, J.B. Coignard, 1686.

Sévigné, Marie de Rabutin-Chantal, marquise de, *Correspondance*, édité par Roger Duchêne, Paris, Gallimard (La Pléiade). 1972-1978.

Signorelli — voir Dussler.

Somaize, *Le Dictionnaire des précieuses* (1660), édité par Ch.-L. Livet, Paris, Jannet, 1861.

Sorel, Charles, « Loix de la galanterie », dans *Nouveau Recueil des pièces les plus agréables de ce temps*, Paris, N. de Sercy, 1644.

Soulavie, Jean-Louis, *Mémoires historiques et anecdotiques de la cour de France pendant la faveur de la Marquise de Pompadour*, Paris, A. Bertrand, 1802.

Tabourot, Étienne, *Les Bigarrures et Touches du Seigneur Des Accord, avec les Apophtegmes du sieur Gaulard et les Escraignes dijonnoises* (1587), Paris, J. Richer, 1603.

Tagerau, Vincent, *Discours sur l'impuissance de l'homme et de la femme*, Paris, A. du Breuil, 1611.

Tallemant des Réaux, Gédéon, *Historiettes*, édité par MM. de Monmerque et Paulin Paris, Paris, Techener, 1862.

Theatrum Sanitatis, Codice 4182 della R. Biblioteca Casanatense, Rome, Libreria dello Stato, 1940.

Thoby, Dr Paul, *Le Crucifix des origines au concile de Trente*, Nantes, Bellanger, 1959.

Thuillier, Dr Charles, *Observations sur les maladies vénériennes et sur un remède qui les guérit sûrement*, Paris, Chastelain, 1703.

Tobler-Lommatzsch, *Altfranzösisches Wörterbuch*, Tübingen, 1955 sq.

Traité historique des anciennes cérémonies de l'Église dans l'administration du sacrement du baptême, par le sieur J.L.C., curé de Savenay, Paris, Garnier, 1749.

Travers, Émile, *Essai historique sur l'élection des papes*, Paris, Champion, 1875.

Udalric de Cluny, *Antiquiores consuetudines Clunicensis monasterii* (1086), Migne, *Patrologie latine*, t. 149.

Vaylet, Joseph, *La Chemise conjugale*, Rodez, Subervie, 1976.

Venette, Nicolas, *Tableau de l'amour considéré dans l'Estat du mariage*, Amsterdam, Jansson, 1687.

Verdier, *La jurisprudence de la médecine en France*, Alençon, Malassis le Jeune, 1763.

Vesale, André, *De Humani Corporis fabrica libri septem* (1543), Bâle, per Ioannem Oporinum, 1555.

Vial, Claude, *Lexique d'antiquités grecques*, Paris, A. Colin, 1972.

Vigarello, Georges, *Le Propre et le Sale*, Paris, Seuil, 1984.

Villard de Honnecourt, *Album* publié en fac-similé par J.B.A. Lassus (1858), Paris, Léonce Laget, 1976.

Villeneuve, Roland, *La Beauté du diable*, Paris, Berger-Levrault, 1983.

Villiot, Jean de, *Curiosités et anecdotes sur la flagellation*, Paris, Librairie des bibliophiles, 1900.

Voiture, Vincent, *Œuvres*, édité par Amédée Roux, Paris, Didot, 1863.

Vollard, Ambroise, *Auguste Renoir*, Paris, Crès, 1920.

Walters, Margaret, *The male nude*, Pinguin Books, 1978.

Wartburg, Walther von, *Französisches Etymologisches Wörterbuch*, Tübingen, JCB Mohr, 1948-1950.

Weyll, Theodor, *Histoire de l'hygiène sociale*, Paris, Dunod-Pinad, 1910.

Witkowski, G.J., *Les Accouchements à la cour*, Paris, Steinheil, 1890.

— *Les Accouchements dans les beaux-arts, dans la littérature et au théâtre*, Paris, Steinheil, 1894.

— *L'Art profane à l'église, ses licences symboliques, satiriques et fantaisistes*, Paris, J. Schemit, 1908.

Witkowski, G.J. et Nass L., *Le Nu au théâtre depuis l'Antiquité jusqu'à nos jours*, Paris, Daragon, 1909.

Zimmer, Jacques, *Le Cinéma érotique* (sous la direction de J.Z.), Paris, Edilig, 1982.

TABLE

Cet ouvrage a été composé par Eurocomposition (Sèvres)
et imprimé par la Société nouvelle Firmin-Didot (Mesnil-sur-l'Estrée)
pour le compte des Éditions Olivier Orban
14, rue Duphot, 75001 Paris

Achevé d'imprimer le 29 septembre 1986